걸프 사태

중동 및
기타 지역 2

걸프 사태

중동 및
기타 지역 2

| 머리말

　걸프 전쟁은 미국의 주도하에 34개국 연합군 병력이 수행한 전쟁으로, 1990년 8월 이라크의 쿠웨이트 침공 및 합병에 반대하며 발발했다. 미국은 초기부터 파병 외교에 나섰고, 1990년 9월 서울 등에 고위 관리를 파견하며 한국의 동참을 요청했다. 88올림픽 이후 동구권 국교 수립과 유엔 가입 추진 등 적극적인 외교 활동을 펼치는 당시 한국에 있어 이는 미국과 국제 사회의 지지를 얻기 위해서라도 피할 수 없는 일이었다. 결국 정부는 91년 1월부터 약 3개월에 걸쳐 국군의료지원단과 공군수송단을 사우디아라비아 및 아랍 에미리트 연합 등에 파병하였고, 군·민간 의료 활동, 병력 수송 임무를 수행했다. 동시에 당시 걸프 지역 8개국에 살던 5천여 명의 교민에게 방독면 등 물자를 제공하고, 특별기 파견 등으로 비상시 대피할 수 있도록 지원했다. 비록 전쟁 부담금과 유가 상승 등 어려움도 있었지만, 걸프전 파병과 군사 외교를 통해 한국은 유엔 가입에 박차를 가할 수 있었고 미국 등 선진 우방국, 아랍권 국가 등과 밀접한 외교 관계를 유지하며 여러 국익을 창출할 수 있었다.

　본 총서는 외교부에서 작성하여 30여 년간 유지한 걸프 사태 관련 자료를 담고 있다. 미국을 비롯한 여러 국가와의 군사 외교 과정, 일일 보고 자료와 기타 정부의 대응 및 조치, 재외동포 철수와 보호, 의료지원단과 수송단 파견 및 지원 과정, 유엔을 포함해 세계 각국에서 수집한 관련 동향 자료, 주변국 지원과 전후복구사업 참여 등 총 48권으로 구성되었다. 전체 분량은 약 2만 4천여 쪽에 이른다.

2024년 3월

한국학술정보(주)

| 일러두기

· 본 총서에 실린 자료는 2022년 4월과 2023년 4월에 각각 공개한 외교문서 4,827권, 76만 여 쪽 가운데 일부를 발췌한 것이다.

· 각 권의 제목과 순서는 공개된 원본을 최대한 반영하였으나, 주제에 따라 일부는 적절히 변경하였다.

· 원본 자료는 A4 판형에 맞게 축소하거나 원본 비율을 유지한 채 A4 페이지 안에 삽입 하였다. 또한 현재 시점에선 공개되지 않아 '공란'이란 표기만 있는 페이지 역시 그대로 실었다.

· 외교부가 공개한 문서 각 권의 첫 페이지에는 '정리 보존 문서 목록'이란 이름으로 기록물 종류, 일자, 명칭, 간단한 내용 등의 정보가 수록되어 있으며, 이를 기준으로 0001번부터 번호가 매겨져 있다. 이는 삭제하지 않고 총서에 그대로 수록하였다.

· 보고서 내용에 관한 더 자세한 정보가 필요하다면, 외교부가 온라인상에 제공하는 『대한 민국 외교사료요약집』 1991년과 1992년 자료를 참조할 수 있다.

| 차례

정 리 보 존 문 서 목 록					
기록물종류	일반공문서철	등록번호	2012090548	등록일자	2012-09-17
분류번호	772	국가코드	XF	보존기간	영구
명 칭	걸프사태 동향 : 중동지역, 1990-91. 전6권				
생 산 과	중근동과/북미1과	생산년도	1990~1991	담당그룹	
권 차 명	V.5 이란/이집트				
내용목차	1. 이란 2. 이집트				

0001

I. 이란

	분류번호	보존기간

발 신 전 보

WUS-2550   900802 1742 DY   종별: 긴급

번   호 : _____

수   신 : 주   수신처 참조 //대사// //총영사//

발   신 : 장   관   (중근동)

제   목 : 이라크, 쿠웨이트 침공

WUK -1277	WFR -1472
WJA -3270	WCN -0782
WAU -0529	WCA -0258
WSB -0277	WIR -0250

　

표제 사태 관련, 주재국 반응(영문) 및 사태 평가 내용 긴급 파악

보고 바람. 끝.

(중동아프리카국장   이 두 복)

수신처 : 주미, 영, 불, 일, 카나다, 호주, 이집트, 사우디, 이란

1990. 12. 31. 에 역고문에
의거 일반문서로 재 분류됨.

보 안 통 제	

앙고재	90년 8월 2일 중근동과	기안자 성명		과 장		국 장		차 관	장 관

	외신과통제

0003

관리 번호 : 80/1224

외 무 부

종 별 :

번 호 : IRW-0425

수 신 : 장관(중근동,기정)

발 신 : 주 이란 대사

제 목 : 이라크,쿠웨이트침공

일 시 : 90 0803 1600

대:WIR-0250

1. 대호관련, 주재국은 8.2(목) 밤늦게 이락의 쿠웨이트 침공을 비난하는 하기내용의 외무부성명을 발표함.(당관 번역문)

하기

COCERNING THE ATTACK OF KUWAIT BY IRAQI POWERS, THE MINISTRY OF FOREIGN AFFAIRS OF THE ISLAMIC REPUBLIC OF IRAN, WHILE DENOUNCING ANY RESORT TO FORCE IN THE REGION CONSIDERS THIS ATTACK INCONSISTENT WITH THE INTEREST OF THE PERSIAN GULF. IRAN BELIEVES IT A PRINCIPLE IN THE MUTUAL RELATIONS OF NATIONS TO RESPECT THE SOVEREIGNTY AND ENTIRETY OF EACH OTHER, IRAN BELIEVES, DESPITE OF IRAQI DENIAL, THIS INCIDENT WILL AFFECT THE WORLD WIDE PEACE AND THEREFORE, REGUESTS THE IRAQI POWERS TO RETURN TO THE INTERNATIONAL BORDERS. IRAN, AS THE LARGEST COUNTRY IN THE REGION, CANNOT REMAIN INDIFFERENT TO THE PROBLEMS WHICH MAY ENDANGER THE STABILITY OF THE REGOIN AND THE GULF.

2. 주재국 라디오 및 T.V 는 표제 사태 진전상황을 계속 보도하면서 이락의 침략성을 비난하고 있음. 8.3(금) 일반 시민들도 이락의 전격전으로 사실상 국가로서의 쿠웨이트가 소멸된데 대하여 경악을 표시하면서 사태진전에 관심을 보이고 있음.

3. 주재국은 8.1-3 간 종교휴일로 신문이 발간되지 않고 있으며, 상기 외무부 성명만이 방송을 통해 보도되었는바, 당관에서 접촉한 테헤란대학교수는 이란이 최근 이락과 관계개선을 시도하고 있음을 지적하고 이란측으로서는 더 이상의 강경한 입장을 취하기 어려울 것이라 말함.

4. 명 8.4(토) 외무부 성명(영문) 및 관련 신문논평등 추보하겠음. 끝

중아국	장관	차관	1차보	정문국	청와대	안기부

90.08.03   23:06
외신 2과 통제관 DH

0004

(대사정경일-국장)

예고:90.12.31 까지

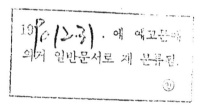

외 무 부

종 별 :

번 호 : IRW-0426

수 신 : 장관(중근동,정일,기정)

발 신 : 주 이란대사

제 목 : 이라크, 쿠웨이트 침공

일 시 : 90 0804 1100

표제건 주재국 외무부 성명문을 아래보고 하니 참고바람.

외무부 성명 (영문 FULL TEXT)

-IN VIEW OF IRAQ'S MILITARY INVASION OF THE KUWAITI SOIL, THE MINISTRY OF FOREIGN AFFAIRS OF THE ISLAMIC REPUBLIC OF IRAN, WHILE OPPOSING ANY RESORT TO FORCE AS A SOLUTION TO THE REGIONAL ISSUES, REGARDS IRAQ'S MILITARY OPERATION AGAINST KUWAIT AS A MOVE INCONSISTENT WITH STABILITY AND SECURITY IN THE STRATEGIC PERSIAN GULF REGION, AND CONDEMN THIS AGGRESSION.

ALTHOUGH IT CAN BE SAID THAT THE RECENT DEVELOPMENTS ARE ACONSEQUENCE OF COOPERATION WITH THE AGGRESSOR IN THE PAST WHICH THE ISLAMIC REPUBLIC OF IRAN HAD REPEATEDLY REMINDED THE REGIONAL STATES ABOUT, HOWEVER THE IRI CONSIDERS RESPECTFOR THE SOVEREIGNTY AND TERRITORIAL INTEGRITY OF ALL COUNTRIES AS WELL AS NON-INTERFERENCE IN THEIR INTERNAL AFFAIRS AS INDISPUBABLE PRINCIPLES IN INTER-GOVERNMENTAL RELATIONS. IN VIEW OF THE FACT THAT IRAQ'S MILITARY MOVE ISIN VIOLATION OF THESE PRINCIPLES AND THAT THE REPERCUSSIONS OF SUCH MEASURES WOULDHAVE SERIOUSIM PACTS ON NATIONAL AND REGIONAL SECURITY AS WELL AS ON UNIVERSAL PEACE AND WOULD STRENGTHEN THE GROUND FOR THE PRESENCE OF FOREIGN HEGEMONISTPOWERS IN THE REGION, (IRAN) DEMANDS AN IMMEDIATE WITH DRAWAL OF THE IRAQI TROOPS TO THE INTERNATIONALLY- RECOGNIZED BOUNDARIES AND A PEACEFUL SETTLEMENTOF THE DIFFERENCES (WITH KUWAIT). THE ISLAMIC REPUBLIC OF IRAN DECLARES THATAS THE GREATEST GOUNTRY IN THE REGION WITH THE GRATEST INTERESTS INTHE PERSION GULF, IT CANNOT REMAIN INDIFFERENT TOWARDS DEVELOPMENTS WHICH MAY JEOPARDISEIRAN'S NATIONAL SECURITY AND REGIONAL STABILITY.

중아국   차관   1차보   2차보   정문국   안기부

PAGE 1

90.08.05   09:27 DA

외신 1과 통제관

0006

END

(대사 정경일-국장)

외 무 부

종 별 :

번 호 : IRW-0427

일 시 : 90 0804 1230

수 신 : 장관(중근동,정일,기정)

발 신 : 주 이란 대사

제 목 : 쿠웨이트 사태 관련

연:IRW-0425

1. 연호건 주재국 주요반응을 추보하니 참고바람.

가. 정부

외무부(8.3): 연호에 이어 외무부당국자는 주재국이 역내 긴장완화를위해 이라크의 쿠웨이트침공을 긍정적으로 보고있다는 화란 라디오방송 언급내용을 강경 부인하며, 이란정부는 이란의 안정과 역내안보를 해하는 동사태에 무관심할수 없을것이라고 언급함.

-AYATOLLAH KASHANI 헌법수호위원회 위원(8.3 테헤란금요예배시): 이라크의 쿠웨이트침공은 충분히 예견될수있었던 사태임.동침공의 주원인은 이라크이.이전기간중 대쿠웨이트, 사우디채무해결임.이란은 쿠웨이트가 이.이전기간중 이라크를 지원한 사실을 고려할때 쿠웨이트의 입장에대해 크게 동정이 가지않음. 무엇보다도 동사태는 미국의 대중동정책이 부재임을 입장하고있음.

TEHRAN TIMES(8.4): 페만내 대단결이 요구되는 현국제상황에서 이라크의 쿠웨이트 침공이 감행되었음. 이라크는 이제까지 쿠웨이트 UAE 와 분쟁이 평화적 해결을위한 아랍국들의 중재노력을 외면하여왔음. 동침공으로 페만내 미군주둔의명분이 제공되었는바 역내문제의 자체 해결을위한 역내국가들의 노력을 제해할것임. 이란은 페만내 외국군의 주둔을 부당한것으로 보며 이를 반대함.

2. 당관관찰

-대이락, 쿠웨이트관계 발전전망이 그어느때보다도 높아왔던 현상황에서 발생한 동사태로 인한 전반적 역내정세불안정이 주재국의 대이락, 쿠웨이트 관계발전 전망을 어둡게 할것이라는 점에서 단기적으로는 주재국에 부정적영향을 미칠수 있을것으로 보이나, 장기적으로는 유가인상, 이.이전관련 이란의 대이락입장에 대한 국제적

중아국	장관	차관	1차보	2차보	정문국	정와대	안기부

90.08.04   18:20
외신 2과 통제관 EZ

0008

지지강화및 역내 강대국으로서의 주재국의 영향력제고 가능성등에 비추어 긍정적으로 작용할것으로 평가됨.

-따라서 주재국은 미국등 주요강대국들의 동사태 계기 역내 영향력제고 방지를 위해 노력하는 한편 동사태를 자신의 영향력 강화 기회로 활용하는데 관심을 집중할것으로 전망됨.

3. 동사태 관련 특기사항 있을시 파악되는대로 추보예정임.끝

(대사정경일-국장)

예고:90.12.31 까지

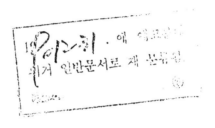

PAGE 2

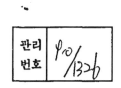

외 무 부

관리 번호	90/1326

종   별 : 지급

번   호 : IRW-0437

일 시 : 90 0809 1730

수   신 : 장 관(기협,중근동,기정,상공부,건설부장관)

발   신 : 주 이란 대사

제   목 : 이락,쿠웨이트사태

대:WIR-0254

대호건 주재국 시각에서 보는 아래 사항을 보고함. 단 석유수급및 유가전망에 관하여는 8.11 주재국 아가자데 장관을 면담할 예정이므로 동면담후 별도 상세 보고 하겠음.   (면담   인사: 외무부   아주국장,   심의관,   연구원   중동연구부장, 주이란,쿠웨이트, UAE 대사, 언론인, 석유부 OPEC 담당관)

1. 전망

앞으로의 사태발전은 다음세가지 방향에서 예측될수있음.

가. 무력사용확대(가능성희박)

1)미국의 확고한 대사우디 지원의지표명

2)장기전화될경우 이락의고립

나. 원상회복(현실적으로 불가능)

1)전세계가 원상회복요구의 성명을 발표하고있으나 강제이행의지 결여

2)아랍권내에서의 쿠웨이트 사바왕조 신임저조

3)서방경제봉쇄의 지속적 실효성의문

가) 쿠웨이트 침공으로 이락은 220 억불의 현금 구매능력 보유, 장기간 생필품 구입 가능

나)금번 사태로 유가가 인상될 경우, 제재 결의에도 불구 국제가 이하의 이락산 원유가 어떤 형태로 든지 거래 될것임.

다. 현상황을 기초로한 타협(가능)

1)쿠웨이트 국경존중

2)현사바왕정체제를 수식, 또는 변화하는 체제수용

2. 사태장기화시 국제원유 수급및 가격

경제국	차관	1차보	2차보	중아국	안기부	상공부	건설부

90.08.10   03:02

외신 2과   통제관 DL

0010

가. 현상을 기초로한 타협은 필연적으로 시간을 요하는 문제이므로 사태는 단기간에 매듭지어 지지는 않을것임.

나. 원유수급

1)OPEC 에서의 이락, 쿠웨이트 할당분, 감량은 이론상 사우디 (최고일산 1400만 베럴능력을 갖고 있으나 1100 만 배럴로 증산)및 이란의 증량 (시설 부족으로 최고 400 만 배럴)으로 충당될수있음.

2)근간 이러한 문제의 협의를 위하여 OPEC 회의가 개최되어야함.

다. 가격

1)금번 사태로 인한 실리적 요인과 OPEC 전체 생산량의 감소 예상 (400 만배럴)으로 유가 인상은 불가피 하다고 봄

2) 앞으로의 OPEC 회의시 현가격보다 2-3 불이 인상된 가격에서 합의점이 이루어질 것으로 보임 (따라서 23-24 불)

3. 주재국 대책

가. 이란이 걸프지역 안정의 중추세력 이라는점을 폐만 아랍소국들에게 인식 시키므로써, 종래의 아랍권대 이란의 이원적 대립적 구조 (아랍만의 GCC) 를 PGCC 로 전환 시키려고 함.

나. 이러한 새로운 구조를 배경으로 OPEC 에서의 이란 발언권을 사우디와 동일한선으로 부각시킴.

다. 금번 사태는 모든면에서 이란에 유리한 여건을 조성한다는 인식하에 문제의 장기적 해결 방안을 선호함. 끝

(대사 정경일-국장)

예고:90.12.31 까지

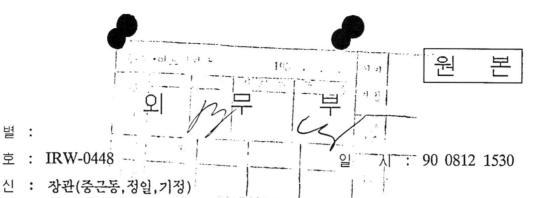

외 무 부

종   별 :

번   호 : IRW-0448   일   지 : 90 0812 1530

수   신 : 장관(중근동,정일,기정)

발   신 : 주이란대사

제   목 : 이락,쿠웨이트관계

표제관련, 주재국입장(언론보도중심)을 아래 보고하니 참고바람.

-외무부 추가성명(8.9):폐만내 여하한 현상의 변경도반대, 이락의 쿠웨이트침공및 병합은 국제법규의 위반으로 강력 비난하며, 이락군 즉각, 무조건 철수를요구함.

-외무부당국자(8.9): 미국무성 대변인의 동사태대한 미.이란간 메시지교환사실 언급내용 강력부인

- YAZDI 사법수장(8.10): 이.이 평화협상에 대한 이라크측 성의 의문, 금번사태는폐만 역내국가들의 문제이지 제3국의 간섭사항아님.

- VELAYATI 외무장관(8.9): BUBIYAN 섬의 이라크양도를 내용으로하는 어떠한 타협안도 반대

- REZAEI 혁명군참모총장(8.10): 미군의 폐만진입은 이라크의 쿠웨이트 침공보다더 위험한바, 미국은 동사태계기 폐만주둔 명분을 확인함. 미군은 걸프지역에 NATO성격의 군사기구를 설치하려는 의도를 갖고있는 듯함.

2. 언론입장

-역내에 미군대의 대규모 주둔을 허용하려는 사우디의 정책은 큰전략상의 실책임.

-금번사태 해결을 위해서는 역내국가들간 협력이 무엇보다도 중요함. 그러나 이런 노력이 결여된 상황하에서는 결국 유엔의 역할이 필요함. 유엔의 깃발하에 외국군이 부입되는 경우에도 사태종결후 외국군은 철수하여야할것임. 끝

(대사 정경일-국장)

중아국   1차보   정문국   안기부

외 무 부

종   별 :

번   호 : IRW-0450   일   시 : 90 0813 1430

수   신 : 장관(중근동,통일,기정,상공부,건설부)

발   신 : 주 이란 대사

제   목 : 이락,쿠웨이트사태

연:IRW-0438

본직은 금 8.13(월) 외무부 BURJERDI 아시아, 대양주담당 차관을면담한바, 표제관련 동인의 언급요지 아래보고함.

1. 이락 사람대봉령이 8.12 연설을봉하여 금번사태 해결과 관련 이락군의 철수조건으로   이스라엘의   팔레스타인지역,   시리아,   레바논등으로부터의 즉각적인무조건철군을 요구함으로써, 사태가 장기화될것으로 전망됨.

2. 쿠웨이트로부터 이라크의 철군을 요구하는 이란의 입장은 확고한것임.이란은 군사적 방법이외에 모든방법을동원, 쿠웨이트의 원상회복을위해 노력할것임.

3. 서방및 아랍제국의 대이락금수조치는, 바그다드내에 생필품부족현상이 생기는등 상당한 효과가 있는것으로 평가됨(이란의 대이락 제재조치로써 아랍정상회의결의나 서방국가의 예에따라 군사적 조치를 취할가능성문의에대해)현재로서 동가능성은 없음(이락의 쿠웨이트 무력점령이 묵인될경우, 향후 전례가되어 걸프지역내 정세불안 요인이되어 장기적 석유수급에 불안정요인이 될것임)

4.(본직이 아국의 대이락 관련조치를 설명한바), 이락과 경제, 정치관계가 단절된 이란과달리, 중동 원유 등에 의존하고있는 상황에서 그같은 조치를 취한 아국에 경의를표명하고, 이란의 대아국 경제관계 강화가능성등을 시사함. 끝

(대사정경일-국장)

예고:90.12.31 까지

중아국 안기부	장관 상공부	차관 동자부	1차보 건설부	2차보	경제국	통상국	상황실	정와대

PAGE 1

90.08.13   21:18

외신 2과 봉재관 FE

0013

외 무 부

종 별 :

번 호 : IRW-0464

일 시 : 90 0818 1100

수 신 : 장관(중근동,정일,기정)

발 신 : 주 이란 대사

제 목 : 이란.이락관계

연:IRW-0461

1. 연호 구체적조치의 일환으로 이락은 8.17 이란인포로석방및 점령영토로부터의 철수를 시작하였으며, 주재국 외무부대변인은 이에대한 상응조치로 이락포로들을 조속 석방예정이라고 밝혔음.

2. 상기와같은 급진전된 양국관계에도불구 당지 유력영자지(정부입장대변)TEHRAN TIMES 지 (8.18 자) 는 이락의 쿠웨이트철수를 강조하는 기사를 게재하고, LARIJANI 외무장관고문이 이락의 쿠웨이트침공이 정당화될수 있는지에 회의를표하는 발언을 행하는등 이락에대한 비난을 간접적으로나마 늦추고 있지 않음이 감지되며 다른한편에서는 이락의 쿠웨이트 침공에 대한 이.이간 묵계소문이 사실었으며 따라서 이란의 대이락비난은 형식적인것에 불과하다는 시각이 있음을 참고로 보고함. 끝

(대사정경일-국장)

예고:90.12.31 까지

중아국 장관 차관 1차보 2차보 통상국 정문국 청와대 안기부
대책반

PAGE 1

90.08.18 17:18
외신 2과 통제관 EZ

0014

	분류번호	보존기간

WBG-0294   900820 1643 FA

번   호 :ㅤㅤㅤㅤㅤㅤㅤㅤㅤㅤㅤ종별 :

수   신 : 주   수신처 참조 ~~대사·총영사~~

	WSB -0341	WAE -0170
	WYM -0184	✓WIR -0278
	WTU -0386	~~WCA -0303~~

발   신 : 장 관   (중근동)

제   목 : 이라크·쿠웨이트 사태

　　　　1. 이라크측이 서방국민의 인질 가능성을 공언하고 다국적 지상군 배치 및 해안 봉쇄망 구축으로 양측의 전투 배치가 완료된 것으로 걸프 사태는 새로운 국면을 맞고 있는 것으로 분석됨. ~~(8.20 자 동아일보는 "미·중동 전면전 불가피"~~ ~~라는 썬데이 타임쓰 기사를 전재함.)~~

　　　　2. 이러한 군사 대치 상황에서 이라크측이 취할 가능성이 있는 선택 (OPTION)을 중심으로 향후 단기 전망을 주재국 정부 포함 다각적으로 파악 보고 바람. 끝. ~~끝~~

　　　　　　　　　　　　　　　(중동아프리카국장　　이 두 복)

수신처 : 주 이라크, 사우디, UAE, 예멘, 이란, 터키 대사
　　　　　주 카이로 총영사

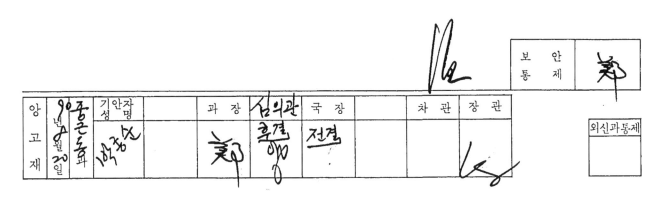

	보 안 통 제	

앙고재	90년 月 日 종근동과	기안자 성명		과 장	심의관 후결	국 장 전결		차 관	장 관	외신과통제

0015

외 무 부

종 별 :

번 호 : IRW-0480

일 시 : 90 0825 0900

수 신 : 장 관(중근동)

발 신 : 주 이란 대사

제 목 : 이락,쿠웨이트 사태

대: WIR-0278

대호 당관이 당지 인사들과의 접촉을 통해 알아본 표제 사태 전망및 이라크가 취할수 있는 현실적인 OPTION 은 이락측에 의한 사태의 장기화 유도임. 경제제재의 실효성등이 의문시 되고, 무력에 의한 강제해결 전망이 아직은 불투명하여 단기적 해결이 예상되지 않는 현시점에서 서방인 특히 미국인들의 인질상태가 장기화되는 경우 미국내 여론이 인질 구출을 위해 대이락 유화분위기로 전환될 가능성을 배제할수 없으며, 이는 필연적으로 미행정부의 정책선택 범경을 제한하게 될것으로 보임. 이를기회로 이라크는 미국의 최대한 양보를 조건으로 타협안을 제시, 협상이 가능할수도있을것으로 보임. 무엇보다도 동사태의 향방은 이락의 행동에 의해서 보다는 미국등서방의 향후 행동에 달려 있다고 볼수있음. 끝

(대사 정경일-국장)

중아국　1차보　미주국　통상국　안기부　대책반

PAGE 1

90.08.25　15:27 BB

외신 1과 통제관

0016

외 무 부

종 별 :

번 호 : IRW-0515

일 시 : 90 0909 1600

수 신 : 장관(중근동,정일,기정)

발 신 : 주 이란 대사

제 목 : 이락 외무장관 주재국 방문

1.AZIZ 이락 외무장관이 석유장관대동 주재국 공식방문을 위해 금 9.9 오전당지 도착하였음. 장관은 VELAYATI 장관과 만나 안보리결의 598 이행문제 포함현 이락-쿠웨이트사태(이락측의 식.의약품등 인도적 물자제공 요청등)에 대해 협의 예정인것으로 알려짐.

2. 주재국 언론반응

-이락 외무장관의 방이목적은 양국간 평화수립및 주재국에 대한 식, 의약품등 물자제공 요청임. 이란은 상기 이락측 요청을 폐만국가들의 이해증진및 긴장완화라는 측면에서 검토할것임.

-이란의 대이락. 쿠웨이트사태 입장은 이락의 쿠웨이트 침공비난, 미국의 폐만 주둔반대, 분쟁의 역내국가간 협의에 의한 처리임.

3. 동건 상세 파악되는대로 추보예정임.끝

(대사 정경일-국장)

예고:90.12.31 까지

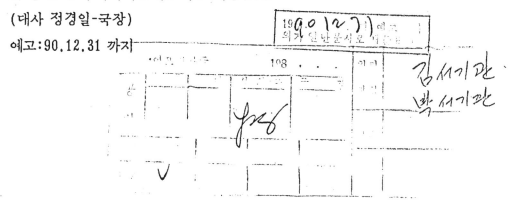

중아국   장관   차관   1차보   2차보   정문국   청와대   안기부   대책반

PAGE 1

90.09.10   00:16

외신 2과 통제관 CW

0017

관리
번호 90/1716

외 무 부

종 별 :

번 호 : IRW-0557

수 신 : 장관(중근동,정일,기정)

발 신 : 주 이란 대사

제 목 : 시리아대통령 주재국방문

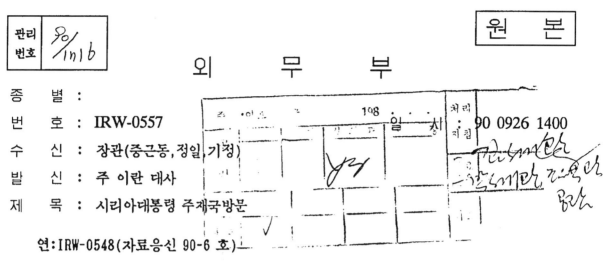

처리
지침 : 90 0926 1400

연:IRW-0548(자료응신 90-6 호)

1. 연호 ASSAD 시리아대통령은 9.25 당지일정을 마치고 귀국하였는바, 당관이 파악한 방문중 특기사항 아래보고하니 참고바람

가. 이락, 쿠웨이트사태

-외세 개입없는 역내국가간 협상에 의한 평화적 해결추구 합의(현 국경선 변경불허)

-폐만주둔 미군및 쿠웨이트 주둔 이락군철수의 당위성 인정

-향후 역내안보를 위해 이란측은 지역안보기구 설치를 시 측은 JOINT ARAB-IRANIAN(OR ISLAMIC)FRONT 설치의사 표명

-시 측 이.이외무장관시 합의사항, 특히 이란의 이락 지원문제에 대해 문의, 이에대해 이란측 이.이 양국관계와 폐만사태의 분리입장 표명

-시 측, BAKER 미국무장관의 시리아 방문결과 설명및 전세계가 이락응징을 요구하고 있는 현시점에서 이란이 이락을 지원하는 것은 바람직하지 않으며, UN 등의 결정에 따를것을 희망하는 미측입장 비공식전달, 이에대해 이란측은 폐만사태관련 미국등 서방의 대응정책을 심각하게 반대하지는 않으나, 단 외국군의 주둔이 장기화되지 않고 이란의 안보에 위협이 되지않는다는 점을 확신시켜 주기 바란다고 설명한것으로 알려짐.(당지 언론보도에 의하면 라프산자니 대통령은 동사실 부인)

나. 레바논사태(인질포함) 및 대이스라엘관계

-레바논내 다수회교도의 권익보호추구합의

-최근 폐만사태의 최대수혜자는 이스라엘이라는 점에 의견일치를보고 향후 대이스라엘 공동부쟁노력합의

-소련거주 유태인의 이스라엘 이주반대

중아국	차관	1차보	2차보	정문국	청와대	안기부

PAGE 1

90.09.26 21:51

외신 2과 통제관 DO

0018

-인질문제 해결을 위한 공동노력합의

다. 양국관계

-분야별 협력심화방한협의를 위한 공동위원회 설치합의

-과학, 기술협력심화방안협의

-장기 경제협력협정체결

-이.시 합작건설회사설립, 이란재건계획 참여검토

2.(당관관찰)

-금번 시리아대통령의 주재국방문은 이란회교혁명후 처음있는 일로서 아랍내 패권을 추구하는 이락응징에 주요우방국인 이란의 참여를 촉구하며, 나아가 최근 이.이관계개선의 부정적 영향을 불식, 양국관계를 심화발전시키기 위한 노력의 일환으로 보임.

-BAKER 미국무장관의 시리아방문, 시리아대통령과 부쉬대통령간 직접통화를 계기로 발전조짐을 보이고있는 미.시리아관계는 이락이라는 공동의적을 계기로 시리아의 대이집트및 사우디관계발전, 나아가 이란의 대미.사우디관계의 점진적 발전이라는 방향으로 나아갈수도 있을것임(그러나 현재까지 표명상 나타난 분위기로보아 최소한 주재국의 대미.사우디관계개선 가능성은 아직 크지 않은것으로 판단됨). 끝

(대사정경일-국장)

예고:90.12.31 까지

PAGE 2

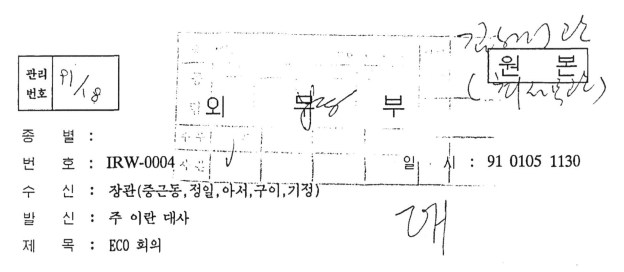

관리번호	91/18

종 별 :

번 호 : IRW-0004

일 시 : 91 0105 1130

수 신 : 장관(중근동,정일,아서,구이,기정)

발 신 : 주 이란 대사

제 목 : ECO 회의

1. 이란, 터키, 파키스탄 3 개국 외무장관참석 ECO(ECONOMIC COOPERATION ORG)가 1.3 이스라마바드에서 개최, 특히 페만사태관련 협의하였는바 파악된 주요내용 우선보고하니 참고바람.

-OIC 조기 개최등 페만사태의 평화적해결 강력촉구

-1.15 전 이락의 쿠웨이트 완전, 무조건 철수 공동로선(부분철수는 용납할수없음)

-동사태의 평화적 해결을 위한 공동노력 계속 촉구

-이락의 직접 공격이 없는한 이란, 터키는 미국의 대이락 무력응징에 불참의사표명

2. 참고로 터키 외무장관은 NATO 군의 터키 국경배치는 순수 방어목적이라고설명하고 분쟁의 평화적 해결 가능성에 낙관적 입장을 표명하였으며

-VELAYATI 장관도 이란에 대한 공격이 없는한 중립적 자세를 취할것이라고 언급

-파키스탄 외무장관은 1.19 로 예정된 파키스탄 수상의 이란 방문은 페만사태의 평화적 해결에 매우 중요한 계기가 될것이라고 언급한것으로 알려짐

3. 한편 이락 외무부 국제담당국장(AL-QEISI)이 91.1.2(수) 당지도착

-포로교환 성지순례, 국경선확정등 양국관계를 논의한것으로 보도되고 있으나

-페만사태 관련 이락측의 입장을 설명하고 이란의 지원을 요청하였을 가능성도 있다고 알려지고 있음.

끝

(대사 정경일-국장)

예고:91.12.31 까지

중아국	장관	차관	1차보	2차보	아주국	구주국	정문국	청와대
안기부								

91.01.05   22:39

외신 2과 통제관 CW

0020

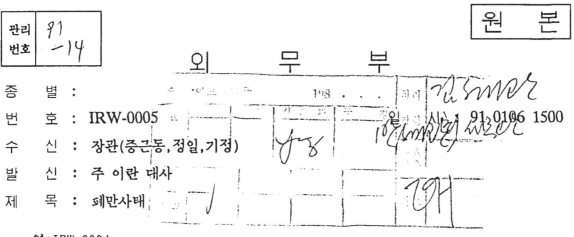

관리
번호 91
-14

원 본

외 무 부

종 별 :

번 호 : IRW-0005

수 신 : 장관(중근동,정일,기정)

발 신 : 주 이란 대사

제 목 : 페만사태

시 : 91 0106 1500

연:IRW-0004

1. 주재국 외무부 MALEKI 외교연구원장은 당지언론 인터뷰를통해 페만사태관련 주재국측입장을 설명하였은바 언급요지 아래보고함.

가. 전쟁가능성

-이라크의 쿠웨이트 무조건철수등 평화적해결방안이 모색되지않는한 전쟁 가능성은 매우큼. 그러나 현재 모종의 해결방안이 검토중인것으로 알고있음

나. 분쟁의성격

-냉전종식후 최초분쟁으로서 쏘련의 관심이 국내문제에 집중된때에 발생하였으며 여타분쟁과 달리 국제사회전체가 대이라크 응징이라는면에서 일치된 입장을 보였는바, 동분쟁으로 국제사회의 관심은 이제 유럽에서 중동으로 옮겨가게되었음.

다. 페만사태관련 이란측 대외정책방향

-모든 형태의 무력침략비난

-역내국가간 협득을통한 현사태의 평화적해결

-동사태계기 모든국가(이스라엘, 남아공등제외)와의 관계발전증진희망. 이와관련 주재국 내무장관은 최근 동페만국가들과 우호협력관계를 유지하는것은 바람직하나, 역내 안보기구설치에는 부정적입장을 표명한바있음.

2. 또한 당지 언론에의하면 연호 3 항 에이어 IBRAHIM 이라크 혁명위원회 부의장이 주재국 제 1 부봉령 초청으로 1.8 당지 방문예정이며, 주요목적은 이락.미국간 제네바 외무장관회담에 앞선 페만사태관련 양측입장협의인것으로 알려짐.

3. 한편 본직은 1.8 0900 동 MALEKI 원장예방 페만사태관련 의견교환예정인바 특기사항있을시 추보하겠음. 끝

(대사정경일-국장)

중아국	장관	차관	1차보	2차보	정문국	청와대	안기부

PAGE 1

91.01.07   07:50

외신 2과 통제관 BW

0021

예고:91.12.31 까지

PAGE 2

0022

관리
번호 91
-43

외 무 부

종 별 :

번 호 : IRW-0011

일 시 : 91 0109 1300

수 신 : 장관(중근동,정일,기정)

발 신 : 주 이란 대사

제 목 : 이락 고위인사 방이

연:IRW-0005

연호 IBRAHIM 이락 혁명위원회 부의장 방이관련 파악된 주용내용을 아래보고함

1. 동 부의장은 이라크가 미국의 공격에 단호히 대처할 준비가 되어 있으며, 양국 외무장관간 제네바회담은 미측이 이라크공격을 정당화하기 위한 구실에 불과하다고 언급

2. 동인은 이라크가 분쟁의 평화적해결을 선호하며 이.이양국간 협력에따른포괄적인 평화정착이 역내 평화와안정에 기여할것이라고 언급

3. 이와관련 본직의 1.8 주재국 MALEKI 외무차관(외연원장)면담시 동원장은IBRAHIM 의 방이가 이라크측 요청에의한것이며, 동방이가 폐만 사태관련 이란측의 이라크지지를 반드시 의미하는것은 아니라고 언급

4. 그러나 당관 수집정보에 의하면 IBRAHIM 은 폐만사태관련 이란측의 지지를 요청하였으며, 일례로 동 대표단의 일원인 이라크교통, 체신장관은 이란측 교통장관과 만나 모종의협의(이란국경선을 봉한 물자수송문제등)를 가진것으로알려짐. 또한 양측국경선 밖으로의 군대철수 합의도 이러한 맥락에서 볼수 있음.

5. 참고로 당지언론은 사설에서 이란측은 폐만사태의 평화적해결을 원하나 전쟁이 불가피 발발 이라크내 회교성지가 공격을 받으면 이란으로서 방관할수만은 없을것이라고 언급하였음.

6. 기타 특기사항 있을시 추신하겠음. 끝

(대사정경일-국장)

예고:91.12.31 까지

적 토 필(1991.6.30,)

중아국	장관	차관	1차보	정문국	청와대	안기부

외 무 부

종   별 :

번   호 : IRW-0037   일   시 : 91 0117 1730

수   신 : 장관(중근동,정일,기정)

발   신 : 주이란대사

제   목 : 페만사태

        페만내 개전관련 아직까지 주재국정부의 공식반응이 나오지 않고 있는가운데
KHAMENEI 지도자는 군총사령관 자격으로 금 1.17 이란은 이란영토의 신성 불가침을
어떠한 방법으로든 지킬 것이며, 전쟁 당사자들에의한 이란영토의 이용은 어떠한
경우에도 허용되지 않을 것이라고 언급함.

        2. 한편 라프산자니 대통령은 동 개전이 페만 안정을 매우 위태롭게 하고
있다고 언급하였으며 (금일 카타르 외무장관 접견시), 주재국 의회는 관계장관들과
개전에대한 주재국 입장등 비상대책을 협의한 것으로 알려짐 (결과 파악시
추보하겠음) 또한 주재국군도 비상태세에 임하고 있는 것으로 알려짐.

        3. 금일자 주재국 언론은 페만개전시 이란은 중립을 유지해야할 것이라고
논평하였음.

        4. 당지 소식통에의하면 국제적십자사가 이란측에 전쟁발발시 부상자 수용을 요청한
것으로 알려지는바, 당지 언론은 부상군인의 경우 의료시설 부족으로 받을 수 없으나
일반 피난민은 받아들일 수 있을 것이라고 언급하였음. 끝

        (대사 정 경일-국장)

| 중아국 | 장관 | 차관 | 1차보 | 2차보 | 미주국 | 정문국 | 정와대 | 총리실 |
| 안기부 | 대책반 | | | | | | | |

관리번호 9/265

외 무 부

종   별 :

번   호 : IRW-0044   일   시 : 91 0120 1120

수   신 : 장관(중근동,정일,기정)

발   신 : 주 이란 대사

제   목 : 페만사태

연 IRW-0037

1. 라프산자니 대통령은 국가최고 안전회의 주재후 가진 기자회견에서(1.17)아래요지 언그하였음.

   - 전쟁이 확대, 이란의 국가이익 위협시 이란은 전쟁에 개입하게 될것임, 그러나 동 가능성은 크지않음.

   - 이라크내 군사 쿠데타 가능성을 배제키 어려움(이란은 이라크 국내문제에불개업.

   -전후 페만내 질서개편이 예상되는바, 이란으로서는 이러산 변화가 바람직하다고 보지않음.

   -서방군사력에의한 이라크국의 쿠웨이크 축출은 가능할것임.

   -이란은 페만내 전쟁중지를위해 이라크에 사절파견등 모든노력을 경주할것임.

   -이스라엘, 터키의 개입은 상황에 따라유동적이나, 전쟁 장기화 경우 미국은 대리전을 행할 나라를 찾을 것임. 그러나 터어키 개입은 향후 터어키의 대 이라크 관계를 불편하게 할것이며, 이스라엘의 개입은 회교도의 감정을 자극할 것임.

2. SARMADI 주재국 외무부 대변인은 터어키 대통령이 이라크 패배후 이란, 시리아/이라크에 진주하면 터어키도 같은 조치를 취할 것이라고 (터어키언론) 보도한데 대해 이란은 이라크 영) 토 보존을 희망하며 역내 어떤 현상 변화도 바라지 않는다고 강조함.

3. 또한 당지내 반전, 반미 시위가 부분적으로 행해지고 있으나 특기사항 없음.

4. 관찰

가. 주재국은 일응 대 이라크 응징에 찬성하면서도 확전및 장기화시 회교도의 반미감정 확산등을 서방측에 경고하고 있음. 나아가 이스라엘의 개입이 가져 올수도 있는 사태 악화에 우려하고 있는것으로 보임.(이스라엘 개입시 성전을 선포한

중아국   장관   차관   1차보   2차보   정문국   청와대   총리실   안기부
안기부

이란으로서도 좌시할 수만은 없기 때문임.

　나. 주재국은 중립(대 폐만 외교및 군사 정책상)을 표방하면서도 불가피한 경우의
개입 가능성을 배제하고 있지 않음. 이는 사실상 주재국이 참전의사가 없으며 미묘한
위치에서 불이익을 받지 않으려는 의도로 보임.

　다. 나아가 이란은 평화 애호 이미지 부각을 위해 노력하고 있음.(라프산자니
대통령의 유엔 사무총장앞 구두 멧시지등). 끝.

　(대사 정경일-국장)

　예고:91.12.31 까지

점토필(1991. 6. 30.)

PAGE 2

0026

외 무 부

종 별 : 지급

번 호 : IRW-0065   일 시 : 91 0123 1600

수 신 : 장관(중근동,미북,정일,기정)

발 신 : 주 이란 대사

제 목 : 걸프전

연:IRW-0048

표제관련 주재국내 동향 아래보고함.

1. 파키스탄수상 1.22 터키, 시리아, 이집트 순방일환으로 당지 방문, OIC 협력등을 봉한 사태의 평화적 해결방한 협의관련 1.21 자 당지 언론 논평요지

-파키스탄수상의 당지방문은 분쟁해결을 위한 실질적 조치의 시작이며

-이란의 대이라크 관계및 파키스탄의 대사우디, 미국관계를 고려할때 동사태해결을 위한 것으로 보임.

2. 시리아부통령 1.23 당지도착예정임. 이와관련 당지주재 시리아대사는 기자회견을 갖고 상기 파키스탄수상의 방이가 매우 시의적절하다고 설명하며 아래요지언급함.

-사담은 전쟁을 장기화 시키기위해 이스라엘개입을 유도하고 있으며, 사태를아랍 대이스라엘의 부쟁으로 오도 시킬려하는바, 이는 매우 잘못될것임.

-사담은 진정 반이스라엘부쟁에 관심이 있다면 쿠웨이트를 침공해서는 안되었으며 모든 아랍국들과 협력사전 지지획득후 이스라엘을 응징하는것이 순서였음.

-사담은 결국 미국등 외세의 걸프만 주둔구실을 제공하는 결과를 초래하였으며 이는 이스라엘에 매우 유리하게 작용할것임.

-전쟁은 장기화될것으로 보이며, NAM 및 VIC 에의한 중재노력이 현재로서는바람직함(이점에서 현재 진행중인 인도, 유고, 알제리 이란의 노력은 중요함)

-여타 아랍국가(이란포함)를 전쟁에 개입시키려는 사담의 의도에 기만되어서는 안될것임.

-한편 BEN BELLA 알제리 전대통령도 바그다드로부터 귀국길에 육로경유 방이,

중아국	장관	차관	1차보	2차보	미주국	정문국	정와대	안기부

PAGE 1

91.01.23   21:47

외신 2과 통제관 CH

VELAYATI 외무장관과 사태 협의하고 귀국한것으로 알려짐.

　3. 이, 터키관계

　-현재 터키 방문중인 MOAYERI 대통령보좌관은 OZAL 터키대통령에게 금반사태관련 라프산자니 대통령친서를 전달하고 이라크영토의 INTEGRITY 및 현상유지에관하여 논의한것으로 알려짐(당지에서는 터키가 이라크영토에 야심이 있다고 판단, 터키의 이라크영토개입시 이란도 이에 개입할것이라는 분석이 유포되고있었음)동방문시 이란측은 이란의 중립을 재확인하였으며 터키 또한 자국영토에대한이라크공격이 없는한 중립을 지킬것임을 밝힌것으로 알려짐.

　4. 0066 호로 계속

외 무 부

종 별 : 지 급

번 호 : IRW-0066

일 시 : 91 0123 1600

수 신 : 장관(중근동,미북,정일,기정)

발 신 : 주 이란 대사

제 목 : IRW-0065 호의 계속분

4. 제3차 페만 세미나개최(주요인사발언요지)

1. 21-22간 주재국은 페만사태에관한 국제세미나를 개최하였음.동세미나에서의 발표된 주요내용은 아래와같음.

라프산자니대봉령

-역내평화안정, 사태정상화를위한 확고한 노력재확인

-역내 외국군주둔반대

VELAYATI 외무장관

-외세 개입없는 역내 국가간 분쟁해결 노력촉구, 민간인 거주지역 공격비난

LARIJANI 외무장관고문

-2 개월정도면 사태가 정상화될것으로전망

-이라크, 미국은 역내경찰이 될려는 기도를 포기해야 할것임.

5. 당지 TEHRAN TIMES 지 논평(1.21)중 사태해결방안

1)AN IMMEDIATE CEASEFIRE ON THE GROUND, AT SEA AND IN THE AIR.

2)SETING OF ANOTHER DEADLINE FOR IRAQ TO QUIT KUWAIT WITHOUT DELAY

3)FOR THE FOREIGN FORCES TO LEAVE THE REGION AS QUICKLY AS POSSIBLE.

4)PALESTINIAN PROBLEMS EXISTED EVEN BEFORE THE PRESENT PERSIAN GULF CRISIS. THE LINKAGE OF THE PALESTINIAN PROBLEM WITH THE PERSIAN GULF CRISIS IS NOT FACTUAL AS THE IRAQI REGIME HAS RAISED THE ISSUES AFTER ITS ATTACK AND OCCUPATION OF KUWAIT.

6. 중립을 표방하는 정부의 공식입장에도 불구 당지 언론보도에 의하면 특히MOTASHAMI 의원등 극소수 강경파가 이란의 대이라크 지원을 주장하고 있으며 일부 강경파 언론도 이에 동조하고 있는것으로 알려지나 특이 동향 없음.

중아국	장관	차관	1차보	2차보	미주국	정문국	청와대	안기부

7. 최근 당지 언론논평기사등 관련자료 FACSMILE 송부예정임. 끝

(대사정경일-국장)

PAGE 2

0030

관리
번호 : 외-1684

외 무 부

종 별 : 지급

번 호 : IRW-0069

일 시 : 91 0124 1100

수 신 : 장관(중근동,미북,정일,기정)

발 신 : 주 이란 대사

제 목 : 걸프사태

이스라엘, 터키의 대걸프전 OPTION 및 이와관련한 주재국의 입장등 당지시각에서본 관찰을 아래보고함.

1. 이스라엘 OPTION

91. 6. 5. ?

-1.23 주미 이스라엘 대사가 언급한바와같이 이스라엘은 EYE-TO EYE RETRIBUTION 을 행하지않을것임. 대신 이스라엘은 지상군을 통해 남부 레바논지역및 이스라엘과 국경을 접한 요르단지역을 공격할가능성이 높음.

-동지역 점령을 통해 이스라엘은 자신이 영토적 야심을 충족시킬수있을것임.

-남부 레바논(LITANY 강) 지역을 장악하게되면 이스라엘 은 동지역으로부터의 안전을 확보할수있게되며, 요르단 국경지역(특히 AQABBA 만) 장악을통해서는 전략적 이익을 확보할수있을것임.

-이경우 시리아는 자국영토보호또는 요르단 보호를위해 ARAB-NATIONALISM 의 수호자를 자칭 아랍편에 가담하게될 가능성 배제하기어려움

2. 터키 OPTION

-터키가 이라크 영토(특히 KIRKUK 유전지역)에대한 야심이 있다는 사실은 비밀이 아니며 금번 사태계기 동야심을 실현시킬려는 터키의 의도가 엿보이는것도 부정하기어려움

-그러나 사태악화를 원하지않는 서방측 유도및 최근 주재국 대통령고문의 방터키시 합의(이라크의 영토보존및 현상유지)된바에서 볼수있듯 터키의 이라크 영토를 목표로한 선제공격은 없을것으로보임.

-물론 터키가 이락의 공격을 받게되면 터키가 개입할가능성은 크나, 개입을통해 이라크영토에대한 야심이 표출되게되면 이란의 개입을 자초하게될것이므로 이경우에도 상당히 자제된 수동적대응만 할수있을것으로보임.

중아국	장관	차관	1차보	2차보	미주국	정문국	안기부

PAGE 1

91.01.24 17:46

외신 2과 통제관 BA

0031

3. 주재국입장

-중립을표방 미, 이라크양측을 교묘히 비난하며 사태를 관망하고있는 주재국으로서 이스라엘, 터키의 개입등 사태악화가 없는한 주재국의 대걸프전 개입가능성은 크지않음.

-이란은 이라크의 영토보존및 역내현상유지를 주장하며 터키의 대이라크영토적 야심에 대처하고있으며 전술한바와같이 터키개입의 경우에도 터키의 영토적야심이 표출되지않는한 개입을 자제할것임(왜냐하면 <u>터키와의 관계악화가 주재국에 미치는 경제적 IMPACT</u> 를 고려 불가피한경우가 아니면 이란은 자제할것으로보임)

-그러나 전술한 이스라엘의 개입시(어떤형태든)에는 이란내 강경파의 주장이 설득력을 갖게될것이며, 이경우 개입가능성 배제하기어려움.끝

(대사정경일-국장)

예고:91.12.31 일반

PAGE 2

외 무 부

종 별 :

번 호 : IRW-0070   일 시 : 91 0124 1100

수 신 : 장관(중근동,미북,정일,기정)

발 신 : 주이란대사

제 목 : 걸프전

표제건 주재국내 주요 동향을 아래보고함.

1. 시리아 부통령방이(1.23):동부통령은 이스라엘이 이라크에 대응공격할 가능성은 크지않은것으로 본다고 언급, 이라크의 영토보존확인

2. VELAYATI 외부장관 기자회견(1.23):다국적군에의한 이라크 민간인 거주지역공격은 이라크 말살기도로 보이며, 이란은 이를 묵과하지 않을것임.

3. 주재국 강경파발언:강경파의원(JAHANGIRI 등)은 이스라엘이 아랍회교국가를 침공할 경우(이라크대신 다른나라를 공격할경우 예상한것으로 보임) 이란회교도들은 이에 대항하여 부쟁하여야 할것이라고 언급.끝

중아국	장관	차관	1차보	2차보	미주국	정문국	청와대	총리실
안기부	대책반							

PAGE 1   91.01.24   20:59 DP

외신 1과 통제관

0033

외 무 부

종 별 :

번 호 : IRW-0082   일   시 : 91 0127 1400

수 신 : 장관(대책본부장,중근동,중미,정일,기정)

발 신 : 주이란대사

제 목 : 걸프전쟁

1. 표제관련 주재국내 동향 아래보고함.

가. KHAMENEI 지도자(1.24): 이란의 입장은 ISLAMIC ANDREVOLUTIONARY 임.

중립의 의미를 왜곡해서는 안될것임(미.이라크 동시 비난, 특히 미국을 살인자로 강경비난)

나. 라프산자니 대통령(1.25 금요예배시):미국의 목적은 쿠웨이트의 영토보존이 아니라 오일확보임. 따라서 미국은 이라크, 쿠웨이트경제시설을 파괴할 필요가 없을것임.

현전쟁은 선과 악의 대결이 아니므로(악과 또다른 악의 대결)이란으로서 개입할이유가없음.

이란의 대이스라엘 전쟁은 물론 계속 되어야할것이나 지금이 시기는 아님.

다. REZARE 혁명군사령관: 이란군은 정부입장을 존중하며 사태에 임하고있음.

참고로 이라크의 군사력은 서방측으로부터 받은 최신무기로 구성되어있으며, 어느 서방군대에 뒤지지않음. 이란군의 남,서지역(국경)집결은 임전태세의표시임.

2. 당지 언론 주요기사(FACSIMILE 송부예정)

-THE POST CRISIS ORDER IN THE PERSIAN GULF(1.26 KAYHANINT'L)

-제3차 폐만 세미나시 미 하버드대학 CENTER FOR MIDDLEEASTERN STUDIES' MARTIN 박사 강연(THE CHANGING BALANCEOF POWER IN THE P.G)요지

-TURDEY'S HOSTILE INVOLVEMENT IN US-IRAQ WAR

사설

-KANHAN INT'L:PERSIAN GULF WAR A CONFLICT OF INTERESTS

-TEHRAN TIMES:IRAN NOW A CENTER OF ACTIVITIES OF PEACECALL.끝

대책반	장관	차관	1차보	2차보	미주국	중아국	정문국	상황실
청와대	총리실	안기부						

PAGE 1   91.01.27   21:15 BX

외신 1과 통제관

외 무 부

종 별 :

번 호 : IRW-0086   일 시 : 91 0128 1100

수 신 : 장관(대책본부장, 중근동, 주미, 정일, 기정)

발 신 : 주 이란대사

제 목 : 걸프전쟁

표제관련 주재국 동향을 아래보고함.

1. 요르단 외무장관 방이(1.27): 1.13 수교이래 최초의 고위급 인사 방이로 페만사태의 평화적 해결방안 협의 (1.25자 인도 외무장관 방이와 함께 OIC 및 NAM을 통한 사태 조속해결 촉구), OIC 회의의 테헤란 개최협의등.

2. 당지 언론보도에 의하면 주재국 SNSC (국가 최고안보회의)는 다국적 국군및 이라크의 어느교전 당사국에 속하는 전투기의 주재국 영토내 비상착륙시 동전부기들은 전쟁 종료시까지 압류될 것이라고 밝힘. 이러한 조치는 7대의 이라크 전투기가 주재국 공항에 1.26 오전 비상착륙한후 발표됨. 한편 이란정부는 국제적십자사와 협조 이라크에 대한 생필품, 의약품 구호 제공하기로 결정한 것으로 알려짐.

(동건계속 파악보고 하겠음)

3. KARRUBI: 주재국 국회의장 평화 5개안발표 (사견임을 전제 하였으나 정부입장과 상치되지 않음을 강조)

-전면적인 군사행동 즉각중지

-대이라크 생필품, 의약품등에 대한 금수조치 즉각해제

-다국적군및 이라크군의 동시철수

-상기조치의 월할한 이행및 분쟁의 평화적 해결을 위한 이스람 연합군설치

-팔레스타인 피점령지에 대한 유태인 이민중지.

끝

대책반 총리실	장관 안기부	차관	1차보	2차보	미주국	중아국	정문국	청와대

91.01.28   20:17 DA

외신 1과 통제관

0035

외 무 부

종   별 :

번   호 : IRW-0103   일   시 : 91 0202 1230

수   신 : 장관(대책본부장,중근동,정일,중미,기정)

발   신 : 주 이란대사

제   목 : 걸프전쟁

표제관련 주재국 내동향 아래보고함.

1.주요인사 발언

-하메네이 지도자: 이라크의 이스라엘 폭격에 대해서는 동정을 표하며, 다국적군의 데이라크공격에 대해서는 침묵하는 서방측 자세에 분노함.

-야즈디 사법수장(2.1 금요예배시): 이란의 중립입장 재확인, 그러나 이것이무관심한 방관자로 남는것을 의미하지는 않음.

-의회성명(1.30): 무고한 이라크 국민에 대한 미국의 만행규탄

-카루비 국회의장(1.30): 미국이 이스라엘에 공여한 원조는 바로 사우디가 미국에 제공한것임. 미국의 전쟁목적은 오일 확보임.

2.주요인사동정

-알제리및 예멘 외무장관 방이(2.1): 걸프사태 평화적 해결촉구및 동방안협의 양측군대의 조속철수 촉구, 이란의 지정학적 중요성에 따른 이란측 역할협의

-불외무장관 특사방이(1.31): AVEZI 외무차관 (유럽담당)은 이란영공, 영해로들어오는 항공기및 선박은 여하한 경우에도 전쟁종료시까지 이란에 압류될것이며,이라크분할, 전쟁확대, 이라크내 성지파괴에 반대한다는 기존정부입장 재확인 한편 불측은 이란과 금반 동사태의 해결방안 협의희망 의사표명및 분쟁의 역내국가간 해결선호, 양측향후 역내 안보질서 개편협의

-주재국 외무부 서구담당국장 오스트리아 방문, 걸프사태협의: 오스트리아측, 이란의 과거 이.이 전쟁경험이 사태해결 방안제시에 도움될것이라고 언급

HAMADI 이라크 부수상 23KKU(1.31): 별도 보고예정

3. 언론 논평요지(종합)

-미국이 이라크내 군사시설은 물론 산업시설및 민간인 거주지역을 공격하고 있다는

대책반	장관	차관	1차보	2차보	미주국	중아국	정문국	정와대
총리실	안기부	안기부						

PAGE 1   91.02.02   19:21 DA

외신 1과 통제관

0036

소문이있는바, 모종의 조치가 요구됨.

　-금번 전쟁은 이라크 응징에 그치지않고 비무력적 방법에의해 이란포함 역내 모든
국가에 대해 계속될것임.

　끝

　(대사 정경일-대책본부장)

관리 번호 : 91- 1841

외 무 부

종 별 :

번 호 : IRW-0109

일 시 : 91 0204 0900

수 신 : 장관(대책본부장,중근동,중미,기정,정일)

발 신 : 주 이란 대사

제 목 : 걸프전쟁

이라크 항공기의 이란착륙을 위요한 당관 관찰을 아래보고함.

　1. 이라크입장

-사담 대통령은 다국적군에의한 40 여대의 이라크항공기 완전파괴를 계기, 더이상의 피해방지를위해 항공기를 안전한곳으로 대피하는 방안을 강구하게되었음. 사담은 요르단과 이란중 이란을 적정지로 선택한것으로보임(요르단은 적절한활주로가 결여되어있고 이스라엘및 다국적군의 직접공격대상이되며, 다국적군의 철저한 RADAR 사정권에 들어있음. 이에반해 이란은 중립을 선언했으며 항공기를 전쟁종료시까지 압류할것이라고 선언함에따라 최소한의 대피는 가능하다고 판단한것으로 분석됨)

　2. 이란측입장

-이.이양국간 양해나 밀약가능성 배제할수없으나, 크지는않음. 비록 사전양해가 있었다 할지라도 이란이 현상황하에서 전쟁에 개입될 위험을 부담하면서 동양해에따른 실익이없기 때문에 항공기의 대수에있어 다국적군발표에 상당한 차이를 보이고있긴하나 일단 국제법제규정에따라 중립국으로서의 방지의무(DUTIES OF PREVENTION) 를 수행하는것으로 충분하다고 판단한것으로보임.

-나아가 압류항공기를 미해결된 이, 이전처리시 교섭카드로 활용할수있다고판단한것으로보임(이란은 동 이라크 항공기들이 사담 개인인것이아니며 이라크회교국민들의 재산이므로 이를 보호하는것이 회교도의 의무라고 판단 압류를 명문화하고 따라서 만일의 경우 반환하지 않을수도있다고 보고있는것같음)

-당지시각에서 이락조종사들의 MASS DEFECTION 가능성은 크지않은것으로 판단됨.

　3. 미, 영등(다국적군)입장

-다국적군(특히 영국)은 상기 이란의 입장이 매우 모호하며 위험스러운 것으로 보고있으나 미측은 이란에 압류된 이라크항공기가 다시 이락에 돌려보내져 전쟁에

중아국 안기부	장관	차관	1차보	2차보	미주국	정문국	정와대	총리실

PAGE 1

부입되지않는다는 이란의 태도를 받아드린다는 입장에서 대처하고있는것으로 판단됨(2 차대전시 진주만 기습공격을 경험한 미국으로서 이란을봉한 동이라크항공기의 기습가능성을 우려하고있는것으로 보임)

-참고로 쏘련은 자신이 이라크에 공급한 쏘련제 항공기의 낙후된 기술이 걸프사태계기 서방또는 제3세계에 알려지므로써 전략적, 경제손실이 발생하는것을 피하고자하며, 이러한점에서 이란의 이락항공기 압류조치에 어느정도 만족하고있는것으로 보임.끝

(대사정경일-대책본부장)

예고:91.12.31 일반

PAGE 2

관리 번호	／／－ ／43ソ

외   무   부

종 별 :

번 호 : IRW-0119　　　　　　　　　　　일 시 : 91 0206 1500

수 신 : 장관(대책본부장,중근동,중미,정일,기정)

발 신 : 주 이란 대사

제 목 : 걸프전쟁

　　　본직은 작 2.5 주재국 BROUJERDI 아, 대양주담당외무차관으로부터 표제사태에대한
주재국측입장을 청취하였는바, 요지아래보고함.(일, 호주, 중국등 아, 대양주지역국가
대사들도참석)

　　1. 기본입장(인도적 노력포함)

　　-이락의 정책이 변화할 조짐은 아직 보이지않고있음. 이란은 전쟁전후
계속이라크의 쿠웨이트로부터의 조속 철수를 요청하여왔음.

　　-이란으로써는 이락의 장래가 폭격등으로인한 파괴로 어려울것으로 보고 이라크의
철수문제를 이락부수상 방이시 협의하였으나 동부수상을 쿠웨이트로부터의
철수의가없음을 재천명하고 승리를 다짐하였음(라프산자니 대통령은 이러한 의사가
HAMADI 부수상 개인의사라고 보고 사담에게 메시지를 보내어 쿠웨이트로부터의 철수를
거듭요청하였음)

　　-이란은 이락의 TERRITORIAL INTEGRITY 에 깊은 관심을갖고있으며,
외국군의주둔은 역내평화와 안전에 도움이 되지않는다고 보고있음.(참고로 동차관은
사담의 제거에대한 호메이니옹의말 SADAM IS MAD, UNITL HE IS DESTROYED, NO
SECURITY WILL BE ATTAINED 을 인용함)

　　-이란은 이락국민을 정치와 분리하여 보고있음(정치에대해서는 계속
쿠웨이트로부터의 철수를 권하고, 국민에대해서는 의약품과 식량을 공급할수있도록 UN
사무총장에게 서한을 보내 유엔의 허가를 요청하였으며, 유엔측은 이란측의
인도적노력을허가, 이에따라 식량과 의약품을 보내기 시작하였음. 이란은
중립적자세와 상치되지 않도록 모든 조치를 다할것임)

　　2. 이란의 외교적노력

　　-이와관련 이란이 현재까지 취한 외교적조치는 다음과같음.

중아국 안기부	장관 국방부	차관	1차보	2차보	미주국	정문국	청와대	총리실

91.02.06　21:37

외신 2과 통제관 BW

0040

가.OIC 개최추진:파키스탄, 터키, 방글라 와의 INITIAL 회의를 갖고 OIC 에뽕보,
11 개국이 EMERGENCY MEETING 에의 참가를 알려왔음. 2/3 의 회원찬성이 있어야
회의개최가 가능한바 계속 추진예정임.

나.NAM 개최추진:유고 외무장관과의 전화통화로 시작되었으며 인도 외무장관방이시
협의, 2.12 일 벨그라드에서 동회의가 개최예정이나 회의성과에는 회의적임.

-이란은 이락측에 보낸 라프산자니 대통령의 서한에대한 <u>사담의 회답을
기다리고있음.</u> 그내용에따라 필요한 조치를 취하려고함

-나아가 이러한 이란의 노력은 이락, 알제리아, 불, 쿠웨이트 외무장관등의 방이와
요르단, 터키 외무장관의 방이를통해 계속되고있음(알제리와 예멘외상은현재의 전쟁은
유엔결의의 범위를 벗어난것이고 쿠웨이트해방을 구실로 이락을폐허화하고있다고
설명하였으며, 쿠웨이트 외상은 쿠웨이트로 돌아가고 싶다는희망만을 표하였고,
프랑스 외무차관은 이락의 쿠웨이트철수를 종용한 자국의 외교노력을 설명하였음)

3. 이란의 중립(이라크항공기 이란도착)

-이란에 착륙한 이락항공기는 <u>전쟁종료시까지 억류될것</u>이며, (동인은 착륙대수를
잘모르겠다고 언급하며 질문을 자제할것을 요청함) 항공기대수 보다는 동 사안에대한
이란측의 조치가 중요함.

-이란의 허가를 받고 착륙한 이락항공기의 경우도 동일한 조치를 받을것임

-이이전 포로교환을위해 전쟁전 이란에와있었던 이락항공기 경우도
동일취급케될것임.

4. 기타

본직은 이락의 화학무기 사용가능성및 향후 역내질서개 편관련
이.사우디양국관계전망에대해 질의하였는바, 동차관은 화학전가능성을 인정하였으며
이.<u>사우디관계에 대해서는 비공식 접촉이 이루어지고 있으며 양국 외무장관이 곧
회담할것이라고</u> 설명하며 관계개선이 될것이라고 하였음

(대사 정경일-대책본부장)

예고:91.12.31 일반

<u>검 토 필 (19   91. 6. 30</u>

PAGE 2

외 무 부

관리
번호 : 1-134

종 별 :

번 호 : IRW-0134

수 신 : 장관(대책본부장,중근동,중미,정일,기정)

발 신 : 주 이란 대사

제 목 :

일 시 : 91 0210 1600

주재국 SNSC(대통령 주재 국가최고 안보회의)는 2.9 사담 대통령의 라프산자니 대통령앞 답신을 포함 최근 걸프사태대책 협의를위한 비상회의를 갖었음. 이에앞서 HAMMADI 부수상은 육로로 이란을 재방문 약3시간 체류하며 라프산자니 대통령을예방 상기 답신을 직접 수교한후 이어 다음 방문국인 요르단으로 향발하였음. 한편 주재국 정부기관지는 사설에서 요르단의 대미 비난등 친이라크 선회가 바람직하며, 따라서 이란은 요르단이 필요로하는 모든 지원을 제공 해야할것이라고 언급 하였는바, 이러한 점에서 HAMMADI 부수상의 주재국및 요르단방문은주목할 가치가 있는것으로 보임. 참고로 라프산자니 대통령은 금 2.10 회교혁명기념일(2.11)계기 당지 주재외교단 초청 걸프사태관련 주재국입장(중립등)을재천명하며 금번 사태의 평화적 해결을 위해 주재국은 모든 필요한 노력을 경주할 것이라고 언급함.(본직도 동행사에 참석하였음. SNSC 결정및 답신내용등 관심갖고 파악 추보하겠음. 이와관련 당관이 접촉한 한 외교관은 아직까지 이라크측 답신내용이 파악되지는 않았으나 회의적으로는 보지않으며 SNSC 는 이라크측제의조건에 대한 대안을 현재 마련중에 있는것갇다고 언급 하였음을 참고로 보고함. 끝

(대사정경일-국장)

예고:91.6.30 까지 예고문에 의거 일반문서로 재 분류됨. 인

금 토필 ('791. 6.30.)

중아국	장관	차관	1차보	2차보	미주국	정문국	청와대	안기부

관리 번호 91 -76

외 무 부

종   별 :

번   호 : IRW-0145   일   시 : 91 0216 1300

수   신 : 장관(대책본부장,중근동,중미,정일,기정)

발   신 : 주 이란 대사

제   목 : 걸프전쟁

표제건 주재국동향 아래보고함.

1. 라프산자니 대통령은 유엔 사무총장앞 구두메시지(2.13)를통해 이란의 걸프전쟁 평화적해결중재노력및 이를위한 동대통령의 사담 면담의사표명에대해 언급하고, 사태의복잡성에도불구, 현재 평화적해결의 실마리가 엿보이는바 인도적견지에서도 정치적해결이 이루어져야할것이라고 설명함. 어떠한 역내안보체제의 강요도 반대하며, 미국의 전쟁종결후 즉각철수가 선행보장되기를 바란다고설명하였음. 하메네이지도자는 당지 회교권대사접견(2.13)시 미국은 승리할수없을것이라고 언급하며, 미국을 강력비난함.

2. 당지에서 파악된바에의하면 VELAYATI 주재국외무장관은 2.15 쏘련방문 고르바쵸프 대통령에게 걸프전쟁의 평화적해결을위한 이란측입장을 설명하고 이라크측 철수안에대해 의견교환, 사태의 즉각해결방안강구를위해 계속 협력할것을확인한것으로 알려짐.나아가 양측은 이라크측 철수안관련 이라크측으로부터 동제안이 나왔다는 사실에 우선 관심을표하고 월요일로 예정된 이라크외무장관의 고르바쵸프 면담시 상세한 이라크입장이 설명되기를 기대한다고 언급한것으로 알려짐.(동면담시 양측은 일단 동제안을 POSITIVE BREAKTHROUGH 로 본다고 언급하였으며, 당지 언론은 이를 ONE STEP TOWARDS PEACE 로 논평함). 이와관련 HAMMADI 이라크부수상의 2.15 당지방문이 예상되었으나 아직확인되지않고있음

3.VELAYATI 외무장관은 쏘련방문전 제네바군축회의참석기회에 사우디 FAISAL 외무장관과도 만나 걸프전쟁및 이를위요한 양국관계에대해서 의견교환을 가졌는바, 양측은 역내평화를위한 양국간 협력및 수교를위한 이견조정을위해 계속접촉할 필요가있음을 강조한것으로 알려짐.

4. 참고로 일부 당지언론이 향후 역내안보구조 SHAPING 관련 이란및 사우디의

중아국 안기부	장관 국방부	차관	1차보	2차보	미주국	정문국	정와대	총리실

PAGE 1   91.02.16   19:22

외신 2과 통제관 CA

0043

역할의 중요성을 설명하며, 걸프와 직접연결된 지정학적 이해가 없는 이집트및 터키의 참여배제를 강조한것은 특기할만한 사실임.끝

(대사정경일-국장)

예고:91.6.30.까지고문애

과거 인문서로 재 군규림.

토필(1991. 6.30.)

종   별 :

번   호 : IRW-0151   일   시 : 91 0217 1630

수   신 : 장관(중근동,중미,정일,기정)

발   신 : 주 이란 대사

제   목 : 걸프전쟁

표제 주재국내 동향 아래 보고함.

1. 주재국은 라프산자니 대통령주재 국가최고안보회의를 개최(2.16) 이라크측 제의를 긍정적으로 보고, 이에 상응하는 미측의 조치를 요구함. 동석한 VELAYATI 장관은 최근 NAM 회의, 쏘, 이태리 방문 결과에대해 브리핑한것으로 알려짐. 한편 HAMMADI 이라크 부수상이 2.15 당지방문 동외무장관과 만나 최근 이라크측제의에 대해 의견교환 한것으로 알려짐.

2. 주재국은 비록 이라크제안이 안보리결의 내용과 일치하지는 않으나 이를계기로한 외교적 중재 노록만이 지상전을 막을수있는 유일한 방안이라고 평가하고 있는것으로 보임. 나아가 이라크 부수상의 방이, 수일후로 예상되는 이란고위대표단의 이라크방문(대통령친서휴대), 이.이양국 외무장관의 쏘련방문에 중요한 의의를 부여하고 있는것으로 보임(당지에서 청취된 모스크바 방송은 동장관의방쏘가 연기될지도 모른다고 보도함)

3. 참고로 주재국 외무장관 고문인 LARIJANI 는 당지 언론기고를 통해 걸프전쟁을 평가하며 이라크는 VICTORIOUS LOSER, 미국은 TUGLORIOUS WINNER 가 될것이라고 언급함. 끝

(대사정경일-국장)

정문국	장관	차관	1차보	2차보	미주국	중아국	안기부

PAGE 1   91.02.17   22:55
                                          외신 2과 통제관 CE

0045

외 무 부

종 별 :

번 호 : IRW-0155   일 시 : 91 0218 1400

수 신 : 장관(대책본부장,중근동,중미,정일,기정)

발 신 : 주이란대사

제 목 : 걸프 전쟁

1. AZIZ 이락 외무장관이 쏘련 방문을 위해 HAMMADI 부수상및 FAISAL 외무차관과함께 2.17 육로로 당지도착 VELAYATI 장관과 만나 약2시간 가량 이라크 평화안에대해 의견 교환하였음. 이자리에서 이라크측은 안보리결의 660의 수락의사를 표망하고 이라측 입장을 상세히 설명하였으며, 이란측은 이라크측의 진의및 FLEXIBILITY 파악에중점을 두었던것으로 당지 관측됨. 라프산자니 대통령은 사담앞 메시지에서 전쟁 종결을 희망하는 이란측 강력한 의사를 전달한것으로 알려짐. AZIZ 장관 일행은 귀로에 당지 재경유 예정임.

2. 특기사항으로 주재국의회는 최근 CAIRO 개최회의(전후 역내 안보체제 구상)에 이란이 제외된 사실에 불만을 표하였으며, VELAYATI장관은 금 2.18 부터 걸프전 SHUTTLE 외교및 양국관계 협의를 위해 독일, 프랑스 방문 예정임. 끝

외 무 부

종 별 :

번 호 : IRW-0156   일 시 : 91 0218 1400

수 신 : 장관(대책본부장,중근동,마그,기정)

발 신 : 주이란대사

제 목 : 걸프전

    1. 당관은 현재 걸프전이 소강상태에 있고 이라크 잔류 현대근로자(6명)의 이라크출국 비자 취득지연으로 당분간 이란으로의 조기 철수 가능성이 희박하여, 현재 24시간 당직 근무체제를 0600-2200 간 당직근무로 전환함을 보고함. 2200-0600 간 연락처는 622094(천인필 서기관자택)과 272042(관저)임.

    2. 연이나 걸프전의 확대시는 즉시 24시간 근무체제로 전환할것임. 끝

    (대사정경일-대책본부장)

√대책반	장관	차관	1차보	2차보	미주국	√중아국	중아국	정문국
청와대	총리실	안기부	선일	선이	현영실			

PAGE 1   91.02.18   21:06 DQ

                                    외신 1과 통제관

외 무 부

종 별 :

번 호 : IRW-0168   일 시 : 91 0211 1230

수 신 : 장관(대책본부장,중근동,중미,정일,기정)

발 신 : 주 이란 대사

제 목 : 걸프전

표제사태 주재국내동향 보고함.

연:IRW-0161

1. OZAL 터키대통령및 ASSAD 시리아 대통령은 라프산자니 대통령과의 전화통화에서 라프산자니 대통령은 양인들이 미국의 자제를 유도하기위해 노력하여줄것을 요청하였으며, 이락의 쿠웨이트 철수를 위한 이라측제안의 실현을위해 공동노력할것을 확인한것으로알려짐.

2. HAMMADI 이락부수상이 북경방문후 귀로에 2.21 현재 주재국도착 주재국인사와 이락측입장에대해 재협의중이며, 또한 AZIZ 이락 외무장관도 쏘 방문을위해금일 오후늦게 당지경유 이락측 입장설명 예정인것으로 알려짐.

3. 당지 외교가는 다국적군의 지상전이 금주말 개시될가능성이 있는것으로 관측하고있는 가운데 작 2.20 2000 당지주재 영, 이, 터키 대사관에대한 폭탄(SONIC BOMB) 부척사건이 발생하였는바, 인명피해는 없었으며, 일부건물이 소규모파괴된것으로 알려짐.또한 당지언론은 이태리 통신보도를 인용 독일대사관에 대해서도 폭탄투척사건이 있었다고 보도하였으며 영국외무부 발표를 인용 당지 쏘련대사관에 대해서도 유사사건이 있었다고 보도하였으나 아직 미확인임.참고로 당관이 접촉한 당지인사는 독일이 전쟁발발후 이스라엘지원을 선언한 최초국가이브로 비록 동보도가 오보라해도 앞으로 가능성이 계속크다고 설명함). 끝

(대사정경일-본부장)

예고:91.6.30 까지

정문국 안기부	장관	차관	1차보	2차보	미주국	중아국	정와대	총리실

외 무 부

종   별 :

번   호 : IRW-0175   일   시 : 91 0223 1300

수   신 : 장관(대책본부장,중근동,중미,기정)

발   신 : 주이란대사

제   목 : 걸프전쟁

1.쏘련중재안 관련 주재국 영자지 TEHRANTIMES(정부입장대변)논평 요지 아래 보고함.

 -쏘련중재안은 이라크의 무조건 쿠웨이트철수를 주요골자로하고있으므로 이를 적극적으로 평가하면 중재국들이 추구하고있는 이라크군철수및 사태의 정당한 해결이라는 두가지 목표중 하나를 달성하는것임.

 -미국이 진정 쿠웨이트 해방만을 목표로한다면 상황이 끝나는대로 즉각 철수해야할것임. 미국은 사정이 허락하면 이라크 전복,이라크내 친미괴뢰정부를 수립하려는의도를 갖고있으면서도 다른한편으로는 사태의 조속종결을 희망 쏘련측제안을 은근히선호하는 양면성을 보이고있음.

 -동 쏘련측 중재안은 이라크군의 철수만 강조하며,다국적군의 철수는 언급하고있지않으며,나악 이라크의 쿠웨이트 연고권 주장은 무효라는점을 포함하고있지안으므로 취약점이있으나 사태의 평화적 해결을 바라는 입장에서볼때 사정을 악화시킬뿐인 취약점을 계속 들추는것은 바람직하지않음.

 2.한편 주재국 VELAYATI 외무장관은 작 2.22 방이중인 ALAVI오만, 외무장관과 공동 기자회견을갖고 이라크군철수에 이어 다국적군도철수하여야 할것을 강조하였음.

 3.결국 주재국은 동 중재안이 향후 역내 질서안정을 위해 요구되는 사항이 결여되어있다는점에 아쉬움을 표하면서도 사태의 조속 종결을위해 동 중재안을 적극 지지하고있으며,이러한 배경에서 기보고한바와같이 동 쏘련측 중재안과 유사한 내용의 중재안을 사전에 제시하였던것으로 관측됨.

 4.미측대안(최후통첩)에대하여는 아직 공식 논평이없으나,주재국 입장 파악되는대로 보고하겠음.끝

  (대사정경일-본부장)

대책반	장관	차관	1차보	2차보	미주국	중아국	정문국	상황실
정와대	총리실	안기부						

원 본

외 무 부

종 별 :

번 호 : IRW-0181   일 시 : 91 0224 1630

수 신 : 장관(대책본부장,중근동,중미,기정)

발 신 : 주 이란 대사

제 목 : 걸프전

　　1. 걸프전의 평화적 해결을 위한 주재국 외교 노력 일환으로 NAM 의장국인 유고를 포함 NAM 특별위원회(걸프사태의 평화적 해결 및 전쟁 확대 방지 목적) 구성국인 이란, 인도, 쿠바, 4개국 외무장관 회담이 금 2.24 오후 4:30 당지 개최 예정이며, 동 외무장관들은 명 2.25 오전 이락방문 동 평화적 해결 노력 추구예정인 것으로 알려짐. 금 오전 VELAYATI 외무장관은 인도 및 쿠바 외무장관과 각각 사전 준비 회담을 갖고 회의 의제 등 관련사항에 대해 협의한 것으로 알려짐. (이에 앞서 동 회담 연기 또는 취소설이 나돌았는바, 회의가 개최되더라도 성공를 기대할수 없을 것이라는 견해가 당지 지배적 의견이었음)

　　2. 동 회의 결과 추보하겠음. 끝

　　예고:91.12.31 까지

91. 6. 30. 건포락

중아국	장관	차관	1차보	2차보	미주국	청와대	안기부

91.02.24　22:51
외신 2과　통제관 CF

0050

외 무 부

종 별 :

번 호 : IRW-0182   일 시 : 91 0224 1630

수 신 : 장관(중근동,구이,중미,기정)

발 신 : 주 이란 대사

제 목 : 오지리 외무장관 방이

　　1. 2.23 부터 당지 공식 방문중인 MOCK 오지리 외무장관 (정치, 경제사절단 대동)
은 라프산자니 대통령, VELAYATI 외무장관 및 MOIN 문화, 고등교육부장관과 만나
걸프사태 평화적 해결 및 양국관계 증진 방안에 대해 의견 교환함. 양국 외무장관은
쏘측 중재안이 비록 다국적군의 철수를 규정하고 있지 않아 아쉬운점이 있으나 쏘의
중재 노력은 높이 평가되어야 한다는점에 일치를 보았으며, 사태 해결을위한 공동
노력을 다짐함. 한편 라프산자니 대통령은 동 외무장관에게 유엔사무총장을 역임한
중립국 대통령으로서 오지리 중재 역할의 필요성을 역설하며 이를 요청한 것으로
알려짐. 그밖에 동 문화고등부 장관과의 면담에서는 양국간 과학기술, 교육분야 협력
및 양국간 문화센타 교환 설치등에 대해 협의한 것으로 알려짐.

　　2. 특기사항 있을시 추보하겠음. 끝

　　예고:91.12.31 까지

　　　　　　　　　　　　　　91. 6. 30. 김교장 고

중아국	차관	1차보	2차보	미주국	구주국	청와대	안기부

외 무 부

관리번호 91/72

종 별 :

번 호 : IRW-0188   일 시 : 91 0225 1330

수 신 : 장관(대책본부장,중근동,중미,기정)

발 신 : 주 이란 대사

제 목 : 걸프전

　　1. NAM 특별위 회의가 예정대로 작 2.24 당지에서 개최 되었으며, 이어 동참석 외무장관등은 라프산자니 대통령 면담 의견 교환하였음. 이자리에서 4 개국외무장관은 이라크의 오판에의해 야기된 금번사태의 평화적 해결을위한 중재노력이 시기적으로 늦은감이있으나 계속 되어야 할것이라는 점에 의견일치를 보았으며 이라크 고위관리들과 직접접촉을 위해 동외무장관들을 이라크로 파견 하기로 결정 한것으로 알려짐. 그러나 당관이 접촉한 주재국 외무관계자는 동회담이 명목적 효과 밖에 없었으며 회담시간도 꽤짧았다고 설명하면서 동 외무장관들의 바그다드향발(금일오전 10 시당지시각)이 지연되고 있는바, 그이유로 바그다드에 가더라도 지상전이 개시된 현시점에서 성과가 회의적 이기때문 이라고 설명하였음(바그다드방문경우 주재국경유 당지에서 재협의 예정으로 알려짐)을 참고로 보고함.

　　2. 쏘련 방문후 귀로에 GHANDI 전인도수상이 표제 사태협의를 위해 라프산자니 대통령초청으로 작 2.24 당지도착함.

　　3. 한편 주재국 외무부 대변인은 이란이 미국의 지상전 개시를 사전통보받았다는 일부 외국 언론보도를 강력 부인한것 으로 당지언론이 보도함. 끝

　　예고 : 91.12.31 까지

　　　　　　　　　　　　　　　91. 6. 30.

중아국	장관	차관	1차보	2차보	미주국	청와대	안기부

91.02.25   22:06
외신 2과 통제관 FE

0052

관리
번호 이-854

외 무 부

종 별 :

번 호 : IRW-0219

일 시 : 91 0307 1030

수 신 : 장관(대책반,중동일,정일,기정)

발 신 : 주 이란 대사

제 목 : 걸프전쟁

연:IRW-0188

　　본직은 작 3.7 당지 유고대사와 접촉하였는바, 동인은 지난 2.24 연호 걸프전재의 평화적해결노력의일환으로 당지에 파견된 NAM 특위 외무장관(인도, 쿠바,유고)들이 예정된 이라크방문을 취소한이유는 당시 이라크측이 동외무장관들의이라크방문의 조건으로 제시한 사담대통령과의 면담을 이락측이 거부하였기때문이라고 설명하였음을 참고로보고함. 끝

　　(대사정경일-국장)

　　예고:91.6.30 까지

'91.6.30. 역 억 .... 일만문서로 제 ...

중아국	장관	차관	1차보	2차보	정문국	청와대	안기부

2. 이집트

0054

	분류번호	보존기간

발 신 전 보

WUS-2550   900802 1742 DY   종별: 긴급

번   호 :

수   신 : 주   수신처 참조 //대사// .총영사//

발   신 : 장   관   (중근동)

제   목 : 이라크, 쿠웨이트 침공

WUK	-1277	WFR	-1472
WJA	-3270	WCN	-0782
WAU	-0529	VWCA	-0258
WSB	-0277	WIR	-0250

표제 사태 관련, 주재국 반응(영문) 및 사태 평가 내용 긴급 파악 보고 바람. 끝.

(중동아프리카국장   이 두 복)

수신처 : 주미, 영, 불, 일, 카나다, 호주, 이집트, 사우디, 이란

1990. 12. 31. 애 엮고문에 의거 일반문서로 재 분류됨.

앙고재	90년8월2일	기안자 성명		과 장		국 장		차 관	장 관	보안통제	
	중근동과									외신과통제	

0055

외 무 부

종 별 : 지 급

번 호 : CAW-0480　　　　　　　　　일 시 : 90 0802 1705

수 신 : 장관(중근동,마그,정일)

발 신 : 주 카이로 총영사

제 목 : IRAQ 의 KUWAIT 침공

　　대:WCA-0258

　　연:CAW-0453,0440

　　대호관련 주재국 공식 반응은 아직 8.2.(15:00 현재) 나타나지 않고 있는 가운데

　　1. 현재 당지 연호 OIC 회의 참석중인 ARAB LEAGUE 외상들이 대호 사태 논의를 위해 15:00 별도 회의를 개최할 것으로 알려지고 있어 모종의 아랍권 반응은 동회의가 끝난 후에야 밝혀질 것으로 보임.

　　2. 또한 현재 당지를 공식 방문(7.31-8.2) 중에 있는 U.A.E 의 ZAYED 대통령과 MUBARAK 대통령은 그간 양차에 걸친 정상회담을 통해 양국관계, 걸프지역 사태, ARAB 권 단결문제등에 관해 솔직한 의견 교환을 갖고 동문제에 대해 인식을 같이 한 것으로 알려지고 있으나, 상기사태 발생후 재차 회동, 동 사태를 협의한 것으로 알려졌으나 그 내용은 알려지지 않고 있음.

　　3. 당지 언론가에서는 동사태 악화 방지를 위해 MUBARAK 대통령이 직접 이락을 방문할 것이라는 추측이 유포되고 있음.

　　4. 본건 계속 주시 수시 보고하겠음. 끝.

　　(총영사 박동순-국장)

　　예고:90.12.31. 까지

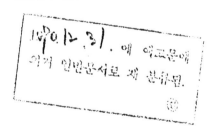

중아국	장관	차관	1차보	2차보	중아국	정문국	정와대	안기부

PAGE 1　　　　　　　　　　　　　　　　　　　　90.08.03　01:14

외 무 부

종 별 :

번 호 : CAW-0481   일 시 : 90 0803 1535

수 신 : 장관(중근동,마그,정일)

발 신 : 주 카이로 총영사

제 목 : 이락-쿠웨이트 사태

대:WCA-0258

연:CAW-0480

대호 관련 당지 언론계 및 외교계의 반응요지 하기와 같이 보고함.

1. MUBARAK 주재국 대통령은 8.2 AL.ASSAD 시리아대통령, HFHAD 사우디국왕, SABAH 쿠웨이트 국왕, SALEH 예멘 대통령, HUSSEIN 이락대통령및 HUSSEIN 요르단 국왕(이집트를 직저방문)들과 전화, 대호 사태에관한 대책 협의를 하였으나 그 내용은 일체 밝혀지지 않고 있음.

2. AL 긴급외상회의

8.2. 아랍연맹 긴급외상회의가 쿠웨이트측 요청으로 3 차례나 개최되었으나 아무런 결론을 내리지 못한채 오늘 (8.3) 오후 6 시에 재개키로 하고 자정경에 폐회하였음.

1) 동회의에서 쿠웨이트측은 아랍제국에 침략군을 격퇴시킬 아랍원군 파견을 호소하였으나 아무런 반응을 얻어 내지 못하였으며

2) 한편 이락측 대표는 동외상회의에서 동사태를 토의하는것이 의미가 없는것이며, 이락군대 쿠웨이트진주는 쿠웨이트의 자유 임시정부 요청에 따라 쿠웨이트 인민들의 안전을 위해 취한 조치인바, 이는 쿠웨이트 국내문제라고 주장하였다함.

3. 당지 언론반응

미.쏘를 비롯 모든세계 주요국들이 이락을 규탄하고 있으나 아랍제국(모로코, 알제리, 레바논 제외)만이 아직 침묵으로 일관하고 있는가운데 당지언론은 TERRIFYING ARAB DISASTER 란 제하에 대호 고나련 세계주요 외신을 아무런 제한없이 전재하면서 이락처사는 규탄되어야 한다는 논조를 보이고 있음. 끝.

(총영사 박동순-국장)

예고:90.12.31. 까지

중아국	장관	차관	1차보	2차보	중아국	정문국	청와대	안기부

PAGE 1   90.08.05   01:22

외신 2과 통제관 EZ

0057

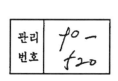

관리
번호 : 90-
720

외 무 부

종 별 : 긴급

번 호 : CAW-0483

수 신 : 장관(마그)

발 신 : 주 카이로 총영사

제 목 : 이라크의 쿠웨이트 침공관련 주재국 공식반응

일 시 : 90 0804 0140

연:CAW-0481

1. 주재국 외무성은 금 90.8.3 하오 하기요지의 공식성명을 발표함.

가. 이라크는 즉시 쿠웨이트로 부터 그 군대를 철수하여야 하며, 쿠웨이트정부의 기능을 정상화 시켜야 할것임.

나. 이라크, 쿠웨이트 분쟁을 평화적으로 해결하려는 노력이 아랍국가간에 진행중이었고, 특히 아랍국가의 중재에 따라 양국이 제 1 차 협상을 마친후에 바로 이라크가 쿠웨이트를 침공한것은....일이 아닐수 없으며, 이라크의 여사한 조치는 국제분쟁의 평화적 해결을 규정한 국제법원칙에 반하는것이며, 이라크는 타국의 국내문제 간섭을 중지해야 할것임.2. 한편, 무바락대통령은 8.2(목)주재국을 방문한 후세인 요르단 국왕과 동사태해결 방안을 협의한데 이어, 금 8.3 사우디, UAE 등 아랍온건국가 원수들과 전화로 접촉, 동사태 해결을 위한 아랍정상회담 개최문제등을 협의한것으로 알려지고 있음.3. 현재 당지에서 개최중인 이슬람 외상회의에 참석중인 아랍국가 외상들이 본국정부와의 협의등의 사정으로 동사태에 대하여 공동입장을 취하지 못하고 있는 가운데, 주재국 정부가 이라크군의 즉각철수등 쿠웨이트를 지지하는 강력한 공식입장을 천명한 것은 소련, 영, 독, 일본등 주요국가들과의 공동조치를취하여 동 사태 수습을 모색하고 있는 미국과 사우디와의 긴밀한 협조하에 이루어 진것으로 관측되며, 아랍 온건 지도국의 하나인 주재국이 이라크의 금번 쿠웨이트 침공을 정면으로 반대하고 나온것은 지금까지 공식입장 표명을 유보하고 있는 여타 아랍제국에 대하여도 영향을 미칠것으로 보이며 이라크가 즉각적인 철군에 불응하는 경우 이라크와 아랍온건국가간의 대립은 심화될 것으로 관측됨. 끝.

(총영사 박동순-국장)

예고:90.12.31. 까지

중아국   장관   차관   1차보   2차보   정문국   청와대   안기부

외 무 부

종 별 :

번 호 : CAW-0488   일 시 : 90 0805 1445

수 신 : 장관(중근동,마그,정일)

발 신 : 주 카이로 총영사

제 목 : 이락-쿠웨이트 사태

1. 표제건에 관해 8.4. MUBARAK 대통령은 당지를 방문한 PLO 의 ARAFAT 을 접견한(1시간 방애후 이락으로 향발)후 기자와의 인터뷰을 통해 요지 하기와 같이 언급함.

    1) 이락군은 즉각 철수해야 함.

    2) 외세 개입 불원(ARAB 권 내부 노력으로해결 모색 희망)

    3) 이집트 입장(규탄)을 신속히 발표할 수 있었으나 사태 발생 1일후까지 지연된것은 HUSSEIN 이락 대통령이 두려워서가 아니라 사태를 옳게 파악하기 위한 것이었음.

    4) HUSSEIN 이락 대통령이 소아랍정상회담개최(사우디 JEDDAH) 에 전제 조건을 붙였는지에 대해서는 논평을 거부함.

    5) 아랍권의 단결은 여전히 존재함.

    6) 자신뿐 아니라 이집트 모든 국민들은 동사태로 충격을 받았음.

2. 한편 당지 신문은 상기 BAGHDAD 로 떠난 ARAFAT 는 리비아-팔레스타인 양측 공동으로 마련한 하기와 같은 4개항의 걸프지역 평화안을 휴대하였다함.

    1) 역내 외세 개입 봉로 차단

    2) 역내 평화 추진

    3) 동문제로 인한 세계적 사태 악화 방지

    4) 아랍 후손들의 염원 성취.끝.

    (총영사 박동순-국장)

중아국   1차보   중아국   정문국   안기부

외 무 부

종 별 :

번 호 : CAW-0489   일 시 : 90 0805 1450

수 신 : 장관(마그,중근동,정일)

발 신 : 주 카이로 총영사

제 목 : 제19차 이슬람권 외상회의 폐막

    (자료응신 제 47호)

     연: CAW-0473

    1. 연호 제19 차 OIC(이슬람회의 기구)외상회는 5일간의 회의를 폐막하면서 (8.4)이락의 쿠웨이트 침공에 대해 하기 요지의 성명을 발표 하였음.

    1) 쿠웨이트로부터 이락군의 즉각 철수와 OIC헌장 준수(회원간 분쟁의 평화적 해결과 내정 불간섭)촉구

    2) 이락-쿠웨이트간 선린관계를 준수하고 체재변경 기도를 취소할 것

    3) 모든 나라의 독립과 영토 보전 존중

    4) 사태 진정을 위한 아랍권의 노력에도 불구하고 이렇게된 것을 개탄함.

    5) 양국간 이견이 원만히 해결할 것을 촉구함

    2. 동 OIC 외상회의의 여타 사항에 관해서는 파편 보고위게임.끝.

    (총영사 박동순-국장)

중아국   1차보   중아국   정문국   안기부

PAGE 1   90.08.05   22:11 DN

                                        외신 1과 통제관

                                        0060

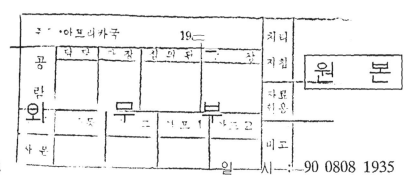

종   별 : 긴 급

번   호 : CAW-0498

수   신 : 장관(마그,중근동,영재,기협,정일)

발   신 : 주 카이로 총영사

제   목 : 무바락대통령,이락.쿠웨이트 사태관련 외부세력개입임박경고

(자료응신 제 48호)

연: CAW-0488

1. 무바락주재국 대통령,이락.쿠웨이트 사태관련내외신 기자회견

가. 무바락대통령은 금 90.8.8(수) 하오 전국에 TV및 라디오로 중계된 내.외신 기자회견을 통해 이락군의 쿠웨이트로부터의 철군이 조기 실현되지않으면 외부세력(FOREIGN FORCES) 의 개입이 임박하다고 경고했음. 동 대통령은 이어 이락이 외부세력의 공격목표가 될것이라고 경고하고, 사담 후세인 이락대통령에게 쿠웨이트로부터의 즉각적인 철군을 축구했음.

나. 동대통령은 외부세력의 동사태 개입을 예방하고, 동 사태의 평화적 해결을 협의하기 위해서 24시간 이내에 아랍특별 정상회담을 개최할것을 제의하고, 동 정상회담에서는 (1)이락군의 쿠웨이트로부터 철수 (2) 쿠웨이트내에 합법적인 정부의 원상회복 (3) 이락.쿠웨이트국경지대에 아랍연합군대 주둔등의 문제를 협의.타결하고, 상기 제사항이 타결된후, 양국은 현안 분쟁문제를 협상을 봉하여 해결해야 할것이라고주장했음.

다. 동대통령은 이집트는 현재 사우디에 군대를 파견하지 않고 있으며, 이에 관해 협의한 바도 없다고 말했음.

라. 동대통령은 사담 후세인 대통령이 조속히 동사태를 아랍권내부(ARAB UMBRELLA) 에서 해결하려는 노력에 호응하여 이락군대를 쿠웨이트에서 철수하고 합법정부를원상회복시킨후에 아랍연합군이 양국국경에 주둔하자는 안에 동의할 것을 축구했음.

마. 동대통령은 이어 이러한 해결방안이 외세에의해서 강요된 해결보다는 낫다고주장하고, 외국군함이 단순히 잠을 자기 위해서 이지역으로오고 있는것은

중아국   1차보   중아국   경제국   정문국   영교국   정와대   안기부

PAGE 1

90.08.09   03:12 DN

외신 1과 통제관

0061

아니라고말했음.

　바. 동대통령은 이어 상기 견해는 자신의 개인적인 생각 (PERSONAL POINT OF VIEW) 이며,외부세력의 공격이 임박하다는 정보를 들은바는 없으나, 외부세력의 공격이다가오고 있으며, 이는 파괴적이고 무서운 일이라고 주장했음.

　사. 동대통령은 후세인 이락대통령이 쿠웨이트를 공격하지 않을 것이라고 자신에게 약속한바있으나, 동 약속을 어기고 쿠웨이트를 공격하므로써 거짓말을 했다고 밝히고 후세인 대통령을 신랄히 비난했음.

　2. 무바락대통령은 또한 8.7 부시 미대통령으로부터 전화연락을 받고, 동사태의진전사항 및 해결방안문제를 협의했으며, 또한 당지를 방문한 체니 미국방장관을 접견,동 장관의 사우디 방문결과를 중심으로 장시간 동사태의 해결방안에 대해서 협의했음.

　3. 동대통령은 또한 8.7 당지를 방문한 SHEIKSAAD AL-ABDULLAH 쿠웨이트 황태자겸 국무총리를 접견, 동사태를 협의했으며, 한편 동일 IZZATIBRAHIM 이락 부통령은 무바락대통령을 방문, 후세인 이락대통령의 멧세지를 전달했는바, 동메세지는 이락의쿠웨이트 침공에 대한 주재국의 지지를 요청한 것으로 알려지고 있음.

　4. 무바락 대통령은 상기 제1항 내.외신기자회견에서 외부세력의 무력개입을 경고하면서, 누구로부터도 외부세력의 무력개입에 대해 정보를받은바 없으며, 개인적인 견해라고 주장하고있으나, 상기 1항의 대이락 경고 성명이 부시 미대통령, 체니 미국방장관 ABDULLAH 쿠웨이트황태자와의 협의 및 후세인 이락대통령의 메세지를 접수한 후 표명되었으며, 특히 무바락대통령이 그간의 동사태 해결노력을 비공개리에 은밀히 추진해온 방식을 지양하고 전국에 중계된 TV. 라디오 공개기자회견방식을 취한점등에 비추어, 상기1항의 입장표명은 미측과의 충분한 사전협의하에 취해진 대이락경고조치로 관측되며, 특히 아랍내부에서의 동문제해결을 협의하기위한 아랍특별정상회담 개최시한을 24시간으로 잡은것은 어찌면 외부세력 개입의 긴박성을 시사하고 있는것으로 당지에서는 관측되고있음.끝.

　(총영사 박동순-국장)

외 무 부

종 별 :

번 호 : CAW-0525

일 시 : 90 0814 1030

수 신 : 장 관(중근동,마그,정일)

발 신 : 주 카이로 총영사

제 목 : 이락의 철군 제의 방안에대한 주재국 반응

연:CAW-0517

1. 8.13 소위 이락 SADDAM HUSSEIN 의 이락. 쿠웨이트사태 해결 방안 (KUWAIT 로부터 이락군 철수를 (1) 아랍영토로 부터 ISRAEL 점령군 철수 (2) LEBANON으로부터 시리아군 철수 (3) UN 의 대이락 제재조치를 비롯한 각종 제재조치 해제와 연계) 에 대해

MEGUID 외상은 이는 애매모호할뿐 아니라 ARAB 과 ISLAMIC 결의에 배치되며, 우리는 이락에 선의와 신뢰 입장을 위한 조치를 강구할 것을 촉구한다고 하였음.

2. 또한 이락-쿠웨이트 사태 관계로 당지를 방문한 JOHN KELLY 미국무장관보는 8.13. MEGUID 외상과 면담후 기자들과 대담에서 미국은 이집트와 쿠웨이트로 부터 이락군의 즉각 철수와 쿠웨이트내에 정통정부 복원이란 같은 목표를 갖고 있다고 언급함. 끝.

(총영사 박동순-국장)

중아국	장관	차관	1차보	2차보	중아국	정문국	정와대	안기부

90.08.14   19:40
외신 2과 통제관 DL

0063

발 신 전 보

	분류번호	보존기간

WBG-0294   900820 1643 FA

번   호 :   종별 :

수   신 : 주 수신처 참조 대사. 총영사

WSB -0341	WAE -0170
WYM -0184	WIR -0278
WTU -0386	✓WCA -0303

발   신 : 장 관   (중근동)

제   목 : 이라크.쿠웨이트 사태

1. 이라크측이 서방국민의 인질 가능성을 공언하고 다국적 지상군 배치 및 해안 봉쇄망 구축으로 양측의 전부 배치가 완료된 것으로 걸프 사태는 새로운 국면을 맞고 있는 것으로 분석됨. (8.20 자 동아일보는 "마.중동 전면전 불가피" 라는 썬데이 타임쓰 기사를 전재함)

2. 이러한 군사 대치 상황에서 이라크측이 취할 가능성이 있는 선택 (OPTION)을 중심으로 향후 단기 전망을 주재국 정부 포함 다각적으로 파악 보고 바람. 끝.

(중동아프리카국장   이 두 복)

수신처 : 주 이라크, 사우디, UAE, 예맨, 이란, 터키 대사
         주 카이로 총영사

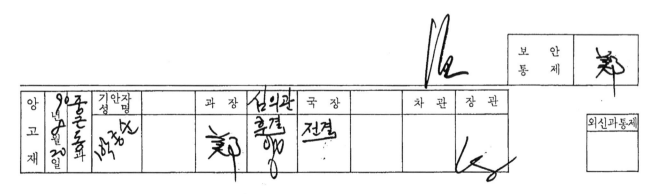

0064

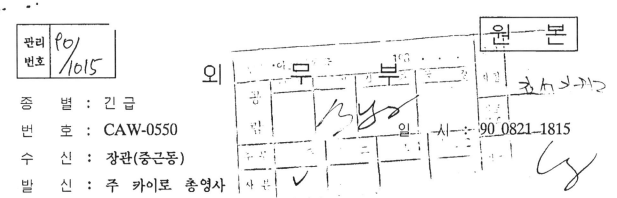

종 별 : 긴급
번 호 : CAW-0550
수 신 : 장관(중근동)
발 신 : 주 카이로 총영사
제 목 : 무바락 대통령, 쿠웨이트내 이락군 즉각 철군 강력호소

일 시 : 90 0821 1815

    1. 주재국 무바락 대통령은 90.8.21(화) 오후 TV 및 라디오로 아나운서를 통하여 전국에 발표된 사삼후세인 이락 대통령앞 하기 메시지(요지 별첨)에서지금은 매우 중대한 시점(DECISIVE AND DIFFICULT HOURS)임을 지적하고 쿠웨이트로부터 이락군을 즉각 철수할것을 호소하였음.

    2. 당지에서는 동 메시지는 후세인 대통령에게 보내는 마지막 호소로서 이락군이 쿠웨이트로부터 곧 철수하지 않을경우 미국등 외부세력의 대이라크 무력행사가 임박했음을 의미하는것일 가능성이 크며, 아울러 주재국 내부적으로는외부세력의 무력행사가 행해질경우 국내 회교 정봉주의자등 반대세력들에 대한사전 무마용으로 취해진 조치로도 해석하고 있음.끝.

    (총영사 박동순-국장)
    예고:90.12.31. 일반
    첨부:별첨 요지 1 부.끝.
    별첨요지:

    HEREBY APPEAL TO PRESIDENT SADDAM HUSSEIN TO SAVE MANKIND...FROM A DESTRUCTIVE WAR WATCH WOULD DESTROY ALL GREENERY AND ARID LANDS AND GOD ONLY KNOWS HOW TERRIFYING THE END WOULD BE IF IT STARTED.

    WHAT THE LOSSES AND CONSEQUENCES WOULD BE IF THE FIRE BROKE OUT...IT WOULD TAKE US BACKWARDS TO DARKNESS AND LOSS.

    I APPEAL TO PRESIDENT SADDAM HUSSEIN TO TAKE THE DECISION OF WITHRAWING IRAQI TROOPS FROM KUWAIT AND RETURN IT TO ITS PREVIOUS POSITION.

    THE ARABS LOOK UPON YOU TO TAKE THIS INITIATIVE WHICH WOULD BE APPRECIATED IN THE ARAB WORLD AND THE WHOLE WORLD WEST, EAST, NORTH AND SOUTH.

중아국	장관	차관	1차보	2차보	정문국	청와대	안기부	대책반

PAGE 1

90.08.22   01:28
외신 2과 통제관 CW

0065

I APPEAL TO YOU AT THESE DECISIVE AND DIFFICULT HOURS AND I HAVE FULL CONFIDENCE THAT YOU WILL RESPOND POSITIVELY TO ME OUT OF YOUR APPRECIATIONFOR SUPPREME ARAB INTERESTS WHICH IS ABOVE ALL CONSIDERATIONS AND SO THATTHE ARAB NATION WILL NOT BE INCAPABLE OF SOLVING ITS PROBLEMS AND ACHIEVING SOLIDARITY AND CARRYING OUT ITS RIGHTS WITH THE MINDS OF ITS OWN SONS AND LEADERS.

MAY GOD INSPIRE US ALL TO THE PATH OF JUSTICE AND TRUTH.END

PAGE 2

0066

외 무 부

종 별 :

번 호 : CAW-0573   일 시 : 90 0828 1900

수 신 : 장관(중근동,마그,정일)

발 신 : 주 카이로 총영사

제 목 : 이락.쿠웨이트사태(자료응신 제54호)

1. MUBARAK 대통령은 미 CBS 와의회견(8.26)에서 하기 요지 이유를 들어 현 GULF사태해결책으로 가까운 장래에 무력사용 가능성이 있을것임을 시사(EXPRESSED CONVICTION THAT 'SOMETHING' WOULD TAKE PLACE IN THE NEAR FUTURE) 하면서 SADDAM HUSSEIN 이락대통령이 세계여론의 압력 수락할것을 촉구함.

  1) 50-60년만에 처음으로 전세계가 이락의 쿠웨이트침공 규탄과 이락군의 철수 요구에 의견 일치를보고 있다는점

  2) 방대한 다국적군의 증강은 목적 달성없이 철수치 않을것임.

  3) BUSH 대통령도 GULF 위기 해소없이 동지역으로부터 철수할 수 없을 것이므로미국도 출구를 찾아야 한다는점.

2. 한편 정부 입장을 대변하고 있는 당지의 AL-AKHBAR (8.28 자) 지의 AMIN 논설위원은 SADDAM HUSSEIN 이 현시점에서 연합군측의 요구를 수락해도, 연합군측은 그의사임을 요구하게될 것이므로 HUSSEIN 이 갈길은 전쟁밖에없을 것이라고 전망함.

3. 또한 주재국 정부는 GULF 위기의 평화적해결 방안모색 일환으로 8.27 MEGUID외상을쏘련에 , GHALI 외무담당국무상을 프랑스에 각각 파견하였음.끝.

  (총영사 박동순-국장)

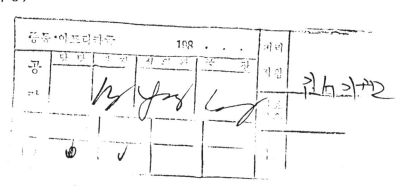

중아국   1차보   중아국   정문국   안기부   미주국 통상국 대책반 2차반

PAGE 1   90.08.29   08:31 DP

                                              외신 1과 통제관

                                              25   0067

외 무 부

종 별 :

번 호 : CAW-0577　·아르·ㄴㄱㄱㄷ　198...　일 시 : 90 0829 1820

수 신 : 장관(중근동, 마그, 정일)

발 신 : 주 카이로 총영사

제 목 : 이락.쿠웨이트 사태

연: CAW-0573

표제사태와 관련 최근 요르단으로 부터 이집트가미국의 괴뢰라는 루머가 유포되고 있는것에 대해8.28 MUBARAK 대통령은 내외신 기자회견을 통해하기와 같이 해명함.

1. GULF 사태의 평화적 해결을 위한 노력을경주하고 있음.

2. 이락이 KUWAIT 에서 철수하면, GULF 지역으로부터 외군 철수를 요청할 용의가있으며, UN 의대이 경제 제재 조치 종식을 위해 노력 할것임.

3. 이집트는 전쟁을 원치 않으며, 문제를평화적으로 해결 할 것과 쿠웨이트 점령을불인함.

4. 우리는 ARAB 식 해결 방안을 모색하고 있으나SADDAM 이 반대하고 있음.

5. 이집트는 미국에 이락 공격을 제촉한적이없음(HUSSEIN 왕이 이집트가 미국에대이락공격을 촉구했다는 설에 대해).다만 BUSH대통령에게 전쟁을 피하고 평화적 해결책모색을 위해 노력하자고 했음.

6. 이락이 미군과 외군의 무력 사용 방지를 위해도발 행위를 자제 하기를 희망함.

7. 이락 대통령은 나(MUBARAK) 뿐 아니라 BUSH대통령, GORBACHEV 대통령, 일본지도자에게도쿠웨이트를 침공치 않겠다고 하였음(HUSSEIN왕이 SADDAM HUSSEIN 이 거짓말장이가 아니라고한데 대해)

8. CAIRO 아랍 정상회담은 당초 GULF 위기진정과 무력사태 발전 방지를 위해 리비아의GADDAFI, 알제리아의 BENJEDID 및 시리아 ASSAD대통령의 동의를 얻어 요청한 것이었으나대이락 규탄을 위한 것은 아니었음(미국또는 여타제국의 요청에 의해 소집되었다는 설에대해)

9. 우리는 이락의 쿠웨이트 점령을 규탄 할 수밖에 없었음. 과거 이락은 BAGHDAD정상회담시 이집트와 단교했지만 우리는 그렇게하지 않았음.

중아국(인) 정문국 미주국 통상국 대책반 1차보 2차보 안기부

90.08.30　01:15 CT

외신 1과 통제관

0068

10. 비상 정상회담시 이락 대표 RAMADAN 은쿠웨이트가 역사적으로 이락 소속임을역설 하면서,쿠웨이트로부터 이락 철수를 반대 하였음.

11. SADDAM HUSSEIN 이 그의 입장을 변경할 수(MAY CHANGE) 있을 것임(위기 해결노력의 교착상태 여부에 관해)

12. 여타 ACC 회원국들은 EGYPT 를 ACC내에 속박 시키고자 하였으나 우리의 원칙고수주장으로 실패 하였음.

13.. 현재까지 ARAB 해결 방안은 실패하였으나,희망을 버리지 않고 있음.

14. ARAGB 권 내부의 부의 분배 문제는 이해하지못함. 만약 이락이 그부를 장악하면 이집트에 얼마줄 것인가 ? 적절한 시기가 되면 그 내막을 밝힐것임.

15. 이집트는 외부 압력에 의해 더 많은 군을증파하지 않으나 우리의 이해에 따라 결정할 뿐임.

16. UN 사무총장의 중재 노력은 평화적 해결방안을 고무할 것이며 일루의 희망이될것임.끝.

(총영사 박동순-국장)

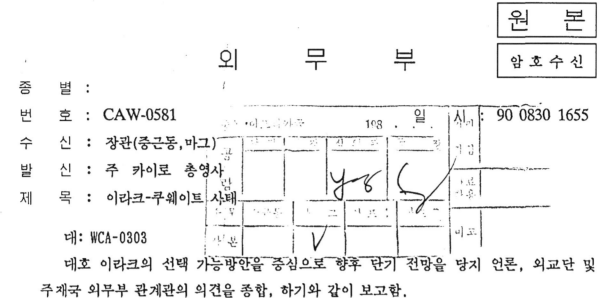

외 무 부

종 별 :

번 호 : CAW-0581

수 신 : 장관(중근동,마그)

발 신 : 주 카이로 총영사

제 목 : 이라크-쿠웨이트 사태

일   시 : 90 0830 1655

대: WCA-0303

대호 이라크의 선택 가능방안을 중심으로 향후 단기 전망을 당지 언론, 외교단 및 주재국 외무부 관계관의 의견을 종합, 하기와 같이 보고함.

　　1. 이라크의 선택 가능방안

　　1) 군사행동 감행

　　2) 고립 탈피(ARAB 권내 지지 세력 규합과 세계 여론 분련)작전

　　3) 협상

　　2. 검토의견

　　1) 군사행동 감해

　　이라크가 군사행동을 감행할 경우에는 1, 대사우디 공격 2, 요르단 침공(요르단 지도부가 현재의 친이락에서 반이락으로 태도를 변화할 경우 왕정을 전복 공화정 수립을 위한)을 상정할 수 있겠으나, SAUDI 에 이미 미군을 비롯한 일부 ARAB 국의 군이 포진 완료 상태에 있으며 또한 ISRAEL 측도 표제사태 발발과 때를 같이하여 이라크의 JORDAN 에 대한 군사행동을 누차 대 ISRAEL 전쟁 도발 행위라고 경고하고 있을 뿐아니라 요르단의 HUSSEIN 국와역시 왕국의 특수 사정(인구의 다수가 팔레스타인인이며, 이락과의 교역으로 경제유지)상 실질적인 태도 변경은 기대하기 어렵다는 점을 감안할때에 SADDAM HUSSEIN 이동 군사행동을 감행할 가능성은 희박함.

　　2) 고립 탈피작전

　　일면 쿠웨이트 사태를 ARAB 권 내부 문제에 대한 외세개입으로 부각, ARAB 권내에의 대중으로 부터 SADDAM HUSSEIN 의 SALADIN 역(중세 십자군을 분쇄한 ARAB 장군) 수행에 대한 인정 확보및 권내의 반이락 정권 붕괴 기도를 통한 동정부의 대이락 태도 변경 시도와, 타면 서방 세계의 이견 노정 조성을 통한 협상 고지 마련에 주력할

중아국
대책반　　장관　　차관　　1차보　　2차보　　중아국　　정문국　　청와대　　안기부

90.08.31　　08:03
외신 2과 통제관 EZ

0070

것이나, 동기도는 1, ARAB 권의 대서방 반감, 2, ARAB 권의 문맹률이 평균 60% 이상이란점, 3, ARAB 권 인구의 명(...?) 빈민이란점등으로 어느정도 성공(요르단, 예멘, 수단, 알제리아, 튜니지아)은 가능함. 그러나 이스라엘과 국교 개설로 지난 10 년간 전 ARAB 권의 손도에도 건재한 이집트와 지난 8년간 적대관계를 유지해온 시리아의 태도 변경에는 미지치 못할 것이므로 그한계가 있음.

3) 협상

대이락 경제적 제재 조치가 UN 기치아래 전세계적으로 이루어지고 있고, 다수 ARAB 국들과 미국을 위시한 UNSC 결의가 조건 없는 원상회복을 요구하고 있어 협상을 통한 모종의 정치적 보상 확보는 물론 자신의 생존 확보까지도 의문시되나 협상 고지 마련 여부는 얼마큼 오래 국제국 압력에 지탱하느냐에 달려 있는 것으로 관측됨.

3. 단기전망

이라크측은 패전이 확실한 군사 행동 보다는 대아랍권에 대해서는 아랍권 내부문제에 대한 외세개입 문제를 부각하고, 대서방측에 대해서는 이라크및 쿠웨이트내 서방국민들을 인질화 하는등 동사태를 장기화하여 협상 고지 확보를 위해 노력할 것으로 보이며, 미국을 위시한 다국적군의 선제공격이 없는한 이라크측이 군사행동을 도발할 가능성은 희박한것으로 판단되나, 상기 이락측 입장에 대한 서방측의 대응 방법에 다라서는 동사태가 더욱 확전될 가능성도 배제할 수 없을것임.끝.

(총영사 박동순-국장)

외 무 부

종 별 :

번 호 : CAW-0584 　　　　　　　　　　　　일 시 : 90 0830 1730

수 신 : 장 관 (마그,중근동,정일)

발 신 : 주 카이로 총영사

제 목 : 이락의 쿠웨이트 침공사태관련 주재국 정가및 시민반응 (자료응신 제56호)

　　1. 최근 한 야당지의 발표에 의하면 표제사태관련 주재국의 여당인 NATIONAL DEMOCRATIC PARTY 와 극우 야당인 WAFD 당만이 이락규탄과 미군개입을 지지하고 있는데반해 여타 야당은 이락과 미국개입을 함께 규탄하고 있음.

　　1) 자유당

　　-외군 휘하의 이집군 파병을 반대함.

　　-이락 침공규탄과 역내 외군 개입을 반대함

　　2) NASSERITES (등록이 거부된 정당)

　　- 이지역에 제국주의가 다시 돌아왔고 집권당은 사라졌음

　　- 걸프위기는 역내에 ISRAEL 의 패권을 준비시킴

　　3) 공산당 (등록이 거부된 정당)

　　-이락침공을 규탄하고 미군개입을 경고함

　　4) MUSLIM BROTHERHOOD (등록이 거부된 정당)

　　- ARAB 권 파병반대

　　- 미군 개입 반대

　　- 아랍국간 무력 사용을 불인함

　　(이락 지지를 표명하고 있는 요르단, 알제리아, 뷰니지아및 수단의 MUSLIM BROTHERHOOD CENTERS와 특별 관계유지)

　　2. 이와관련 당지 AL AHALI 야당지는 자체여론조사 (구체적 추출방식 제시없이)결과론 다음과 같이 보도함.

　　. 외세개입반대 86퍼센트

　　. SADDAM HUSSEIN 반대 72퍼센트

　　. ARAB 지휘권하에 이집트군 파병 찬성 58퍼센트

중아국　　1차보　　　중아국　　정문국　　안기부　　미주국　통상국　재제반　　그라퍼

외신 1과 통제관

0072

. 위기 해결을 전쟁이 아닌 평화적으로 할것 92퍼센트. 끝.
(총영사 박동순-국장)

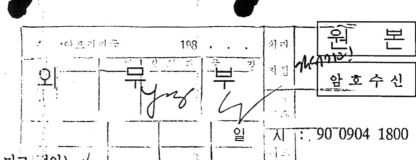

종 별 :

번 호 : CAW-0592

수 신 : 장관(중근동,마그,경일) √

발 신 : 주 카이로 총영사

제 목 : 미 의회 사절단 MUBARAK 대통령 방문

일 시 : 90 0904 1800

1. MUBARAK 대통령은 걸프지역 위기관련 파병국 순방 일환으로 당지를 방문한 미 의회 사절단(GEPHARDT 및 GLENN 등 민주.공화 소속 상. 하원 38 명으로 구성)을 접견한(9.3)자리에서 아무도 이락이 UN 과 AL 회원국인 쿠웨이트를 점령하는것을 수락하지 않을 것이므로 이락은 쿠웨이트로부터 무조건 즉각 철수하고 쿠웨이트에 정통정부를 복원 시켜야 한다는 그간의 입장을 되풀이하였음.

2. 또한 사절단원은 기자들의 질문에 군사행동 선택전에 제재조치 이행기간을 설정할 필요는 없다고 하면서 하기와 같이 답함.

1) SADDAM HUSSEIN 은 아무에게도 선행을 한바가 없음(이락이 사우디를 공격할 것인가에대해 GLENN 상의원 답)

2) 우리는 모든 인질의 즉각 석방을 요구하며, 이집트 파병을 평가할 뿐 아니라 그로인한 경제적 부담도 알고 있음. 또한 MUBARAK 대통령이 ARAB 권에서 효과적으로 영도력을 행사하고 있음(GEPHARDT 의원 언급).

3. 상기 대규모 미의회 사절단의 당지 방문은 미행정부가 그간 MUBARAK 정부의 대미 협조관계를 평가 미 의회에 이집트의 대미군사 부채 71 억불 면제요청(9.4)에 맞춘 대의회 로비일환인 것으로 풀이되는바, 동부채 면제의 중요성은 일반적인 경제부담 경감보다는 이집트가 동부채로 인해 미국에 지불하는 연 10 억불에 달하는 이자 지불 의무를 벗게 함으로 이집트의 외채문제를 위요하고 현재 난항에 부딪치고 있는 이집트와 IMF 와의 교섭을 원활히 하기위한 선행조치 일환인것으로 관측됨.

끝.

(총영사 박동순-국장)

중아국   차관   1차보   2차보   중아국   정문국   청와대   안기부   대책반

90.09.05   03:03
외신 2과 통제관 CW

0074

외　무　부

종　별 :

번　호 : CAW-0615　　　　　　　　　　일　시 : 90 0911 1845

수　신 : 장관(중근동,마그,정일)

발　신 : 주 카이로 총영사

제　목 : HELSINKI 미.쏘 정상회담

　　　주재국 GHALI 외무담당 국무상은 BUSH-GORBACHEV I회담은 평화적 해결책 모색을
위한 새로운 외교적 노력을 반영한 것으로 이는 이집트의 정책과도 부합하는 것이라고
9.10 언급함.끝.

(총영사 박동순-국장)

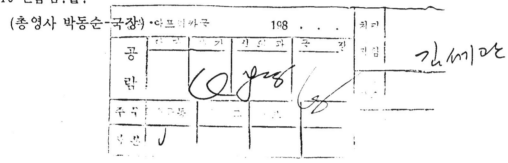

중아국　　1차보　　중아국　　정문국　　안기부

PAGE 1　　　　　　　　　　　　　　　　90.09.12　　09:11 DA

외신 1과 통제관

0075

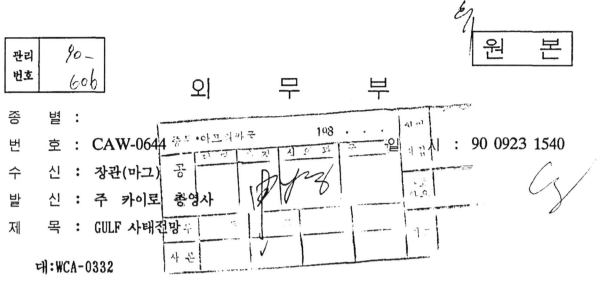

관리
번호 90-606

원 본

외 무 부

종 별 :

번 호 : CAW-0644

수 신 : 장관(마그) 공

발 신 : 주 카이로 총영사

제 목 : GULF 사태전망

일시 : 90 0923 1540

대:WCA-0332

대호 걸프사태 전망에 관한 주재국 외무부, 학계 전문가 언론계및 외교단의의견을 종합 하기와 같이 요약 보고함.

1. 양측의 계산

가. 이락측

1)미측이 대이락전을 전개할경우, 아랍권내 ARAB NATIONALISM 발로로 월남전 양상으로 진행, 미측은 진퇴양난에 처하게 될것이며, 이로인해 국제적 협조체제도 붕괴로 이행될 것임.

2)대이락 경제제재 조치 또한 이락이 아사되기전에 동조치로 타격받는 여타제국들이 공동행동에서 이탈할 것이며

3)ARAB 권내에 미국의 장기주둔은 아랍 세계내에 반미감정 촉진으로, 시간은이락편이 될것으로 간주

나. 미국이 주도하고 있는 원상회복 요구측

1)군사행동으로 치닫는경우 우수한 군사장비로 초전 초토화가 가능하며

2)국제적인 경제제재 조치 또한 이락의 중요 군사및 일반산업부품 조달원을고갈시켜, 도탄에 빠진 이락군민들이 평화희구용 증폭과 반정부 분위기 제고를봉한 내부붕괴 도모로, 시간은 원상회복측 편이 될것으로 간주

2. 외교적 해결가능성

가. 표명된 양측조건(생략)

나. 잠재된 양측조건

. 이락측

1)ARAB 권 및 OPEC 내에서 영도력 확보

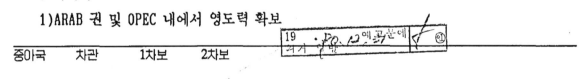

중아국   차관   1차보   2차보

90.09.23   22:32
외신 2과 통제관 FE

0076

2)GCC 제국들의 정치체제내지 현지도부의 변경

. 미국을 위시한 원상회복 요구측(주변국에 대한 잠재위협 요소제거)

1) SADDAM BUSSEIN 거세

2)이락의 핵개발능력, 화학무기 및 장거리운반 수단제거

3)감군

다. 접근가능성

. 표명된 양측조건들은 현상황이 지속되는경우 쌍방간 내적사정(전쟁명분내지 내핍생활 강요에 대한 국민들의 불만 발로)으로 현지도부에대한 민심이탈 가능성을 배제할 수 없음을 감안할때에 전쟁회피 방안 마련이 전혀 불가능하지는 않을것으로 보는견해도 있으나

. 그러나 표명되지 않는 조건들에 관한 대책마련이 모색되지 않는한 군사행동가능성도 배제할 수 없다는견해도 있음.

. 군사행동으로 이어지는 경우일지라도 월남전과 같이 장비현대화가 전승을보장하지 못한 선례를 감안하면, 미국의 해.공군력에 상응하는 ARAB 제국으로부터 상당수의 지상군 증파확보가 이루어진 후에야 가능할 것으로 보임.

3. GULF 사태후의 전망

이번사태가 외교적으로든 군사적으로든 해결이 되면 그 결과, 아랍의 정치정세및 아랍제국간의 관계는 단순히 사태전 상태로의 원상회복은 불가능하며 전면재조정 될것인바

가. ARAB 권내에 정치판도 변경초래(ARAB LEAGUE 회원의 양분상노정, 기존의 적과 동지 기준변경)로 정치체제내지 지도부 변경수반이 불가피하며

나. 이에따라 미국이 주도하는 서방측은 기존의 중동평화모색 구도를 전면 재검토, 일면 서방세계의 안정적 석유공급원 확보를 위한 새로운 지역안보체재 구축과, 타면 미.쏘 협력을 통한 파레스타인문제 해결방안을 모색하게 될것으로 전망됨. 끝.

(총영사 박동순-국장)

예고:90.12.31. 까지

외 무 부

종 별 :

번 호 : CAW-0646
일 시 : 90 0923 1555

수 신 : 장관(중근동,마그,정일)

발 신 : 주 카이로 총영사

제 목 : 이집트-이락간 외교관 추방전

(자료응신 제 65호)

1. 최근 미국을 위시한 프랑스, 영국 이태리등 서방정부와 이락정부가 서로 자국내 주재하는 상대국의 무관과 여타 외교관들을 추방하고있는것과 때를 같이하여 9.21.주재국 정부는 당지주재 이락대사관측에 무관부 폐쇄를 명하면서 무관과 여타 공관원 2명을 7일내 출국하라고 통고하였는바, 이는 동일(9.21)이락정부가 주이락 이집트대사관의 무관부를 폐쇄하는 동시에 동무관과 여타 공관원 2명에게 7일내로 이락을 출국토록 한데 대한 보복조치인 것으로 풀이됨.

2. 주재국 정부는 걸프사태 초기에 대민중 아랍 민족주의 고취를 통한 반미감정조성 방지를위해 당지 이락의 문화원 폐쇄와 공보담당관을 추방하였을뿐 아니라 9.13에는 당지주재 이락 영사관원과 그 가족 20명에게 출국을 명한바 있음.

(총영사 박동순-국 장)

중아국② 차보 정문국 안기부

PAGE 1
90.09.23 23:35 BX
외신 1과 통제관

0078

84 걸프 사태 중동 및 기타 지역 2

외 무 부

종   별 :

번   호 : CAW-0647   일   시 : 90 0923 1600

수   신 : 장관(중근동,마그,정일)

발   신 : 주 카이로 총영사

제   목 : 걸프위기극복을 위한 RABAT 아랍정상회담

(자료응신 제66호)

1. 당지 언론보도(9.20)들은 주재국 외무성과 미외교관의 뉴스원을 인용, 국제사회는 모로코 RABAT 에서 개최된 (9.19-20)아랍소정상회담에서 마련한 어떤 평화제안도 그것이 이락에 쿠웨이트 영토를 할양하는 것이라면 이를 반대할 것이라고 보도함(쿠웨이트 망명정부는 여사한 방안을 이미 반대한바 있다함).

2. 동 보도는 동 회담에 모로코(사우디에 1,200 , UAE에 5,000명 파병국)왕, 요르단왕 및 알제리아대통령이 참석, 걸프위기 해소 방안으로

   1) 이락군의 쿠웨이트 철수는 GULF 지역에서 외군과 동시 철수로 연개

   2) AL SABAH 왕가 참여 배제하에 쿠웨이트 신정부 수립방안

   3) 이락에 쿠웨이트의 ARABA 및 BOBYAN 양섬할양과 쿠웨이트 영해 사용권 부여문제가 주로 토의되었다함. 끝.

(총영사 박동순-국장)

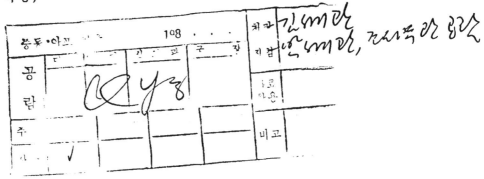

중아국   1차보   정문국   안기부

PAGE 1   90.09.23   23:48 BX

외신 1과 통제관

0079

외 무 부

종 별 :

번 호 : CAW-0676 　　　　　　　　　일 시 : 90 1004 0915

수 신 : 장관(마그,중근동,정일)

발 신 : 주 카이로 총영사

제 목 : GULF 위기에 관한 MUBARAK 언급

(자료응신 제 69호)

10.1. 무바락대통령은 GULF 위기관련 LE FIGARO지와 회견에서 요지 하기와 같이언급함.

1) UN 의 경제제재 조치 실패시 전쟁이불가피함.

2) 이집트는 외교적 해결책을 선호하나 MITTERAND대통령의 제안중 KUWAIT 정부수립 관련 민주선거 방안에는 찬동할 수 없음.

GULF 지역제국들은 그들 나름의 ISLAM 율법에 의한 정치제도를 갖고 있는바, 이들에게 프랑스식이나 미국식의 제도를 적용할수는 없음.

3) SADDAM HUSSEIN 이 KUWAIT 로부터 철군과 왕정 복귀를 선행하기 전에 동인에게 어떤 양보도 있을수 없음.

4) 이락대통령은 ARAB 대중의 인기 영함을 위해 현위기와 파레스타인 문제를 연개시키고있음. 그가 KUWAIT 침공을 하지않고 파레스타인 문제를 해결코자 했다면예루살렘을 해방시킬수 있었을것임.

5) 전쟁이 발발하면, 아랍인들은 미국이 KUWAIT를 점령코자 하는것이 아니라 해방시키고자 하기때문에 미국을 지지할 것임.

6) PLP 의 ARAFAT 는 이락의 KUWAIT 침공을규탄치 않고 있기 때문에 어려운 입장에 처했음.

7) SADDAM 을 반대하나 그의 살해로 이락 문제가 해결되는 것이 아님.

동인의 대통령직 계속 유지 여부는 전적으로 이락사람들이 선택할 사항임.

8) 타국의 원수제거(PHYSICAL LIGUIDATION) 는반대함.

9) 수단에 이락 미사일은 없음.끝.

(총영사 박동순-국장)

중아국	차관	1차보	중아국	정문국	청와대	안기부

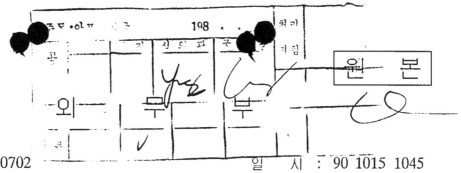

종   별 :

번   호 : CAW-0702

일   시 : 90 1015 1045

수   신 : 장관(마그,중근동,정일)

발   신 : 주 카이로총영사

제   목 : HURD 영국외상 방애 기자회견 요지

(자료응신 제 74호)

10.14. DOUGLAS HURD 영국외상은 중동순방 일환으로 3일간 당지 방문을 마친후이스라엘 향발에 앞서 가진 기자회견에서 걸프위기와 중동평화 모색에 관해 하기와 같이 언급함.

1. 이락의 SADDAM HUSSEIN 은 쿠웨이트에서 자의든 또는 종구에 의하든 철수할수 밖에 없음.

2. 우리는 이락이 쿠웨이트를 내놓을 때까지 무한정으로 기다릴수는 없음.

3. 이스라엘군에 의한 파레스타인 인드의 피살사건은 규탄되어야 함.

4. 걸프위기와 파레스타인 문제간의 연계는 있을수 없으나, SADDAM 이 쿠웨이트로부터 철수하는대로 중동평화 해결을 위한 문제를 생각하고 있는듯이, 우리는 침묵하고 혼자 문제해결을 요구하도록 방치해서도 아니됨.

5. 일면 쿠웨이트 해방 압력을 가증시키면서, 타면파레스타인 문제 해결책을 모색하지 못하는것은 PLO 와 아랍제국간의 분열이 되어있기 때문임.

- 연계 불가론과 관련 10.11. MUBARAK 대통령은 GULF 위기는 아랍내부 문제이나 중동평화 문제는 파레스타인과 이스라엘간 문제로 혼동하면 아무것도 해결할수 없다고 한바 있음.

6. 영국과 이집트간의 견해 (걸프위기 해소와 중동평화 달성에 관해)도 일치하고 있음. 끝.

(총영사 박동순-국장)

중아국   1차보   중아국   정문국   안기부

90.10.15   22:49 DA

외신 1과 통제관

0081

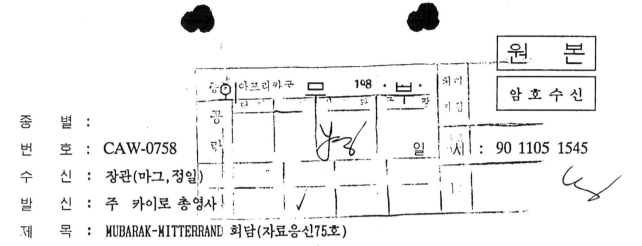

종　별　：

번　호　：　CAW-0758

수　신　：　장관(마그, 정일)

발　신　：　주 카이로 총영사

제　목　：　MUBARAK-MITTERRAND 회담(자료응신75호)

　　주재국내 ALEXANDRIA 에서 개최된 SENGHOR UNIVERSITY (ALEX. INTERNATIONAL FRANCOPHONE UNIVERSITY)개교기념식(11.4)에 참석차 당지를 방문(11.3)한 미테랑 프랑스대통령은 MUBARAK 대통령과 회담후 기자회견에서 요지 하기와 같이 언급하였음.

　　1. 주요 토의 사항

　　1)GULF 사태

　　2)이스라엘 점령지하의 상황

　　3)아프리카 부채 경감 방안

　　4)양국 관계

　　2. 불측 강조사항

　　1)UN 경제재제 조치에 더많은 시간을 부여해야 하며

　　2)세계가 전쟁으로 치닫게 될 가능성을 경고

　　3)EMBARGO 에는 인내가 필요하며, 성공을 하기위해서는 모든 나라가 협조해야함

　　4)이락 대통령은 시간을 낭비해 왔으며 세계를 파괴로 몰아가고 있음

　　5)GULF 위기해소를 위한 새로운 방안이 토의되었다면 여기가 밝힐 장소는 아님

　　3. 평가

　　MITTERRAND 대통령은 MUBARAK 대통령과

　　1)이스라엘 점령지하의 주민들에대한 인권보호 필요성과 UNSC 결의 실천화등에 대해서 의견을 같이 하면서

　　2)GULF 위기 해소에 관해서는 불측은 외교적 해결노력에 더역점을 두어야 함을 강조함

　　3)또한 양국관계에서는 이집트의 대프랑스 군사부채(28 억불 상당)탕감 요청에 프랑스측은 긍정적 반응을 보인것으로 관측됨. 끝. (재사 - 국장)

중아국　　차관　　1차보　　2차보　　정문국　　청와대　　안기부

외 무 부

종   별 :

번   호 : CAW-0759   일   시 : 90 1105 1550

수   신 : 장관(마그,정일)

발   신 : 주 카이로 총영사

제   목 : BUSH 대통령 및 BAKER 국무장관 방애 관련 언론 동향

(자료응신제 76 호)

1. 당지언론은 워싱본발 외신을 인용 BUSH 미대통령은 유럽안보회의 참석후 11.21. 당지를 방문하게될 것이며, 조한 11.3. 부터 1 주간 중동및 유럽순방길에 오른 BAKER 국무장관은 바레인및 사우디를 거쳐 11.6. 당지 방문예정이며, 당지에서 중동순방길에 있는 QIAN QICHEN 중공외상과도 회담 예정임을 보도하면서, 특히 BAKER 의 GULF 미 유럽순방은 최근 양차에 걸친 소련 PRIMAKOV 특사의 외교적 성과 미진에 따른 데이락 군사행동 가능성을 최종 점검하기 위한 것으로 풀이하고 있음.

2. 본건 상세, 파악되는대로 추보위게임.끝.

(총영사 박동순-국장)

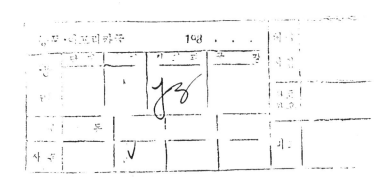

중아국   차관   1차보   2차보   정문국   청와대   안기부

PAGE 1   90.11.06   00:31

외신 2과 통제관 CF

0083

외 무 부

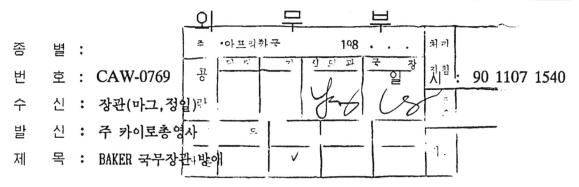

종 별 :

번 호 : CAW-0769

수 신 : 장관(마그,정일)

발 신 : 주 카이로총영사

제 목 : BAKER 국무장관 방애

지침 : 90 1107 1540

(자료응신 제 77호)

BAKER 국무장관은 예정대로 11.6.당지(사우디에서)에 도착 MUBARAK 대통령과회담을 가진데 어어 동일 터키향발에 앞서공항에서 QIAN QICHEN 중국외상과도 회담을가졌는바 동방문요지 우선 아래 보고함.

1. MUBARAK 과의 대담

1) 최근 지역정세 발전

2) 위기 해소를 위하 정치적 군사적 방안에 관한양국간 협력사항

2. QIAN QICHEN 과의 면담

1) BAKER 대변인

- 양인간 걸프위기 문제를 토의하였으며 미측은UN 안보리결의 이행을 다짐하였음.

- 미국의 대이락 군사제재조치 제안 가능성과관련 UN 안보리에서 중국의 비토권행사 자재요청과 같은 특정사안에 대해 중국측에 협조를요청했는지에 대해서는 아는바없음.

- 미측은 모든 방안의 선택을 OPEN 해 두기를바라며, 무력사용 계획 초안에 대해들은바없음., 2) QIAN 중국외상

- 솔직한 의견교환을 하였음.

- BAKER 장관은 비평화 수단 사용도 배제할수없다고 하였으나, 군사행동전에 평화수단의소진을 해야함.

- 걸프위기에 관한한 계속 접촉키로 하였음.

- 이번 중동여행은 어떠 제안을 휴대하고 온것이아니라 평화적해결 가능성을 탐색하기 위한것임.

3. 평가

중아국   정문국   1차보   2차보   안기부   미주국   통상국   대책반

PAGE 1

90.11.08   00:04 CT

외신 1과 통제관

0084

. 구체적 해답결과는 밝혀진 바 없으나

1) 미측은 GULF 위기해소 방안과 관련, 평화적해결노력 경주역설 외에도 언제나비평화수단사용 가능성 배제 불가를 언급하고 있는점

2) BAKER 장관의 사우디 방문시 사우디-미국간에군사 지휘체계 문제에 대해 합의봤다는 점

3) BAKER 장관과 면담후 FAISAL 사우디외상이평화적 해결책을 원하나 그 선태은이락측에달려있다라고 한점

4) 이집트가 다국적군에 2만 파병국이란점등에비춰볼때 BAKER-MUBARAK 회담은 군사행동이시야기될 양국간 정치적 군사적 협조사항 문제를최종적으로 심도있게 다룬것으로 관측되며,그시기에 관해서 무바락은 모든 외교수단의 소진후를 선호한것으로 알려지고 있음.끝.

(총영사 박동순-국장)

외 무 부

종 별 :

번 호 : CAW-0774   일 시 : 90 1108 1615

수 신 : 장 관(마그,중근동,정일)

발 신 : 주 카이로총영사

제 목 : 당지 쏘련대사의 MUBARAK 면담

(자료응신 제 79호)

1. GULF 위기관련 11.7. PLYAKOV 당지 쏘련대사는 MUBARAK 대통령을 면담한후 기자 회견에서 금차 BAKER 미국무장관의 쏘련방문은 GULF 위기관련 미국정책에 변경을가져올지도 모를 중요한 것이라고 하면서 요지 하기와 같이 언급함.

1) PRIMAKOV 쏘련특사는 SADDAM HUSSEIN 에게 사태의 심각성을 확신시켰음.

2) BAKER 의 SHEVARDNADZE 만남은 미국 정책의 중대한 영향을 주게될지 모를 중요한 것임.

3) 이집트와 쏘련은 걸프위기에 관해 의견을 같이함.

4) 쏘련은 걸프위기에 관한 UN 결의 지지를 확인함.

5) 아무도 군사적 해결책을 원치 않고 있기 때문에 평화적으로 해결될 것으로 믿고 있음.

2. 그러나 최근 PRIMAKOV 의 성명중 ARAB 정상회담 개최를 통한 위기 해소 가능성 제시와관련 10.31. MUBARAK 대통령은 철수 선행없이는 불가하다는 반응을 보인바있음.끝.

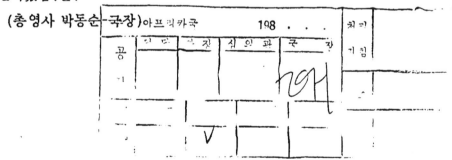

(총영사 박동순-국장)

공			심의과	국 장	처리 기침

중아국   1차보   중아국   정문국

PAGE 1

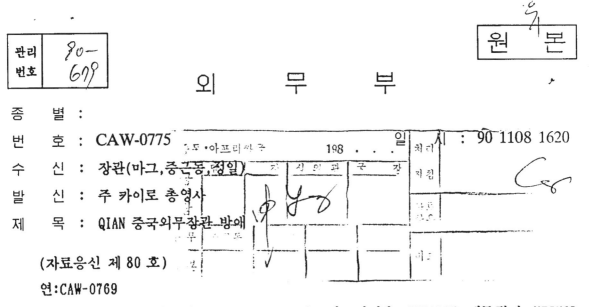

외 무 부

관리번호 80-6??

종 별 :

번 호 : CAW-0775

수 신 : 장관(마그,중근동,정일)

발 신 : 주 카이로 총영사

제 목 : QIAN 중국외무장관 방애

일 시 : 90 1108 1620

(자료응신 제 80 호)

연:CAW-0769

1. 연호 당지를 방문한 QIAN QICHEN 중국외무장관은 MUBARAK 대통령및 MEGUID 외무장관과 각각 회담후 11.7 오후 출국에 앞서 가진 기자회견에서 요지 하기와 갈이 언급함.

1) MUBARAK 대통령에게 양상곤 중공주석의 친서를 전달하였음.

2) GULF 사태에 관한 의견교환은 유익했음.

3) MUBARAK 대통령이 기울이고 있는 역활과 노력을 평가함.

4) 모든 노력은 무력사용과 전쟁방지에 기울여야 함.

5) MUBARAK 대통령은 SADDAM HUSSEIN 을 설득시킬수 있을것이라는 나의 임무와 희망을 지지함.

6) UN 에서 무력으로 IRAQ 철수를 결의하기 전에 더많은 협의가 필요함.

7) 현재로 유일한 평화 해결책은 쿠웨이트에서 IRAQ 의 철수 뿐이며, UN 결의를 떠한 해결책은 있을수 없음.

8) 양측은 현 위기에 관해 깊은 우려를 표명하였음.

2. 이와관련 ZHAN SHILIANG 당지주재 중국대사를 비롯한 다수 외교계의 인사들은 중공 외무장관의 BAGHDAD 방문은 인의 장막속에 갇혀 있을지도 모를 SADDAM HUSSEIN 에게 사태의 심각성을 격의없이 논할수 있는 계기로만 보고있어, GULF 위기해소에 관한 정치적 해결여지가 거의 소진되고 있는것으로 평가됨.

3. 한편 당관의 주재국 외무부 관계관으로 부터 확인한바에 의하면 연호 BAKER 미국무장, 중국외무장관 회담에서 QIAN QICHEN 외무장관은 UN 안보리에서 대이락 무력제재에 관한 결의안 토의시, 중국측은 최소한 동결의안 채택을 반대하지

중아국   차관   1차보   중아국   정문국   안기부

PAGE 1

1990.12.?. 예고문에 의거 일반

90.11.09   01:01
외신 2과 통제관 DO

0087

앓을것이라고 BAKER 장관에게 약속했다고 함. 끝.

　(총영사 박동순-국장)

　예고:90.12.31. 까지

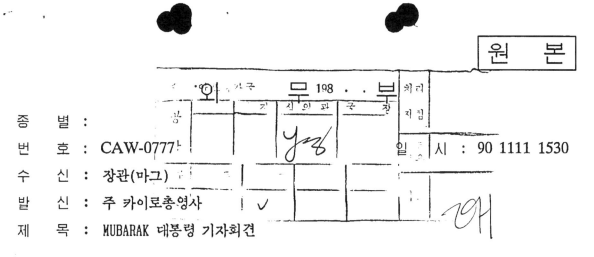

종 별 :

번 호 : CAW-0777

일 시 : 90 1111 1530

수 신 : 장관(마그)

발 신 : 주 카이로총영사

제 목 : MUBARAK 대통령 기자회견

1. MUBARAK 주재국 대통령은 11.8 가진 기자회견에서 요지 아래와 같이 언급함.

가. 이락에 대한 경제제재 조치가 후세인 이락대통령으로 하여금 쿠웨이트로 부터의 철수를 결정토록 영향을 미칠수 있을것인가에 대해서는 앞으로 2-3개월 더 기다려 보아야 할 것임.

나. 만일 후세인 대통령이 철수하지 않는경우 전쟁은 불가피할 것임.

다. 동대통령은 자신의 동 발언이 BLUFFING 이 아니라고 강조하고 미국도 BLUFFING 을 하고 있지는 않는것으로 안다고 강조 하면서 후세인 이락대통령이 사태의 심각성을 인식하지 못하고 있다고 말함.

라. 동 대통령은 외교적 노력이 실패하는 경우 UN 안보리가 이락군의 쿠웨이트로 부터의 철수를 위하여 무력사용을 허가하는 결의안을 승인할 시기가 왔다고 언급함.

마. 동 대통령은 특히, 8.2 이락의 쿠웨이트 침공이후 후세인 이락대통령의 FACE SAVING 을 위해서 노력했으나 모두 실패로 끝났다고 말하고, 이락대통령의 체면을 손상 시키지 않고 동 사태의 해결을 위해서 이락대통령의 이집트 방문을 환영한다고 말함.

2. 동 대통령은 BAKER 미국무 장관과의 회담(11.6) 후에 기진 동 기자회견에서쿠웨이트를 해방시키기 위한 국제적인 결심은 의심의 여지가 없다는 것을 후세인이락대통령에게 알리는데 치중했음.

3. 상기 MUBARAK 대통령의 발언은 BAKER 국무장관의 최근 중동방문시 수행한 보좌관들 및 사우디정부 관계자들의 발언내용과 일치하는 것으로서, 이는 만일 이락이 2-3개월 후에 쿠웨이트로 부터 철군하지 않는 경우 내년초에 전쟁 가능성이 높다는데 의견이 모아진 것으로 당지에서는 보고있음.

끝.

중아국   1차보   정문국   안기부

PAGE 1

90.11.12   06:51 DA

외신 1과 통제관

0089

(총영사 박동순-국장)

PAGE 2

0090

외   무   부

원 본

종 별 :

번 호 : CAW-0785

일 시 : 90 1113 1220

수 신 : 장관(마그,중근동,정일)

발 신 : 주 카이로총영사

제 목 : MUBARAK 대통령 이락-미국간 중재용의 표명

(자료응신 제82호)

11.12. MUBARAK 대통령은 기자회견을 통해 걸프위기 해소를 위해 이락대통령과미국 및 서방제국간에 중재역을 담당할 용의가 있음을 밝히면서 요지 하기와 같이언급함.

1. 이집트군의 참전문제

1) 만약 미군이 이락을 공격하는 경우 이집트군은 이락영토내로의 진격 및 이락영토내에서의 평화유지군역 담당을 하지 않을것임.

2) 그러나 KUWAIT 해방전 참전은 물론 전후 그곳에서 평화유지군역도 담당할 것임.

2. 대 SADDAM HUSSEIN 설득문제

동 대통령은 인의 장막에 싸여 사태의 심각성을 실감하지 못하는것 같아 두려움.

3. 이집트의 중재역 담당 문제

1) SADDAM HUSSEIN 이 쿠웨이트에서 철군용의를 표명하고 자신이 중재역을 요청받을 경우, BAGHDAD로부터 받은 모욕을 완전히 이조 공개로 하든 내밀히 하든 이락대통령과 미국 및 서방제국간에 중재역을 담당할 용의가 있음.

2) 이집트는 시리아와 미국 및 영국간에 중재역도하고 있음.

끝.

(총영사 박동순-국장)

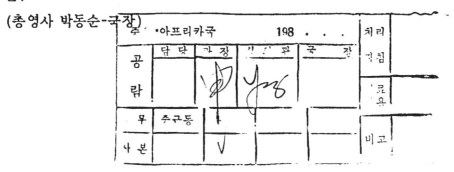

| 중아국 | 1차보 | 중아국 | 정문국 | 안기부 | 대책반 | 미주국 | 통상국 | 2차보 |

PAGE 1

90.11.13   20:33 DA

외신 1과 통제관

0091

걸프사태 동향 : 중동지역, 1990-91. 전6권 (V.5 이란/이집트) 97

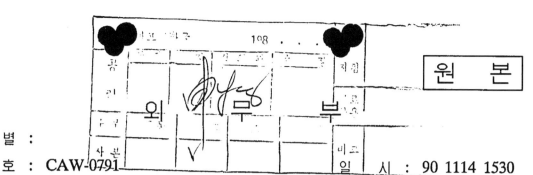

종   별 :

번   호 : CAW-0791

일 시 : 90 1114 1530

수   신 : 장관(마그,중근동,정일)

발   신 : 주 카이로총영사

제   목 : MUBARAK 대통령 리비아 방문

(자료응신 제 83호)

1. MUBARAK 대통령은 사전 예고없이 11.13. 리비아를 방문 GADDAFY 대통령과 GULF 사태진전사항 및 양국간 협력사항들을 논의했다고 11.14. 당지 신문은 보도함.

2. 무바락대통령의 리비아 전격방문은

1) 비록 현재 ARAB 권으로부터 냉담한 반응을 보이고 있으나 HASSAN 모로코왕이 걸프위관련 마지막 기회로 긴급 ARAB 정상회담 제의가 11.11 에 있은데 이어 11.12. MUBARAK 대통령이 SADDAM HUSSEIN 으로부터 요청이 있을시 중재용의를 표명한 점.

2) 11.11 및 12 양차에 걸쳐 SADDAM 을 만난 중국 QIAN 외무장관이 UNSC 에서 군사행동 결의시 중국은 VETO 권 행사를 하지 않을 것이라고한데 대해 SADDAM 역시 이락은 평화를 위해 희생용의가 있음을 표명한데 이어 11.13. RAMADAN 부수상을 모로코에, SAAD OUN HAMMADI 부수상을 리비아에 각각 파견한 점.

3) 시기상 BUSH 대통령의 이집트 및 사우디 방문을 앞두고 있다는 점에 비춰, 긴급 ARAB 정상회담 개최제의와 무관치 않는 것으로 관측됨., 주요 반응

- 찬성: PLO, 모리타니아 및 요르단

- 이락측: 시기,장소 및 파레스타인 문제를 포함한 의제문제 협의가 선행되어 야 함.

- GCC 측: 때늦은 것으로 쓸모가 없음.끝.

(총영사 박동순-국장)

중아국   1차보   2차보   중아국   정문국   안기부

PAGE 1

90.11.15   00:28 CG

외신 1과 통제관

0092

폐만사태에 대한 아랍권의 반응

1. 이집트 : 사우디, 시리아등 온건 아랍국가를 규합 반이라크 중심국으로
   부상하였으며 이를 통해 미국 및 사우디로부터 막대한 재정지원
   획득 기도
   - 사다트 정부의 서구와 이스라엘과의 분리정책 실시후 서구와의 관계
     긴밀
   - 미국으로부터 년20억불 이상 원조 수혜
   - 군사 및 다분야 제재 참여 (2,000 코만드등 5,000 파견, 추가로 15,000명
     사우디 증파 방침, 그외에 30,000 다국적군 파견 제의설)
   - 미행정부 71억불 대이집트 군사차관 탕감 검토중

2. 사우디 : 이라크의 쿠웨이트 침공으로 이라크에 대한 불신 가중
   이집트, 시리아등에 막대한 재정지원을 통해 이라크 침략
   저지 꾀함
   - 외국 군대 주둔 허용, 이라크 부상으로 전통적 균형 외교 타격
   - 세계 석유 공급의 40% 이상 지배
   - 대 소련과 외교관계 복교 (9.16. 사우디 외상 소련 방문)
   - 90년 경비부담 60억불 약속

3. 모로코 : 서구와 긴밀관계 유지
   - 하산2세 왕은 수니파로서 이스라엘 관계 중재역을 맡아 옴
   - 다국적군에 1,200명 파병

4. UAE : 쿠웨이트와 더불어 OPEC 쿼터량 초과생산 및 유가하락 부추김에
   대한 비난 받음
   미국, 영국등 외군 주둔 허용, 경비분담 20억불 약속

5. 카타르, 바레인, 오만 : 서방 군사 주둔 허용

6. 시리아 : 금번 이라크.쿠웨이트 사태에서 반이라크 노력 가담으로 국제적
   고립으로부터 탈피
   15,000 파병 (탱크 300대 및 지상군 1만명) 합의
   - 아사드 대통령, 사담 후세인과 중동 패권을 노리는 경쟁자
   - 사우디의 재정지원 필요 및 소련 관계 회복 기도

0093

7. 레바논 : 친이라크계 기독교측이 대이라크 봉쇄조치로 인해 타격을 받고
있어 친시리아 하라위 정부의 입지가 대폭 강화되어 레바논은
반이라크측으로 기울어짐

8. 요르단 : 가장 복잡하고 어렵게 연루된 국가
   - 서방에 대한 중재 노력이 이라크측의 대변인 역할인 듯한 인상을 주어
     아랍권 및 서구로부터의 비난 접증
   - 내부적으로는 짧은 왕정 역사 및 팔레스타인인의 요르단 이주로 인한
     불안 가중(전국민의 60% 팔레스타인인)
   - 최근 미국의 경제 지원 등으로 미국측에 기울고 있음

9. PLO :
   - 반미등 감정적 차원에서 이라크 지원하나 PLO 재정적 지원국인 사우디,
     쿠웨이트 및 여타 산유국과의 관계로 입장 정립에 어려움 직면
   - 팔레스타인 문제 해결 위한 대이스라엘 관계에 있어서 입지 크게 약화

10. 리비아 :
    - 이라크에 의한 서방 인질화 반대
    - UN 경제제재 또한 반대
    - 사태 평화적 해결안 제의
      . 쿠웨이트 영토 일부 할양후 이라크군 철수
      . 다국적군 철수후 아랍 평화군으로 대체
      . 대 이라크 경제 봉쇄 해제

11. 알제리, 튀니지, 모리타니아 : 미군의 군사개입 반대, 아랍연맹 회의 불참
                              이라크 입장 지지

12. 수단 : 이라크군 700명 주둔 및 스커드 미사일 배치설

13. 예멘 : 이라크 지지국가로서 쿠웨이트 문제는 아랍 역내 문제로 외세 개입 반대

0094

외 무 부

종 별 :

번 호 : CAW-0031   일 시 : 91 0112 1440

수 신 : 장관(중근동,마그,정일)

발 신 : 주 카이로총영사

제 목 : 무바락 대통령의 미 T.V 와의 회견내용

(자료응신 제 8호)

1.10. MUBARAK 대통령은 BAKER-AZIZ 회담(1.9)실패후 미 T.V.와의 회견에서 걸프사태 해결을 위한 전쟁 회피 가능성은 희박한 것으로 전망하면서 요지 하기와 같이언급함.

1. 기적은 일어날 수 있으나 그것은 먼데 있음.

2. UN 사무총장의 BAGHDAD 방문이 성공할것으로 믿지 않으나, 그 시도는 가치가있음.

3. 쿠웨이트에서 이락의 부분철수는 수락 불가함.

4. SADDAM 은 돈이 필요하며 쿠웨이트 점령도 돈 때문임.

5. 걸프위기와 파레스타인 문제 연계 불가함.

6. 전쟁발발시 이락이 이스라엘을 공격하겠다고 한것은 오산임. 이스라엘은 반이락 연합국의 회원도 아닌데 동국을 공격해야 하는 저의가 의심스러움.

7. 미대통령이 국제결의 이행을 다짐할때에는 진지한(SERIOUS)것임.끝.

(총영사 박동순-국장)

중아국   1차보   미주국   중아국   정문국   대책반   청와대   안기부

장관 차관 2차보

PAGE 1

외신 1과 통제관

0095

외 무 부

증 별 :

번 호 : CAW-0038   일 시 : 91 0113 1150

수 신 : 장관(중근동,마그,정일)

발 신 : 주 카이로총영사

제 목 : BAKER 방애

(자료응신 제 9호)

BAKER 미국무장관이 1.12. 당지에서 MUBARAK대통령과 면담후 기자회견에서 요지하기와 같이 언급함.

1. 진정으로 시간은 소진되고 있음.

2. 국제기구가 정한 1.15. 자정 시한은 명실상부한 시한(REAL DEADLINE)이며 심각한(SERIOUS)시한임.

3. 전쟁이냐 평화냐 하는것은 이락측에 달려있는것이지 결코 걸프 위기 해소 문제를 아랍-이스라엘 분쟁 해결을 위한 국제평화회의 개최 여부와 연계시킬 수 없음.

4. 미국은 적절히 구성이 되는 경우 적절한 시기에 아랍-이스라엘문제 토의를 위한 국제회의도 유익할 것이라고 오래전부터 에기해 왔음. 진금은 이락-쿠웨이트 문제와 연계되어 침략자에게 보상효과를 주기때문에 명백히 적기는 아님.

5. 이락정부가 오산하지 않기를 희망함.끝.

(총영사 박동순-국장)

중아국   1차보   2차보   중아국   정문국   안기부

PAGE 1   91.01.13   19:04 BX

외신 1과 통제관

0096

관리 번호	41/1081			분류번호	보존기간

발 신 전 보

번 호 : WUS-0131   910114 1646 FC   종별 : 긴급

수 신 : 주 수신처 참조   대사.총영사////

발 신 : 장 관 (중근동)

제 목 : 페만사태 비상 대책

WJA -0173	WUK -0087
WSV -0117	WFR -0062
WUN -0071	WIT -0079
WSB -0084	WCA -0043

연 : WUS-이어

연호와 같이 페만사태 비상 대책 수립에 참고코자 하니 1.13. 케야르 유엔 사무총장의 사담 후세인 대통령 회담 결과 및 1.14. 이라크 비상의회 소집 기타 유엔의 정찬 이라크의 철군 사한을 앞두고 일련의 움직임에 주재국 정부, 언론계, 학계등의 관찰, 정재전망, 입장등을 파악 지급 보고 바람. 끝.

(차 관 유종하)

예 고 : 91.6.30. 까지

수신처 :

주미. 일. 영 소. 불 독인. 이태리
사우디. 이잠트 대사

보안
통제

앙 고 재	91 년 1 월 14 일	기안자 성명		과장		국장		차관	장관		외신과통제

0097

외 무 부

번 호 : CAW-0048   일 시 : 91 0114 1655

수 신 : 장관(중근동,정일,미북)

발 신 : 주 카이로총영사

제 목 : 주재국의 비상대책 점검

1. 주재국 정부는 전쟁발발 가능성에 대한 대내적 대비상황 점검을 위한 관계장관대책회의를 SIDKI 수상주재로 1.14. 개최, 식량비축 상황, 걸프지역에서 철수하는 이집트 근로자 수용문제, 테러잠입과 그 준동 가능성에 따른 각종 공공시설물에 대한보호대책등을 다루고있음.

2. 이와관련 MOUSSA 내무부장관은 전쟁이 발발하더라도 이집트는 군사목표물은 되지않을것이나 테러활동 대상이 됨으로 군경 고위합동회의를 개최,모든 공공시설물에 대한 종합적인 경비태세를 강화시키고 있다고 언급함.끝.

    (총영사 박동순-국장)

중아국   1차보   미주국   정문국   안기부

PAGE 1   91.01.15   02:04 DP
                                              외신 1과 통제관

                                                      0098

104 걸프 사태 중동 및 기타 지역 2

발 신 전 보

WJA-0203 외 별지참조

WCA-0052

번 호 :

종별 : 910115 1927

수 신 : 주   수신처 참조   대사·총영사

발 신 : 장 관   (미북)

제 목 : UN 안보리 철군 시한 경과 관련 성명 발표

　　　1. 페만 사태와 관련 UN 안보리가 설정한 1.15. 이라크군 철수 시한이 임박함에 따라 독일 정부는 상기 시한전 이라크군의 철군을 촉구하는 수상실명의 성명을 1.14. 발표하였음.

　　　2. 본부 조치·결정에 참고코자 하니, 1.15. 시한을 전후하여 주재국 정부의 여사한 입장 표명이 있을 경우 발표 즉시 지급 보고 바람. 끝.

(미주국장 반기문)

예고 : 91.12.31. 일반

검토필 (: P1. 6 70. 不민

주 데마크, 주그리스

수신처 : 주일, 주영, 주불, 주카나다, 주이태리, 주벨지움, 주터어키, 주호주대사

(사본 : 주미대사) 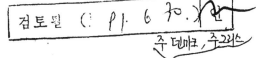 주카이로총영사, 주파키스탄, 주사우디, 주방글라데쉬, 주모로코,

주세네갈, 주체코, 주쏘대사

일반문서로 재분류 (1991.12.31.)

중동 아 주장

대 변 인 : 成

0099

유엔 안보리 철군 시한 경과후

~~대한민국 정부~~ 외무부 대변인 성명(안)

1991. 1. 16.

1. 대한민국 정부는 유엔 안보리 결의가 설정한 1.15. 철수 시한이 지났음에도 불구하고 이라크 정부가 쿠웨이트에 불법 주둔중인 이라크군을 아직 철수치 않고 있음을 유감스럽게 생각합니다.

2. 이에 따라 페르시아만 지역정세가 전쟁 발발 일보 직전으로 치닫고 있어 페르시아만 인근지역 전체는 물론 전세계인들을 공포와 불안에 떨게하고 있는데 대해 우리는 깊은 우려를 갖고 있습니다.

3. 우리 정부는 이라크 정부가 지금이라도 전세계 평화 애호인의 염원에 부응하여 유엔 안보리 결의가 요구하고 있는 바와 같이 쿠웨이트로부터 즉각 철군할 것을 거듭 촉구하는 바입니다.

4. 대한민국 정부는 이 기회를 빌어 페르시아만 지역에 파견된 미국을 비롯한 다국적군의 헌신적인 평화유지 노력에 깊은 경의와 찬사를 보내고자 합니다.

끝.

중동아주국장
대변인

앙 고 재	북 미 과 91년 1월 15일	담 당	과 장	심의관	국 장	차관보	차 관	장 관

0100

외 무 부

종 별 :

번 호 : CAW-0067

일 시 : 91 0117 1505

수 신 : 장관(중근동)

발 신 : 주 카이로 총영사

제 목 : 페만 전쟁

대:WMEM-0008, WCA-0056
연:CAW-0048,0062,0024,0026

1. 주재국 공식 반응

가. 다국적 연합공군에 의한 대이락 공격개시후 10 시간이 지난 당지시간 금 91.1.17 정오 현재 주재국 정부는 전혀 공식반응을 보이지 않고 있음

나. 연이나, MEGUID 외무장관은 금 1.17 하오 SHURA COUNCIL(국가 자문회의: 상원격) 에서 연설할 예정인바, 동 연설에서 주재국 정부의 반응을 보일것으로 보임.

2. 이락의 주재국에 대한 군사행동 가능성

주재국과 이락간의 지리적 거리때문에 당초부터 주재국은 이락의 직접적인 공격 대상에 포함되지 않고있었는바, 특히 다국적 공군에 의한 이락내 미사일기지 폭파로 인해 동가능성은 거의없을 것이라는것이 당지의 공통된 견해임. 단 이락 및 P.L.O. 에의한 테러 가능성은 상존함.

3. 비상사태에 대한 주재국의 대응

가. 연호 보고와 같이 주재국정부는 예견되는 테러행위에 대비 국경지대 공항 및 공공건물에 대한 경계태세를 강화하고 있으며 거리에도 치안경찰을 증가배치함.

나. 주재국정부는 물과 식량등 필수물자가 충분히 저장되어있음을 국민에게 널리 홍보하여 국민의 있을지도 모를 동요에 대비하고 있음.

다. 당지 거리의 주재국 국민은 평상시와 같이 활동하고 있으며 연합군에의한 성공적인 대이락폭격에 만족하고 있음.

4. 이스라엘의 참전 여부

가. 전쟁 발발후 금조 MOSE ARENS 이스라엘 국방장관은 기자회견에서 연합공군의 이락내 미사일 기지 폭파로 이락에의한 이스라엘 고공격가능성은 현저히 감도되었다고

중아국   장관   차관   1차보   2차보   청와대   안기부

91.01.17   23:41
외신 2과 통제관 CF
0101

말하고 따라서 이스라엘이 동전쟁에 휩쓸려 들어가지 않게(NOT BE INVOLVED)된 것을 기쁘게 생각한다고 말한것으로 당지 T.V 는 보도함.

나. 상기 및 GULF 위기 발생후 이스라엘이 계속 LOW PROFILE 을 유지해 온것으로 비추어 동국은 이락의 선제공격이 있지않는한 스스로 이번 전쟁에 INVOLVE 할것으로는 생각되지 않음. 끝.

(총영사 박동순-국장)

예고:91.12.31. 일반

관리
번호 PI
~ 1450

외 무 부

종 별 : 지급

번 호 : CAW-0074   일 시 : 91 0118 1505

수 신 : 장관(대책반장)

발 신 : 주 카이로 총영사

제 목 : 이락의 대이스라엘 미사일 공격

대:WCA-0062

1. 표제건 당지언론(현지언론, CNN, 이슬라엘, T.V. 등)보도내용을 아래 보고함.

가. 이스라엘 발표내용

1) 이락은 91.1.18(금) 02:00 시 (현지시간) 7 기의 스커드미사일을 이스라엘에 발사했는바 각각 2 기의 예류살렘및 텔아비브의 민간인 거주지역에 낙하, 아파트 건물일부를 파괴하고 15 명이 부상했으나 부상자는 없었음.(나머지 3 기에 대해서는 불언급)

2) 미사일에 탑재된 폭탄은 재래식폭탄이며, 화학무기는 아님.

나. 이스라엘 국방부 대변인 기자회견

1) 이스라엘은 걸프위기사태 발생이후 계속 LOW PROFILE 을 유지해 왔으며 현사태에 관련되는 것을 원치않고 있음을 밝혔는데도 불구하고 이락이 이스라엘에 대하여 미사일 공격을 감행한것은 용납할수없는 일이며 이스라엘당국은 그 대응책을 신중히 검토하고 있음.

2) 그러나 대이락 대응책은 모든 관련 사항들을 면밀히 검토한후 결정될것임.

2. 이슬라엘의 반격여부

가. 현재로서는 상기 이락 공격에 대하여 이스라엘이 반격했다는 보도는 없으며, 재 이스라엘 한인회측과도 접촉한바(91.1.18(금)12:00 현재 (당지시간) 이스라엘 내에서도 반격 보도는 없었다고 함.

나. 당지언론 보도에 의하면 이스라엘은 이락내 이동 미사일기지를 전부 파악하고 있으며 동기지를 폭파할 능력을 갖추고 있으나 이스라엘 스스로 동폭파를단행할 것인지 다국적 연합공군으로 하여금 이를 계속 수행케 할것인지를 신중히 검토하고 있다고 함.

중아국   장관   차관   1차보   2차보   청와대   안기부

다. 당지 언론은 또한 미국등 다국적군측은 이스라엘의 반격은 현 전쟁양상에 중대한 변화, 특히 다국적군의 단결(특히 주재국및 시리아)을 와해시키는 결과를 초래할 것이므로 이스라엘의 반격에 일단 반대입장 이라고 하며, 이에반해 이스라엘측은 이락의 A PROVOKED ATTACK 에 대해서는 자위권을 가지고 있다고 주장하고 있다고 함.

3. 이스라엘은 어떠한 경우에도 반격을 개시하기전에 미국등 다국적군과 긴밀히 협의 하지않수 없을것이라는 것이 일반적인 관측이며, 만일 반격을 하는경우 시리아 및 주재국의 다국적군 참여에도 어떤 형태이든 영향을 미칠것으로 보고있음. 끝.

(총영사 박동순-대책반장)

예고:91.6.30. 일반

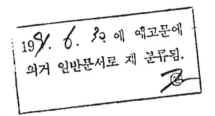

1991. 6. 30. 에 예고문에 의거 일반문서로 재 분류됨.

외　무　부

종　별 :

번　호 : CAW-0075　　　　　　　　　　일　시 : 91 0118 1600

수　신 : 장 관 (중근동,정일)

발　신 : 주 카이로 총영사

제　목 : GULF 위기 향후대책

(자료응신 제19호)

연: CAW-0055

1. KUBARAK 대통령은 GULF 전 발발직전 워싱턴타임즈 편집장과의 인터뷰에서 GULF 위기 해소후 동지역에 일부 ARAB 군의 잔류 필요성과 전후 역내에서 미군철수는 상황에 따라 다르겠으나 1년이 소요될 것이라고 하면서, 요지 하기와 같이 언급함.

1) 쿠웨이트 해방전에 이집트군의 참전은 ARAB 공동방위조약(어느 아랍국가 피침은 모든 아랍국에 대한 공격으로 간주되며, 가능한 모든 수단을 다해 피침국을 도와야 함)에 따른 것임.

2) 쿠웨이트 해방전은 불가피하며, 동전쟁은 10여일 전후 걸릴 것임.

3) SADDAM HUSSEIN 이 이락의 쿠웨이트 점령과 팔레스타인문제 연계를 주장하고있는 것은 팔레스타인 동정자들과 이스라엘 점령지내의 팔레스타인을 기만시키기 위한 한갖 위계전술에 불과함.

4) 이락은 유전에 기름을 바로 바다로 펴내는 방법(해상 화전화)을 개발한 것으로 예상되나 미국주도 연합군은 그 파급효과 극소화를 위한 대응책이 강구됨.

5) 이락이 핵폭탄을 가졌다거나 미사일에 핵탄두나 생화학탄두를 부착 사용할 가능성이 있다는 정보는 의심스러우며, 설사 대량살상 무기가 있다 하더라도 그 운반수단은 항공기가 될 것이므로, 이락항공기의 핵탄두 운반능력도 의심스러움.

6) SADDAM HUSSEIN 이 대이스라엘 공격의도는 당초 이락-이란 전후 이스라엘이 요르단이나 이집트를 공격하는 경우 이락이 이스라엘을 공격하겠다고한바 있으나 요르단이 피침되지 않고 있으며, 이집트가 이스라엘과 평화협상을 맺고있는 상황에서 이락의 이스라엘 공격결과는 SADDAM 자신이 잘 알 것임.

7) 이스라엘로 유대인 유입증가관련 팔레스타인 문제해결의 유일한 방도는

√중아국　√장관　　차관　　1차보　　2차보　　미주국　√중아국　정문국　√청와대
총리실　안기부

PAGE 1　　　　　　　　　　　　　　　　　　91.01.19　　01:20 FC

외신 1과 통제관

0105

1947분할계획에 의거 WEST BANK 와 GAZA STRIP 을 요르단에 편입(LINK)시키는 것임.

    8) 전후 SADDAM 은 이락-이란 전쟁으로 백만생명을 죽였으며, 쿠·웨이트 침공후 이-이 전리품을 모두 포기하고 부채를 100억불이나 남긴 장본인이 어떻게 살아 남을수 있겠는가

    9) 향후 한사람에 의한 석유지배 가능성은 단기적으로는 가능할지 모르나 장기적으로는 세계가 용납하지 않으므로 불가함. GORBAXHEV 전 소련제국주의자들이 시도한바 있으나 실패로 끝났음.

    2. 또한 당지 언론들은, 터키정부는 성명을 통해 향후 이락 분할을 원치 않을뿐 아니라 이락영내에 KURDISH STATE 창설도 원치 않는다고 보도함.끝.

    (층영사 박동손-국장)

외 무 부

종   별 :

번   호 : CAW-0082   일   시 : 91 0119 1345

수   신 : 장관(중근동,마그,정일)

발   신 : 주 카이로총영사

제   목 : 이스라엘의 이락보복 공격 가능성에 관한 이집트 반응 (자료응신 제20호)

    연: CAW-0056

    1. 양차에 걸친 이락의 이스라엘 공격에 대한 이스라엘의 대이락 반격 가능성제고와 이로인한 다국적군에 참여하고 있는 아랍전력의 균렬우려 가능성에 관해 주재국 정부는 아직 (1.19.12:00) 아무런 입장표명을 하지않고 있으나, 주미 이집트대사가 이스라엘이 대이락 반격을 하더라도 다국적군에 참여하고 있는 이집트 입장에는 변함이 없다고 하였음을 외신은 전하고 있는바, 이는 연호 이스라엘이 이락의 공격을 받아 대이락 반격전을 감행하는것은 당연한 것이라고 한 이라고 MUBARAK 대통령의 입장에 따른 조치로 간주됨.

    2. 한편 정부 통제하에 있는 당지 언론들은 이락의 대이스라엘 공격은 SADDAM이 ARAB권내 대이스라엘 적개심을 야기시켜 자신의 지지세력을 규합코자 하는 위장전술임을 지적하고, 우리는 쿠웨이트 해방 목적을 망각해서는 안되며, 아랍인들은 SADDAM 의 위계 전략을 믿을만큼 천지난만하지 않다고 논평않고 이락은 1948년이래 대이스라엘전에 참여한바 없음을 상기 시켰음. 끝.

    (총영사 박동순-국장)

중아국	장관	차관	1차보	미주국	중아국	정문국	청와대	총리실
안기부	대책반							

PAGE 1

91.01.19   21:30 DA

외신 1과 통제관

0107

외 무 부

종 별 : 지 급

번 호 : CAW-0088　　　　　　　　　일 시 : 91 0119 1835

수 신 : 장관(대책반,마그,정일)

발 신 : 주 카이로 총영사

제 목 : 걸프전 상황

(자료응신 제 21 호)

연:CAW-0079

금 91.1.19(토)조조, 이락의 대이스라엘 SCUD 미사일 공격에 대한 이스라엘및 각국 반응을 아래 보고함.

91.6.30. 긴토림 フ

　1. 이스라엘 정부반응

상기 미사일 공격직후 이스라엘 정부는 긴급 각의를 소집, 동공격에 대한 대응책을 논의했는바, 동 각의 직후 각료들은 대 이락반격은 불가피' 하며 이슬엘은 이미 '이락과 전쟁상태에 들어갔다'고 말한것으로 보도됨.

　2. 미국정부의 반응

가. BUSH 미 대통령은 상기 공격직후 이쯔하 샤미르 수상에게 전화로 상기 공격을 규탄하고 이스라엘을 물질적(PATRIOT 미사일 지원등)및 정신적으로 지지할 것임을 약속했는바, 이스라엘의 반격여부등에 대해 협의 했는지는 보도되지 않고있음.

나. 연이나 미국정부는 이스라엘에 의한 반격이 점차 불가피 하게되고 있음을 인정하고 있으며 다만 그시기와 규모에 관심이 집중되고 있다고 보도됨.

　3. 주재국 및 시리아 정부의 입장

가. 주재국 정부의 입장

1) 무바락 주재국 대통령은 이스라엘이 이락으로 부터 공격을 받을경우, 이스라엘은 자위권을 가지고 이미 천명한 바 있으며, ABDEL RAOUF EL-RIDI 주미 이집트 대사도 금 91.1.19 동 문제(자위권)에 대한 이집트의 입장은 명백하며 동국은 연합군에 참여하고 있으므로 문제될것이 없다고 언명 하므로서 이스라엘의 자위권 행사가 주재국의 연합국 참여 문제에 영향을 미치지 않을것임을 명백히 함.

　2) 시리아 정부의 입장

대책반	장관	차관	1차보	2차보	중아국	정문국	청와대	안기부

PAGE 1

. 시리아 정부는 당초 이스라엘이 참전하게 되는 경우, 동국은 이스라엘과 싸울것이라는 입장을 밝힌바 있음.

. 연이나, 금 1.19 하오 당지 방송이 보도한 바에 의하면, 시리아 정부는 이락의 대 이스라엘 공격을 규탄하고 동 공격을 통하여 연합군을 약화 시키려는 이락의 기도는 실패할 것이라고 논평한 것으로 보도함.

. 또한 동 방송에 의하면, 시리아 정부는 이락의 대 이스라엘 공격은 이락의 쿠웨이트 침공을 은폐하고 아랍국가의 지지를 얻으려는데 목적이 있다고 논평했다고 보도하고, 시리아는 (이스라엘의 대 이락 반격의 경우에도)이스라엘에 대항하여 싸우지 않을것이라고 시리아 신문이 보도했다고 보도함.

3. 한편, 당지 주재 VIADIMIR POLIAHOV 소련대사는 금 1.19 무바락 주재국 대통령을 방문, 고르바쵸프 소 대통령의 친서를 전달했다고 보도한바, 주재국 당국은 동친서 내용에 대해 논평을 거부하고 다만 동 친서는 양국 지도자간의 계속적인 협의의 일환이라고 언급함.

4. 상기과 같이 시리아 정부가 종전의 입장을 변경, 이스라엘의 데이락 자위권을 인정하는 경우, 이스라엘의 대이락 반격 가능성이 더욱 농후한것으로 당지에서는 관측하고 있음. 끝.

(총영사 박동순-대책반장)

예고:91.12.31. 일반

외 무 부

관리
번호 : 91
-1505

종　별 :

번　호 : CAW-0091　　　　　　　　　일　시 : 91. 0120 1410

수　신 : 장관(대책반,마그)

발　신 : 주 카이로 총영사

제　목 : 걸프전 상황(이스라엘 걸프전 개입 문제)

연:CAW-0079,0088

2차에 걸친 이락의 대 이스라엘 미사일 공격에 대한 이스라엘 정부의 입장등 사태 진전을 아래 보고함.

1. 이스라엘의 걸프전 개입 자제

91. 6. 30. 건도린

가. 1.19(토) 조조 이락의 두번째 대 이스라엘 미사일 공격 직후, 이스라엘 정부의 자위권 행사 주장등 반격가능성이 상당히 높은 것으로 관측되었으나 미국이 PATRIOT 미사일 지원등을 통해 이스라엘의 걸프전 개입 자제 노력이 주효하여 이스라엘은 당분간 대 이락 반격을 자제할 것이라는 것이 지배적인 관측임.

나. 1.19 하오 네훈 야후 이스사엘(이) 외무차관은 이 정부의 걸프전 개입 불원입장 및 자위권 유보를 거듭 천명하고 이 정부의 제1차 목표는 이 국토와 이 국민을 보호하는데 있으며 이락에 대한 반격은 차후문제라고 말하므로서 반격자제 입장을 밝혔음.

다. 연이나, 이 의 자제 정책은 임시적인 것이며 이락의 화학무기 공격이 있을 경우에는 반격이 불가피 할 것이라고 관측하고 있음.

2. 미국의 대 이 PATRIOT 미사일 지원

가. 미국은 1.19. 구라파에 배치하였던 PATRIOT 미사일을 긴급 공수, 이 내에 배치, 바로 사용할 수 있게 조치함.

나. 동 미사일의 이 배치에 있어서 특히사항은 동 미사일 조작을 위한 미군을 함께 파견한 것인바, 이는 이군이 동 미사일 조작에 숙달할 때까지의 잠정적인 조치라고는 하나 이는 이 독립후 견지해온 이 정부의 SELF DEFENCE 정책의 변경으로서, 이 의 걸프전 개입으로서 야기될 전쟁양상의 변화및 확대를 원치 않는 미국의 집요한 노력과 미국의 경제적, 군사적 지원에 절대적으로 의존하고 있는 이 정부의 양보의

중아국　　장관　　차관　　1차보　　2차보　　중아국　　청와대　　총리실　　안기부

소산이로서, 일단은 이의 걸프전 참전을 방지한데 기여 할것으로 풀이하고 있음. 끝.

　(총영사 박동순-대책반장)

　예고:91.12.31. 일반

관리 번호	91/609

외 무 부

종 별 :

번 호 : CAW-0100

일 시 : 91 0121 1830

수 신 : 장관(중근동,마그,정일)

발 신 : 주 카이로 총영사

제 목 : 주재국의 동정

(자료응신 제 24 호)

연:CAW-0843

1. 무바락대통령은 1.20. 최근 지역정세관해 AL-ASSAD 시리아대통령과 전화통화후 MEGUID 부수상겸외무장관(EL BAZ 대통령정치특보수행)을 동일 시리아로 파견, 시리아외상과 최근 지역정세및 그에따른 양국입장을 협의토록 하였으며

2. 또한 MEGUID 외무장관은 시리아로 향발에앞서 당지주재 유고대사를 초치, 최근 걸프사태 진전에관한 멧세지를 수교하였음.

3. 상기와같은 움직임은 연호 3 국(이집트, 사우디, 시리아)외상간의 행동통일을 다지고 비동맹제국과의 의례적인 일환으로 볼수있으나, 일면 다국적군에 군대를 파견하고 있는 시리아는 이집트와는 달리 아직 이스라엘과 교전상태(TECHNICALLY)에 있으며, 쿠웨이트 해방전 개시후 양차에 걸친 이락의 대이스라엘 미사일공격이 있은 후인점과, 타면 유고가 현재 비동맹운동(NAM)의 의장국임을 감안할때에, 다국전에 참여하고 있는 아랍권내의 전렬균렬방지뿐 아니라 비동맹제국의 반전여론을 무마키위한 것으로 풀이됨. 끝.

(총영사 박동순-국장)

예고;91.6.30. 까지 예고문에 의거 일반문서로 재 분류됨. ㉑

검토필(1991. 6.30.)

중아국	장관	차관	1차보	2차보	중아국	정문국	청와대	안기부

91.01.22   06:13
외신 2과 통제관 CE

0112

외 무 부

종 별 :

번 호 : CAW-0102   일 시 : 91 0122 1115

수 신 : 장관(마그,중근동,정일)

발 신 : 주 카이로총영사

제 목 : 걸프전쟁에 관한 주재국 야당가의 반응

(자료응신 제 25호)

걸프건쟁에관한 NEW WAFD 당의 입장개진과는 달리 1.20. 주재국의 비법화 정치단체인 NBR MUSLIM BROTHERHOOD 는 미국주도 다국적군의 쿠웨이트 해방전 개시를미국의 대 ISLAM 침략전이라 규탄하면서 동 적대행위 증지와 쿠웨이트로 부터 이락철수를 촉구한데 이어, 또한 좌경정당인 국민지보 연합당 (NPUP)의 MOHIELDDIN당수는 무바락 대통령에게 사우디에 파견된 이집트 군사력의 사용자제와 적대행위의 즉각증지를 촉구하는 성명을 발표함.

끝.

(총영사 박동순-국장)

중아국   장관   차관   1차보   2차보   미주국   중아국   정문국   정와대
총리실   안기부   대책반

PAGE 1   91.01.22   20:58 DA
                                                          외신 1과 통제관

                                                                    0113

걸프사태 동향 : 중동지역, 1990-91. 전6권 (V.5 이란/이집트) 119

외 무 부

원 본

종 별 :

번 호 : CAW-0103

일 시 : 91 0122 1115

수 신 : 장관(미북,중근동,정일)

발 신 : 주 카이로총영사

제 목 : 걸프전쟁에 관한 언론동향

(자료응신 제 26호)
대:WCA-0070
연:CAW-0098
대호 1.22. 당지 유력지 AL AHRAM 지에 보도된 걸프전관련 논평 요지 하기 보고함.
HUSSEIN 왕과 ARAFAT, 그리고 ALI ABDULLAHSALEH (예멘 대통령)는 그들친구
(SADDAM)에게 이락의 국민,군 및 부를 완전히 파괴하지 않도록 해야하며, SADDAM 에게
그개인것도 아닌 나라와 국민과 국민의 이익을 심연으로 몰아넣는 것은 불법임을
확신시켜야 함. 그리고 대학살 방지를 위해 그가 쿠웨이트에서 철수결정을 하도록
해야할것임.
끝.
(총영사 박동순-국장)

| 미주국 | 장관 | 차관 | 1차보 | 2차보 | 중아국 | 정문국 | 청와대 | 총리실 |
| 안기부 | 대책반 | | | | | | | |

상황실

91.01.22   21:00 DA

외신 1과   통제관

0114

관리 번호	5/1648

외　무　부

종　별 :

번　호 : CAW-0113

수　신 : 장관(중근동,마그,정일)

발　신 : 주 카이로 총영사

제　목 : MUBARAK 대통령의 대이락태도 불변천명

일　시 : 91 0123 1410

(자료응신 제 27 호)

1. 쿠웨이트해방전 개시후 일체 언론들과 공개접촉함이 없이, 이락 철수를 위해 그간 시리아와 리비아를 비롯 많은 아랍제국과의 특사파견과 접수를 통해 외교적 노력을 계속하고 있는 무바락대통령은 일부 이집트및 아랍권내에서의 휴전촉구및 수단에서의 반이집트 데모대들이 SADDAM 에게 아스완댐과 피라미드 폭파촉구를 한데 관해 1.22. 처음으로 기자회견을 통해, 쿠웨이트에서 이락의 선철수 없이는 어떠한 휴전요청도 있을 수 없으며, 어떤 경우이든 그 누구에게도 이집트영토 침범을 허용치 않을 것이라고 대수단 경고를 하면서 요지 하기와 같이 언급함.

1) 쿠웨이트에서 이락의 선철수 없이는 국제사회에 작전중지 요청을 할 수 없음.

2) SADDAM HUSSEIN 심경변화를 위한 한정된 기간의 정전기회 부여설과 관련,─이는─ 이락군의 쿠웨이트 잔류허용으로 철군을 요구하고 있는 UNSC 결의에 위배됨

3) 최근 야당가에서 이집트군의 철군 요청과 관련 이집트군의 파병은 아랍정상 결의와 1950 아랍방위조약에 따른것임. 만약 무력에 의해 타국 영토점령을 용인한다면 이스라엘측이 무력강점하고 있는 아랍 실지와 팔레스타인 문제를 어떻게 해결할 것인가

4) 이락의 대 이스라엘과 사우디 미사일 공격은 전아랍인을 몰살시키려는 무모한 짓임. 이와관련 이스라엘의 자제와 안도감을 느낌.

5) 최근 수단의 반이집트 데모와 이들의 ASWAN HIGH DAM 과 고대 PYRAMIDS 폭파요구 보도와 관련, 여사한 행위를 결코 용납치 않을것이며 이로인해 수단은 고가의 대가를 지불하게 될것임.

6) 쿠웨이트 해방을 위한 지상공격은 피해 극소를 위한 충분한 공폭후에 이루어져야 함. 지상공격 지연은 기상상태가 좋지 않기 때문인 것으로 알고있음.

중아국	장관	차관	1차보	2차보	중아국	정문국	정와대	안기부

91.01.23　23:22

외신 2과 통제관 CH

0115

2. 무바락대통령은 1.24. 국내외 정세전반에 관해 주재국의 국회와 자문위원회 합동회의에서 연설할 예정임에도 불구하고, 이에앞선 상기 기자회견에서 국내외의 휴전 제의설과 인접국의 반이집트 궁중집회에 관해 단호한 입장을 천명하게된 이면에는 이로인한 이집트내의 반전분위기 조성 가능성을 우려, 이를 사전 제거하기 위한 것으로 풀이됨. 끝.

(총영사 박동순-국장)

외 무 부

종 별 :

번 호 : CAW-0115　　　　　　　　　　　　　일 시 : 91 0123 1630

수 신 : 장관(미북,중근동,마그,정일)

발 신 : 주 카이로총영사

제 목 : 걸프전쟁관련 언론동향

(자료응신 제 28호)

대: WCA-0070

대호건 1.23. 당지언론 논평요지 하기와 같이 보고함.

1. AL WAFD 지(야당지) 논평

. 아랍권내 낙관론보다 비관론이 우세한바, 아랍기구가 조각이 나서 동아랍과 서아랍이 된지가 오래되었으나 최근에는 아랍 아프리카문제와 아시아 아랍문제가 아무런 관련이 없다는 각도에서 보면 아시아 아랍과 아프리카 아랍으로 분리됨. 비관론우세 이면에는 ARAB LEAGUE 기구는 침묵으로 스스로 묘혈만 파고 있고, AL 회원국 보증으로체결된 50년대 아랍공통 방위조약이 오래건에 사장되었다는 것임. 또한 이는 전쟁이 장기화되고 전장이 지역적으로 정치적으로 확산되고 있다는데서 찾아 볼수 있음.

. 이락의 쿠웨이트 유전방화는 SADDAM 의 최후발악 징후로 문명세계를 파괴하는것이며, 그는 아랍도시가 멸망되고 아랍 연대의식이 분렬되어 분쟁되는 것에 쾌락을 느끼는 자임.

2. AL AKHBAR 지

GORBACHEV 는 최근 이락이 UN 결의 준수 용의가있으면 그를 구출하기 위해 노력하겠다고 한 것으로 보아서, 동인이 대이락 휴전제의를 할 가능성이 있으며, 또한 NAM 의장국인 유고가 인도의 지지를 받아 유사제의 가능성이 있음. UNSC 의장은 이락대표에게 인도, 쏘련 및 알제리아측의 걸프 비극 탈출제의에 관해 설명하고, 전 세계가 이락구출을 위해 노력하고 있으나 문제는 이락지도부가 그 중요성을 인식할 것인가에 달려있음.

3. AL-AHRAM 지

중아국 정와대	장관 총리실	차관 안기부	1차보	2차보	미주국	중아국	중아국	정문국

현재의 급선무는 이락과 쿠웨이트 국민보호이며, 그 비극은 대중통제 장치가 없는 독제체제의 결과임.끝.

(총영사 박동순-국장)

외 무 부

관리 번호 91/68

종   별 :

번   호 : CAW-0124 　　　　　　　　　　　일   시 : 91 0124 1720

수   신 : 장관(대책반,마그,정일)

발   신 : 주 카이로 총영사

제   목 : 대통령 의회연설

(자료응신 제 29 호)
　연:CAW-0113

　1. 연호 금 91.1.24 MUBARAK 대통령은 국회및 국가자문회의 합동회의에서 하기 요지의 연설을 함.

　　1) 이집트와 아랍제국들은 그간 쿠웨이트와 이락국민들을 전화에서 방지하기 위해 계속 노력했었지만 이락대통령은 응답이 없었음.

　　2) 이집트의 파병은 GCC 국가의 요청과 아랍공동방위조약(1950)에 의거 이락침략에 대항하기 위한 적법조치이며, 이집트국민의 전폭적 지지를 받고있음.

　　3) 이락의 대사우디 및 이스라엘 미사일 공격은 정치 선전용으로 해외에서 데모 야기에는 도움이 될지 모르지만 걸프전을 승리로 이끌지는 못할것이며, 이는 파레스타인문제 해결에 도움을 주기는 커녕 이스라엘측에 세계의 동정과 미국의 더많은 원조증가만 초래시킬 뿐임.

　　4) SADDAM 은 아랍인의 대서방 적개심을 야기시키고 그의 쿠웨이트점령을 은폐하기 위해 파레스타인문제를 악용하고 있음

　　5) 현상태의 유일탈출구는 쿠웨이트에서 이락군의 조건 즉각 철수와 왕정복원이며, 여타문제는 선철수 후협의 처리되어야 함.

　　6) 이집트는 대이락 야심자도 반대하며, 대이락 보복 촉구도 반대함.

　　7) 이집트는 역내에 역사적 영도적 역할 수행으로 기존입장에서 추호의 변경도없음.

　2. 상기 연설내용에는 아무런 새로운것이 없이 종전입장을 재천명한데 불과하나, 그간의 전쟁회피 노력과 파병은 아랍공동방위조약에 의거 이집트국민의 전폭적인 지지하에 이루어 졌다는 설명으로 아랍권내에서 SADDAM 과 그동조세력들의 이집트는

대책반	장관	차관	1차보	2차보	미주국	중아국	정문국	청와대
총리실	안기부							

역외세력의 앞잡이로 전쟁지지자란 악선전에 대응하는 한편, 타면 미국주도의 다국적군에 대한 그간의 이집트 지지입장 재천명으로 아랍전련 균렬우려를 불식시키기 위함인 것으로 풀이됨. 끝.

(총영사 박동순-대책반장)

예공:91.6.30. 까지예고문에 의거 일반문서로 재 분류됨. ㉔

검토필(1991.6.30.)

관리 번호	91-145

외 무 부

종 별 :

번 호 : CAW-0125   일 시 : 91 0124 1725

수 신 : 장관(미북,중근동,마그,정일)

발 신 : 주 카이로 총영사

제 목 : 걸프전쟁관련 주재국 언론동향

(자료응신 제 30 호)

연:CAW-0103

1. 1.24. 당지언론은 걸프전관련 국회(PEOPLES ASSEMBLY), 자문위원회(SHURA COUNCIL), 각지방의회및 노총을 비롯한 각종직업조합(PROFESSIONAL SYNDICATES)들이 무바락대통령이 취한 조치, 즉 아랍정상회담 결의와 아랍공동방위조약에 의거, 사우디내의 성지방어와 쿠웨이트해방을 위해 파병한 대통령의 영단을 높이 평가함과 동시에 이를 전폭 지지한다는 결의문을 대통령앞으로 송부하고 있음을 대서특필함.

2. 이는 최근 수단, 예맨, 요르단을 비롯한 친이락 아랍제국에서 SADDAM HUSSEIN 지지데모에 따른 대응조치 일환인것으로 풀이되며, 또한 주재국의 파병결정이유 설명가운데 아랍정상회담 결의와 50 년 아랍공동방위조약만 거명하고 최근 UNSC 결의를 언급하지 않는것은 '이집트는 외세의 앞잡이다' 라는 SADDAM HUSSEIN 과 그동조자들의 비난 파급효과를 극소화시키기 위한 배려에서 나온것으로 분석됨. 끝.

(총영사 박동순-국장)

예고:91.6.30. 까지

미주국	장관	차관	1차보	2차보	중아국	중아국	정문국	정와대
총리실	안기부							

PAGE 1

관리 번호 91/638

외 무 부

종 별 :

번 호 : CAW-0136

일 시 : 91 0126 1610

수 신 : 장관(마그,미북,정일)

발 신 : 주 카이로 총영사

제 목 : 이집트 외무장관 방미예정(자료응신 제 32 호)

1. 금 91.1.26(토)당지 신문보도에 의하면, MEGUID 외무장관은 (BUSH 대통령을 비롯 미조야 유력인사들과 접촉을 위해) EBEID 내각 관방장관을 대동, 금명간 약 1주정도 방미예정임(당지 미국대사관에서도 확인).

2. MEGUID 방미는 그간 내각 관방장관이 주재국의 대서방 부채탕감 교섭에 깊이 참여하여 온점을 감안할때에 걸프전을 위요한 양국간 긴밀협의뿐 아니라 특히 PARIS CIUB 의 대이집트 기존부채 탕감(현재 30-40% 탕감설이 유포되고 있음)교섭을 비롯한 미국의 대이지트 경원과 무관치 않는것으로 관측됨. 끝.

(총영사 박동순-국장)

예고:91.6.30. 까지 대고문에 의거 일반문서로 재 분류침.

검토필(1991. 6.30.)

| 중아국 | 차관 | 1차보 | 2차보 | 미주국 | 정문국 | 청와대 | 안기부 |

외 무 부

종 별 :

번 호 : CAW-0137   일 시 : 91 0126 1615

수 신 : 장관(마그,정일)

발 신 : 주 카이로총영사

제 목 : 걸프전후 처리에관한 이스라엘측 동정

(자료응신 제 33호)

1. 금 91.1.26(토) 당지 언론보도에 의하면 1.25. 주 UN이스라엘대사가 이스라엘은 걸프전후 역내 군비축소 노력에 동참토록 준비하는 동시에 파레스타인 인민들과새로운 평화대화를 개최토록 노력할 것이나 국제회의 개최방안은 거부한다고 했다

하며

2. 또한 동일 CHAIM HERZOG 이스라엘대통령은 최근 이락의 대이스라엘 미사일 공격과 이에대한 자국의 보복자제로 이스라엘은 세계로부터 동정심을 얻고 있다고 언급했다 하고함.

(총영사 박동순-국장)

중아국	장관	차관	1차보	2차보	미주국	정문국	상황실	정와대
종리실	안기부							

PAGE 1   91.01.27   18:51 BX

외신 1과 통제관

0123

외 무 부

종 별 :

번 호 : CAW-0142   일 시 : 91 0127 1700

수 신 : 장관(마그,중근동,정일)

발 신 : 주 카이로 총영사

제 목 : 주재국 의회 걸프전에관한 무바락 조치 지지(자응35호)

연:CAW-0127

1. 1.26. 주재국 국회(PEOPLES ASSEMBLY)는

1) 걸프위기관련 그간 평화유지, 출혈방지, 침략격퇴및 쿠웨이트 해방목적하에 무바락대통령이 아랍과 국제적 입장에서 취한 일련의 노력과 조치들을 지지하는 결의안을 만장일치로 봉과시키는 동시에

2) 사우디와 U.A.E 의 파병요청과 아랍공동방위조약 및 아랍연맹과 UN 헌장이행을 위해 전기 양국에 이집트군을 파견시킨것을 지지한다고 하였으며,

2. 연호 1.23.SOUROUR 국회의장이 주재국 군의 파병에는 국회동의가 필요없다고 하였음에 불구하고 의회의 매늦은 상기조치는 의회가 사실상 90.6. 해산된후 동년 12.13. 새롭게 구성된 탓도 있겠으나, 걸프전 개전이래 여타 아랍제국의반이집트 친이락 데모격화에 따라, 대내적으로 그 파급효과의 극소화(현재 주재국은 그간 반정부 데모의 온상역을 주도해온 각급대학의 동계휴가를 연장해 놓고있음)를, 대외적으로는 주재국의 민주화 이미지 제고를 위한 것으로 풀이됨. 끝.

(총영사 박동순-국장)

중아국	차관	1차보	2차보	중아국	정문국	청와대	안기부

PAGE 1   91.01.28   01:17
                                          외신 2과 통제관 CF
                                          0124

외　무　부

종　별 :

번　호 : CAW-0146   일　시 : 91 0127 1740

수　신 : 장 관(중근동,마그,정일)

발　신 : 주 카이로총영사

제　목 : 이락의 석유방류에 대한 주재국 반응

(자료응신 제 36호)

1.26. SIDKI 주재국 수상은 걸프해역 내로의 이락측 석유방류에 관해, 이는 이락지도부의 파탄을 의미하며, 이성을 잃은 처사로 이락에 유해로운 결과만 초래할 것이라고 하면서 걸프 석유에 방화는 불가능할 것이라고 덧붙였음.끝.

(총영사 박동순-국장)

중아국 안기부	장관 대책반✓	차관 상황실✓	1차보	2차보	중아국	정문국	청와대	총리실

PAGE 1   91.01.28   01:36 CT

외신 1과　통제관

0125

외 무 부

종 별 :

번 호 : CAW-0147   일 시 : 91 0127 1740

수 신 : 장 관(중근동,마그,정일)

발 신 : 주 카이로총영사

제 목 : SHARIF 파키스탄 수상 방애

(자료응신 제 37호)

1. 걸프전 종식을 위해 아랍제국와의 협의 (이란, 터키, 시리아, 요르단 및 사우디) 일환으로 당지를 방문(1.25)한 MOHAMMAD NAWAZ SHARIF 파키스탄 수상은 무바락대통령과 회담 (1.26)후 성명을 통해 이번 면담은 유익 했으며 이집트와 파키스탄 양국은 걸프전의 평화적 해결 방안 모색을 희구하고 있다고 언급함.

2. 동 회담에 동석했던 SIDKI 주재국 수상은 양국간 공동관심사에 관해 의견을 교환하였으며, 그중 많은 부분에 인식을 같이 했다고 하면서 SHARIF 수상이 새로운 제안을 갖고있는 것은 아니라고 함.

3. 당지 신문들은 '양측은 전쟁종식 기본조건 으로 이락측이 UNSC 결의를 이행(ADHERENCE) 해야 하며, 그렇치않는한 전세계의 목적 달성전에 어떠한 중단(PANSE)도있을수 없다는데 인식을 같이하였다' 고 보도하였음.끝.

(총영사 박동순-국장)

중아국	장관	차관	1차보	2차보	중아국	정문국	종리실	대책반

상황실 김인대 안기부

91.01.28   01:39 CT

외신 1과 통제관

0126

외 무 부

종   별 :

번   호 : CAW-0148   일   시 : 91 0127 1750

수   신 : 장 관(미북,마그,정일)

발   신 : 주 카이로총영사

제   목 : 걸프전관련 언론반응

(자료응신 제 38호)

1.26. 당지 주요 언론반응 요지 하기와 같이 보고함.

AL-AHRAM 지: 전쟁은 하기 유로 보아서 2월 중순경 종식 예정이나, 역내 안보기구에 외군과 아랍군이 동참 할런지 아니면 어느 일방만이 잔류 할런지는 두고봐야 될것임.

1. 다국적군에 의해 이락내 핵과 화생무기 생산 능력을 포함한 대량 살상 무기가거의 모두 파괴되었다는 점.

2. 지휘 및 통제부가 연일 공습목표가 되어온점.

3. 소방회사와 석유탐사 회사들이 걸프지역으로 들어가기 위해 기다리고 있다는점. 이는 이집트 석유 장관이 많은 미국회사들이 91.2.23경 걸프지역에서 활동을 재개할 예정이란 공한을 밝힌데서 찾아 볼수 있음.끝.

(총영사 박동순-국장)

미주국	장관	차관	1차보	2차보	중아국	정문국	청와대	총리실
대책반								

외 무 부

종 별 :

번 호 : CAW-0149 　　　　　　　　일　시 : 91 0127 1800

수 신 : 장 관(중근동,마그,정일)

발 신 : 주 카이로총영사

제 목 : ABU TALEB 국방장관의 의회증언

(자료응신 제 39호)

ABU TALEB 이집트 국방장관은 이집트가 다국적군에 동참한 이래 처음으로 1.26.의 회의 국방 및 안보분과 위원회에서

1. SAUDI ARABIA 와 U.A.E 에 파견된 병력은 35000명이며

2. 이들은 핵전과 화.생방전에도 싸울수 있는준비가 되어있다고 밝히고

3. 이집트내에 불순분자들의 테업 가능성에 대비 내무부의 민방위 부대와 긴밀협조하고 있으며

4. 이락측의 대 이집트 화학무기 사용 위협 가능성은 없다고 함.끝.

(총영사 박동순-국장)

중아국 대책반	장관	차관	1차보	2차보	중아국	정문국	청와대	총리실

원 본

외 무 부

종 별 :

번 호 : CAW-0163   일 시 : 91 0130 1725

수 신 : 장관(중근동,마그,정일)

발 신 : 주 카이로 총영사

제 목 : 걸프전관련 주재국 동향

(자료응신 제 40 호)

1. 1.29 주재국 치안당국자는 지난주 이집트 치안 혼란목적으로 이락, 요르단및 수단계 아랍인들이 위조여권으로 이집트내로 잠입한 친이락 테러용의자 20 명을 체포하였다고 발표하면서, 이락의 쿠웨이트 점령이후 전국적으로 회교 극단주의자와 친이락 동조자들을 계속 검거해오고 있음을 밝히고, 지난 91.1 월중 친이락 극단주의자 14 명을 체포한바 있음을 덧붙였음.

2. 이와관련 공항 보안당국에서도 치안조치 강화 필요와 국제노선 취항항공기의 격감에따라 카이로소재 국제항공터미날 2 개중 1 개를 1.29 자로 폐쇄한다고 발표함.

3. 상기 국내치안 강화조치는 이집트가 다국적군에 아랍국으로서는 최대의 지상군을 파견하고 있을뿐 아니라 무바락대통령은 사우디와 쿠웨이트왕을 포함한친서방 아랍지도자들과는 달리 대이락 비난을 대담하게 공개적으로 지속하고 있음에 따라, 최근 국내외 이락동조자들의 기승 대책상 불가피한 면도 있지만 국제공항폐쇄 이면에는 걸프전에 필요로 하는 각종 군수물의 보급, 수송 기착지로 활용키 위한 것으로 풀이됨.

4. 또한 일부 미확인서에 의하면 미공군의 B52 기가 주재국 홍해연모 공군기지를 사용하고 있다고 함. 끝.

(총영사 박동순-국장)

예고:91.6.30. 까지

외 무 부

종 별 :

번 호 : CAW-0164

일 시 : 91 0130 1735

수 신 : 장관(중근동,마그,정일)

발 신 : 주 카이로 총영사

제 목 : 수단의 반이집트데모 대비

(자료응신 제 41 호)

연:CAW-0113

1. 1.29. 주재국공군 대변인은 공군부대들이 아스완땜 남쪽에 포진, 미사일발사 훈련중이며, 이는 임전태세 확보를 위한 평상훈련 일환이라고 밝힘.

2. 연호관련 1.27 GHALI 국무장관이 외신기자 클럽에서 애-수단 국경지대체병력배치설을 부인한바있으나, 상기 군사훈련 수단내 반이집트 세력의 아스완땜 폭파요구와 무관치 않은것으로 관측됨. 끝.

(총영사 박동순-국장)

중아국	장관	차관	1차보	2차보	중아국	정문국	청와대	안기부

외 무 부

종 별 :

번 호 : CAW-0165   일 시 : 91 0130 1750

수 신 : 장관(미북,중근동,마그,정일)

발 신 : 주 카이로총영사

제 목 : 걸프전 관련 언론동향(자료응신 제42호)

1.30. 당지 언론반응 요지 하기와 같이 언급함.

AL-AHRAM 지

AL BASHIR 수단 군사지도자는 어떤 외압에도 굴하지 않을것이며, 이락의 쿠웨이트 침공에 대한 자신의 입장(대이락 규탄은 아랍전렬을 만들고 문제해결을 위한 화해노력을 제해하고 외군개입 기회만 제공하기 때문에 이를유보) 은 바꿀수가 없다고 하고 있으나,최근 수단에서 동군부와 긴밀한 유대를 갖고있는 ISLAMICNATIONAL FRON 가 반이집트, 반사우디 데모를 주도하고 양국기를 불태웠음.

이와관련 항간에 수단의용군이 SADDAM 편에 가담하여 싸우기 위해 이락으로 갈것 이며, 이들은 수단에 피신하고 있는 이락비행기편으로 추후전선에 배치될 것이라는설이 유포되고 있음.

이와같은 수단소행 이면에는 하기와 같은 정치적 기만 동기가 있음.

1) 쿠웨이트가 수단 군사정권에 차관과 원조를 중단한점.

2) 걸프제국 특히 사우디가 수단 군사정권에 대해 유보적 입장을 보인점.

3) 쿠웨이트 신문들이 수단 야당측의 대군사정권 규탄문을 게재한점.

4) 이락이 수단에 무기를 공급(국제적으로 금지된 화학무기 공급 포함설도 있음) 한점.

5) ISLAMIC NATIONAL FRON 가 알제리아의 ISLAMICNATIONAL SALVATION FRONT 와 뷰니지아의 AL NAHDAMOVEMENT 와 같이 수단 내정에 미친 이념적 영향.

AL-AKHBAR 지

걸프전의 전개로 바그다드의 미치광이가 꾸민 흉칙스런 계략이 폭로되고 있는바 이는 어느단계까지 서방세계이든 아랍세계이든 알려지지 않았음.

쿠웨이트 점령은 역내 모든 석유자원 확보를 위한 전주곡으로 나타남.

미주국	장관	차관	1차보	2차보	중아국	중아국	정문국	총리실
안기부	대책반							

PAGE 1   91.01.31   01:36 DP

외신 1과 통제관

0131

이락이 엄청난 량의 무기를 보유하고 있음에 비춰 BUSH 대통령이 말한바와 갈이이 자객은 지난 10여년동안 세계 도처에서 수십억불을 지불하고 무기를 구입하여 아랍제국에 악몽 실현날까지 지하에 숨겨 왔음이 판명됨.

쿠웨이트,사우디 및 걸프제국들은 이락이 대이란전으로 자신들을 구해준다는 명목하에 엄청난 돈을 갈취해 가는것도 모르고 이를 도왔으며,걸프전으로 바그다드의폭군이 아랍 유전탈취와 GCC 제국 점령으로 아랍권에서 맹주가되기 위해 아랍자금을무기 구입에 탕진하였음이 판명됨.끝.

(총영사 박동순-국장)

외　무　부

종　별 : 지　급

번　호 : CAW-0168

일　시 : 91 0131 2359

수　신 : 장관(중근동,마그,정일)

발　신 : 주 카이로 총영사

제　목 : 걸프전을 위요한 주재국동정

(자료응신 제 43 호)

연:CAW-0163

91.1.30. 주재국 무바락대통령은 EL SHERIF 공보장관, OSAMA EL BAZ 대통령정치담당 특보를 대동 전격적으로 리비아를 방문 GADDFY 와 면담후 SAUDI 를 방문 FAHD 국왕과 회담후 당일 귀국하였으며, 또한 연호 방미중인 MEGUID 외무장관은 걸프전 종식문제에 관한 미-소 양국 외무장관간 공동성명에 환영표시한바, 상기 방문내용 아래 보고함.

1. 무바락의 리비아및 사우디방문

가. 동 대통령의 리비아 방문은 동국이 친이락 아랍제국에 가담하지 않게 하기 위함이었으며, 사우디 FAHD 왕과는 역내의 현군사작전 상황과 향후 사태 진전상황에 관해 협의한것으로 보도됨. 동대통령은 또한 SADDAM HUSSEIN 이 쿠웨이트에서 철수한다는 조건이라면 그를 도우러 세계어느곳이든 갈 용의가 있으며, ASWAN 댐 파괴 위협설은 조금도 두렵지 않으며 어떤 댓가를 치르더라도 보복은 할 수 있다고 언급함.

나. FAHD 사우디왕 기자회견 보도요지

1) 이락-이란전때 사우디와 쿠웨이트는 이락이 이란을 침공토록 하기 위한것이 아니라, 동국이 이란침공을 격퇴시켜 잔존할수 있게 하기위해 도운것인데 SADDAM 은 우리의 원조자금으로 이번 걸프전을 준비해왔음.

2) 이란과 걸프제국은 괴로운 과거사를 잊고 형제애적 분위기로 살기를 희망함.

3) 전세계는 정의와 사우디 및 쿠웨이트편에 있는바 금명간 SADDAM 이 쿠웨이트에서 철수를 명하지 않으면 결과에 대한 책임은 전적으로 그가 져야함.

2. MEGUID 외무장관 성명요지

1) 평화대책은 기본적으로 쿠웨이트에서 이락철수의 연계가 명백해야 함.

중아국	장관	차관	1차보	2차보	중아국	정문국	청와대	안기부

2) 이집트, 미국및 기타 당사자들은 중동평화 달성과 팔레스타인문제 해결에 역점을 둘것인바, 이와관련 이집트는 국제평화회의 개최에 지대한 관심을 가지고 있음.

3) 팔레스타인문제는 중동문제의 핵을 이루고 있는것으로 이집트는 동문제 해결을 위해 계속 노력과 희생을 치러왔음.

4) 전후 안보체제관련 미국은 동지역에 남지않을 것이라고 밝힌바있으며, 사우디는 아랍군의 잔류를 요청해 왔음에 비춰, 전후 동지역안보는 역내 군사력으로 유지되어야 할것이며, 이는 이집트와 아랍제국간에 공개적으로 토의해야할 문제임.

3. 평가

1) 상기 무바락대통령의 전격양국 방문은

걸프전이 무바락대통령의 예상(당초 10 일전후로 예견)보다 길어지는데 반해 친이락과격 아랍인들의 반이집트, 반사우디 데모가 아랍권내외에서 발생하고 있는가운데, 걸프전의 평화적 해결책 모색을 위한 북아프리카 아랍제국들의 휴전제의 추진을 포함한 친이락 아랍제국(수단, 예멘, 요르단, 알제리아, 리비아, 튜니지아및 팔레스타인)의 소아랍 정상회담 개최 움직임, 알제리아의 의용 의료진의 이락 향발설, 이락 공군기의 이란피신과 이란의 중립태도에 관한 의구심등에 관한 대책강구및 GADDAFY 의 친이락 노선이탈내지 중립입장 고수 설득과 FAHD 사우디왕과의 회담을 통해 동국왕이 직접 걸프전 발발 시말을 밝혀 SADDAM 을 비난함으로서

가. 아랍권내의 일반 아랍인들의 친이락 반이집트, 반사우디 분위기 진정

나. 그간 소원했던 걸프제국과 이란과의 관계개선 도모로 이란의 친이락화 방지

다. 향후 대량살상이 예상되는 쿠웨이트해방 지상전 회피를 위한 대 SADDAM마지막 호소를 통한 양지도자의 평화추구 이미지 제고를 하기위한것으로 풀이되며

2) MEGUID 방미결산 성명은 종전의 이집트 입장을 재천명한 것에 불과하나

가. 중동평화 해결 노력에관한 이집트의 노력을 재천명하고

나. 팔레스타인 문제해결 위한 동국의 과거 노력및 향후 관심을 표명하고

다. 향후 역내 안보체제 구상에 관한 동국의 입장을 천명하므로서 일부 아랍국가에서 일어나고 있는 반이집트 세력을 무마하고 전후 안보체제 구축에 있어중요한 역할을 담당하기 위한 의사를 밝힌것으로 보임.끝.

(총영사 박동순-국장)

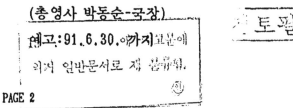

예고:91.6.30.이까지고분에 의거 일반문서로 재 분류함.

토필(1991. 6.30.)

PAGE 2

관리 번호	91 -142

외 무 부

종 별 :

번 호 : CAW-0173　　　　　　　　　일 시 : 91 0202 1515

수 신 : 장관(중근동,마그,정일)

발 신 : 주 카이로 총영사

제 목 : 걸프전관련 무바락및 GADDAFY 언급사항

(자료응신 제 44 호)

1. 1.31. 무바락대통령은 미 A.B.C. 와의 기자회견에서

1) 걸프전은 예측불가한 상황이 일어나지 않는한 향후 1 개월 이상은 가지않을것임.

2) 이스라엘이 이락의 미사일공격에 보복공격을 할지라도 이집트는 쿠웨이트 해방을 위한 다국적군의 일부로 계속 남을것이며

3) GADDAFY 대통령은 모든 사실을 알때에 명백하고 믿을수 있는 입장을 취한다는바, 그의 말을 믿어도 되는 자질을 갖춘 지도자라고 언급함.

2. 상기 3)항관련 당지신문은 2.1. 자 시리아발 봉신을 인용, GADDAFY 대통령이 대학생들과의 모임(1.30)에서 하기와 같이 언급하였음을 보도함.

1) SADDAM HUSSEIN 은 쿠웨이트 침공을 10 여년 이상 준비했으며, 대이란전때에 걸프제국으로 부터 받은 수십억불을 동목적에 사용함.

2) SADDAM 이 나에게 상의했더라면 쿠웨이트점령은 용인할 수 없다고 했을것임

3) 현재 이스라엘은 아랍보다 강하나, 훗날 아랍의 단결력, 경제력및 기술력으로 팔레스타인 땅을 해방시킬수 있을것임

4) 이락은 상의도없이 전쟁준비가 안된 모든 아랍인들을 전쟁으로 끌고갈 자체계획을 만들었음.

5) 이상한 것은 SADDAM 이 나를 전쟁에 참여토록 촉구한것임

3. 상기 보도는 그간 리비아의 이락편 가담방지를 위해 끈질기게 노력해온 무바락대통령의 대 GADDAFY 설득외교 성공증좌로 간주됨. 끝.

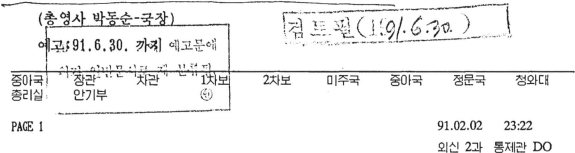

(총영사 박동순-국장)

예고:91.6.30. 까지 예고문에

검 토 필 (1:91. 6.30.)

중아국 총리실	장관 안기부	차관	1차보 ⓘ	2차보	미주국	중아국	정문국	청와대

PAGE 1　　　　　　　　　　　　　　　　　　　　91.02.02　23:22

외 무 부

종 별 :

번 호 : CAW-0209   일 시 : 91 0206 1700

수 신 : 장관(미북,중근동,정일)

발 신 : 주 카이로총영사

제 목 : 걸프전관련 언론동향

(자료응신 제50호)

표제관련 2.6. 당지 AL AHRAM 지 보도요지 하기와 같이보고함.

시간이 흐를수록 쌍방간에 비재래식 무기사용 가능성을 계속 언급하고 있음. 어느 편이 사용하든그 파급효과는 쌍방군사 뿐 아니라 민간인과 환경에 까지 영향을 미침. 명백히 해야할것은 비재래식 무기사용은 UN 의 쿠웨이트 행방임무 목적을 벗어나는 것으로 인간전멸과 환경오염을 야기시키는 인류범죄 행위라는 것임. 따라서 이락지도자들은 쿠웨이트절명 이후 치닫고 있는 위험국면을 고려, 역내에서 현재와 장래에대한 이중범죄 행위를 자제하길 바람. 연합군측에 원자무기 사용 구실을 방지하고 이스라엘측에 역내 인간절멸이란 그 전략목적 달성을 못하게 비재래 무기를 사용해서는 안됨. 이락 지도자들은 역내의 불행과 아랍인들의 안정을 인정, 아랍제국들이 휴전을 추진할 수 있게 철수선택을 바람.끝.

(총영사 박동순-국장)

미주국 안기부	장관	차관	1차보	2차보	중아국	정문국	정와대	총리실

PAGE 1   91.02.07   01:13 DN

외신 1과 통제관

0136

외 무 부

위북
김

종   별 :

번   호 : CAW-0208   일   시 : 91 0206 1650

수   신 : 장관(중근동,미북,마그,정일)

발   신 : 주 카이로총영사

제   목 : 걸프전 관련 주재국 동정

(자료응신 제 49호)
연:CAW-0195

1. 2.5.이집트정부는 미 ABC T.V.가 유럽과 수단내군 및 외교소식봉을 인용, 이락은 1.17.개전전에 20대의 전폭기와 지대지 미사일 수기를 수단에 배치, 사우디유전시설과 이집트의 아스완댐을 겨냥하고 있다고 한 보도(2.4)에 관해 아직 확증을 잡지 못하고 있으나 그 진위확인을 위해 계속 추적중이라고 함.

이와관련 동일 수단정부는 동보는 근거없이 날조된 것이라고 부인함.

2. 또한 2.6일자 당지신문은 영수상실 대변인의 발설을 인용, MAJOR 수상과 MUBARAK 대통령은 SADDAM 이 조만간 화학무기 사용 가능이 있다는데 의견을 같이했다(2.5.전화통화로)고 보도함.

3. 한편 주재국 치안당국자는 지난주 검거된 친이락 과격파의 자백에 의하면, 이들은 이집트내로 잠입시 자동소총,폭발물,수류탄,무성권총등을 소지, 반정부 친 SADDAM 대중봉기책동, 정부요인및 반이락 언론인 암살과 미,이스라엘,시리아,사우디,쿠웨이트의 시설물 폭파가 주목적이었다함.끝.

(총영사 박동순-국장)

중아국	장관	차관	1차보	2차보	미주국	중아국	정문국	청와대
총리실	안기부							

외   무   부

종 별 :

번 호 : CAW-0214   일   시 : 91 0207 1700

수 신 : 장관(미북,중근동,정일)

발 신 : 주 카이로총영사

제 목 : 언론반응

2.7. 걸프전관련 당지 AL AKHBAR 지 사설 요지 하기와같이 보고함.

일부 아랍인들은 SADDAM 이락대통령이 미사일로 이스라엘을 공격하고 세계 최강국인 미국에 굴함이 없이 3주간이나 결연히 도전에 맞서고 있음을 들어 그 어떤 아랍지도자도 전에 하지 못한 영광된 행동을 하고 있다는 찬사를 그에게 보내고 있으나 그찬사 댓가는 무엇인가 그 댓가는 가공스런 것이며, 결과 또한 참담한 것으로 이락 파괴뿐 아니라 향후 수년간의 이락 잠재력 파괴임.

전쟁이 끝이나면 이락인들은 이락 재건을 위해 수십년이 걸린다는 것과 참담한 빈곤생활을 강요 당해야 한다는것도 알게될것이며, 아랍인들도 비싼 댓가를 지불해야 할것임. 끝.

(총영사 박동순-국장)

미주국   1차보   중아국   정문국

PAGE 1   91.02.08   00:59 DQ

외신 1과 통제관

0138

외 무 부

종 별 :

번 호 : CAW-0243   일 시 : 91 0213 1717

수 신 : 장관(미북,아아1,2,정일)

발 신 : 주 카이로총영사

제 목 : 걸프전관련 언론보도

(자료응신 제 59호)

2.13. 걸프전관련 AL AHRAM 지 논평요지 하기와같이 보고함.

미의회 일각에서 이락이 화학무기를 사용하지않더라도, 그리고 의회가 승인하지않더라도 쿠웨이트에서 이락군 축출을 위해 전술핵무기 사용을 촉구하고 있으나,이는 하기 이유에서 수락할 수없음.

　1. 핵무기 보유국들이 추후 십게 그 사용을 정당화시킬 수 있는 위험한 선례가 됨. 이와관련 역내 유일 핵보유국인 이스라엘에 어떤 선례도 만들어 줘도 안됨

　2. 비록 전술핵이라도 그 사용은 인간의 건강뿐아니라 모든 생체에 가공스런 결과를 낳게됨.

　3. 연합군은 이락이 화생무기 사용 경우를 제외하고 비재래식 무기를 사용해서는 안되며, 이락도시에사용을 말아야 함.끝.

　(총영사 박동순-국장)

외 무 부

종 별 :

번 호 : CAW-0240   일 시 : 91 0213 1705

수 신 : 장관(중근동,정일)

발 신 : 주 카이로 총영사

제 목 : 이라크의 미.영등 6개국과 단교

(자료응신 제 57 호)

대:WMEM-0018

연:CAW-0221

대호건 주재국 외무부 외교단등 각계 의견종합 하기와 같이 보고함.

1. 주재국반응

주재국은 주이락 이집트공관원과 그 가족이 개전(1.17)전에 완전철수한 고로 연호
되거 명령이상 별도 조치는 취한바 없음.

2. 단교의도

주요 반이락 연합국에 대한 아랍및 ISLAM 권내 이락동조 대중들의 적개심 고취,
특히 이집트와 사우디를 서방세계 앞잡이로 규정 아랍과 ISLAM 권에서 이간시키기
위한 심리전에 불과함.

3. 확대가능성

SADDAM HUSSEIN 은 걸프전을 군사면보다 정치면에 촛점을 맞추고 있음에 비춰 단교
확대조치는 스스로 고립화를 심화시키는 결과를 초래하게 됨으로 필요이상 확대는
되지 않을것으로 관측됨. 끝.

(총영사 박동순-국장)

예고:91.6.30. 일반

중아국   장관   차관   1차보   2차보   미주국   정문국   청와대   총리실
안기부

외 무 부

종 별 :

번 호 : CAW-0280   일 시 : 91 0220 1305

수 신 : 장관(중아,정일)

발 신 : 주 카이로 총영사

제 목 : GADDAFY 방애 (자료응신 63 호)

　　　　연:CAW-0249, 주카정 2071-83(90.2.22)

　　　　연호 리비아의 GADDAFY 대통령은 4 일간의 방애 일정을 끝내고 2.16. 귀국
하였는바, 동인의 당지체류 주요 활동요지 하기와 같이 보고함.

　　　1. 양국관계 협의사항

　　　1) 리비아내의 각종 건설사업 및 동건설 소요자재 공급문제

　　　2) 100 만 이집트농민 이주 부지선정 문제

　　　3) 리비아내 외국근로자를 이집트인으로 교체하는 문제

　　　4) 석유개발 협력방안

　　　5) 부자, 물자및 인력교류 증진방안

　　　2. 라마단시 공업단지, 이스말리아 및 수에즈 등지 산업시찰

　　　3. 대학교수및 학생과의 간담회개최 : 동 간담회에서 GADDAFY 는 아랍의 연대성과
이집트, 수단및 리비아의 통합 필요성을 강조하고 아랍이해를 위해 지금이 최적기임을
주장.

　　　4. 걸프전관련, GADDAFY 의 논평

　　　1) 그간 이락철수를 종용해온 리비아의 노력이 결실을 맺게되는 것으로 이락측의
평화제의를 환영함.

　　　2) 쿠웨이트가 외세에 넘어가지 않을런지 두고봐야 할것이나 아랍인들은
쿠웨이트내의 이락군이 외세로 대치되는것을 용인할 수 없음.

　　　3) 리비아는 아랍세계와 AMU 의 일부로써 역내 외군철수와 평화달성을 위해 계속
노력할것임.

　　　4) 이락의 쿠웨이트 침공은 아무도 인정할 수 없으며, 동침공은 연합군이 이락
군사력을 파괴토록 자초했음.

중아국	장관	차관	1차보	2차보	미주국	정문국	정와대	안기부

91.02.20　21:53

외신 2과　통제관 CF

0141

5) 전전에 철수로 파괴방지를 종용했으나 SADDAM 은 듣지 않았으며, 동인의 서류속에는 대미 적대 의식은 없음.

6) 이락측의 대이스라엘 SCUD 미사일공격은 세계로하여금 이스라엘을 동정하게 만들었음.

5. 평가

그간 양국관계 정상화를 위한 GADDAFY 의 연호 방애가 리비아의 대이스라엘 적대감 (카이로에 이스라엘 상주공관 개설)과 이집트의 맹방인 미국의 대리비아관(테러지원국)으로 인해 카이로에 피해 왔음에 비춰, 이번 동인의 카이로 방문과 장기체류는 여러분야에 걸친 양국간 협력증진에 진일보뿐 아니라 리비아의 대이스라엘관과 미-리비아간 관계분위기도 다소 개선될 여지를 보인것으로 풀이됨. 그러나 걸프전관련 그간 무바락대통령의 계속적인 노력결과 리비아의 적극적 이락 편향성은 방지했다 하더라도, 쿠웨이트해방전에 참여하고 있는 서방연합군측에 대한 GADDAFY 의 의구심(외세침략군)제거에는 미치지 못한것으로 관측됨. 끝.

(총영사 박동순-국장)

외 무 부

종 별 :

번 호 : CAW-0289   일 시 : 91 0221 1455

수 신 : 장관(중일,정일)

발 신 : 주 카이로총영사

제 목 : 쏘련 평화제의에 의한 주재국 반응

(자료응신 제 64호)

1. 주재국 BOUTROS GHALI 외무담당 국무장관은 91.2.20. 성명을 통해 걸프전 종식을 위한 쏘련측의 최근 평화제의에 관해 ' 그 내용 전문을 아직 입수하지 못했으나 쿠웨이트에서 이락군의 무조건 철수를 촉구하고 있는 UNSC 결의에 입각한 평화제의라면 이를 환영하며, 우리는 지상전 회피를 위해 모든 노력을 기우려야 되며 평화적으로 위기를 해결해야 함을 믿는다' 고 하였음.

2. 한편 1.21. 당지 AL AKHBAR 지는 논평을 통해 GORBACHEV 제안의 유일한 수혜자는 쏘련 자신인바, 이로인해 쏘련은 중동 지역에서 상실했던 지위를 다시 찾고, SADDAM 을 구출시킨 수호 천사가 될것임. 데모대들은 GORBACHEV 를 제국주의와 식민주의를 퇴치 시킨자로 추앙할 것임. 반면 미국과 그 27개 연합국들은 제 3세계를 패배시키키지 못했다고 규탄을 받게 될것임. 향후 유사한 침략이 있어도 세계는 눈물만 흘리고 희생자를 위한 조시낭독으로 만족해야 할 것이라고 함.

끝.

(총영사 박동순-국장)

종아국	장관	차관	1차보	2차보	미주국	정문국	정와대	종리실
안기부	대책반							

91.02.22   06:39 DA

외신 1과 통제관 ·

0143

외 무 부

종 별 :

번 호 : CAW-0579

일 시 : 91 0508 1800

수 신 : 장관(중동이,정일)

발 신 : 주 카이로 총영사

제 목 : 걸프지역 주둔 이집트군 완전철수 발표(자료응신 제 109 호)

연:CAW-0406,0485,0570

1. 5.8. 무바락대통령은 기자회견을 통해 쿠웨이트 해방전에 참여했던, 사우디와 UAE 주둔 이집트군이 전후 걸프지역 안보군으로 잔류시킬 것으로 알려졌던 종전 입장을 변경, 향후 3개월내에 완전철수 시킨다고 하면서 중동평화 모색과 개각문제에 관해 요지 하기와 같이 언급함.

1)중동평화 모색관련 이스라엘은 지역회의 고집으로 방해하고 있으며, 이스라엘과 접경하지 않는 사우디와 여타 걸프제국의 참여를 요구하고 있음. 그러나 회담 목적이 문제해결 모색에 있는 만큼 여사한 논쟁이 방해가 되어서는 안됨.

2) 경제개혁 관련, 불원(IN THE NEXT FEW DAYS)한정된 개각(LIMITED CHANGES)을 단행할 예정임.

2. 표제 입장변경 이면은 밝혀지지 않고 있으나, 이는 주둔에 따른 걸프제국의 재정지원 문제와 걸프지역 안보문제 협의를 위한 최근이 RICHARD CHENEY 미국방장관의 걸프제국 방문과 무관치 않은것으로 관측됨. 끝.

(총영사 박동순-국장)

중아국	장관	차관	1차보	2차보	정문국	정와대	안기부

PAGE 1

91.05.11   05:30

외신 2과   통제관 CF

0144

외 무 부

종 별 :

번 호 : CAW-0649

수 신 : 장관(중동이,정일)

발 신 : 주 카이로 총영사

제 목 : 오만의 SULTAN QABOOS 방애 (자료응신 제 121 호)

일 시 : 91 0526 1715

1. 5.23 MONEEM 주재국 대통령실 공보비서는 오만의 SULTAN QABOOS BEN SAEED 가 5.21-23 당지를 공식방문, MUBARAK 대통령과 3 차에 걸친 정상회담을 통해 양국간 협력증진 방안, 걸프지역 안보체제문제 및 중동평화 모색과 아랍권의 단결 방안에 관해 의견을 교환하고 이들 문제들에 대해 상호 이해와 의견을 같이 하였다고 발표함.

이와관련 SULTAN 을 수행한 YOUSSEF ALALWAI 오만 외무장관은 QABOOS 의 방애는 현재 모든 아랍조건들에 긍정적 영향을 주게 될것이며, 또한 GCC 와 이집트및 시리아 외무장관은 7 월초 쿠웨이트에서 개최예정인 외무장관회의에 회부시킬 DAMASCUS 선언 이행 방안을 모색키 위해 내주 리야드에서 전문위원회(A COMMITTEE OF EXPERTISE)를 구성키로 합의하였다고 언급한데이어, AMR MOUSSA 이집트외무장관은 SULTAN QABOOS 의 금차 방애는 양국관계발전에 완전 성공이었다고 논평함.

2. 상기 MUBARAK-QABOOS 간의 회담내용은 구체적으로 밝혀지지 않고 있으나, SULTAN QABOOS 의 이번 방애는 오만이 현재 GCC 의장국일 뿐 아니라 동인이 걸프지역 안보체제 대책위원장직을 맡고있음을 감안할때에, 오만-이집트간의 전통적 우호관계 재확인 외에도 최근 DAMASCUS 선언 이행을 위요하고 조성된 GCC 제국과 이집트간의 불편관계 해소책을 마련키위한 것으로 풀이됨. 끝.

(총영사 박동순-국장)

중아국   차관   1차보   2차보   정문국   청와대   안기부

외 무 부

종 별 :

번 호 : CAW-0652

일 시 : 91 0527 1710

수 신 : 장관(중동이,정일)

발 신 : 주 카이로총영사

제 목 : CHENEY 미국방장관 방애

(자료응신 제 123호)

5.26. 주재국 외무부 대변인에 의하면 DICK CHENEY 미국방장관이 걸프전후 역내방위문제 협의 일환으로 금주말경 방애, MUBARAK 대통령과 TANTAWI 국방장관을 만나 동 문제등을 토의할 것이라고 함.

끝.

(총영사 박동순-국장)

중아국   1차보   미주국   정문국   안기부

91.05.28   06:13 DA

외신 1과 통제관

0146

외 무 부

종 별 :

번 호 : CAW-0680　　　　　　　　일 시 : 91 0603 0950

수 신 : 장 관(중동이, 정일)

발 신 : 주 카이로 총영사

제 목 : CHENEY 미국방장관 방애

(자료응신 제 128호)

연:CAW-0652

1. 연호 CHENEY 미국방장관은 5.31-6.1간 당지를 방문, 걸프전후 중동정세와 애-미 군사협력에 관해 무바락대통을 비롯 TANTAWI 국방장관과 회담을 가진후, TANTAWI 국방 장관과 공동기자회견에서 요지 하기와 같이 언급함.

　가. TANTAWI 장군

　1) 군사적 강국인 이집트는 역내의 평화와 안정유지를 계속 준수할 것임.

　2) 쿠웨이트 해방전에 이집트군의 역할과 협력은 애-미 양국간 군사협력의 중요성을 반영한것임.

　3) 현재 이집트군 장비의 60퍼센트를 점하고 있는 60년대의 낡은 동국 무기를 현대식 무기로 대체하는 것이 필요하며, 이는 역내의 평화와 안정유지를 위한 이집트 책무 이행상 필요한것임.

　나. CHENEY 장관

　1) 쿠웨이트 해방전에 이집트군의 참여를 높이평가하며, 향후 양국간 협력증진이 계속되기를 희망함.

　2) 미국은 이집트와 우방국들의 안보를 중시하고, 필요시 이집트는 침략자를 격퇴시킬 군사력을 보유해야 함

　3) 이집트는 91.10.부터 F16 전투기 46대 (미-터키합작생산품)를 인수하게 될것임.

　4) 미-이집트 합작품인 MIAI 탱크는 92년부터 연산 500대 규모로 생산될 것임.

　5) 미국은 군사협력 계획을 이스라엘과도 갖고있을뿐 아니라 이집트와도 갖고 있음

　6) 이스라엘이 핵보유를 하는 지는 공표한 적이없기 때문에 알수 없음.

중아국　　1차보　　외정실　　안기부　　장관　　차관　　미주국

PAGE 1　　　　　　　　　　　　　　　91.06.03　　16:15　WG

　　　　　　　　　　　　　　　　　　외신 1과 통제관

　　　　　　　　　　　　　　　　　　　　　0147

7) 걸프위기중 BUSH 대통령과 MUBARAK대통령간의 강한 유대가 핵심역할을 하였으며, 나의 방애는 양국 이해증진을 위해 이를 더욱 심화시키기 위함임.

8) 이스라엘 방문시 군사협력 협정체결은 기존협력계획 일환일 뿐 새로운 것은아님.

9) 중동지역 군비통제에 관한 BUSH 대통령의 제안은 대량살상 무기의 종류와 역내로 무기반 입제한 문제가 다루어져야 할것임.

10) 우리가 바라고 결정한 바는 역내에 미지상군을 두지 않는것임. 그러나 쿠웨이트 주둔군은 91.9.1까지 잔류하게 될것임.

11) 다만 역내 미군주둔은 해군에 국한될것이나, 이는 종전보다 증강될 것임. 또한 역내제국과는 합동군사훈련을 실시하고 무기를 공급할것임.끝

(총영사 박동순-국장)

정 리 보 존 문 서 목 록					
기록물종류	일반공문서철	등록번호	2012090549	등록일자	2012-09-17
분류번호	772	국가코드	XF	보존기간	영구
명 칭	걸프사태 동향 : 중동지역, 1990-91. 전6권				
생 산 과	중근동과/북미1과	생산년도	1990~1991	담당그룹	
권 차 명	V.6 카타르/튀니지				
내용목차	1. 카타르 2. 튀니지 3. 지역회의				

0001

1. 카타르

0002

원 본

외 무 부

종 별 :

번 호 : QTW-0087   일 시 : 90 0804 0816

수 신 : 장관(중근동)

발 신 : 주 카타르 대사

제 목 : 쿠웨이트사태 관련

대:WMEM-0024

1. 주재국 KHALIFA 국왕은 8.2. 밤 유럽휴양지로부터 급거귀국하여 이집트의 MUBARAK 대통령 및 사우디의 FADH 국왕등과 국제전화로 정세검토 및 대책협의중 이라함.

2. ICO 외상회담참석차 카이로에 체류중인 주재국의 AL-KHATER 외무장관은 8.3 GCC 외상회담에 참석하여 참가 6 개국외상과 함께 이락군대의 쿠웨이트침공을 규탄하고 무조건 즉각철수를 요구하는 성명발표에 참가함.

(대사 유내형-국장)

예고 :90.12.31 일반

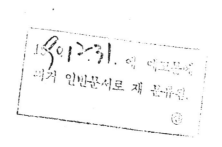

중아국   장관   차관   1차보   2차보   정문국   정와대   안기부

PAGE 1   90.08.04   15:10
                                              외신 2과 통제관 CD

0003

외 무 부

종 별 : 지급
번 호 : QTW-0094   일 시 : 90 0809 1630
수 신 : 장 관(중근동)
발 신 : 주 카타르 대사
제 목 : 이락 쿠웨이트 사태 관련 주재국동향

대:WMEM-0024
연:QTW-0093

1. 주재국은 8.8 칼리파국왕이 주재한 봉상각의를 통해 현사태가 지역안정 및 세계평화에 미칠 위험한 영향을 인식하고 동분쟁해결의 우서 기본적조치는 UN 안보리, ARAB LEAGUE, ICO, GCC 결의를 존중하여 이락군의 점령이전 상태로의 복귀가 선결문제이며 무력행사 억제 하고 대화에 의한 현안문제 해결 요지의 주재국 정부 입장을 표명하였음. 이것은 동사태에 대한 최초의 주재국 단독의 태도 표명임.

2. 8.9 이집트 무바락 대통령 제의로 카이로에서 개최예정인 긴급 아랍정상회담에 주재국 국왕도 참석 예정임.

3. 주재국 군부대 근무 아국 태권도 사범이 카타르정부군 장교로 부터 탐문한바에 의하면 카타르군은 카이로에서 개최예정인 아랍 정상회담 결과에 따라 약 1200 명의 병력을 사우디에 파견 MULTINATION FORCES 에 합류케할 계획이라함.

(대사 유내형-국장)

예고:90.12.31 일반

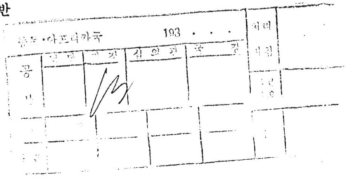

중아국   차관   1차보   2차보   청와대   안기부

관리
번호 90/2022

외 무 부

종 별 : 지 급

번 호 : QTW-0102

일 시 : 90 0814 1230

수 신 : 장관(중근동)

발 신 : 주 카타르 대사

제 목 : 이락.쿠웨이트사태 관련 주재국동향

대:WQT-0082

연:QTW-0095

1. 대호 지시에 의거 8.13 1200 당지 체류 교민 대표 20 명을 초치하여 정세 설명과 함께 비필수요원과 가족의 우선 철수를 권유한바 8.14 현재 61 명의 체류자 (공관원 및 가족포함) 중 철수의사를 표시한자 전무함.

2. 일시적인 PANIC 로 발생했던 외하 현찰부족, 생필품 품귀, 항공편혼잡등 현상은 주재국정부당국의 홍보와 정세의 장기고착화 전망에 따라 다소완화되고 있으나 인도 필리핀인등 외국인 취업자들이 계속 출국중에 있음.

(대사 유내형-국장)

예고 :90.12.31 일반

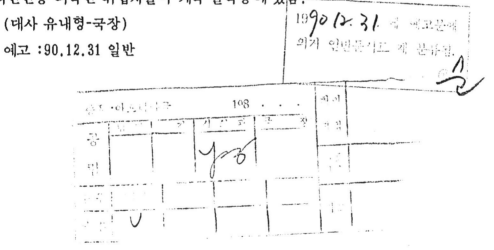

1990 12. 31 에 예고문에
의거 일반문서로 재 분류함.

중아국	차관	1차보	2차보	영교국	청와대	안기부

관리
번호 PO1432

외 무 부

종 별 :

번 호 : QTW-0108

일 시 : 90 0821 1000

수 신 : 장관(중근동)

발 신 : 주 카타르 대사

제 목 : 이락,쿠웨이트 사태관련 주재국 동향

연:QTW-0102

1. 칼리파 국왕 및 하마드 왕세자등 주재국 수뇌는 8.20 오후 주재국을 방문한 RICHARD CHENEY 미 국방장관을 접견하고 걸프권내의 미 군사행동에 대한 양국간의 협력 문제를 협의 하였음.

동 국방장관은 주재국 방문에 앞서 바레인 ,UAE, 오만등 걸프 각국을 순방하였으며 8.20 당일 출국하였음.

2. 당지 주재 MARK HAMBLEY 미국대사에 의하면 주재국 수뇌와의 협의 과정에서 미군의 카타르국내 주둔허용 문제가 논의 되었으나 결론을 얻지 못하였다고함.

3. 미국측 으로서는 사우디 주둔 미군에 대한 병참 보급기지의 확보와 걸프권 각국의 협력 획득을 통한 미군참전의 명분 강화를위해 미군의 카타르 주둔을 실현코자 하였으나, 주재국은 이락군의 공격 목표화를 피하려는 저의와 과거에 파키스탄을 통한 STINGER 미사일 도입을 둘러싼 양국간 논쟁을 상기하며 거부반응을 보인것으로 분석됨.

(대사 유내형-국장)

예고:90.12.31 일반

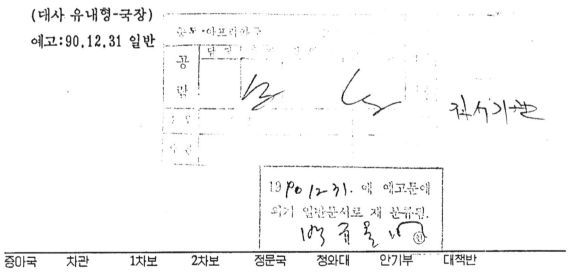

중아국　　차관　　1차보　　2차보　　정문국　　정와대　　안기부　　대책반

PAGE 1

90.08.21　16:27

외신 2과　통제관　BT

0006

외 무 부

종 별 :

번 호 : QTW-0112

일 시 : 90 0828 1030

수 신 : 장관(중근동)

발 신 : 주 카타르 대사

제 목 : 이락.쿠웨이트사태관련 주재국동향

연: QTW-0108

1. 주재국 정부는 금번 사태와 관련하여 우방국의 군사작전 수행을 위하여 요청이 있을시 카타르 국내의 시설사용 편의를 제공하기로 결정하였음. 동결정은 8.27 칼리파 국왕 주재하에 개최된 내각및 자문회의 합동회의 석상에서칼리파 국왕이 제창하여 전원일치의 찬성으로 공식 성명으로 발표됨.

2. 본건에 관하여 당지주재 MARK G. HAMBLEY 미국대사로 부터 탐문 한바에 의하면, 미공군의 F-16 전투기와 수백명의 장병이 주재국의 DOHA 공항을 사용하게될 것이며 금명간 당지도착 (8.28-29)하기 시작 할것이라함.끝

(대사 유내형-국장)

예고:90.12.31 일반

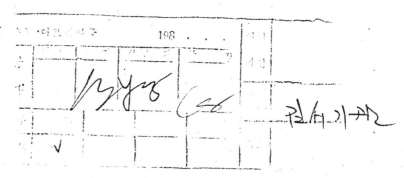

중아국	차관	1차보	2차보	통상국	청와대	안기부	대책반

PAGE 1

90.08.28   17:37

외신 2과 통제관 BT

0007

외 무 부

종 별 :

번 호 : QTW-0113

일 시 : 90 0830 1200

수 신 : 장관(중근동)

발 신 : 주 카타르 대사

제 목 : 이락.쿠웨이트사태관련 주재국동향

연: QTW-0112

1. 연호 보고와 같이 8.29 15:30 경부터 당지 DOHA 공항에 미공군 F-16 전부기 24 대 및 DC-10 형 수송기 1 대와 1 개대대 (SQUADRON) 규모의 병력이 도착하였음. 추가로 불란서군 병력도 도착 예정이라고 하나 미확인임.

2. 현재 당지에는 약 400 명의 쿠웨이트인이 체류중인바 주재국 국왕은 실형인 SH.MOHAMED BIN HAMAD AL-THANI (전 문교장관) 으로하여금 쿠웨이트난민 에대한 적극적인 구호 대책을 실시하고 있으며 주재국 정부 부담으로 이들에 대한숙식, 자녀교육등 제반 편의를 제공하고 있음. 당지 신문 보도에 의하면 이들 쿠웨이트 난민들은 UAE 등 다른지역의 난민들과 함께 이락군에 대항할 무장단체의조직을 추진중이라함.

(대사 유내형-국장)

예고 :90.12.31 일반

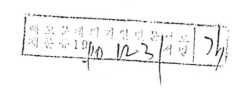

중아국   차관   1차보   2차보   정와대   안기부   대책반   미주국

90.08.30   19:14

외신 2과 통제관 BT

0008

외 무 부

종 별 :

번 호 : QTW-0116   일 시 : 90 0902 1240

수 신 : 장 관 (중근동)

발 신 : 주 카타르 대사

제 목 : 영국외상 주재국 방문

1. DOUGLAS HURD 영국외상은 8.31-9.1 양일간 주재국을 방문하고 칼리파국왕 및 하마드 주재국왕세자를 비롯한 주재국 고위관리와 이락, 쿠웨이트 사태에 따르는 지역정세의 검토와 양국간 협력방안에 관하여 협의하였는바, 동장관의 출국기자회견을 통하여 파악한바 아래와 같음.

2. 기자회견요지

0 금번방문을 통하여 양국간에 이락침략 저지를 위한 공동대처에 관하여 확고한의지 확인하였음

0 이락의 화학무기에 대응키 위한 영국의 대카타르 장비보급 및 훈련지원

0 오만주둔 영국공군 JAGUAR 전부기의 DOHA공항시설 사용허가

0 기타 양국간 협력방안 논의

(대사 유내형 -국장)

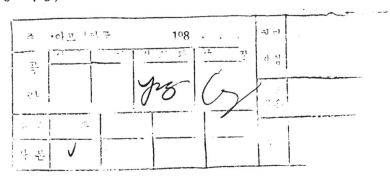

중아국   1차보   정문국   안기부

PAGE 1

외 무 부

종 별 :

번 호 : QTW-0124   일 시 : 90 0929 1240

수 신 : 장관(중근동)

발 신 : 주카타르대사

제 목 : 파키스탄수상 주재국방문

1. GHULAM MUSTAFA JATOI 파키스탄 과도정부 수상은 9.27 1일간 주재국을 방문하고 칼리파 국왕 및하마드 왕세자를 비롯한 주재국 고위관리들과 쿠웨이트 사태에 따르는 지역정세의 검토와 양국간의 협력방안을 협의 하였음.

2. 오만 및UAE 를 거쳐 주재국을 순방한 동수상은 주재국과의 협의 과정에서 쿠웨이트로부터 이라크군 무조건 철수 ,이라크의 쿠웨이트 합병무효화 및쿠웨이트 합법정부 복구등 양국간의 공통된 노선을 확인하고 사우디측의 요청이 있을 경우 기파병한파키스탄군을 증강할 용의가 있음을 표명함.

3. 동수상은 파키스탄군의 파병이 자국의 국위선양과 걸프권의 형제 우호국과의 유대강화에 기여하고 있음을 강조하고 유가상승으로 말미암아 파키스탄경제가 심각한영향을 받고있으므로 대이라크 경제봉쇄조치로 피해받고 있는 국가의 하나로서 파키스탄도 원조받게되기를 희망하였음.

4. 동순방에는 ALLAH BACHAYOLAGHARI 수상특별보좌관과 SHAJARYAR 외상이수행함.

(대사 유내형-국장)

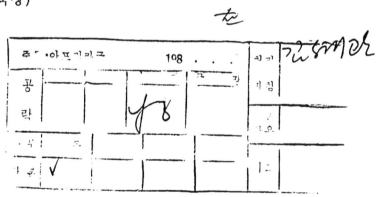

중아국   1차보   아주국   정문국   안기부

PAGE 1   90.09.30   02:59 DN

0010

외 무 부

종 별 :

번 호 : QTW-0129

일 시 : 90 1002 1340

수 신 : 장관(중근동)

발 신 : 주 카타르대사

제 목 : 주쿠웨이트 카나다 대사 동향

1. LAWRENCE T. DICKENSON 주 쿠웨이트 (카타르 겸임) 카나다 대사는 10.2. 10:00-10:30 간 본직예방, 카타르 방문중 하마드 왕세자 겸 국방장관을 예방한 자리에서 카나다 공군의 카타르 주둔 문제를 협의 하였다고 하는바 이에 대하여 카타르 측은 매우 호의적인 반응을 보였다고 언동함. 동대사에 의하면 이에따라카나다 공군의 F-18전투기 1개대대가 조만간 DOHA 공항에 도착할 것이라고 함.

2. 동대사는 8.2 이라크군의 쿠웨이트 침공 당일 아침 휴가차 스위스로 향발하였다가 그후 사우디 및 요르단을 봉하여 쿠웨이트로 복귀를 시도하였다가 여의치않아 현재 겸임국을 순방중이라 함.

(대사 유내형)

중아국

외 무 부

종 별 :

번 호 : QTW-0130

수 신 : 장관(중근동)

발 신 : 주 카타르 대사

제 목 : 터키 대통령, 주재국 방문 예정

일 시 : 90 1004 1320

1. 당지 주재 ERDOGAN AYTUN 터키대사에 의하면 10.15-16 양일간 터키의 TURGUT OZAL 대통령이 주재국을 방문할 예정이라함.

2. 동 대사는 10.3 저녁 본국 정부의 긴급지시에 의거 동 방문 제의에 대한 주재국측의 의사를 타진한 결과 즉각 동의를 얻어 실현되게 되었다고 함.

(대사 유내형 -국장)

중아국   정문국

PAGE 1

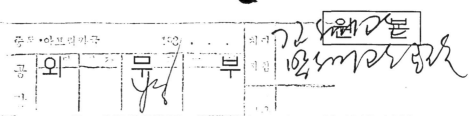

종 별 :

번 호 : QTW-0175   일 시 : 90 1219 1300

수 신 : 장관(중근동,정일)

발 신 : 주 카타르대사

제 목 : 주재국 국왕 기자회견

　　칼리파 주재국 국왕은 당지에서 개최되는 제 11차 정상회담에 즈음하여 12.17주재국의 3개 아랍어 일간지 편집인들과의 회견에서 다음과 같이 언급하였음.

　　O 금번 정상회담은 특히 쿠웨이트 사태와 관련 중요한 시점에서 지역의 복지와 번영을 성취하는 공동목적을 실현하는 전기가 될것임.

　　O 쿠웨이트 사태의 경험을 살려 금번 정상회담에서는 GCC 권내의 정치경제, 군사안전등 제분야에 걸친 미래상을 정립하면서, 특히 지역안전을 위한 공동방위 체제 수립문제가 중점논의 될 것임.

　　O GCC 정상회의 는 이라크의 쿠웨이트 침공결과에 따른 지역안보 문제가 초점으로 이라크의 무조건 철수를 결의한 유엔안보리와 8.10의 카이로 아랍정상회담 테두리안에서 아랍권 내에서의 해결노력을 경주해야함.

　　O 걸프사태의 군사적 해결은 지역내의 이해와 안정에 위배됨을 확신함. 이라크 지도자들이 늦기전에 전쟁의 위험을 피하기 위해 지혜로운 결단을 내릴것을 촉구함.

　　O 이라크의 쿠웨이트 침공은 팔레스타인 문제를 희석시킴.

　　O 미대통령의 평화 노력환영

　　O HARAWI 레바논 대통령의 국민화합 노력을 지지하며 레바논의 조속한 평화 안전을 희망함.

　　O 카타르의 우호국에 대한 부채탕감은 쿠웨이트 사태 이후에 취해진 조치이나정치적 전략적 고려에서 취해진 조치는 아님.

　　끝

　(대사 유내형 -국장)

중아국　　1차보　　정문국　　안기부

PAGE 1   90.12.19   21:10 DA

외 무 부

종 별 : 지급

번 호 : QTW-0013

① 본부장 보고   일 시 : 91 0115 2010

수 신 : 장관(중근동)   ② 강관보고사항

발 신 : 주 카타르 대사 ~~③ 일반~~   예

제 목 : 페만사태관련 정보 ~~③ 특별보고~~

　　본직은 금 1.15 15:00-15:40 간 당지주재 MARK HAMBLEY 미국대사를 방문 환담중 다음요지의 정보를 입수하였으니 참고바람.

　　1. 지난 1.9 제네바에서 있은 미국.이라크 외상회담에서 미 베이커장관이 아지즈 이라크외상을 통해 후세인 이라크 대통령에게 전달하려했던 부시 대통령의 친서 내용중에 전쟁발발시 만일 이라크군이 화학무기를 사용할경우 미군은 강력한 대량살상 무기로 보복할것이라고 경고하였다함. 그러나 이라크가 동경고를 무시하고 화학무기를 사용할 가능성은 농후하며 따라서 미군측도 대량살상무기를사용하게될지도 모른다고하였음. 동무기가 핵무기를 의미하는가라는 본직 질문에 대해 동대사는 구태여 부인하지 않았음.

　　2. 또한 공격개시 시기에 관하여 본직이 금 1.15 자 당지 영자지 GULF TIMES기사를 인용하여 1.15 시한 이후 10 일정도 경과한 1.25 경이 되지않겠는가라는 질문에 대해 동대사는 사견임을 전제, 선제공격의 이점을 취하기 위하여 1.17 또는 18 일이 될것이라고 언급하였음.

　　　끝

　　(대사 유내형-국장)

예고:91.6.30 일반

91. 6. 30. 에 예고문에 의거 일반문서로 재 분류됨.

중아국   장관   차관   1차보   2차보   정와대   총리실   안기부

PAGE 1

외 무 부

종 별 : 지급

번 호 : QTW-0015

수 신 : 장관(중근동)

발 신 : 주 카타르 대사

제 목 : 페만사태관련 정보

일 시 : 91 0116 1841

1. 금 1.16 13:00 현재 주재국내 동향 아래와 같음.

가. 당지에는 미국, 카나다, 프랑스 및 카타르 4 개국의 공군 전투기 약 60 대(미 F-16 24 대, 카나다 F-18 15 대, 프랑스 미라쥬 8 대, 카타르 미라쥬 13 대)가 주둔중인바 작일까지 간단없이 이착륙하던 동전투기가 금일오전중 일체행동없이 조용한것으로 보아 공격명령 대기중으로 개전박두한 느낌임.

나. 도하시내에는 1.15 이후 생필품 사재기 현상이 재발되고 있으며 음료수,통조림식품등이 품귀상태이나 일시적 현상으로 판단됨.

다. 주재국은 지난 8 월 쿠웨이트 사태 발발 이후 팔레스타인인등 친이라크계 외국인들로부터의 가해행위에 대한 호신용으로 약 7 만명의 카타르인들에 각세대단위로 총기를 지급하였다는바 전쟁발발시 총기를 사용한 범죄발생등 국내 치안악화가 우려되고 있음. 따라서 본직은 체류교민들로 하여금 불필요한 외출억제, 5가구 1 개반편성 상호긴밀 연락유지, 유사시 대사관저 집결등 단계별 신변안전 대책을 수립 실시중임.

끝

(대사 유내형-국장)

예고:91.12.31 일반

91. 12. 31. 김도환

중아국	장관	차관	1차보	2차보	청와대	총리실	안기부	대신득법

외 무 부·

종 별 : 지 급

번 호 : QTW-0022

일 시 : 91 0119 1230

수 신 : 장관(중근동,비상대책본부)

발 신 : 주 카타르 대사

제 목 : 걸프전에 관한 주재국동향

대:WMEM-0010

연:QTW-0019,0021

1. 1.19 1000 현재 당지체류교민 안전상황 특이사항 없음.

2. 이스라엘에 대한 이라크군의 미사일 공격과 이스라엘의 보복공격 가능성에 따라 주재국내 사회여론에 미묘한 여향을 미치는 징후가 보임. 사회 저변층의친이라크 성향 유언비어 유포에 따라 개전초기 미군의 이라크 본토공격에 대한비판과 사담후세인의 계속항거에 대한 찬양등 일부여론이 산견되고 있음.

3. 이에 대하여 주재국정부는 전통적인 균형외교노선에 따라 인접사우디 및UAE 의 경우와는 달리 , 대이라크 전쟁에 관한 건전여론조성을 위한 적극적인 홍보를 결하고 있는 것으로 관찰됨. 따라서 본직은 당지주재 우방국 대사들과 협의하여 주재국 당국에 대하여 홍보활동의 강화를 권고할 위계임.

4. 일부 아랍국가에서 발생하고 있는 바와 같은 대이스라에 공격에 환호하는 팔레스타인인을 중심으로 한 집회는 현시점까지 발생되고 있지 않으나, 금번 걸프전쟁이 미국, 이스라엘 대 아랍국가간의 전쟁으로 전환하는 최악의 경우를 회피하기위한 노력이 강화되어야 한다고 사료됨.

끝

(대사 유내형-국장)

예고:91.6.30 일반

중아국	장관	차관	1차보	2차보	정문국	정와대	안기부

91.01.20   00:14
외신 2과 통제관 CW

0016

원 본

외 무 부

종 별 : 지 급

번 호 : QTW-0024 일 시 : 91 0119 1610

수 신 : 장관(비상대책본부,중근동)

발 신 : 주 카타르 대사

제 목 : 걸프전쟁

대:WMEM-0010

연:QTW-0022

1. 본직은 1.19 11:30-12:20 간 당지주재 ESSAM EL-DIN HAWAS 이집트 대사를 방문하고 이라크의 대이스라엘 미사일 공격과 이스라엘의 대응에 따르는 아랍각국의 동향과 확전가능성에 대한 의견을 교환한바 동대사의 견해요지는 아래와 같음.

0 이집트는 이스라엘이 대응보복할 권리가 있음을 인정하며 이스라엘이 보복의 한계를 일탈하지않는한 이라크의 침략을 저지하기위하여 다국적군을 솔선 조직 참전하고 있는 현노선을 100 프로 견지할것임.

0 시리아는 다소입장이 다르나 , 시리아 자신이나 레바논 및 요르단에 영향이 미치지 않는한(보복에 그치는 정도는 북인) 현재의 입장에 변화가 있을 것으로 생각하지 않음.

0 알제리 및 모로코 역시 현재의 입장을 지속할 것이나 국내적으로 친이라크 계열의 책동을 억제하여야 할 부담이 있을 것임.

2. 결론적으로 동대사는 현재 미국이 이스라엘을 대신 하여 이라크의 공격능력을 괴멸시키기 위하여 최선을 다하고 있으며 당분간 이스라엘의 대이라크 공격자제를 강력히 요구하고 있으므로 전쟁확대의 위험은 모면할수 있을 것으로 관측하였음.

끝

(대사 유내형-본부장)

예고:91.6.30 일반

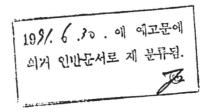

1991. 6. 30. 에 예고문에 의거 일반문서로 재 분류됨.

중아국   장관   차관   1차보   2차보   정문국   청와대   안기부

PAGE 1 91.01.20 00:19

외신 2과 통제관 CW

0017

외 무 부

종 별 : 지 급

번 호 : QTW-0036

일 시 : 91 0128 1200

수 신 : 장관(비상대책본부,중근동)

발 신 : 주 카타르 대사

제 목 : 걸프전쟁

대:WMEM-0010

연:QTW-0027

1. 1.28 10:00 현재 주재국내 각계동향은 연합군의 전세가 우세하고 카타르에 대한 이라크군의 미사일 공격사실이 없음으로 인하여 대체적으로 평온하며 체류교민수는 UAE 로 일시 철수하였던 1 명의 복귀로 66 명임.

2. 다만 이라크의 원유 유출로 인한 해수오염과 이에따르는 담수생산에의 영향을 방지 하기 위하여 주재국 당국은 주변해역에 대한 방재 설치등을 대비하고있으며 또한 카타르는 지하수원이 풍부하고 저장량이 충분하므로 우려할바 없다고 홍보하고 있음. 당지 언론 보도에 의하면 유출된 원유가 카타르 해안에 도달하려면 10-14 일이 소요될 것이며 국내 2 개 담수화공장(RAS ABU ABOUD 일 800만 개런 생산, RAS ABU FANTAS: 일 3800 만 개런 생산)에 대한 방어대책에 최우선 순위를 둘것이라고 함.

3. 한편 채소류, 어류 및 과일등 식품의 시장가격이 급등하고 있는바 이는 특정국인(이라크,요르단, 수단, 팔레스타인, 예멘)에 대한 출입국 규제방침에따라 화물 운송의 차질에 기인함.

끝

(대사 유내형-본부장)

예고:91.6.30 일반

중아국   장관   차관   1차보   2차보   정와대   안기부

91.01.28   20:54

외신 2과 통제관 FE

0018

원 본

외 무 부

종   별 :

번   호 : QTW-0042   일   시 : 91 0203 1210

수   신 : 장관(중근동)

발   신 : 주 카타르 대사

제   목 : GCC각료회담관련

1. 표제회의 결과 (91.1.26 리야드개최)에 관하여 본직이 2.2. 10:00-10:45간 주재국외무성의 HUSSAIN ALI AL-DOSARI GCC 국장방문시 수집한 내용 참고 보고함.

2. 금번 GCC 각료회담은 전번 GCC 정상회담(90.12.22-25 간 DOHA 개최)에서의 합의에 따르는 FOLLOW-UP 을 위한 것이었다고 함.

가. 걸프전의 전황 및 정세 검토

나. 전후 공동안보 체제에 관하여는 ① UN 평화 유지군, ② 아랍연합군 또는 ③ 걸프연합군의 각형태를 검토

다. 아랍회교국가 원조를 위한 기금설립에 관하여 과거에 수원국에 대한 정부대상 원조가 집권층에 의해 악용되었던 사례를 교훈으로 금후 GCC 제국이 설립하는 동기금은 수원국의 국민생활 향상 및 사회복지증진을 목적으로 하는 사업 단위로 지원키로 방침합의.

라. 별도 개최된 GCC 재무장관 회의에서는 비용분담문제에 관하여 각국 은행전문가들로 분과위원회를 구성, 기본안을 작성토록함.

마. 사우디 이란 관계개선 문제에 관하여 주재국의 AL-KHATER 외상이 이란 방문(1.16-17 간)결과를 설명하였는바 이란의 HAZI 참배자규모를 10 만명 이하의선(현재 사우디측의 7 만명선 제시에 대해 이란측은 15 만명선 요구고수중)에서 타결될 것 으로 낙관.

3. 그밖에 동국장은 최근 주재국정부가 친이라크 경향 사회 불안 조성 및 테러 선동혐의로 이라크 대사관원 5 명과 팔레스타인 대사관원 1 명을 추방하였다고 알려줌.

끝

(대사 유내형-국장)

중아국   장관   차관   1차보   2차보

예고:91.6.30 일반

0020

관리
번호 : 외-911

외 무 부

종 별 :

번 호 : QTW-0045

일 시 : 91 0205 1200

수 신 : 장관(중근동)

발 신 : 주 카타르 대사

제 목 : 걸프전

대:WMEM-0010

1. 개전이래 연합군의 공중, 해상공격의 압도적 우세에도 불구하고 현재 지하에 온존하고 있다고 추정되는 이라크군 주력과의 전면지상전이 박두하고 있다고 전망되는 가운데 이라크군의 화학무기 사용가능성이 높아지고있음.

2. 이에 대한 대응책으로서 미국측은 화생무기에 의한 피해가 많을 경우 부득이 국제여론의 악화를 무릅쓰고 이라크군에 대한 전술핵사용이 불가피할 것이라고 관측되고 있는바 이를 뒷받침하는 사실 다음과 같음.

0 주카타르 HAMBLEY 미대사: 이라크군이 화학무기로 공격해올 경우 미국은 대량살륙무기로 반격할것이라고 하면서 핵무기 사용가능성을 부정치 않음.(91.1.15 자 QTW-0013 전문보고)

0 DAN QUALE 미 부통령: 이라크군의 화학무기 사용에 대한 미군의 대응 OPTION 은 여하한 것도 배제하지 않는다.(91.2.1 JOHN MAJOR 영 수상과 회담후 기자회견)

0 DICK CHENEY 미국방장관:지요한 기자질문에 대하여 대통령이 결정할 문제다 라고 답변하면서 핵무기 사용가능성 부정치 않음.(91.2.3 CNN 인터뷰)

끝

(대사 유내형-국장)

예고:91.6.30 일반

1991.6.30 에고
의거 일반문서로 재분류

중아국	장관	차관	1차보	2차보	미주국	청와대	총리실	안기부

PAGE 1

91.02.05   18:41

외신 2과 통제관 BA

0021

관리
번호 : 91-1382

외 무 부

종 별 :

번 호 : QTW-0055

일 시 : 91 0211 1744

수 신 : 장관(중근동)

발 신 : 주 카타르 대사

제 목 : 이라크의 6개국과의 단교

대 : WMEM-0018

1. 2.10 현재 대호건에 관하여 주재국 당국의 공식 반응은 없으나 외무성간부, 언론계 및 주재 각국 대사들의 여론을 종합하면, 이라크의 금번단교 조치가 미, 영, 불 및 이태리 등 서방국과 사우디, 이집트 등 아랍국에 한정되고 있고 시리아, 모로코 및 파키스탄 등 아랍연합군 참전국과 터키가 포함되지 않은 것으로 보아 다음과 같은 의미가 있는 것으로 보임.

    0 서방 강대국을 상대로 한 항전 결의 과시

    0 이슬람 성전의 명분 견지

    0 바트당 및 이슬람 시아파에 대한 배려

    0 이라크 외교관을 추방한 반이라크게 아랍국가에 대한 경고

2. 따라서 동조치는 다분히 친 이라크게 아라국가들의 추종을 기대한 DEMONSTRATION 효과를 노렸으나 실패한 것으로 보이며, 당분간 단교대상이 확대될 가능성은 희박한 것으로 관측되고 있음.

    끝

(대사 유내형-국장)

예고:91.6.30 일반

1991 6.30. 에 대교문에 의거 인반문서로 재 분류함

중아국	장관	차관	1차보	2차보	안기부

PAGE 1

91.02.12   13:36

외신 2과 통제관 BW

0022

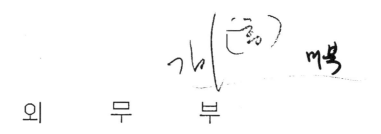

외 무 부

종   별 :

번   호 : CAW-0235   일   시 : 91 0212 1720

수   신 : 장관(아중동1,2,정일)

발   신 : 주 카이로총영사

제   목 : 걸프전후 문제를 위한 아랍 당사국 외무장관 회의개최

(자료응신 제 55호)

1. 당지 신문보도에 의하면, GCC 회원국과 걸프지역 파병 아랍 3국 (이집트,시리아, 모로코) 외무장관 회의가 2.15. 당지에서 개최, 하기 문제들을 다루게될 것이라 함.

   1) 최근 GCC 회원국의 DOHA 정상회담 결의문

   2) 3개 파병국 외무장관이 마련한 구상

   가. 걸프위기 재발 방지를 위한 안보문제와 경제통합을 위한 개발과 그 협력방안

   나. 쿠웨이트 문제해결 방식에 따른 팔레스타인 문제 처리방안

   다. OIC 원칙에 입각 인접 이스람국과의 선린관계 설정

   라. 역내 무기유입과 대량살상 무기제거 문제를 포함한 중동지역내 세력균형유지문제

   마. 신세계 질서관련 국제환경 변화와 아랍권의 위상문제

2. 본건 상세 파악 되는대로 추보하겠음. 끝.

   (총영사 박동순-국장)

중아국	장관	차관	1차보	2차보	미주국	증아국	정문국	정와대
총리실	안기부	대책반						

PAGE 1

┌──────────┐
│ 원 본 │
└──────────┘

외 무 부

종 별 : 지급

번 호 : QTW-0065

일 시 : 91 0224 1220

수 신 : 장관(중동일)

발 신 : 주 카타르 대사

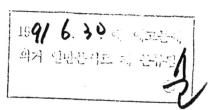

제 목 : 걸프전

대:WQT-0076

1. 2.24 04:00 다국적군의 지상전 돌입 이후 당지는 전선에 출격하는 전폭기의 비행음이 들리는 이외에는 평상시와 다름없이 평온하며 교민 67 명도 당관에서 수시 전파하는 정세 통보에 따라 화생방전에 대비하는등 특이 동향 없음.

2. 주재국 외무성은 당국자 소식통을 통하여 카타르정부는 소련정부의 외교적 노력에 대하여 관심과 감사를 표시하며 BUSH 미 대통령이 채택한 입장에 대하여 전폭적 지지를 표명한다 라고 말하였음. 또한 동 소식통은 주재국의 칼리파 국왕이 최근 걸프전 정세 변동에 관하여 이집트의 무바락 대통령과 꾸준히 협의를 계속하여 왔음을 강조하였음.

3. 특히 미소 양국의 입장은 공히 이라크군의 무조건 즉각 철수와 쿠웨이트 합법 정권 복귀를 위한 유엔 안보리 결의를 실행하기 위한 노력이었음을 인정하는등 주재국의 전통적인 균형 외교 노선을 견지하였음.

끝

(대사 유내형-국장)

예고:91.6.30 일반

1991 6.30 에 ~~~,
의거 ~~~ ~ ~~~

─────────────────────────────

중아국   차관   1차보   2차보   정와대   안기부

PAGE 1

91.02.25   00:42

외신 2과   통제관 CF

0024

2. 튀니지

외 무 부

종 별 :

번 호 : TNW-0251 　　　　　　　　　　일 　 시 : 90 0809 1700

수 신 : 장 관(마그,정일)

발 신 : 주 뷔니지 대사

제 목 : 걸프 사태

　　BEN ALI 대통령은 미국의 사우디 파병 및 이라크의 쿠웨이트 병합 발표가 있은 8.8 S. HUSSEIN 이라크 대통령 특사를 접수함.

　　관변 소식통에 의하면 동동지역에서의 무력충돌 가능성에 깊은 우려를 표하면서, 걸프사태 해결은 아랍의 테두리내에서 평화적 방법으로 해결되여야 한다고 강조 했다함.

　　(대사 변정현-국장) DA

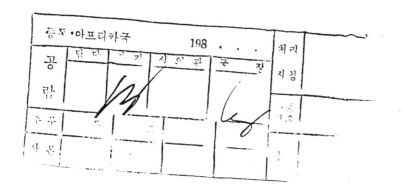

중아국　　1차보　　　정문국　　안기부

PAGE 1 　　　　　　　　　　　　　　　　　　　90.08.10　　20:16

　　　　　　　　　　　　　　　　　　　　　외신 1과　통제관

　　　　　　　　　　　　　　　　　　　　　　　　0026

주 튀 니 지 대 사 관

1990. 8 . 9 .

튀니지(정) 20720 — 116

수 신 : 장 관

참 조 : 중동·아프리카 국장

제 목 : 쿠웨이트 사태 자료

　　　　당지 주재 쿠웨이트 대사관 무관부(아랍연맹 상주)로 부터
전수된 90.8.8 현재 쿠웨이트 사태 상황 보고서를 별첨 송부합니다.

첨 부 : 상기 자료 1부. 끝.

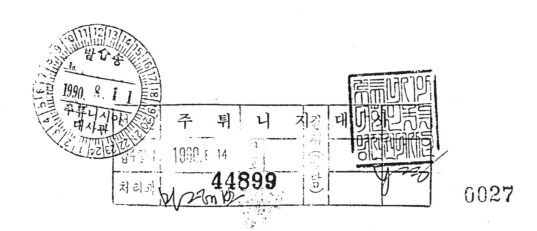

0027

IT EMBASSY

te of Kuwait at the
permanent Military Commission
of the league of Arabe States

TUNIS

بسم الله الرحمن الرحيم

الجيش الكويتي

سفارة دولة الكويت
مكتب
مندوبي اللجنة العسكرية الدائمة
بجامعة الدول العربية
تونس

التاريخ :
الرقم :

Attache English translation of my previouse
letter with points about the situation in Kuwait.

For Attintion.

BRIAGIER ALI-M.H.AL-MUMIN

0028

KUWAIT EMBASSY

Delegate of Kuwait at the
permanent Military Commission
of the league of Arabe States
TUNIS

بسم الله الرحمن الرحيم

سفارة دولة الكويت
مكتب
مندوب اللجنة العسكرية الدائمة
بجامعة الدول العربية
تونس

الجيش الكويتي

8-8-90

التاريخ:
الرقم:

SITUATION REPORT

May I ask your forgiveness if I was not successful to
put this report in good english.

1 – You must be aware by now on the current events
taking place in the Arab area, as result of the occupation of my
beloved country Kuwait by the Iraqi army. This agression took
the shape of deception, and unhumane act for no logicial reasons.
I found my self obliged to put some facts for your information and
jugement.

2 – As you are well abare that my country Kuwait bles-
sed by alimighty Allah whith wealth, but as well by scarcity of
human resources, and as you well know this wealth we shared whith
our brothers the Arabs and friends, either by official aid or direct
benfit to individuals, who supported many families in the arab
countries.

3 – Our army is small in size and never has been
established for offencive acts. And it is stated in our constituation
that the Kuwait army is defensive force and not allowed to declare
war on any body. Our supreme cammander the Amir Scheikh Jabir
Al-Ahmed Al-Sabah took this army under his care as a kind father.
Despite, the small size of the Kuwait army, had a noble participation
in the defence of the arab nation, and this participation was more than
th e commitment which was stated in the official documents of the
Arab League. Our army's contribution was one Infantry brigade on
egyptian front and armoured brigade on the syrian front.

0029

2/...

KUWAIT EMBASSY

Delegate of Kuwait at the
permanent Military Commission
of the league of Arabe States

T.UNIS

بسم الله الرحمن الرحيم

سفارة دولة الكويت
مكتب
مندوب اللجنة العسكرية الدائمة
بجامعة الدول العربية
تونس

الجيش الكويتي

- 2 -

التاريخ :

الرقم :

This contribution installed sacrifice in the hearts of the Kuwaiti arab soldiers to defend his Arab nation. The Kuwait Army achieved respect and good relation with the armed forces of our arab brothers.

4 - There is no dout that we have some points needed further discussion with Iraq in respec't of markation of our bordors. Our border with Iraq rccognised by Iraq through several agreements the only thing left for discussion is the physical markation that is puting sighns. Or markers these agreemant were handed in the Arab League and the U.N

Dispite all this our land was the subject of limited intrusion and agression in the past which we were able to contain peacefuly and through the diplomatic channels.

5 - My government put its confidence in the good intention of the Iraqi gouvernment, influenced by the brotherly, and nieborhood relationship plus the Arab nation affiliation. We never took in consideration that we will be a subject of agression from brotherly Arab country. Dispite receiving news of the lraqi army buidup near our border. We have recieved assurances by Arab leaders that the Iraqi president gave his word and promised not to use force, and to avoid provocation and for plitical reason our army was not on full alert. But on the second of august the Iraqi armed forces committed an agression which was delibrate well planed in advance and well reheased. Thetee is no logical reasons for this agression it can't be for dispute over dorders or quotas of oil, but intension in the mind of the Iraqi leadership to demonate our country and satisfy thers power hunger and ambitions.

0030

3/...

KUWAIT EMBASSY

Delegate of Kuwait at the
permanent Military Commission
of the league of Arabe States
TUNIS

- 3 -

6 - Our Kuwaiti army is well armed and equipted and
trained unfortunately small in size as we are small nation, but
this army was deprived from the apportunity to prove its capab-
ility to defend Kuwait, because Iraqi gouvernment never gave
warining or declared war against us in Accordance whith the
international law.

7 - The Iraqi army attacked with 8 divisions. 5 divisions
republican guard consist of 3 armoured divisions and 2 division special
force in addition to 3 motorised divisions and sea landing force whith
air cover. The attack was on three directions.

a - One armoured division east of the main road leading
to Kuwait.

b - Two armoured divisions West of the main road.

c - Two division special force mostely air lifted into Kuwait
city by helicopter.

d - Three motorised divisions fellowed the first waves of
attake moved in Kuwait city and other areas, using the suprise factor
moved very fast to civil instalation, gouvernment buildings and residential
areas. Avoiding any long engagement with our units, and to make
matters deficult internationaly.

8 - Vital insitilations and military and civil airports were subject
of attaks against all odds and in extreme deficult situation.

a - We have confirmation from various sources that the
Kuwaiti Air force and Air defence engaged the Iraqi Air force, our
air men and air defence fought with gallantry and were able to
destroy approximately 30 various Iraqi aircrafts, this information

0031
4/...

KUWAIT EMBASSY

Delegate of Kuwait at the
permanent Military Commission
of the league of Arabe States
TUNIS

بسم الله الرحمن الرحيم

سفارة دولة الكويت
مكتب
مندوب اللجنة العسكرية الدائمة
بجامعة الدول العربية
تونس

الجيش الكويتي

- 4 -

التاريخ :
الرقم :

was confirmed later.

  b - In the north a long the main road some of our
mechanised and heavy recconaissance units fought trying to
delay the enemy, some of our armoured units fought courageousely
west of the main road and managed to break through enemy
encirclment and took other defencive position.

  c - Our Amiri guard fought *for* the defence of Kuwait city
and its successes were noted by the international media.

  d - Our armoured units and heavy recconocace units fought
in the south for the defence of the oil field, against overwhelming
enemy was comppled to fight delay tactics and inflicted heavy casualtions
on the enemy.

  e - Against all these deficulties our units fought coureousely,
and sufferd some casualties, we don't have confirmed figurs some
news mentioned 700 martyrs, there are civilian casualties, who were
cought unaware as they were going on their normal living routine.

  9 - There still exist people resistance in the Kuwaiti cities
carried on by kuwaiti young men and youths, lead by some of the
remaing soldiers who stayed behiend. And we have information that the
residents of areas where activities taking place were the subject to
Iraqi punishment and torture, and news of looting of banks, gold shops
and food.

  10 - The formation of the alleged government of army officiers
is a big joke and insult to the human inteligence, the alleged government
consist of Iraqi officers who have no kuwaiti connection, and that we
have no kuwaiti officer whith these names and ranks. And the big lie
about the creation of the peoples army which is simply Iraqi army

0032

5/...

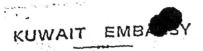

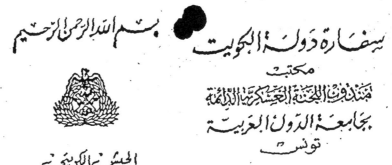

بسم الله الرحمن الرحيم

سفارة دولة الكويت
مكتب
مندوب اللجنة العسكرية الدائمة
بجامعة الدول العربية
تونس

الجيش الكويتي

- 5 -

التاريخ :
الرقم :

personels and Iraqi people army whome were called for active service lately and it was mentioned on the Iraqi and international media.

11 - The Kuwait Army now is in control of our armed forces, and we are in touch whith them, and recieve all orders and instructions and intheir turn they recieve orders from our gouvernment under the leadership of our supreme commander the Amir Scheikh Jabir Al-Ahmed Al-Sabah, his crown prince prime minister Scheikh Saad Abdulla Salem Al-Sabah and minister of defence Scheikh Nawaf Ahmed Al-Sabah.

12 - By writing these points of information for your attention and there is no dout that we are in need for support to reverse this aggression and gain our land and save our people from the suffering.

0033

외 무 부

종 별 :

번 호 : TNW-0282　　　　　　　　　　　일 시 : 90 0830 1700

수 신 : 장 관(마그)

발 신 : 주 튀니지 대사

제 목 : 주재국 특사파견

1. 주재국 BEN ALI 대통령은 중동사태의 평화적해결책 모색을 위해 세계 여러나라에다음과 같은 대통령 특사를 파견하기로 결정하였음.

1). 이락, 사우디아라비아 : 법무상 CHEDLI NEFFATI, 민주사회운동당 사무총장 MOHAMED MOAADA

2). 미국, 유엔 : 국방상 ABAALLAH KALLEL, 외무차관 HABIB BEN YAHIA

3). 소련 : RCD 사무총장 ABDERRAHIM ZOUARI

4). 영국, 불란서 : 문교상 MOHAMED DHARFI

5). 이태리 : 보건상 BALI JAZY

6). 서독 : 전외상, 현 국회 외무위원장 BEJI CAIDESSEBRI

7). 일본, 중국 : 전외상 MAHMOUD MESTIRI

8). 예멘 : 사회 진보당 사무총장 AHMED NEJIB CHEBBI

2. 한편 BEN ALI 대통령은 8.29 저녁 사우디외상 AL FAYCAL 과 면담, 사우디왕의친서를 받았음. 사우디외상은 면담후, 아랍국의 단결로 현위기를 극복해야 한다는 점을 강조하고 문제해결은 이락의 KUWAIT 로 부터의 철군과 KUWAIT 정부의 법적복귀를이루어야 아랍권은 더 견고한 단결을 이룩할 수 있으며 아랍권 모두가 원하는 근본적인 목적을 증진시킬수 있을것이라고 언명하였음. 끝.

중아국　1차보　정문국　안기부　통상국　미주국　대책반　2차보

90.08.31　21:52 DP

외신 1과 통제관

0034

외 무 부

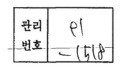

종   별 : 지급

번   호 : TNW-0031

일   시 : 91 0117 1200

수   신 : 장 관(중근동,마그,총인,영사,기정동문)

발   신 : 주 뷔니지 대사

제   목 : 걸프 전쟁 발발

대:WMEM-0008

연:TNW-0024

1. 주재국 정부는 1.14 국가안보회의를 소집, 걸프전쟁 발발에 대비한 하기 비상 조치를 취하였음.

  0 군병력 및 치안부대에 대한 국가 보위 비상태세 돌입

  0 인명 및 시설 보호를 위한 경계 태세 강화

  0 국민의 정상적 일상 활동 보장

  0 어떠한 형태건 군중집회등을 당분간 금지

2. 주재국 당국은 상기 조치 발표가 있은 1.14 밤 연호 PLO 요인 3 명의 피격사건이 ARTHAGE 대통령궁 인근에서 발생한 사실을 크게 우려, 현재 각급 주요 공공 시설등에 대한 경비를 강화하고 있는바, 당지 소재 미국 관련 시설을 비롯 주요 서방 공관에 대해서는 특별 보호 대책을 취하고 있음.

3. 주재국 언론은 미군등의 바그다드 폭격 개시에 관한 외신보도를 인용 전하는 이외, 현재까지 정부측의 입장 표시나 반응은 아직없음.

4. 공관원 및 교민 모두는 가급적 외출을 삼가고 주재국인과의 접촉을 피하며 신변 보호에 만전을 기하고 있음. 끝.

  (대사 변정현-국장)

  예고:91.6.30 일반

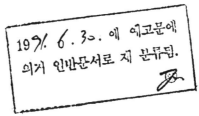
1991. 6.30. 에 예고문에 의거 일반문서로 재 분류됨.

중아국   장관   차관   1차보   2차보   총무과   중아국   영고국   정와대
안기부

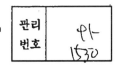

원 본

외 무 부

종 별 : 지 급

번 호 : TNW-0035

일 시 : 91 0118 1200

수 신 : 장 관(중근동,마그,정일,기정동문)

발 신 : 주 뷔니지 대사

제 목 : 걸프사태 반응

연:TNW-0031

1. BEN ALI 대통령은 1.17 비상각료회의를 소집, 전쟁발발에 대처한정부의 입장을 표명하는 아래의 성명을 발표함.

0 세계평화와 아랍인의 안보를 위해 유엔안보이사회가 긴급히 전쟁 종식 결의를 취해줄것을 제의함.

0 주요시설과 국민의 보위를 위해 만전을 기하는 동시에 모든 외국인등의 안전을 보장함.

2. 1.14 5 천여명의 평화적 반전시위가 있었으며 1.17 에는 동시위가 전국 주요도시로 확대되어 이락크를 지지하였음. 여사한 시위는 1.18 오후 회교기도회가 끝난후 더욱 과열되어갈 것으로 예상되는바, 이락크의 대이스라엘 공격등으로고조된 뷔니지 이스람 과격주의자들의 폭력시위도 배제할 수 없음.

3. 주재국 정부는 여사한 강경시위가 자칫 반정부 시위로 발전할 것에 대비,시위억제에 총력을 기우리고 있음.

4. 일발대중은 사담 후세인의 부쟁을 지지하고 있은것으로 감지되며 정부여당 및 야당, 제사회단체들도 미국등을 직접 지칭하지는 않지만 금번 사태의 악화책임을 서방측에 돌리고 있음. 끝.

(대사 변정현-국장)

예고:91.6.30 일반

일반 - 아랍제국 반미시위

1991. 6.30. 애 예고문에
의거 일반문서로 재 분류됨.

중아국   장관   차관   1차보   2차보   중아국   정문국   정와대   안기부

PAGE 1

91.01.19   18:42

외신 2과   통제관 FF

0036

외 무 부

종 별 : 지 급

번 호 : TNW-0031 　　　　　　　　　　일 시 : 91 0117 1200

수 신 : 장 관(중근동,마그,총인,영사,기정동문)

발 신 : 주 뷔니지 대사

제 목 : 걸프 전쟁 발발

대:WMEM-0008

연:TNW-0024

1. 주재국 정부는 1.14 국가안보회의를 소집, 걸프전쟁 발발에 대비한 하기 비상
조치를 취하였음.

　　0 군병력 및 치안부대에 대한 국가 보위 비상태세 돌입

　　0 인명 및 시설 보호를 위한 경계 태세 강화

　　0 국민의 정상적 일상 활동 보장

　　0 어떠한 형태건 군중집회등을 당분간 금지

2. 주재국 당국은 상기 조치 발표가 있은 1.14 밤 연호 PLO 요인 3 명의
피격사건이 ARTHAGE 대통령궁 인근에서 발생한 사실을 크게 우려, 현재 각급 주요
공공 시설등에 대한 경비를 강화하고 있는바, 당지 소재 미국 관련 시설을 비롯 주요
서방 공관에 대해서는 특별 보호 대책을 취하고 있음.

3. 주재국 언론은 미군등의 바그다드 폭격 개시에 관한 외신보도를 인용 전하는
이외, 현재까지 정부측의 입장 표시나 반응은 아직없음.

4. 공관원 및 교민 모두는 가급적 외출을 삼가고 주재국인과의 접촉을 피하며 신변
보호에 만전을 기하고 있음. 끝.

　　(대사 변정현-국장)

　　예고:91.6.30 일반

> 1991. 6 .30. 에 예고문에
> 의거 일반문서로 지 분류됨.

| 중아국
안기부 | 장관 | 차관 | 1차보 | 2차보 | 총무과 | 중아국 | 영고국 | 청와대 |

91. 2. 9.자 주한 튀니지 대사관 공한

ㅇ Habib Boulares 튀니지 외무장관의 유엔안보리 의장에 대한 1.31자 서한 사본 송부

ㅇ 동 외무장관 서한 주요내용

- 걸프전쟁이 현재 위험한 국면으로 접어들고 있음.

- 유엔안보리의 즉각적인 종전을 위한 조치를 촉구함.

- 마그레브 아랍연맹의 다른 회원국과 공동으로 제기했던 요청을 재차 반복하며, 향후 되돌이킬수 없는 파멸을 피하기 위하여 유엔안보리가 즉각적인 결단을 내려야함을 강조함.

0038

Embassy of Tunisia

Séoul

——◦◦——

No.164/Polit.

Séoul, le 2 Fevrier, 1991

L'Ambassade de Tunisie présente ses compliments au Ministère des Affaires Etrangères et a l'honneur de lui faire parvenir ci-joint, copie de la lettre que Son Excellence Monsieur Habib BOULARES, Ministre des Affaires Etrangères de la République Tunisienne a adressée au Président du Conseil de Sécurité, dans laquelle il souligne que les opérations militaires dans le Golfe prennent aujourd'hui un dangereux tournant. "Le Conseil peut encore décider un arrêt des hostilités pendant qu'il en est temps", écrit le Ministre, qui ajoute que "tout en réitérant sa demande conjointe avec les autres pays de l'UMA, la Tunisie en appelle au conseil de sécurité pour prendre cette décision afin d'éviter une catastrophe aux conséquences irréparables".

L'Ambassade de Tunisie saisit cette occasion pour renouveler au Ministère les assurances de sa haute considération.

Ministère des Affaires Etrangères
77-6, Sejong-ro, Chongro-ku,
Séoul

0039

République Tunisienne
Ministère des Affaires Etrangères

Le Ministre

Tunis le, 31 Janvier 1991

Monsieur le Président du Conseil de Sécurité,

Les opérations militaires dans le Golfe, déclenchées depuis l'aube du 17 Janvier 1991, prennent aujourd'hui un dangereux tournant à travers la menace d'utilisation des armes chimiques, bactériologiques et nucléaires brandie par les parties au conflit . En effet les déclarations enregistrées le lundi 28 Janvier 1991, laissent craindre l'imminence d'un passage à la guerre non conventionnelle.

La Tunisie qui a toujours condamné le recours aux armes de destruction massive, estime que cette déviation qui peut survenir à tout moment, n'est pas inexorable. Nous n'admettons pas l'idée de l'impuissance des Nations Unies face à cet engrenage qui va droit à l'utilisation fatidique de l'arme absolue. Le Conseil de Sécurité peut encore décider un arrêt des hostilités pendant qu'il en est temps, afin d'enrayer cette fatalité et de redonner force à la voie de la raison et de la négociation de préférence aux aléas de la guerre.

Tout en réitérant sa demande conjointe avec les pays de l'Union du Maghreb Arabe, la Tunisie en appelle au Conseil de Sécurité pour prendre cette décision afin d'épargner une catastrophe aux conséquences irréparables dont nous dirons tous, un jour, qu'elle était injustifiée et qu'elle était surtout évitable. Les peuples du monde ne comprendraient pas que le Conseil de Sécurité qui détient le pouvoir d'arrêter l'escalade ne l'ait pas fait pendant qu'il en était temps.

0040

La victoire des Nations-Unies ne saurait s'identifier à la victoire des armes, encore moins au prix de destrutions d'une ampleur encore inconnue dans cette région du monde, pourtant meurtrie par sept guerres en moins de cinquante ans. La victoire des Nations-Unies est dans la seule option de la paix : il est encore temps de lui redonner toutes ses chances.

Habib BOULARES

0041

외 무 부

종 별 : 지 급

번 호 : TNW-0089 　　　　　　　　　　일 시 : 91 0212 1700

수 신 : 장 관(중동1,중동2,정일,기정동문)

발 신 : 주 뷔니지 대사

제 목 : 이라크 특사 뷔니지 방문

　　1. BEN ALI 대통령은 2.11 오후 사담 후세인 대통령의 특사로 온 SAADOUN HAMMADI 이라크 부수상을 접견, 걸프사태에 대한 이라크 정부의 입장을 청취함.

　　2. 동 특사는 그간 뷔니지 국민이 보여준 이라크 지지에 사의를 표하고 이라크의입장에서 본 UN 안보리 결정의 불공정성 및 미국측의 전쟁 수행 목적등을 규탄하였음.

　　3. BEN ALI 대통령을 면담한 직후 동인이 가진 기자회견 요지는 아래와 같음.

　　0 이라크는 모든 아랍제국이 금번 UN 안보리 결의의 불공정성을 규탄, 미국측 주도의 신세계 질서 구축을 봉쇄키 위한 투쟁에 나서 주길 바람.

　　0 모든 아랍 제국의 미국등 6개 침략국들과의 외교 관계 단절을 요구하고 동 전쟁에 가담하고있는 여타 제국들의 군대 철수를 주장함.

　　0 미국등이 핵무기등을 사용할 경우 이라크도 이에 상응한 대응 조치를 취할 것이며, 여하한 상황이 전개되더라도 결코 항복치 않을 것임.

　　0 현재 이란내에 있는 이라크 전투기들은 이라크의 전쟁 수행 능력 견지를 위해이라크 자신이 결정한 조치임.

　　0 국제 무대에서의 소련의 퇴진이 미국의 신식민주의 부활을 자초했으며, 이제는소련도 미국이 안보리 결의의 한계를 넘어, 이라크 말살에 치닫고 있음을 인식하게됨.

　　0 미국이 전쟁을 일으켰고 이라크는 이러한 도전에 단호히 대응하고 있음. 만일안보리 내지는 다국적군측이 사전 조건없이 휴전을 제의해 오는경우 이라크는 이를검토 할 의향이 있음. 끝.

　　(대사 변정현-국장)

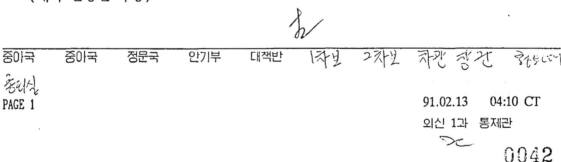

중아국　중아국　정문국　안기부　대책반　1차보 2차보 차관 장관 황장치여

총리실

PAGE 1　　　　　　　　　　　　　　　　91.02.13　　04:10 CT

　　　　　　　　　　　　　　　　　　　외신 1과 통제관

　　　　　　　　　　　　　　　　　　　　　　　0042

3. 지역회의

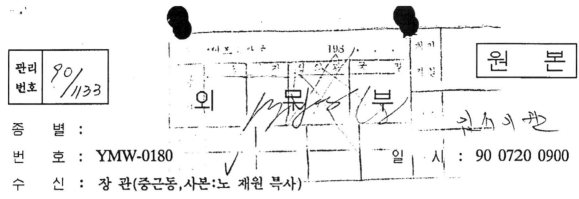

관리
번호 : 90/1133

종 별 :

번 호 : YMW-0180

일 시 : 90 0720 0900

수 신 : 장 관(중근동,사본:노 재원 특사)

발 신 : 주 예멘 대사

제 목 : ACC 와 GCC간 관계 현황 보고

1. ARAB COOPERATION COUNCIL(요르단, 에집트, 예멘, 이라크)의 국가원수들은 예멘 봉합 축하를 계기로 요르단 국왕 HUSSEIN 의 당지 방문(7.17-7.18)을 마지막으로 예멘 SALEH 대통령과의 일련의 정상회담을 갖고 ACC 회원국의 인접 아랍국가들과의 관계 개선 문제를 중점 논의한것으로 외교가에서 알려졌음.

2. 예멘-에집트 정상회담과 병행해서 의례적으로 PLO ARAFAT 의장이 초청되어 무바라크 대통령은 SALEH 대통령을 통해 미국-PLO 간의 대화 재개를 위해 PLO과격파 행동 제재를 종용하였으나 주 예멘 대사에 의하면 ARAFAT 는 이 종용을수락하지 않았다고함. 한편 무바라크 대통령은 통합 예멘과 사우디 및 오만과의 국경 분쟁의 해결을 위해 귀로에 JEDDAH 에서 사우디 국왕을 만났다고함.

3. 요르단 HUSSEIN 왕도 SALEH 대통령과의 회담후 예멘과의 국경 문제 해결을 위해 사우디 및 오만 국왕과 별도로 회담하였다고함.(이미 오만과의 국경 분쟁은 남예멘과 타결되어 사실상 해결을 본셈임.)

4. 이라크와 KUWAIT 간의 최근 석유 분쟁을 화해시키기 위해 예멘 SALEH 대통령은 7.18 전화로 이라크 HUSSEIN SADDAM 대통령과 KUWAIT SHAIKH JABER AL-AHMED 국왕을 설득시도한것으로 당지 신문에 보도되었음.

5. 주재국 정부는 PLO 원조기금을 마련하기위해 휘발유 특별세를 부과하기로 결정, 이는 지난번 BAGDHAD 아랍 정상회담 석상에서 요르단 국왕 HUSSEIN 의 회원국 원조 요청을 호소한데 대한 반응이며 또한 부유 GCC 회원국(사우디, 쿠웨이트, 오만, UAE 등 7 개국)에 대한 간접적인 반발로 해석됨. 한편 7.18. AMMAM ACC 경제장관회의에서는 GCC 가 1982 년 설립한 GULF INVESTMENT CORPORATION(자본금 $21 억)에 상응한 ACC 경제 협력기금 $12 억을 각 회원국에 활당하여 마련하기로 합의하였다고함. 끝.

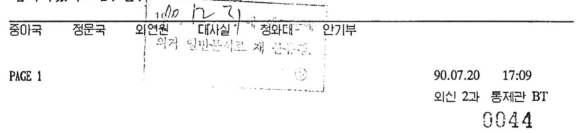

중아국   정문국   외연원   대사실   정와대   안기부

PAGE 1

90.07.20   17:09

외신 2과   통제관 BT

0044

(대사 류 지호-국장)
예고:90.12.31. 까지

관리번호 901/1243

외 무 부

종 별 :

번 호 : CAW-0486

수 신 : 장관(중근동,마그,정일)

발 신 : 주 카이로 총영사

제 목 : AL 및 GCC 각료회의 대이락 규탄

일 시 : 90 0804 1535

(자료응신 제 46 호)

연:CAW-0481

1. 8.3 당지에서 속개된 AL 및 GCC 비상각료의사회는 하기 요지의 대이락 공식 규탄 설명을 발표하였음.

- GCC

1) 이락군은 8.1. 이전 위치로 즉각적이고 무조건 철수할 것.

2) 이락의 침략과 그로인한 모든 후속 조치를 거부함.

3) 침략종식과 쿠웨이트 주권및 영토보존을 위해 아랍 연맹이 AL 헌장에따라 AL 의 통일된 입장을 채택할것.

4) 동침공은 쿠웨이트의 주권과 독립을 명백히 참해한 처사일뿐 아니라 모든 ARAB, 이슬람 및 국제적 재원칙과 법규를 위반한 행위임.

- AL

1) 이락의 쿠웨이트 침공과 동결과를 규탄함.

2) 이락군의 즉각, 무조건 철수할 것.

3) AL 회원국의 주권과 영토보존 원칙 고수와 긴급아랍 정상회담 개최촉구.

4) AL 문제에 대한 외세의 간섭배제

5) 사무총장은 동결의 안을 이행토록 하는동시에 사태 진전사항을 상설 의사회에 보고할것.

2. 상기 규탄 성명 채택에 있어

1) GCC 외상회의는 OMAN 외상 YOUSSEF FEN ALAWI ABDULLA 주도로 이루어 졌으며

2) AL 외상회의 결의문 채택시 리비아는 불참한 반면, 모리타니아가 기권을, 수단, 팔레스탄인, 요르단및 에멘은 반대한 것으로 알려지고 있으나, 일부언론은 이락,

---

중아국	장관	차관	1차보	2차보	중아국	정문국	( )	정와대
안기부								

PAGE 1

90.08.04 22:13

외신 2과 통제관 EZ

0046

수단, 모리타니아, 예멘, 요르단및 팔레스타인 등 6 개국이 기권한것으로 보도하고
있음. 끝.

　　(총영사 박동순-국장)

　　예고:90.12.31. 까지

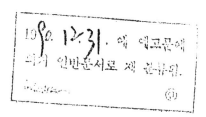

외 무 부

종 별 :

번 호 : SBW-0569

수 신 : 장 관(중근동,정일,기정,국방부)

발 신 : 주 사우디 대사

제 목 : 아랍정상회담

일 시 : 90 0804 1510

1. 주재국의 파드국왕, 이집트의 무바라크대통령 및 요르단의 후세인 국왕이 명 8.5(일) 주재국 제다에서 정상회담을 갖고 이락의 쿠웨이트 침공사태등을 협의할 예정인것으로 알려지고 있음. 현재 사담 후세인 이락대통령의 동회의 참석여부는 확인되지 않고있음.

2. 동회담 진전사항 파악되는대로 보고 예정임.

3. 현재 주재국은 평온하며 별다른 상황은 없음.

(대사 주병국-국장)

예고:90. 12.31 일반

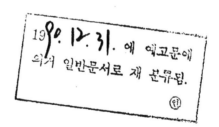

중아국	장관	차관	1차보	2차보	정문국	정와대	안기부	국방부

PAGE 1

90.08.04   23:06

외신 2과 통제관 EZ

0048

외 무 부

종 별 : 지 급

번 호 : SBW-0597 　　　　　　　　　일 시 : 90 0808 1510

수 신 : 장 관(중근동,정일,기정,국방부)

발 신 : 주 사우디 대사

제 목 : GCC 이락침략 비난

1. GCC 회원국 외무장관들은 8.7 주재국 제다에서 특별회담을 갖고 이락의 쿠웨이트 침공을 강력히 비난하는 성명서를 8.3에 재차 발표 하였는바, 동주요 내용다음과 같음.

가. 쿠웨이트에 대한 지지 재차 강조 및 이라크 군대의 8.1 현재 위치로의 즉각철수 주장

나. 이라크 침공 거부 및 이라크 침공으로부터 발생하는 결과 불인정

다. 이락의 쿠웨이트 침공은 GCC 아랍리그 및 UN 회원국의 주권과 독립을 무모하게 침해한것으로 모든 국제적 및 아랍 이스람 협약 및 법등을 위반한것임.

라. 야만적인 점령에 직면하여 쿠웨이트 국민들이 보여준 확고함과 JABER AL-SABAH 쿠웨이트왕과 쿠웨이트 합법정부 지도하에 쿠웨이트 국민들이 단결하고있는 것을 치하.

(대사 주병국-국장)

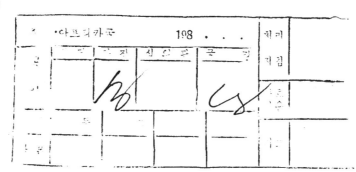

중아국　　1차보　　2차보　　정문국　　안기부　　국방부　　차관　　장관

PAGE 1　　　　　　　　　　　　　　　　　　　　90.08.08　　22:08 DA

외신 1과 통제관 0049

관리
번호 PO/1340

외 무 부

종 별 :

번 호 : CAW-0500   일 시 : 90 0809 1605

수 신 : 장 관(중근동,마그,정일)

발 신 : 주 카이로 총영사

제 목 : 긴급 비상 ARAB 정상회담 개최(자료응신 제49호)

연:CAW-0498

　　1. 8.9 주재국 외무부의 한관계관에 의하면 연호 무바락 대통령의 긴급비상 ARAB 정상회담 개최와 관련, 외무부는 이락, 쿠웨이트를 비롯한 수단, 소말리아등 일부국의 참석 여부가 아직 밝혀지지 않고 (13:00 현재) 있는 가운데 여타 ARAB LEAGUE 다수 회원국의 찬성으로 동 비상정상회담 개최 (8.9. 19:00 경) 준비를 서두르고 있다함.

　　2. 또한 동 비상정상 회담에는 SADDAM HUSSEIN 설득방안 (철군과 쿠웨이트 왕정복귀) 모색과 외세개입 방지 (아랍 혼성군 형성 파견) 문제가 주로 거론될 것으로 본다함.

　　3. 본건 진전사항 계속 주시 추보하겠음. 끝.

(총영사 박동순-국장)

예고:90.12.31. 까지

중아국	차관	1차보	중아국	정문국	청와대	안기부

PAGE 1

원 본

외 무 부

종 별 :

번 호 : CAW-0504
일 시 : 90 0809 2240

수 신 : 장 관(중근동,마그,정일)

발 신 : 주 카이로 총영사

제 목 : 긴급 아랍정상 회담 개최 연기(자료응신 제50호)

연:CAW-0500

1. 저녁 7 시 주재국 방송보도에 의하면 주재국 정부는 금 (8.9)19 시에 예정했던 연호 긴급 아랍정상회담 개최를 준비관계로 8.10 일로 연기 한다고 발표하였음.

2. 그간 참석이 불투명해서던 이락 쿠웨이트도 라마단 부수상과 크라운 프린스가 각각 참석차 방애 하였음. 끝.

(총영사 박동순-국장)

예고:90.12.31. 까지

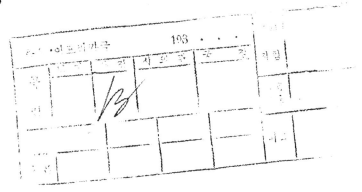

중아국   장관   차관   1차보   2차보   중아국   정문국   청와대   안기부

90.08.10   05:36

외신 2과 통제관 DL

0051

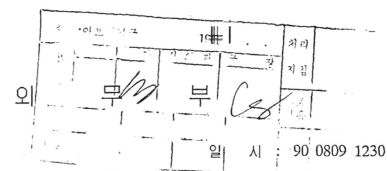

종 별 :

번 호 : JOW-0253

일 시 : 90 0809 1230

수 신 : 장 관(마그,중근동,정일,기정)

발 신 : 주 요르단 대사

제 목 : 이락. 쿠웨이트 사태

연: JOW-0246

1. 8.8 주재국 국왕은 기자회견에서 표제사태관련, 요지 다음과 같이 주재국의 입장을 피력함

가. 8.9 카이로에서 개최될 것으로 예상되는 아랍정상회담이 금번 위기를 위요한파국을 피할수 있는 마지막 기회가 될것인바, 모든 아랍정상들이 동회담에 참석,해결방안 마련에 성공할수 있기를 기대함

나. 아랍인들이 GULF 위기를 아랍의 CONTEXT안에서 해결하지 못한다면 이지역은 엄청난 재난에 빠지게 될것임

다. 이스라엘의 공격등 제반 가능성에 대비, 금번사태이후 요르단은 '부분적인 국가동원' 상태에 있음

라. 요르단은 쿠웨이트 신정부를 승인하지 않을것이며, 쿠웨이트의 EMIR 정권을인정함

마. 이락의 쿠웨이트 통합선은 반대함

아. 유엔 안보리의 대이락 제재결의안 자체는 반대하지 않으나 제재의 선별적 적용을 강조함

2. 8.8 오후 이락이 대요르단 국경을 개방한후 이락측으로 부터 약 500여명의 관광객등 단기체류자(서방인,아랍인 및 요르단인)들이 ALRUWEISHED 인근 국경을 통해요르단에 입국하였음. 그러나 쿠웨이트와 이락 장기체류자허가를 가진 외국인들의출국은 현재까지 금지되고 있는것으로 알려짐

(대사 박태진-국장)

중아국   장관   차관   1차보   중아국   정문국   정와대   안기부

외 무 부

종 별 : 지 급

번 호 : SBW-0606

일 시 : 90 0809 1400

수 신 : 장 관(중근동,기정,정일,국방부)

발 신 : 주 사우디 대사

제 목 : 파드국왕,아랍정상회담 참석

　　1. 파드국왕은 8.9 이집트 카이로에서 개최예정인 아랍긴급 정상회담에 참석예정이라고 밝혔음.

　　2. 한편 사우드 외무장관은 8.8 카이로에서 무바라크 이집트 대통령과 회담을 가짐.

　　(대사 주병국-국장)

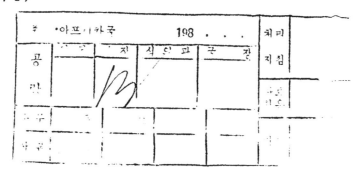

중아국　　1차보　　정문국　　청와대　　안기부　　국방부

PAGE 1

외 무 부

종 별 :

번 호 : TNW-0252

일 시 : 90 0810 1200

수 신 : 장 관 (마그,정일)

발 신 : 주 뷔니지 대사

제 목 : 카이로 아랍 정상회의

1. 주재국 정부는 걸프위기 해소를 위한 8.9. 예정인 카이로 아랍 긴급 정상회의에소극적태도를 보이고, 동회의를 48시간 연기 개최할 것을 주장함.

2. 주재국은 이와 관련 외무성 성명을 통해 아래와 같이 그 사유를 밝히고 있음.

-이라크의 쿠웨이트 침공직후 8.3.발표된 아랍연맹 긴급 외무장관회의 결의안을아랍연맹이 거부한 점

-뷔니지는 8.7 금번사태 해결을 위한 긴급정상회의는 회의의 성과를 고려 핵심당사국들간의 사전 의견조정을 거친후 개최할것을 아랍연맹측에 제의한 바 있었음.

-카이로 아랍연맹 측은 금번 긴급 정상회의 개최관련 BEN ALI 대통령과 사전 전화협의했다고 밝히고 있으나, BEN ALI 대통령은 시기 문제로 무바락 대통령의 회의참석 제의를 수락치 않았음.

-뷔니지는 금번사태의 심각성에도 불구 주요당사국들간의 사전절충 가능성을 믿고 있으며 그러한 사유로 금번 정상회의를 2일간 연기할것을 제의함.끝.

(대사 변정현-국장)

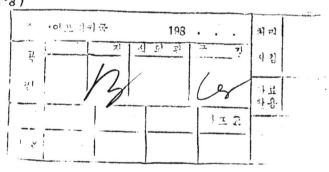

중아국   1차보   정문국   안기부

PAGE 1

90.08.10   20:24 FC

외신 1과   통제관

0054

208   걸프 사태 중동 및 기타 지역 2

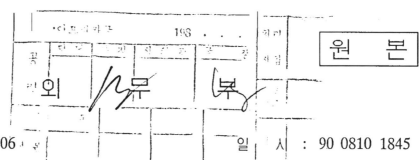

종   별 :

번   호 : CAW-0506   일 시 : 90 0810 1845

수   신 : 장관(중근동)

발   신 : 주 카이로 총영사

제   목 : 아랍긴급 정상회담

1. 90.8.10(금) 12:30시 21개 아랍연맹 회원국중 튀니지를 제외한 20개국 대표(FAHD 사우디국왕등 14개국 국가원수, THHA YASSIN RAMADAN 이락 제 1부수상 및 ABDULLAH 쿠웨이트 황태자겸 수상등 6개국 각료) 가 참석한 가운데 당지에서 개최된아랍 긴급 정상회담 제 1차 회의는 HOSNI MUBARAK 주재국 대통령의 기조연설만을듣고 폐회, 대표들이 정오 기도에 참석한후, 오후부터 비공개 제 2차 회의에 들어갔음.

2. MUBARAK 대통령은 기조연설을 통해 아랍정상들에 대해 이락을 설득하여 이락군을 쿠웨이트로 부터 철수케 하거나 동 지역에 집결해있는 외부세력에게 동 위기를 해결토록 허용해야 하는 선택의 기로에 서 있다고 단언한후

(1) 이락군의 쿠웨이트로 부터 철수

(2) 쿠웨이트 국민에게 자국 국내문제 해결 위임

(3) 이락의 쿠웨이트 침공 이전의 쿠웨이트 정권존중

(4) 이락의 쿠웨이트 참공이후 행해진 모든 조치철폐

등을 주장하였으며, 금번 긴급 정상회담은 이락을 곤경에 처하게 하기 위해서 소집된 것이 아니라, 동 사태의 비극적인 전개를 저지하기 위함이라고 강조한후, 현사태는 점점악화 되어가는 비정상적이고 위험한 상황 (UNBALANCED AND EXPLOSIVE SITUATION) 이라고 규정하고, 아랍권내부(ARAB UMBRELLA) 에서의 동 사태 해결만이 유일한 합리적인 선택이라고 강조함.

한편, 동인은 이락군의 쿠웨이트로부터 철수후 아랍 연합군의 양국 국경지대배치를 제안하면서 동 군대는 아랍 형제국에 대해 어떠한 무력행사도 하지 않을것임을 강조한후, 아랍정상들이 상호 협력한다면 동 이락.쿠웨이트 사태를 수일내에 해결(IN A MATTER OF DAYS) 할수 있을것이라고 언급했음.

중아국   1차보   2차보   정문국   안기부

PAGE 1

3. 금번 아랍 긴급정상 회담은 작 8.9. 19:00 소집될 예정이었으나, 이락측 대표가 이락에 의하여 수립된 현 쿠웨이트 정부대표의 참석을 주장, 회의 개최가 연기되었으나, 막후 접촉을 통하여 전 쿠웨이트 정부대표(ZABER 국왕 및ABDULLAH 황태자 겸 수상이 당지에 도착하였으나 ABDULLAH 황태자가 대표로 참석)가 참석키로 양해됨에 따라 금일 정상회담이 개최된 것임.

4. 한편, RAMADAN 이락 제 1부수상은 작 8.9 당지에 도착, 금번 정상회담 에서는 미국의 이락에 대한 무력 위협문제를 주 의제로 취급해야 할 것이라고 주장한바 있으며, 또한 TAREK AZIZ 이락 외무장관은 무바락 대통령 기조연설 직전 쿠웨이트는 이락 영토의 일부(PART AND PARCEL OFIRAQ) 임을 재 강조한바 있고, 무바락 대통령은 기조연설 에서 이락군의 철수 및 쿠웨이트 구정권 회복등을 주장한바 있어, 양측의 입장이 팽팽이 맞서고 있는바, 금일 오후 비공개 회의에서 동 이견을 조정하기를 십지 않을것으로 관측됨.

5. 금번 아랍긴급 정상회담의 성공여부에 관해서는 당지에서도 의견이 반드시 일치하고 있지는 않는바, 회의 참가국가중 주재국, 사우디, 시리아등 비교적 지도적위치에 있는 국가들은 이락의 쿠웨이트로 부터의 철수를 강력히 주장할 것으로 보이나 여타국가들은 명료한 입장을 취하는것을 다소 자제할 것으로 관측되고 있는바, 이러한 입장의 상이에도 불구하고 금번 정상회담이 이락철군에 합의한다 할지라도, 상기 이락측의 태도 표명에서 보는바와 같이 이락이 동 철군 요청에 불응하는 경우, 아랍권 내에서의 현사태 해결은 어려울것으로 보이며, 그럴경우 무바락 대통령이 주장하는 외세 개입 문제가 대두될것임. 끝.

(총영사 박동순-국장)

외 무 부

종   별 :

번   호 : JOW-0257   일   시 : 90 0811 1130

수   신 : 장 관(마그,중근동,정일,기정)

발   신 : 주 요르단 대사

제   목 : 이락.쿠웨이트 사태

  1. 8.10 밤 카이로에서 중론된 긴급 아랍정상회의는 12개국의 찬성으로 미군의 사우디주둔 및 유엔 이락제재 결정에 대한 지지결의안을 통과시켰는바 동결의에 대한각국의 입장을 보면 6개국 GCC 회원국외 시리아,레바논,이집트,모로코,소말리아 및 지부티가 찬성, PLO, 이락,리비아 3국이 반대, 주재국을 비롯한 알제리아 및 에멘이 기권,수단 및 모리타니아가 유보,뷰니시아가 결석함

  2.동회의시 다수의 국가들이 금번사태의 해결을 즉각투표로서 결정하자는 입장을 보인데 반해,주재국은 이락의 고립화로 인한 사태 악화를 막기위한 중재에 보다 많은 노력과 시간이 요한다는 입장을 견지하였음

  3. 8.9 부터 강화된 이락.요르단 국경봉제로 이락체류 허가를 가진 서방인들의 이락출국이 엄격히 제한되고 있는것으로 알려짐

  4. 8.9 과격 회교주의자들이 주동이된 약 1만여명의 주재국인은 암만 한 회교사원에서 금번사태에 관한 서방개입과 미군의 사우디 주둔에 항의하는 시위를 가짐

   (대사 박태진-국장)

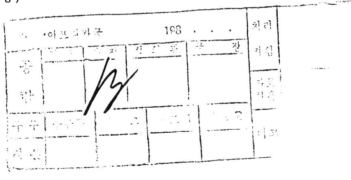

중아국   1차보   중아국   정문국   안기부

PAGE 1   90.08.11   23:50 DP

외신 1과 통제관

0057

외　무　부

원　본
암호수신

종　별 :

번　호 : CAW-0509　　　　　　　　　　일　시 : 90 0811 1640

수　신 : 장관(중근동)

발　신 : 주 카이로 총영사

제　목 : 아랍긴급 정상회담

연:CAW-0506

1. 90.8.10(금) 오후 비공개로 속개된 아랍긴급정상회담 제 2 차 회의는 심각하고 우호적인 (SERIOUS AND FRIENDLY)분위기 속에서 장시간에 걸친 논의끝에, GCC 국가들이 제출한 이락군의 즉각적인 철수 및 아랍긴급 연합군 파견등을 주내용으로 한 결의문을 20 개 참국중 12 개국 찬성(이락, 리비아, PLO 등 3 개국 반대, 알제리, 예멘등 2 개국 기권, 요르단, 수단, 모리타니아등 3 개국 유보)으로 채택하였음.

2. 아랍정상들은 동 결의문에서 동사태관련 아랍연맹외상회의, 이슬람회의 외상회담 및 유엔안보리 결의등을 재확인한 후, 이락의 쿠웨이트 침공을 비난하고, 이락의 쿠웨이트 합병및 일련의 조치에대한 인정을 거부하였으며, 이락군의 쿠웨이트로부터 즉각 철수, 쿠웨이트의 독립및 영토권을 재확인하고 쿠웨이트 구왕정의 복귀를 주장하였음. 또한 동 결의문은 이락의 사우디를 포함한 주변 걸프연안국들에 대한 위협을 비난하고, 아랍합동 방위조약 및 유엔헌장 규정에 입각한 사우디등 GCC 국가들의 정당한 자위권 행사조치를 지지하는 한편, 동 걸프연안국드의 요청에따라 아랍긴급합동군을 동지역에 파견키로 결정하였으며, CHEDLI KLIBI 아랍연맹 사무총장으로 하여금 15 일 이내에 동 결의사항들의 이행및관련 보고서를 제출토록 위임하였음.

3. 한편, ZABER 쿠웨이트 국왕은 정상회담이 시작되기 직전 젯다로 돌아갔으며, 동일 별도로 개최된 외상회의 석상에는 이락, 쿠웨이트, 이락, 사우디 외상간에 격렬한 논쟁이 있었고, 상기 1 항에서 보듯 CONSENSUS 에의한 결의문 채택에 실패함으로써 금번 이락, 쿠웨이트 사태가 아랍권 내부에서 평화적 방법에 의해 해결되기를 기대하기는 어려울 것으로 관측됨. 연이나, 금번 아랍긴급정상회담을 봉하여 주재국 무바락대통령의 아랍권내 정치적 지도자로서의 입지가 재확인

중아국　　장관　　차관　　1차보　　2차보　　정문국　　정와대　　안기부

되었으며, 또한 아랍권으로 하여금 이락을 신랄히 비난케하고 아랍긴급 연합군의 사우디 파병 결정을 이끌어 냄으로써 미국의 외교적 성과로 평가되고 있음. 끝.

    (총영사 박동순-국장)

외 무 부

종 별 :

번 호 : SSW-0245   일 시 : 90 0811 1900

수 신 : 장 관 (중근동,마그,통일)

발 신 : 주 수단 대사

제 목 : 이락사태

   1. EL BESHIR 주재국 대통령은 8.9(목) 외상등을 대동, 아랍연맹 카이로 비상 정상회담에 참가하였음.

   2. 8.6.-10.21.까지 개최되고 있는 정치제도 구국회의 (NDCPS) 는 8.9. 성명을 발표하고, 아랍제국은 현재 외세간섭으로 위기에 직면하고 있으며, 전 아랍은 이에 궐기해야 할 것이라고 강조함. 또한, 카이로 아랍연맹 비상정상 회의는 분연히 궐기하여 외세간섭에 대한 위기를 극복하는 용기와 책임을 갖어야 한다고 강조했음.

   3. 주재국 수도 카르툼 인민회의 (THE POPULAR COMMITTES) 는 GULF 지역에 대한외국의 간섭과 제국주의 침략을 단호히 분쇄해야 한다는 성명서를 발표함.끝.

   (대사 한창식-국장)

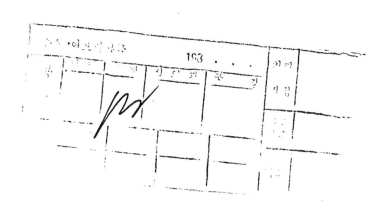

중아국	1차보	중아국	통상국	정문국	안기부			

PAGE 1

90.08.12   09:05 FC

외신 1과 통제관

0060

외 무 부

회 김

종 별 :

번 호 : AGW-0140   일 시 : 90 0811 1500

수 신 : 장관(중근동,마그)

발 신 : 주 알제리 대사

제 목 : 중동사태

1. 주재국 외무장관은 카이로 아랍 외상회의 직후 이락의 무조건 철수를 주장한바
있음.

2. 연이나 8.10 카이로 아랍 정상회의에서는 침공 비난 결의에 기권하였는바, 이는
주재국의 아랍권내에서의 독자적 입장 유지와 금번 사태 해결에 중재역할 담당
가능성을 유보코저 하는 것으로 보임.끝

(대사-국장)

예고:90.12.31. 일반

1990.12.31. 에 예고문에 의거
일반문서로 재분류됨

중아국 안기부	장관	차관	1차보	2차보	중아국	통상국	정문국	청와대
	대책반							

PAGE 1

90.08.12   23:00

외신 2과 통제관 DO

0061

주 오 만 대 사 관

문서번호 : 오   만 720- /84   198<del>8</del>90 8 · 11 ·

수   신 : 장   관

참   조 : 중동아프리카국장

제   목 : 쿠웨이트 사태관련 GCC 성명문 송부

연 : OMW -0221

    이라크의 쿠웨이트 침공사태 관련, 주재국 외무부가 외교단에
송부하여온 GCC 임시각료회의 성명문 별첨 송부합니다.

첨   부 : 동성명문 사본 1부. 끝.

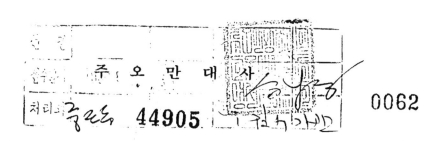

0062

Sultanate of Oman
Ministry of Foreign Affairs
Minister's Office Department
Muscat

بسم الله الرحمن الرحيم

سلطنة عمان
وزارة الخارجية
دائرة مكتب الوزير
مسقط

سري

Ref : ....

Date : ....

الرقم : ١٠١/٢٠٠١/٢٢٠٠٨/١١٨ م.م.ت

التاريخ : ١٤١١/٠١/١٢هـ

١٩٩٠/٠٨/٠٤م

تهدي وزارة الخارجية (دائرة مكتب الوزير) أطيب تحياتها إلى كافة البعثات الدبلوماسية المعتمدة لدى السلطنة .

ويسُرها أن ترفق بالطي بيان المجلس الوزاري لمجلس التعاون لدول الخليج العربية في دورته الطارئة في القاهرة الذي عقد مساء هذا اليوم الجمعة بتاريخ ١٢ محرم ١٤١١ هـ الموافق ٨/٣/ ١٩٩٠ م ، برئاسة معالي/ يوسف بن علوي بن عبدالله وزير الدولة للشؤون الخارجية بسَلطنة عُمان .

تنتهز الوزارة هذه المناسبة لتعرب لكافة البعثات الدبلوماسية المعتمدة لدى السلطنة عن فائق تقديرها واحترامها .

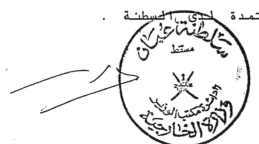

إلى : كافة البعثات الدبلوماسية المعتمدة لدى السلطنة .

المرفقات : ماذكر بعاليه .

0063

بيان

عقد المجلس الوزارى لمجلس التعاون لدول الخليج العربية دورة طارئة فى القاهرة هذا اليوم الجمعة الموافق ١٢ محرم ١٤١١ هجرية الموافق ٣ اغسطس ١٩٩٠ ميلادية برئاسة معالى يوسف بن علوى عبدالله وزير الدولة للشئون الخارجية بسلطنة عمان وبحضور معالى راشد بن عبدالله النعيمى وزير الدولة للشئون الخارجية بدولة الامارات العربية المتحدة ومعالى الشيخ محمد بن مبارك آل خليفة وزير خارجية دولة البحرين وصاحب السمو الملكى الأمير سعود الفيصل وزير خارجية المملكة العربية السعودية ومعالى مبارك بن على الخاطر وزير خارجية دولة قطر ومعالى الدكتور عبدالرحمن العوضى وزير الدولة لشئون مجلس الوزراء بدولة الكويت، وذلك للنظر فى الوضع الخطير الناجم عن العدوان العراقى على الكويت والآثار المترتبة على هذا العدوان وما يمثله من انتهاك صارخ على سيادة واستقلال دولة عضو فى مجلس التعاون لدول الخليج العربية، والجامعة العربية، والأمم المتحدة، وخرق سافر لكافة المواثيق والأعراف والقوانين العربية والاسلامية والدولية.

وفى الوقت الذى يعرب فيه المجلس عن استنكاره البالغ وأسفه الشديد لهذا العدوان الذى تم من قبل دولة عربية شقيقة على دولة عربية شقيقة أخرى متجاهلة كل الأواصر والروابط التى تجمع بين الدول العربية الشقيقة وتتنافى مع علاقات الأخوة وحسن الجوار.

ويؤكد المجلس الوزارى على إدانة هذا العدوان العراقى الغاشم على دولة الكويت الشقيقة ويطالب العراق بالانسحاب الفورى غير المشروط للقوات العراقية الى مواقعها قبل تاريخ ١ اغسطس ١٩٩٠.

كما ويرفض المجلس هذا العدوان وأية آثار مترتبة عليه مع عدم الاعتراف بتبعاته. ويطالب جامعة الدول العربية باتخاذ موقف عربى موحد انطلاقا من مبادئ وروح ميثاق جامعة الدول العربية لانهاء العدوان وازالة آثاره من أجل الحفاظ على السيادة والسلامة الاقليمية لدولة الكويت الشقيقة.

* * * * * *

القاهرة ١٢ محرم ١٤١١هـ الموافق ٣ اغسطس ١٩٩٠م

0064

Sultanate of Oman
Ministry of Foreign Affairs
Minister's Office Department
Muscat.

CONFIDENTIAL

Ref : 100/20001/330008/202081
Date : 4/8/1990

The Ministry of Foreign Affairs - Minister's office department presents it compliments to all Diplomatic Missions, Consulates and UN offices accredited to the Sultanate of Oman, and has the honour to enclose herewith the GCC Ministerial Council's statement on its emergency session which was held in Cairo on Friday August 3, 1990 chaired by H.E. Yusuf bin Alawi bin Abdullah, Minister of State for Foreign Affairs.

The Ministry avails itself of this opportunity to renew to all Diplomatic Missions the assurances of its highest consideration.

- To all Diplomatic missions, Consulates and UN offices
  accredited to the Sultanate of Oman.

0065

Statement

The Gulf Co-operation Council's Ministerial Council held an emergency session in Cairo on Friday August 3rd, 1990. The session chaired by H.E. Yusuf bin Alawi bin Abdullah Minister of State for Foreign Affairs to the Sultanate of Oman and represented by H.E. Rashid bin Abdulla al Nuaimi, U.A.E.'s Minister of State for Foreign Affairs, Sheikh Mohammed bin Mubarak al Khalifa, Bahrain's Foreign Minister, Saudi Foreign Minister Prince Saud al Faisal, Qatari Foreign Minister Mubarak bin Ali al Khatir and Kuwait's Minister of State for Cabinet Affairs Dr. Abdul al Awadhi, was regarding the serious situation arising from the Iraqi invasion as a blatant violation of the sovereignty and independence of a member of the GCC, the Arab league, United Nations as well as all Arab, Islamic and International Charter and laws.

Meanwhile, the Council expressed strong disapproval and deep regret of this aggression by a brotherly Arab country on another brotherly Arab country, ignoring all the links which link brotherly Arab countries together.

The Ministerial Council condemned Iraqi's invasion of Kuwait's sovereignty and called for the immediate unconditional withdrawal of Iraqi forces to positions they held before August 1, 1990. In addition, the Council denounced Iraqi aggression and any situation resulting from it and urged the Arab league to take unified action based on the principles and spirit of its Arab League Charter to end the agression and to restore the sovereignty and regional peace in the sisterly state of Kuwait.

0066

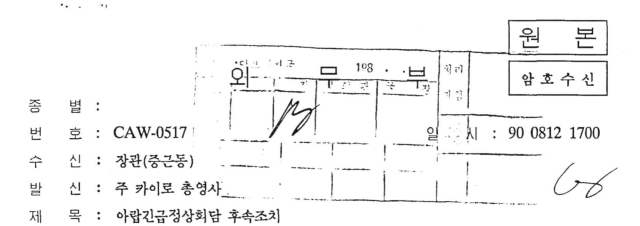

종　별 :

번　호 : CAW-0517

수　신 : 장관(중근동)

발　신 : 주 카이로 총영사

제　목 : 아랍긴급정상회담 후속조치

원　본

암호수신

일　시 : 90 0812 1700

연: CAW-0509

1. 주재국 무바락대통령은 작일 (8.11) 아랍긴급정상회담이 끝난후, 기자들의 질문에 대한 답변중에 금번 정상회의시 대부분의 아랍지도자들은 이락, 쿠웨이트사태 수습에 대한 명확한 견해를 가지고 있지 않았다고 비난하면서 이락이 아랍긴급정상회담 결과를 받아드리지 않으므로써 동 사태의 <u>평화적인 해결에 대한 희망은 전혀 없어졌다</u>(<u>NOHOPE</u> OF PEACFUL SOLUTION IN GULF)고 주장하고 이집트는 동 정상회담 결의에 따라 이미 제 1 차 긴급군을 아랍연합군의 일부로서 사우디에 파견하였다고 발표하였음. 당지 언론보도에 의하면 주재국 이외에 시리아 및 모로코가 동 아랍연합군에 군대를 파견할것으로 알려지고 있음.

2. 한편 연호 아랍긴급 정상회담 종료후 작 8.11 오후 주재국 무바락대통령은 ASSAD 시리아 대통령, BENDJEDID 알제리대통령 및 GADDAFI 리비아 지도자와 함께 알렉산드리아로 옮겨 별도 4 개국 정상회담을 개최하였는바, 동 회담에서는 금번 아랍긴급정상회담 결의문 채택시 반대 내지는 소극적 입장을 표명했던 GADDAFI 리비아지도자와 BENDJEDID 알제리대통령에 대한 설득및 주재국과 시리아의 상호협조 문제를 논의한것으로 알려지고 있음.

3. 동 정상회담관련, 당지 AL-AHRAM 정치,전략연구소의 ABDEL D.SAID 박사는 금번회담은 CONSENSUS 에의한 결의문 채택에 실패함으로서 결국 실패한것이라고 평가하고, 다수 아랍국가내의 회교강경세력이 미군의 사우디주둔을 반대하기 때문에 동 정상회담에 참석한 많은 아랍국가정상이 이러한 국내사정을 고려하여 이락에 동정적인 태도를 취하지 않을수 없게 했다고 분석했음.

4. 금번 이락, 쿠웨이트 사태 해결 전망과 관련, 당지에서는 이락에 대한 외부세력의 군사개입 가능성도 배제할수는 없으나, 전반적으로 볼때 동사태의 조기

중아국　　장관　　차관　　1차보　　2차보　　통상국　　정문국　　정와대　　안기부

해결가능 여부는 이락에 대한 경제제재조치가 얼마만큼 효율적인 것인가에 달려 있다고 관측하고 있음.끝.
　　(총영사 박동순-국장)

주 카 이 로 총 영 사 관

문서번호 : 주카이로(정) 2071-308   1990. 8. 16.

경   유 :

수   신 : 장 관

참   조 : 아중동국장

제   목 : 제19차 이슬람권 외상회의 폐막

        연 : CAW - 0489

        1. 연호 제19차 이슬람권 Cairo 외상회의는 45개국 대표가 참석한 가운데
6일간의 회의(당초 5일간 예정이었으나 이락의 쿠웨이트 침공으로 1일 연장 7.31-8.5)
를 마치고 이슬람권의 결속을 다지기 위한 하기 요지의 성명서를 발표하면서 제6차
Islamic 정상회담을 1991년 정월 하순 Senegal의 수도 Dakar에서 개최한다고 하였음.

o OIC 결의문

 - Iraq 의 Kuwait 침략

   1) 이락의 대 Kuwait 침략 규탄.

   2) Kuwait 로부터 이락군의 즉각 철수.

   3) 일체의 침략 부산물 제거와 Jaber Al Ahmed Al Sabbah 통치자와 그의 정부
      구성원으로 대표되는 정통 정부 회복.

 - Palestine 문제

   4) 팔레스타인 인민들의 봉기 찬양과 대이스라엘 점령 및 팽창정책 비난.

   5) Arab-Israel 분쟁의 핵심 요인인 Palestine 문제 해결이 Moslems 의 당면
      과제(Cause)임을 강조.

   6) 역내에 정의롭고 포괄적인 평화는 모든 팔레스타인 영토로부터 이스라엘측의
      완전하고 무조건 철수를 통해서만 달성 가능함.

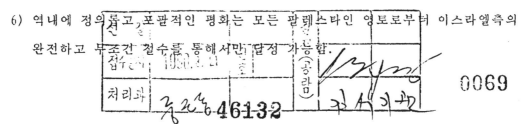

0069

7) 국제적인 중동평화 개최 노력 지지와 미국의 대PLO 대화 중단(Suspension)에 유감 표명.

8) Jerusalem은 점령당한 팔레스타인 영토의 일부로 팔레스타인국의 수도이며, 그 법적 지위를 변경코자하는 기도는 명백한 국제 법규 위반임.

- Jewish Immigration

9) 쏘련 거주 유태인의 대이스라엘 이민과 이들의 점령지 내에 정착에 대해 깊은 우려를 표하는 동시에 동이민 방지를 위해 국제적 노력을 촉구함.

10) 핵무장 분야에서 Tel Aviv 와 Pretoria 두 인종차별 체제간의 협력의 위험성을 경고함.

11) Lebanon 내 팔레스타인 피난민들의 어려운 생활조건에 깊은 우려을 표하는 동시에 동난민들에게 일상 필요용품 공급을 촉구함.

12) 중동평화 회담 개최와 팔레스타인 입장 강화를 위한 EC 의 긍정적인 역할을 평가함.

13) Lebanon의 주권 존중과 Lebanon 영토로부터 이스라엘 군의 무조건 철수.

14) 무력에 의한 영토 탈취의 불법성 원칙 확인과 이스라엘의 Syria Golan Height 점령을 규탄하며, 이스라엘의 핵무장과 그로 인한 중동지역의 안보와 안정에 대한 위협에 깊은 우려를 표명함.

15) Vatican과 EEC의 중동 평화 노력에 감사함.

16) Arab 삼국위원회의 Taif Agreement 이행 노력을 촉구하며, 동위원회 지지와 Lebanon 재건을 위한 국제적 기금 조성의 필요성을 촉구함.

17) 이슬람의 대 Zionist boycott 실현 촉구.

18) Terrorism 개념 규정과 Terrorism과 인민해방 부쟁을 구별하기 위해 UN감시하의 국제회의 개최 촉구.

19) 이스라엘의 핵무기 획득과 핵무기 비확산 조약 가입 거부를 규탄함.

20) 국민단합을 위한 Sudan 의 국민대화 위원회의 건의사항을 지지함.

0070

- Europe 과 Islamic World

21) 최근 동구사태와 관련 동사태 발전에 상응하는 완전한 이슬람권의 전략 수립과 대책위원회 구성 촉구.

22) 이슬람 독립국 유지를 위한 아프칸 인민들의 영웅적 투쟁을 찬양함.

23) Jammu 와 Kashmir 문제는 UN 결의에 따라 평화적으로 해결할 것.

24) 국제적 경제 bloc 화에 대응키 위해 Islam 제국간의 경제 협력 강화 촉구.

25) 대개도국 협력을 위해 Islamic Development Bank에 증자 촉구와 아프리카 개도국에 대한 원조 촉구.

26) 평화 실현과 인권존중 및 국제적 정통성을 위해 이슬람제국의 Arab 과 Europe 제국과의 협력 추구 촉구.

- 경제 문제

27) 정치, 경제, 문화 및 사회 재분야에서 OIC, Arab League 및 아프리카 단결기구 (OAU)간 현재의 협력과 협조 방안의 증진 필요성 강조.

- Bulgaria 내 터키계 소수 민족 문제

28) Bulgaria 내의 무슬림 터키 소수 민족의 권리를 전적으로 지지하며, 터키와 불가리아간의 대화에 만족을 표시함.

29) 이슬람국들은 동대화 지지와 불가리아의 지도부가 Muslims의 박해 해소를 위해 가능한 모든 조치를 취하도록 권장할 것.

- 중동지역의 비핵지 대화

30) 중동지역의 비핵지 대화 제의를 환영하며, 경제와 사회 개발을 위해 이슬람국의 과학 기술 이용권을 주장함.

- 필립핀 모슬렘 문제

31) 필립핀 모로전선측이 남부 필립핀 Muslims 문제를 정의롭게 그리고 최종적으로 해결하기 위해 OIC 감시하에 필립핀 정부와 대화를 추진할 준비가 되었다고 함을 환영함.

0071

2. Egypt를 비롯한 Arab 온건국들은 동회의를 이용, 상기 성명서 요지와 같이 Islam권의 단결과 이슬람 문화 복원 및 이웃과의 평화 공존 기치를 높이는 동시에 Arab권 내의 화해 조성 계기로 활용코자 하였으나 이는 8월 2일 Iraq의 Kuwait 침공으로 Islam권 내의 한갖된 구두선전에 불과할 뿐 향후 중동평화 추진을 위한 국제적 분위기 조성에 아무런 기여를 하지 못한 것으로 평가됨.

그러나 Iraq을 비롯한 일부국들의 저지(*)에도 불구하고 OIC 외상회의서 Iraq 의 Kuwait 침공을 결의문으로 규탄한 것은 대 Iraq 규탄을 위한 세계 여론 조성에 일조를 한 것으로 평가됨.

* 45개국중 절대다수인 37개국이 Jordan, Yemen 및 PLO측이 상기 대 Iraq 규탄 성명 문을 "Kuwait로부터 Iraq군 철수와 Kuwait 내부 문제는 Kuwait 인민들의 선택 (정통 정부의 복원이 아닌)에 맡기자"는 수정 제의를 하였음에도 이를 거부하였다 함.

주 카 이 로 총 영

0072

관리 번호	PO/1505

원 본

외 무 부

종 별 :

번 호 : BHW-0183 　　　　　　　　　　　일 시 : 90 0828 1300

수 신 : 장관(중근동,정일)

발 신 : 주 바레인 대사

제 목 : 쿠웨이트 사태(자료응신 제42호)

연:BHW-0167

　1. 파키스탄의 SAHABZADA YAQUB 외무장관은 작 8.27. 걸프 순방의 일환으로 주재국을 방문, 금번 사태와 관련한 파키스탄의 대 GCC 지지입장을 재확인하고, ISA 국왕, MUBARAK 외무장관등과 양국 협력 방안등에 관하여 협의한 수 동일 U.A.E. 향발하였음.

　2. 한편, 영국은 연호 주재국측의 요청에 따라 TORNADO 전부기 12 대를 당지에 배치 완료한 것으로 파악되고 있음.

　3. 현재 주재국의 분위기는 표면상으로는 별다른 동요없이 평시 질서가 유지되고 있으며, 시내의 숙박업소 등에는 쿠웨이트 피난민들과 사복 차림의 미군들이 많이 목도되고 있음.

　(대사 우문기-국장)

　예고:90.12.31 일반

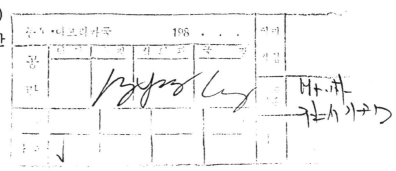

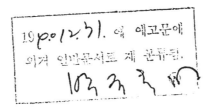

중아국	장관	차관	1차보	2차보	정문국	정와대	안기부	대책반

PAGE 1 　　　　　　　　　　　　　　　　　　　　90.08.28　　20:25

외신 2과 통제관 EZ

0073

걸프사태 동향 : 중동지역, 1990-91. 전6권 (V.6 카타르/튀니지) 227

외 무 부

종 별 :

번 호 : AGW-0161

일 시 : 90 0829 1600

수 신 : 장관(중근동,마그)

발 신 : 주 알제리대사

제 목 : 이락,쿠웨이트사태

연: AGW-0159

1. HUSSEIN 요르단국왕은 트리폴리, 튜니스 방문에 이어 주재국 방문차 8.28(화) 당지 도착하였음. 동국왕은 공항도착 기자회견을 통하여 이락-쿠웨이트 문제는 아랍권내 문제로 외세의 간섭없이 아랍제국간 대화를 통해 평화적으로 해결 되어야 한다는 소신을 밝히면서 이지역의 전쟁억제를 위해서는 빠른 정치적 해결이 요청된고 강조함.

2. 이락-쿠웨이트사태와 관련, UMA 회장국인 주재국은 8.30(목) 당지에서 UMA 5개국 외무장관회의를 개최, GOLF 사태에 대한 공동입장을 정립할 예정임.끝.

(대사 한석진-국장)

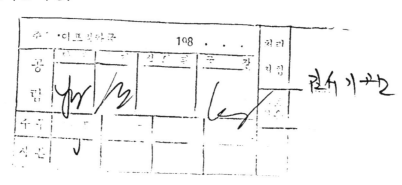

중아국 중아국 황상욱 미주국 대책반 1과보 2과보 안기부

PAGE 1

90.08.30   01:35 CG

외신 1과 통제관

0074

원 본

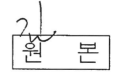

외 무 부

종 별 :

번 호 : MOW-0338 일 시 : 90 0830 1800

수 신 : 장 관(마그,중근동,정일)

발 신 : 주 모로코 대사

제 목 : UMA 외무장관 회담

(자료응신 제23호)

쿠웨이트 사태를 논의하기 위한 UMA 외무장관 회담이 9.2 알제에서 개최됨.

관측통들에 의하면 동 회의 개최지가 알제인만큼 걸프위기에 대한 아랍국가의 통일된 입장이 정해질 것이라함.끝.

(대사 이종업-국장)

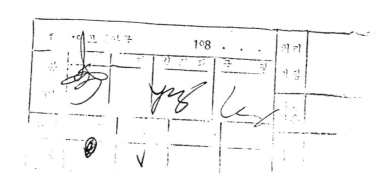

중아국 1차보 중아국 정문국 안기부

PAGE 1

90.08.31 09:46 WG

외신 1과 통제관

0075

외 무 부

원 본

종 별 :

번 호 : AGW-0164   일 시 : 90 0830 1110

수 신 : 장관(중근동,마그)

발 신 : 주 알제리대사

제 목 : 이락.쿠웨이트사태

연: AGW-0161

1. 금 8.30 카이로에서 개최되는 ARAB LIGUE 외상회의에 주재국은 불참함.

2. 8.30 당지에서 개최 예정인 UMA 외상회담은 오는 9.2로 연기 되었는바, 이는 5개 UMA 회원국의 카이로 외상회담 참석문제에 대한 공동입장을 취하지 못한데 기인한 것으로 보임. 끝.

(대사 한석진 -국장)

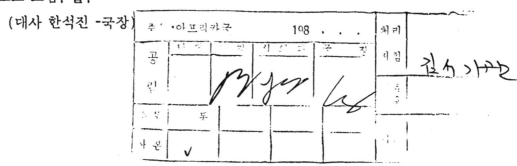

중아국   1차보   중아국   정문국   안기부

PAGE 1

90.08.30   21:52 DA

외신 1과 통제관

0076

230 걸프 사태 중동 및 기타 지역 2

관리
번호 PO/542

외 무 부

종 별 :

번 호 : BHW-0187

일 시 : 90 0831 1150

수 신 : 장관(중근동,정일)

발 신 : 주 바레인 대사

제 목 : 쿠웨이트 사태(자료응신 제43호)

1. MUBARAK 외무장관은 작 8.30. 긴급 아랍 외무장관 회의 참석차 이집트로떠났음.

2. 한편, 영국의 TOM KING 국방장관은 8.28-8.29 간 주재국을 방문하였는바, 영국은 주재국의 대공 방위망 강화를 위해 바레인 국제공항에 영국 공군 미사일 연대의 배치를 완료하였다고 발표하였음. 끝.

(대사 우문기-국장)

예고:90.12.31 일반

19`` 12.31. 에 예고문에
의거 일반문서로 재 분류됨.

중아국   차관   1차보   2차보   정문국   청와대   안기부   대책반

90.08.31   18:04

외신 2과 통제관 BT

0077

외 무 부

종 별 :

번 호 : CAW-0586

수 신 : 장관(중근동,마그,정일)

발 신 : 주 카이로 총영사

제 목 : 아랍연맹 외상회의

일 시 : 90 0901 1530

(자료응신 제 57 호)

연:CAW-0509

연호 AL 긴급비상정상회담 후속조치 (8.10 결의사항 이행점검) 일환으로 AL총회원 21 개국중 13 개국의 외상이 참석한 가운데 개최(8.30-31)된 AL 외상회의 결과 요지 하기와 같이 보고함.

1. 참석 13 개국중 지부티는 내무장관, 오만은 외무차관, 리비아는 애-리비아 양국관계 협력 담당이 외상대신 참석 하였으며, 불참 8 개국은 이락, 요르단, 예멘, 모리타니아, 알제리아, 튜니지아, 수단, PLO 임.

2. 채택된 결의문(5 개항)

1) 이락의 쿠웨이트 침공 규탄

2) 이락및 쿠웨이트 내에 억류중인 모든 외국인 석방 촉구

3) 이락및 쿠웨이트 시민의 인권존중 촉구

4) 쿠웨이트 내에 외교 공관유지

5) 침략으로 야기된 쿠웨이트 피해 보상요구

3. 한편 상기회의에서 AL 의 CHADHLI KLIBI 사무총장은 이락 침공 규탄과 이락군 철수 촉구에 관한 후속조치 보고시 일부 회원국의 태도(기권인지 유보인지)를 분명히 밝히지 않으므로, 사우디와 시리아 외상으로부터 신랄한 추궁을 받은것으로 알려지고 있어 동결의 사항 이행을 위태하고 AL 회원국의 양분상을 노정한 것으로 풀이됨. 끝.

(총영사 박동순-국장)

중아국	장관	차관	1차보	2차보	중아국	정문국	정와대	안기부

외 무 부

종 별 :

번 호 : QTW-0117
일 시 : 90 0902 1250

수 신 : 장 관 (중근동)

발 신 : 주 카타르 대사

제 목 : 아랍외상회담

1. 8.30-31 양일간 카이로에서 개최된 ARAB LEAGUE외상회담은 이락군의 쿠웨이트로부터의 무조건 즉각철수, 외국인 인질석방, 쿠웨이트주재 외국공관의 안전보장 및 이라군의 쿠웨이트침공으로 인하여 발생한 피해의 배상등을 요구하는 5개항의 성명을 발표하고 폐막하였음. 금번회담은 주재국 MUBARAK ALI AL2KHATER 외무장관이 의장으로주재하였으며, 8.10 의 아랍정상회담결의에 따르는 다국적군 사우디파병등 후속조치이외에 피해배상 문제를 논의한것이 특기할만함.

2. 동회담에는 ARAB LEAGUE 21 개 가맹국중

13개국참석: 이집트, 바레인, 지부티, 카타르, 레바논, 리비아, 모로코, 오만, 사우디, 소말리아, 시리아, UAE

8 개국 불참: 이락, 요르단, 수단, 예멘, 알제리, 튜니지아, 모리타니아, PLO 이며 리비아는 회담에는 참석하였으나 전항의 성명발표에는 불참함.

3. 다음 아랍외상회담을 9.10 카이로에서 개최키로 결정함

(대사 유내형-국장)

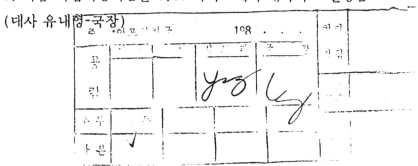

중아국　　1차보　　정문국　　안기부　　2차보　　미주국　　통상국　　대책반　　차관

PAGE 1

90.09.03　　04:26 FC

외신 1과 통제관

0079

원 본

외 무 부

종 별 :

번 호 : TNW-0290

일 시 : 90 0903 1700

수 신 : 장 관(마그,중근동,기정동문)

발 신 : 주 뷔니지 대사

제 목 : 아랍 연맹 이전

연:TNW-0279

1. 아랍 연맹 본부의 카이로 이전 문제는 지난 3.11 당지 개최 각료 이사회에서 동원칙을 결정하면서 구체사항은 9 월 예정 특별 각료회의에서 확정시키기로 합의한바, 이집트를 중심으로한 GCC 제국등 이라크 규탄 대열 회원국들은 금차 동특별각료 이사회를 9.10 카이로에서 개최, 동이전문제를 완결할 예정이라함.

2. 상기 아랍 연맹의 카이로 이전이 완료될 경우, 이는 현안 아국과 이집트와의 관계 격상 추진에 좋은 계기로 활용할 수 있을 것으로 판단되는바, 동추진시 아래사항을 참작, 문제를 검토하시기 바람.

0 아랍 연맹이 아랍권에서 가장 중요한 국제기구인만큼 아국도 깊은 관심을 갖고 동연맹과의 유대를 증진하겠다는 의사 표명

0 이를 위해 아국이 아랍 연맹에 옵져버등 실질관계 설정을 희망하고 있음. 끝.

(대사 변정현-국장)

예고:91.12.31 일반

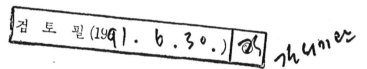

검 토 필(1991. 6. 30.)

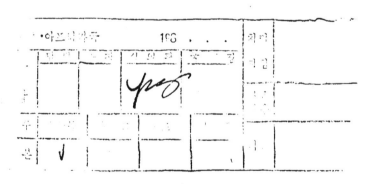

중아국   중아국   안기부

외　무　부

원　본

종　별 :

번　호 : AGW-0169　　　　　　　　　일　시 : 90 0903 1700

수　신 : 장　관(중근동,마그)

발　신 : 주 알제리대사

제　목 : UMA 외상회의

연: AGW-0164

1. 골프사태의 해결방안을 강구하기 위한 5개국 UMA 외상회의가 예정되로 9.2(일)부터 금 9.3까지 당지에서 비공개리에 개최되었음.

2. 동회의에서는 아랍권내에서 이락.쿠웨이트 문제의 평화적 해결 강구방안에 대해 의견을 교환하고 무력 또는 외군개입에 의한 문제해결은 배제되어야 한다는데 입장을 갑이한 것으로 보도됨.

3. UMA 5개국은 카이로 아랍정상회의시 사우디 파병문제에 대하여 각각 다른 입장(알제리-기권, 모로코-찬성, 뷔니지-불참, 리비아-반대)을 취할정도로 상이한 정책면의 조정을 꾀한다는 의장국 알제리의 의도가 배경을 이루는 가운데 금번 외상회의는 마그레브 5개국의 이름으로 모종의 중재역활 가능성을 모색하는데 목적이 있는 것으로 분석됨.끝.

(대사 한석진-국장)

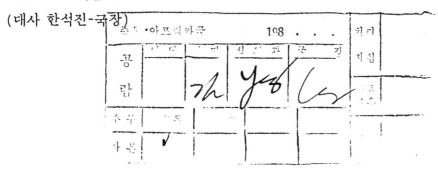

중아국　　1차보　　중아국　　정문국　　안기부

PAGE 1

90.09.04　　17:06 WG
외신 1과 통제관

0081

걸프사태 동향 : 중동지역, 1990-91. 전6권 (V.6 카타르/튀니지)　235

외 무 부

종 별 :

번 호 : SBW-0807   일 시 : 90 0908 1620

수 신 : 장 관 (중근동,정일,국방부,기정)

발 신 : 주 사우디 대사

제 목 : 걸프만 정세

  1. 베이커 미국무장관이 9.6.-7 간 주재국을 방문, 파드국왕등과 걸프만정세등을
협의하고 9.7. UAE 를 거쳐 이집트로 향발했음. 9.6 의 파드국왕과 베이커장관
면담후, 미국 및 사우디관리들은 사우디가 연료, 식수 및 수송을 포함하여 미군의
사우디 주둔에 따른 경비를 부담하기로 합의했다고 하였으나, 동부담경비의 구체적인
금액은밝혀지지 않고 있음. 한편 동면담에져 베이커가 제의한 지역안보기구
설치문제등도협의된 것으로 알려짐.

  2. 한편 제 36차 GCC 각료회의가 6개회원국 외무장관이 참석한 가운데 9.5-6간
제다에서 개최되었으며, 동회의 폐막후 발표된 성명서의 주요내용은 다음과 같음
  -이라크군의 무조건 쿠웨이트 철수및 합법정부의 복귀요구, 이라크군의 유엔안보리
결의안 거부 비난
  -아랍권의 단결을 위해, 이라크의 침략을 비난하지 않은 아랍국가의 태도변복 요구
  -이라크와 국경을 접한 시리아, 이란 및 터키 3개국의 유엔안보리 결의안
지지를높이 평가하고 여타국가들의 유엔결의안 지지촉구

  (대사 주병국-국장)

중아국	1차보	정문국	안기부	국방부	대적반	미주국 동성국 2과번

90.09.09   10:20 FC

외신 1과 통제관

0082

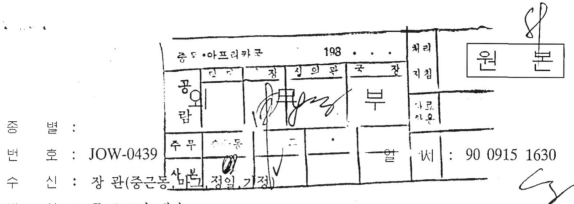

종 별 :

번 호 : JOW-0439

수 신 : 장 관(중근동, 마그, 정일, 기정)

발 신 : 주 요르단 대사

제 목 : 걸프사태에 관한 아랍회의 개최

일 시 : 90 0915 1630

1. 금 9.15 부터 9.17간 주재국 암만 문화궁에서 '요르단 민족민주 아랍동맹' 주최하표제회의가 9개 아랍국의 정당,단체및 저명인사 120여명이 참석한 가운데 동회의가개막 됨

2. 금번회의는 8.2 이라크군의 쿠웨이트 침공이후 아랍권에서 개최되는 최초의 정치 단체회의로서,걸프만에의 외군 개입및 주둔을 반대하기 위한 친이라크 동조 국가들로 부터의 좌익,회교 원리주의자들의 주관하에 반서방투쟁의 단일화 모색을 위한범아랍 민중세력의 모임으로 알려지고 있음

3. 금번회의에는 1970년 이래 요르단 정부로부터 입국이 금지되어있던 다마스커스에 본부를둔 POPULAR FRONT FOR THE LIBERATION OF PALESTINE 의 HABASH 및 DEMOCRATIC FRONT FOR THE LIBERATION OFPALESTINE 의 HAWATMEH 등 지도급 주요인사들이 참석함

4. 회의전망 및 분석

가. 정가에서는 금번회의가 아랍민족의 주변에서 발생하는 사건에 대해 인민대중들의 사고와 주장을 대변한다고 주장하고 있는 정치단체들의 토론의 광장이 될것으로보고있음

나. 금번 회의를 통해 아랍권의 대중들이 결속할것이냐 양분될 것이냐의 향방을결정함으로서 앞으로의 서방과의 관계 정립의 이정표가 될수있을것임

다. 금번 회의의 중요한 촛점이 되는것은 회의가 요르단 암만에서 개최되는것과 GULF 사태와 관련 친서방 입장을 보이고 있는 아랍국가정부는 금번 회의를 극렬 과격한원리주의자들의 집회내지 정권 도전적 입장에서보고 이를 반대하고 있다는 사실임. 요르단에서회의가 개최되게된것은 금번 걸프사태를 계기로 암만이 중동외교의 중심으로 부상되고 있다는것과 비록 회교정치단체에서 주관하는것이나 주재국 정부가 이를 사실상 묵인내 지지지하면서 일부 아랍국가의 강력한 반대에도 불구하고

중아국 1차보 중아국 정문국 안기부 미주국 통상국 대책반

반정부적정치단체들을 초치, 범아랍회의를 당지에서 개최한다는것은 주재국 정부가 대부분의아랍대중이 반서방적임을 과감히 인정하고 그들편에 서서 인민의 의사를 존중하고국민을 위한 정책을 추구한다는 '요르단의 민주화'의 의지를 나타낸 결정으로 보고있음

　　라.금번 회의서는 범아랍 인민들의 이름하에 친이라크 입장지지를 천명할것으로보이며,아랍대중들이 그들을 대표한다는 정부가 그들의 이익을 대변치 못하고 또한 그들의 의지와이익에 반하는 정책을 수행할 경우 저항할것이라는 것과, 8.10. 카이로아랍정상회담후 일부 아랍정권들이 추구하고 있는 아랍권의 다극화에 반대입장을 강력히 주장할것으로 보임

　　5.동회의 결과 및 추이 추보하겠음

　(대사 박태진-국장)

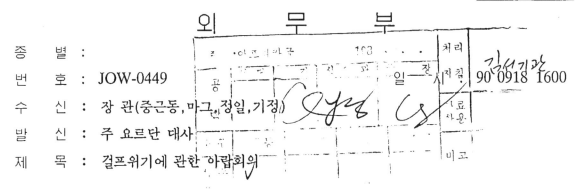

외 무 부

종   별 :

번   호 : JOW-0449

수   신 : 장 관(중근동,마그레,정일,기정)

발   신 : 주 요르단 대사

제   목 : 걸프위기에 관한 아랍회의

처리   지침   90 0918 1600

연: JOW-0439

1. 9.15-17. 간 당지에서 개최된 표제회의는 9개국으로부터 20여개 정당및 120여명의 인사들이 참석한 가운데, 유엔의 대이라크 경제제재 거부를 결의하고, 아랍제국의 민주화, 아랍제국간 연대 및 아랍인민의 인권존중을 촉구한후 폐회함

2. 금번 회의에서는 극렬 회교분자들이 주동이 되어 친이라크 입장을 표방하면서 금번 걸프사태가 아랍권내의 문제로서 외세개입및 외군주둔을 격렬히 반대하면서, 요르단 정부가 내세우고 있는 아랍의 FRAMEWORK 내에서의 해결을 강력히 촉구하였음. 또한 전체 대표들은 금번 회의를 주최하였고 민주화의 모범이 되고 있으며 끊임없는 압력에도 굴하지 않고 이라크를 지원하고있는 요르단을 높이 찬양하였음

3. 금번회의 기간중 특별히 결의된 사항은 없으나 각대표들에 의해 제시된 일반적 주장은 다음과 같음

가. 걸프사태에 대한 외세 개입에 대한 아랍제국의 정치적 공세를 강화할 것이며, 아랍내의 문제로서 내부에서 정치적으로 해결해야 함

나. 중동문제에서의 비아랍군의 무조건 즉각 철수요구와 함께 미국 주도하의 사우디 에서의 외세개입은 회교성지와 사원에 대한 침략이므로 이들에 대한 성전개시를 촉구함.

다. 이스라엘의 아랍영토로 부터의 철수를 요구한 유엔결의안을 포함한 유엔안보리의 모든 결의안의 이행을 촉구함

라. 아랍제국의 통일된 입장 확립을 위해서는 시리아, 이집트, 모로코등이 사우디에 파견한 군대로 철수시키기 위해 사우디, 이집트, 시리아, 모로코 등의국민들은 동원시켜야 함

마. 아랍의 원유는 소수 SHEIKH 들의것이 아닌 아랍민족 전체의 것이어야 함

중아국   1차보   중아국   정문국   안기부   통상국   미주국   대책반

PAGE 1

바. 팔레스타인 문제와 걸프문제를 논의할 국제회의가 유엔 주관하에 개최 되어야함
(대사 박태진-국장)

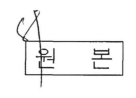

외 무 부

종 별 :

번 호 : JOW-0456   일 시 : 90 0920 1320

수 신 : 장 관(중근동,마그,정일,기정)

발 신 : 주 요르단대사

제 목 : 요르단,알제리,모로코 3국 정상회담

1.모로코를 방문중인 주재국의 후세인 국왕은9.19 국제적 지지를 받을수있는 걸프사태해결방안 모색을 위해 모로코의 하산 2세 국왕및 알제리아 BENJEDID 대통령간 3자정상회담을가짐

2.비공개로 개최된 동회담에서 논의된 내용이현재까지 구체적으로 밝 혀지지 않았으나,알려진바에 의하면 GULF 사태 해결을 위한새로운아랍 FORMULA 가 강구되고 있는바,동방안중에는 후세인 국왕에 의한 이라크의쿠웨이트 철수강력 추진과 아랍제국과국제사회의 지지를 공히 받을수있는유엔결의안과 유사한 평화안 제시도포 함되고있음. 동평화안에는 쿠웨이트내 주둔이라크군을 유엔 국제군으로, 사우디주둔 서방군을아랍군으로 교체배치할것과 이라크가 쿠웨이트로부터의 철수 6개월후 쿠웨이트의 장래를 결정키위한 국민투표 실시 방안도 포함될 것이라함

3. 3국 정상간이 전기 평화안에 원칙적을합의할경우, 오만,예멘 국가 원 수의 의견도 포함,통일된 아랍 FORMULA 의 차원에서 이라크와사우디측에 제출할 것이라함

4.후세인 국왕은 금번 사태의 종국적 해결을위해 아랍세계의 여론을 수렴, 통일된 아랍해결방안이 제시될때까지 각국의 세부적인해결방안 제시는 자중해야 할것이라고 강조함

(대사 박태진-국장)

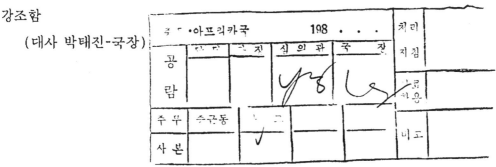

외 무 부

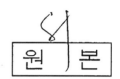

종 별 :

번 호 : JOW-0457

수 신 : 장 관(중근동,마그,정일,기정)

발 신 : 주 요르단 대사

제 목 : 걸프위기에 관한 범아랍회의

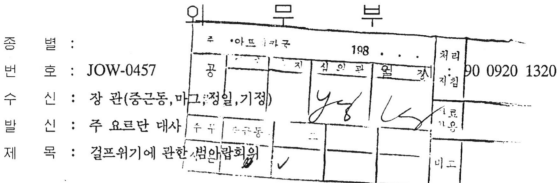

처리지침 : 90 0920 1320

연: JOW-0449

1. 연호 아랍회의에 대한 미국무성 대변인의9.18 비난성명에 대해 국제적 IZZEDIN공보장관은 요르단은 현재 민주사회를 건설하고있고, 민주적인 기관 보유와 함께 표현의 자유가있으므로 상기 회의에서의 의사표현의 자유를 허가했을뿐이며 허가해야한다고 말함

2. 표제회의가 암만에서 개최된데 대해 미국이비난하게된 근거로는 미국 정부에 의해 이미테러분자로 되어있는 PFLP 와 DFLP 의양지도자가 공식적으로 동회의에 초청받아참석한데 있는것으로 알려짐

3. 표제회의에서는 서방군의 사우디 주둔을 비난하고 미국이 이라크를 공격할시 세계 각처의 전미국관행기관을 공격할것이며 대서방 성전을 촉구한바 있음

4. 주재국 J.T. 지는 상기 미국의 비난에 대해사설을 통해 요지 다음과 같이 논평함

가. 미국측이 동회의를 과격한 회의였으며,참석자들을 테러분자로 표현함으로써모든책임이 요르단 정부에 있으므로 요르단 정부는 참석자들이무슨말을 하던 그들의 입을 막았어야 한다고암시하고 있음

나.그러나 동회의가 요르단에 의해서가 아니라 요르단내에 있는 한정치단체에 의해 구성되고추진된 것임을 미국은 잊었거나, 묵살했거나아니면 간과했음을 지적할수있음

다.동회의에서 누가 무엇으로 어떻게표현했는지간에 이는 요르단이 아니라 각 개개인이의사표현의 자유가 있기에 그들의 표현에 책임을져야함

라.금번회의로 비난한 일부 미국관리들이 금번회의에서의 아랍인민을 대표한 저변에 깔린그들의 감정과 느낌을 정확히 파악하고이해하는데 보다많은 시간과 노력을 할애했더라면 직무를 훌륭히 수행한것으로 평가될수있었을 것임

(대사 박태진-국장)

중아국   중아국   정문국   안기부

PAGE 1

90.09.20   22:29 CT

외신 1과 통제관

0088

242 걸프 사태 중동 및 기타 지역 2

외 무 부

종 별 :

번 호 : MOW-0366   일 시 : 90 0920 1800

수 신 : 장 관(마그,중근동,정일)

발 신 : 주 모로코 대사

제 목 : 요르단/알제리 국가원수방문

(자료응신 제28호)

요르단의 후세인왕과 알제리의 벤제디드 대통령이 주재국 하산국왕의 초청으로
9.20 부터 당지를 방문중에 있으며 3 정상간 의회동은 현 걸프만 사태의 아랍정상간
중재를 목적으로 하고있음. 끝.

(대사이종업-국장)

중동아프리카국			198 . . .		처리	
공 람	담 당	과 지	심 의 관	국 장	지 침	
	동					
		✓				

원　본

외　무　부

종　별 :

번　호 : AGW-0188　　　　　　　　　　　일　시 : 90 0922 0900

수　신 : 장관(중근동,마그)

발　신 : 주 알제리대사

제　목 : 걸프사태

　　1.주재국 CHADLI 대통령은 GHOZALI 외무장관을 대동, 9.19(수) 모로코 RABAT 에서 개최중인 모로코, 알제리, 요르단 3국 정상회의에 참석하고 있음.

　　2.마그레브 연합(UMA)의 의장이며 종래 각종 중동지역 문제를 성공적으로 중재하여온 주재국 대통령, 금번사태 발발이후 평화적 해결을 위해 노력을 기울이고있는 요르단국왕, 그리고 국제 감각이 탁월한 모로코국왕, 3국정상 회담은 비록 가시적인 해결방안을 제시할것으로 기대되지는 않지만 안보리의 대이락 영공 봉새결의에 따른 중동사태의 긴박석이 고조되고 있는 시점에 개최되고 있는만큼 관심을 모으고있음. 끝.

　　(대사 한석진-국장)

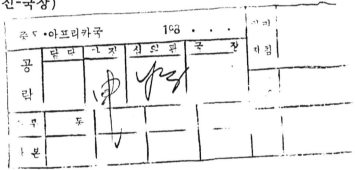

중아국　　1차보　　　중아국　　정문국　　안기부　　대책반

PAGE 1　　　　　　　　　　　　　　　　　　　　　90.09.22　　20:46 DA

　　　　　　　　　　　　　　　　　　　　　외신 1과 통제관

0090

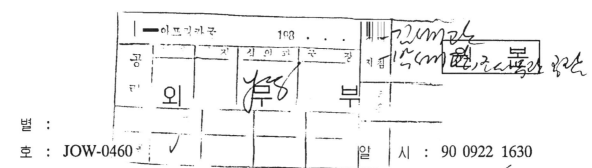

종   별 :

번   호 : JOW-0460

일   시 : 90 0922 1630

수   신 : 장관 (중근동,마그,정일,기정)

발   신 : 주 요르단 대사

제   목 : 3국 정상회담

연: JOW-0456

1. 주재국의 후세인 국왕은 모로코및 알제리아 정상과의 3국 정상회담을 마치고귀국, 요지 다음과 같이 걸프위기 해결을 위해 지속적인 노력을 다할것이라고 언급함

가. 아랍제국이 직면하고있는 현국면을 볼때 아랍영토와 자손들을 보호하기 위해서는 단합된 아랍의 노력과 상호간의 완전한 이해가 요망됨

나. RABAT 회담에서는 아랍의 입장을 보호하고 아랍인들의 문제에 관해서는 아랍인들이 해결책을 충분히 모색할수 있다는 아랍지도자들의 의지가 잘 반영되었음

다. 냉전시대이후 새로운 도전을 받고있는 현시점에서 아랍인들의 권리와 이익을보호키 위해 3국정상들은 수시접촉을 통한 지속적 노력을 계속할것을 다짐함

2. 일부 군사전문가들은 미국주도하 사우디주둔 서방군사를 지원키위해 이미 사우디에 군사를 파견하고 있는 모로코가 금번 3국정상간에서 잠정합의한 아랍평화 안전을 지지할 경우, 걸프사태로 분열되고있는 아랍국간의 이견을 다소 완화시킬수 있을것으로 보고있음

(대사 박태진-국장)

중아국   1차보   중아국   정문국   안기부

외 무 부

종 별 :

번 호 : AGW-0190

수 신 : 장 관(중근동,마그)

발 신 : 주 알제리 대사

제 목 : 걸프사태

일 시 : 90 0922 1220

연: AGW-01881.

연호 3국정상회담참석후 대통령과 함께 귀국한 주재국 GHOZALI 외상은 금번회담에서 구체적인 평화안이나 해결책은 제시된것이 없었으며 다만 금수조치와 군사개입으로 가중되고있는 전쟁위기를 회피코자하는 시도에 불과한것이었다고 언명하였음.

2.연이나 현지취재기자에 의하면 금번정상회담에서 모종의 중재안에 의견이 모아졌다고하며 유엔총회에 참석하는 아랍외상들을 중심으로 교섭될것 으로보고있음.끝.

(대사 한석진-국장)

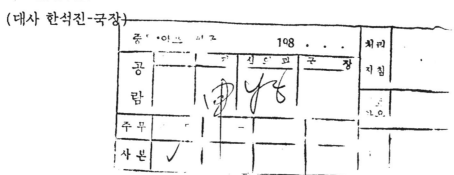

중아국   1차보   중아국   정문국   안기부

외 무 부

종 별 :

번 호 : AGW-0200

일 시 : 90 0929 1700

수 신 : 장 관 (중근동,마그)

발 신 : 주 알제리 대사

제 목 : 3국 정상회의

연: AGW-0190

1. 당지 언론보도에 의하면 3국 정상회담(알제리, 모로코, 요르단)시 종합된 의견에 따른 평화적 해결방안을 후세인 이락 대통령에게 문서로 전달한 바 있으며 이에대한 회답을 금주내 접수하기를 기대하고 있다함.

2. 해결방안 내용은 일단 이락이 쿠웨이트 철시를 약속하면 이어 사우디주재 외군철수후 아랍 주요국가 원수들로 구성되는 원로회의(COMITE DES SAGES)를 구성, 해결절차를 이행하는 것을 골자로 하고있다 함. 끝.

(대사 한석진-국장)

중아국   1차보   중아국   정문국   안기부   대책반

PAGE 1

외 무 부

종 별 :

번 호 : QTW-0157

일 시 : 90 1120 1110

수 신 : 장관(중근동,정일)

발 신 : 주카타르대사

제 목 : GCC외무장관회담

1. GCC외무장관회담이 11.24-26간 당지에서 개최될예정임.

2. 이락의 쿠웨이트 침공이후 처음으로 개최되는 GCC 정상회담이 12.22-26간 당지에서 있을 예정인바 이번 외무장관회담은 동정상회담의 준비회담으로 정치, 경제, 재정 및 법적문제등에 대하여 토의될 예정이라함.

(대사 유내형-국장)

중아국   1차보   정문국   안기부

PAGE 1

90.11.20   20:15 CG

외신 1과 통제관

0094

외 무 부

종 별 :

번 호 : JOW-0656   일 시 : 90 1205 1630

수 신 : 장 관(마그,중근동,정일,기정)

발 신 : 주 요르단 대사

제 목 : 아랍 4개국 정상회담

1. 12.4 주재국의 후세인 국왕은 바그다드를 방문, 사담후세인 이라크 대통령, ARAFAT PLO 의장 및 AL-BEEDH 예멘 부통령과 페만사태의 평화적 해결방안등에 관해 논의한후 동일밤 암만으로 귀국함

2. 동회담내용의 상세는 밝혀지지 않고 있으나 정계에서는 미국 부시 대통령의 제안을 위요, AZIZ 이라크 외상의 방미에 앞서 협상에 임하는 입장 정립이 주목적이라고 분석하면서, 금번 미국.이라크간 대화 및 협상에 의한 페만해결책 준비를 위해 요르단이 주요역할을 담당할 수 있게될것이라고 전망함

3. 요르단으로서는 페만사태와 관련된 모든 국가들과 계속 우호적인 관계를 유지하고 중재자로서의 역할을 담당하면서 미국.이라크간 대화를 통해 중동지역에의 서방측 군사개입기회 축소에 기여코저하고 있음

4. 또한 페만사태는 일면 팔레스타인 문제에대한 유엔안보리 전 결의안의 즉각적인 이행을 오랫동안 주장해온 요르단과 PLO 측의 입장을 강화시켰다고 볼수있으며, 주재국을 비롯한 아랍국가내에서는 팔레스타인 문제가 긴급히 다루어져야 한다는데는의견이 거의 일치되고있는 실정임

(대사 박태진-국장)

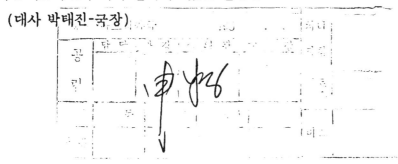

중아국   1차보   중아국   정문국   안기부

PAGE 1

90.12.06   01:55 DN

외신 1과 통제관

0095

원 본

외 무 부

종   별 :

번   호 : BHW-0279

일   시 : 90 1208 1200

수   신 : 장관(중근동,정일)

발   신 : 주 바레인 대사

제   목 : GCC 외무장관 회의(자료응신 제69호)

1. MUBARAK 외무장관은 금 12.8. 오전 표제회의 참석차 카타르로 향발함.

2. 금번회의의 목적은 12.22. 로 예정된 GCC 정상회의 의제 토의인바, 지난12.4. 리야드 개최 GCC 국방장관 회의시 쿠웨이트 국방장관이 제의한 걸프지역안보 문제와 관련한 전쟁 억제력 확보를 위한 GCC 방위체재 개편 문제가 그 중심의제인 것으로 당지에서는 관측되고 있음. 끝.

(대사 우문기-국장)

예고:91.3.31 일반

1091. 3. 31 예 예고문에 의거 일반문서로 재 분류됨.

중아국   차관   1차보   2차보   정문국

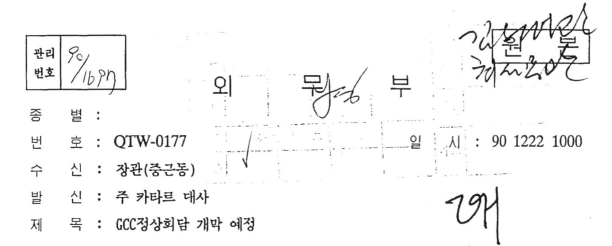

외 무 부

종 별 :

번 호 : QTW-0177   일 시 : 90 1222 1000

수 신 : 장관(중근동)

발 신 : 주 카타르 대사

제 목 : GCC정상회담 개막 예정

연:QTW-0175

1. 동회담은 12.22. 19:00 당지 쉐라톤 호텔 국제회의장에서 개막될 예정인바 동일 09:00 시부터 참가국수뇌가 다음순서로 도착예정임.

바레인:SH.KHALIFA BIN SALMAN AL-KHALIFA 수상

UAE: SH. ZAYED BIN SULTAN AL-NAHYAN 대통령

쿠웨이트:SH.JABER AL-AHMED AL-SABAH 국왕

오만:SULTAN QABOOS BIN SAID 국왕

사우디: KING FAHD IBN ABDUL AZIZ 국왕

2. 알려진 바에 의하면 동회담에서는 주로 쿠웨이트 사태가 중점적으로 논의될 것이라고 하는바, 회담준비를 위하여 12.20 개최된바 있는 GCC 외상급 준비회의에서 작성된 총괄보고서가 정상회담에 제출될 것이라고 함.

동보고서는

1)쿠웨이트해방문제

2)걸프지역의 안전확보문제

3)지역내 정치, 경제발전문제

4)공동방위전략의 전환문제등이 포함되었다고 함.

3. 주재국 칼리파국왕은 개막연설을 통하여 이라크의 쿠웨이트 침공으로 발생한 지역 및 세계정세를 개관하고 아랍 민족간에 파생하고 있는 부정적영향과 이에대한 재발방지대책의 필요성을 강조할것이라 하며 아울러 팔레스타인 민족자결운동과 레바논정부의 영토주권확립에대한 지지를 표명할것이라고 함.

5. 동회담의 주재국 대표단구성은 다음과 같음.

SH.KHALIFA BIN HAMAD AL-THANI 국왕

중아국   차관   1차보   2차보

PAGE 1

SH.HAMAD BIN KHALIFA AL-THANI 왕세자 겸 국방장관

SH.HAMAD BIN JASSIM BIN HAMAD AL-THANI 경제무역장관

SH.ABDULLAH BIN KHALIFA AL-THANI 내무장관

DR.HASSAN KAMEL 국왕고문

DR.ISSA GHANEM AL-KUWARI 궁내성장관

MUBARAK ALI AL-KHATER 외무장관

끝

(대사 유내형-국장)

예고 :91.6.30 일반

1991. 6. 30. 에 예고문에
와서 일반문서로 재 분류됨.

PAGE 2

0098

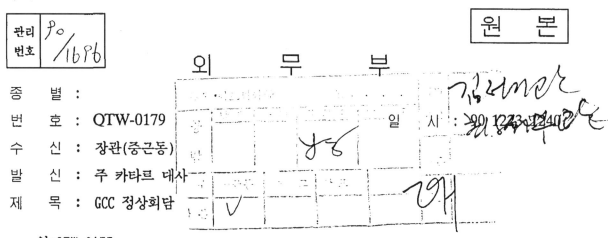

관리
번호 9o/1686

원 본

외 무 부

종 별 :

번 호 : QTW-0179 일 시 : 90 1223 2040

수 신 : 장관(중근동)

발 신 : 주 카타르 대사

제 목 : GCC 정상회담

연:QTW-0177

1. 제 11 차 표제회담은 12.22 20:00(예정시간보다 1 시간지연) 도하 쉐라톤호텔 국제회의장에서 회원국 6 개국 수뇌(바레인은 KHALIFA 국왕 와병으로 수상이 대리참석)가 참석한 가운데 개막되었음. 2. 공개로 열린 개막회의 벽두주재국의 칼리파국왕은 기조연설을 통해 강자가 약자를 침략하는 사례를 반복하지 않기위해서 새로운지역내 방위체제를 확립하자고 강조하면서 다음요지의 연설을 하였음.

0 AL, ICO 와 국제기들의 결의에 따라 이라크군의 쿠웨이트로 부터의 완전 철수와 쿠웨이트 합법정부의 복귀로 극악한 이라크의 침략사태를 종결시켜야함.

0 유엔 안보리 결의의 테두리내에서의 미대통령의 대 이라크 직접대화 노력을 환영함.

0 이라크의 침략행위는 아랍민족국가간의 관계를 와해시켰으며그와 같은 사태의 재발방지와 건전한 아랍국가간 관계의 재정립을 위한 명확한 전략형성이 필요함.

0 따라서 GCC 는 미래의 도전에 대비하기위하여 보다효과적인 방위체제의 구축을 논의할것을 제의함.

199?.6.10. 에 예고문에
외교 일반문서로 재 분류됨

0 쿠웨이트사태 해결후, 팔레스타인 문제를해결하기 위하여 국제사회의 최우선적 노력이 경주되어야함.

0 레바논의 평화, 화해 및 안정을 위한 노력을 지지하며 민족적 화합 차원에서 영토 전반에 걸친 국권회복을 희망함.

3. 개막회의에이어 비공개로 속개된 첫날회담종료후 기자회견을 가진 주재국의 AL-KHATER 외상은 다음과 같이 언명함.

0 GCC 의 방위체제 구축문제논의를 위한 접촉이 진행중이며 동체제에는 이란도 참가하게될것인바 이란은 역사적으로 GCC 국가들과 선린관계를 유지해왔으며 이미 GCC

중아국   차관   1차보   2차보   정문국   정와대   안기부

PAGE 1

90.12.23 20:03
외신 2과 통제관 CF

0099

각국의 각료급들이 수차 이란을 방문한바 있음.

0 이란과의 협의는 불가침협정체결을 위한 것이아니며 그와 같은 접촉은 이란과 GCC 국가들간에 정치, 경제, 무역 및 안보분야에서 의 역사적인관계를 창시하기 위한 것임.

0 GCC 의 집단 방위체제에 관하여는 이미 윤곽이 서 있으며 과거 국회에서도 논의된바 있는데 금번 쿠웨이트 사태로 촉진되고 있음.

0 쿠웨이트 사태로 팔레스타인 문제가 회석되고 있음은 불행한 일이며 동문제는 아직도 아랍국가들 , 특히 GCC 지역국가들의 최우선 과제로서 금번회담에서도 주요 의제가 될것임.

4. 제 2 일회담은 12.23 11:00 부터 비공개로 속개될 예정임

(대사 유내형-국장)

예고:91.6.30 일반.

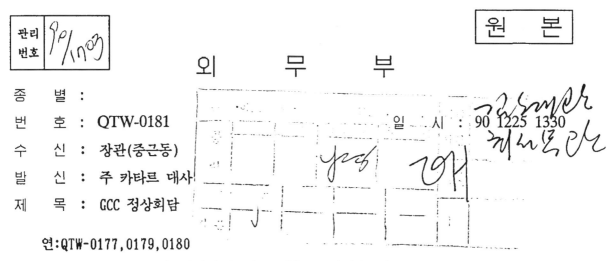

관리
번호 90/1703

원 본

외 무 부

종 별 :
번 호 : QTW-0181
수 신 : 장관(중근동)
발 신 : 주 카타르 대사
제 목 : GCC 정상회담

일 시 : 90 1225 1330

연:QTW-0177,0179,0180

1.12.24 10:00 속개 예정이던 제 3 일 정상회담은 취소되고 종일 각국정상들간의 의견조정을 위한 2 국간 막후회담이 각각 이루어졌으며 따라서 예정되어 있던 동회담 대변인격인 주재국의 AL-KHATER 외상의 기자회견도 취소되었음.

2. 한편 사우디의 FAHD 국왕은 연설을 통하여 (일자불상) 선택의 여지가 없을 경우 GCC 각국은 쿠웨이트를 해방시키기 위하여 이라크와 전쟁을 할 준비가되어있다고 유례없이 강한 어조로 강조하였다고 보도되었음. 또한 동국왕은 미래의 침략에 대응하기 위하여 강력한 군사력으로 공동방위체제를 구성할것과 걸프공동시장과 같은 경제통합의 필요성도 강조하였다 함.

3. 또한 동회담은 12.25 10:00 공동성명(DOHA 선언)발표와 동시에 폐막될 예정이었으나 아직 참가국간의 이견조정이 미진하여 연기되었음.(시간 미정)

4. 현재까지 알려진 주요 의견차이는 다음과 같음.

0 쿠웨이트 사태해결의 기본방향:전쟁불사의 주장론(사우디, 쿠웨이트, 바레인, UAE)과 평화적 해결을 주장하는 오만(카타르는 중도)의 대립

0 집단방위체제 구성문제: 이란을 포함한 걸프지역 방위체제 구성을 제안하고 있는 오만 및 카타르에 대하여 사우디가 반대하고 있으며 바레인은 5 만명 규모의 GCC 연합군구성을 제안. 또한 그와 같은 상비군 구성에 미국등 서방국가 군대를 참가시키는 문제에 관하여도 계속 논의 중.

0 비용부담문제: 사태해결(전쟁수행 포함)과 피해국 보상을 위한 비용분담과항구적 걸프원조기금 설치문제에 각국간 이견 노정

0 기타: 카타르, 바레인간의 현안 문제인 HAWAR 섬 영유권 문제를 둘러싸고양국대표간 격렬한 논전이 있었다고 함.

중아국	장관	차관	1차보	2차보	정문국	청와대	안기부

PAGE 1

90.12.26 00:25
외신 2과 통제관 CW

0101

5. 연기중인 동회담 폐막은 12.25 오후에 공동성명 발표와 함께 있을 예정인바 동 공동성명은 상기 이견조정의 어려움으로 구체성을 결여한 매우 추상적인내용으로 12.22 에 있은 주재국 칼리파 국왕의 개막연설의 범주를 넘지못할 것이라는 관측이 지배적이나 당지주재 일부대사들은 막후교섭을 통한 극적인 타결로참가국의 구체적의무를 규정하는 DOHA CONVENTION 체결 가능성도 배제하지 않고있음.

끝

(대사 유내형-국장)

예고:91.6.30일반

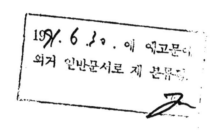

PAGE 2

0102

外 務 部

관리번호 : 90/1718

종 별 : .

번 호 : QTW-0180

일 시 : 90 1225 0700

수 신 : 장관(중근동)

발 신 : 주 카타르 대사

제 목 : GCC 정상회담(제2일)

1. 동회담 제 2 일회의가 12.23 11:00 부터 약 3 시간 계속되었음. 공식발표는 없었으나 일부보도에 의하면 GCC 외상회담에서 준비된 보고를 주재국 AL-KHATER 외상으로부터 청취하고 쿠웨이트사태와 새로운 방위전략에 관하여 협의하였다함.

2. 동일 19:00 에는 각국정상 및 대표단을 위한 공식 만찬이 EMIRI DIWAN 에서 개최되었으며 야간에는 외상급으로 구성된 각료회담이 별도로 개최되어 공동성명 초안작업을 진행하였다는바 이 가운데 정치, 군사, 전략 및 안보면에서의결집을 강화하는 걸프지역통합을 위한 새로운방식이 채택될 것이라고함. 한편 이라크에 대한 외교관계 단절과 아랍국가이외의 외국군의 방위 체제 참가 가능성은 배제되고 있음.

3. 제3 일회담은 12.24 10:00 에 속개될 예정임.

끝

(대사 유내형-국장)

예고:91.6.30 일반

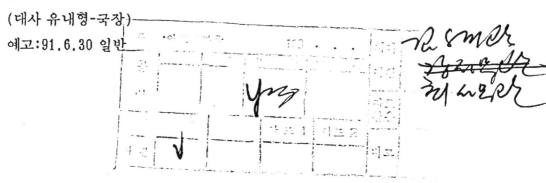

1991. 6. 30. 예 예고문에 의거 일반문서로 재 분류됨.

중아국	장관	차관	1차보	2차보	정문국	청와대	안기부

외 무 부

종 별 :

번 호 : QTW-0182   일 시 : 90 1225 2330

수 신 : 장관(중근동,정일)

발 신 : 주 카타르 대사

제 목 : 제11차 GCC정상회담(최종일보)(PART 1)

연:QTW-0177,0179,0180

1. 연기중이던 동회담 폐막회의는 12.25 19:00 부터 속개되어 주재국 KHALIFA 국왕의 폐회연설과 GCC 의 ABDULLA YACOUB BISHARA 사무총장의 DOHA 선언 및 공동성명 낭독에 이어 쿠웨이트의 SH.JABER 국왕의 인사를 끝으로 폐회하였음

2. 카타르 KHALIFA 국왕의 폐회연설요지

0   금번정상회담은   쿠웨이트   국민이   현대사상   유례없는   이라크 침략으로부터고통받고 있는 난국하에 개최되었음

0 쿠웨이트사태로 파생된 제반도전에 직면하여 정치 , 경제, 안보분야에서 아랍 및 회교국가의 불가분의 단결을 공고히하기위한 적극적인 결의를 채택하게 되었음을 감사함

0 국제사회 사상초유의 일치된 지지하에 우리들은 이라크군의 무조건완전 철수와 쿠웨이트 합법정부의 복귀를 일관되게 요구하며 머지않아 SH.JABER 국왕의 영도하에 평화와 복지국가를 회복하게될 것으로 확신함.

0 이라크 침략에 항거하고 있는 용감한쿠웨이트국민을 찬양하며 해방된쿠웨이트에서 개최될 명년정상회담에서 재회를기대함

3. 도하선언(DOHA DECLARATION)의 요지

최근 걸프권의 정세가 GCC 제국간의 결속협력의 필요성을 증대시키고 있으며 금번 이라크의 쿠웨이트 침략으로 GCC 방위체제가 불충분함이 입증되었으므로다음 8 개항을 선언함

0 제 10 차 정상회담에서 채택된 MUSCAT 선언(GCC 봉합추진과 안보협력 강화)의 정신을 재강조

0 이라크군의 쿠웨이트로부터의 완전 철수요구

중아국	장관	차관	1차보	2차보	정문국	정와대	안기부

PAGE 1   90.12.26   10:57
                                                     외신 2과 통제관 BW

                                                     0104

0 GCC 의 안보체제 완성추진

0 팔레스타인 해방운동에 대한 지지와 국제사회에서의 정의로운 해결촉구

0 GCC 제국간의 정치적조정협력 강화

0 경제적통합 및 GCC 공동시장실현 촉진

0 적대적 선전공세에 대응한 언론매체간 협력 강화

0 제안된 각사업의 구체적 실현을 위하여 전문가로 구성된 위원회설치를 위해사무총장을 지원(관계각료회담에 보고)

이하 PART 2 (QTW-0183)로 계속 //

PAGE 2

관리 90
번호 1704

외 무 부

종 별 :

번 호 : QTW-0184

일. 시 : 90 1226 1000

수 신 : 장관(중근동,정일)

발 신 : 주 카타르 대사

제 목 : GCC 정상회담

연:QTW-0177,179,180,182

1. 12.25. 밤 동회담 폐막후 대변인격인 주재국의 AL-KHATER 외무장관은 기자회견을 통하여 다음과 같이 언급하였음.

0 이라크의 쿠웨이트 침략으로 인하여 GCC 제국의 안보체제 강화가 긴급하게 되었으며 이를 위하여 지리적으로 또는 협조 관계상 필요한 국가들과 접촉을 갖게 될 것임.

0 쿠웨이트의 SH.JABER 국왕의 중국방문은 유엔 및 ARAB LEAGUE 의 결의의 실현을 위한 것임

0 유엔 안보리 결의 의 실행과 전쟁회피를 목적으로 금번 정상회담에서 구성된 GCC 각료급 위원단이 아랍국가들과 유엔안보리 상임국을 순방하게 될 것임.

0 상호 존중, 내정불간섭 및 무력불사용 정신에 입각한 새로운 아랍 질서정립의 필요성 강조

0 GCC 국가간의 영토분규는 선의를 가지고 해결될수 있음을 확신함.

0 이라크는 세계적인 안정을 파괴하였으므로 응징되어야 함

0 쿠웨이트 사태와 관련하여 이라크를 지지한 아랍국가들은 그들의 행위에 대하여 책임을 져야하며 그들의 입장을 재고 토록하는 접촉이 진행중임

2. 참가국수뇌들은 12.25 밤 전원 귀국하였음

끝

(대사 유내형-국장)

예고:91.6.30 일반

1991.6.30. 에 예고문에 의거 일반문서로 지 분류됨.

종아국	차관	1차보	2차보	정문국	정와대	안기부	장관

PAGE 1

90.12.26   20:49

외신 2과 통제관 CH

0106

외 무 부

종 별 :

번 호 : QTW-0183

일 시 : 90 1226 0130

수 신 : 장관(중근동,정일)

발 신 : 주 카타르 대사

제 목 : QTW-0182 의 계속(PART 2)

4. 공동성명

0 이라크의 쿠웨이트 침략을규탄하고 이라크군의 91.1.15 까지 무조건 완전철수와 쿠웨이트 합법정부의 복귀를 요구

0 쿠웨이트 사태의 평화적해결을 모색하기위해 회원국외상들로 하여금 유엔안보이사국 및 아랍국가 순방실시

0 쿠웨이트 사태이후 GCC 제국을 지지, 지원한 각국을 찬양하며 안보 및 군사적협력에 만족표시

0 모든 외국군은 침략위협이 종식되거나 GCC 제국의 요청이 있을시 철수

0 GCC 지역의 안전보장을 위하여 필요한 모든 조치를 취하며 GCC 제국의 자체방위능력과 공동방위능력을 제고

0 재정경제 협력위원회로 하여금 권내경제의 완전봉합 및 GCC 공동시장 형성을 위한 계획촉진

0 금번 사태로 인한 아랍국가들의 분열, 와해로 부터 구출하기위하여 아랍 및 회교국가 원조를위한 사업전개 (내주중 재무장관 회의 개최)

0 팔레스타인 문제해결을 위한 국할회의 개최지지

0 레바논 정세진전에 대한 만족표시

0 GCC 제국에 대한 이란의 관계증진의도를 환영하며 상호 선린우호 , 내정불간섭 및 주권존중의 정신하에 상호 개발을 위한 자원활용등 특별한관계를 발전시킬 것을 확인

0 GCC 제국은 세계냉전의 종시과 독일의 봉일을 환영하며 개발도상국가와의유대를 확인

0 차기 12 차 정상회담은 SH. JABER 의 요청에 의거 쿠웨이트에서 개최키로함

중아국	장관	차관	1차보	2차보	정문국	정와대	안기부

5. 분석

0 1981 년 창설이래 유례없는 회원국중 한나라가 타국의 침략으로 국토를 상실하고 망명정부로서 참가한 매우 이례적인 회담으로서 당연히 쿠웨이트해방의실현과 침략재발방지를 위한 안보체제강화가 최대 과제였음

0 이라크에 대한 무력행사지지는 의견의 불일치로 채택되지 않았으며 유엔 안보리결의 1.15 시한까지 완전 철수를 요구하는 선에서 그쳤음

0 집단안보면에 있어서도 이란 또는 미국의 참가 가부에 관한 의견차이로 자체 및 공동방위 능력의 육성강화에 합의하는선에 머물렀음

0 한편 GCC 제국을 방위하기위하여 파병한 각국을 찬양하면서도 침략사태 종료후 철수할것을 명시한 것은 미국을 비롯한 외국군에 대한 아랍민족의 감정을의식한것으로 분석됨

0 이라크의 쿠웨이트 침략으로 파생한 아랍민족국가간의 분열을 방지하기위하여 아랍 및 회교국가에 대한 원조계획을 조속히 추진키로 합의하였음

0 경제면에 있어서는 권내경제의 완전봉합과 GCC 공동시장 형성을 적극추진키로 합의하였음

0 GCC 권에 대한 이란의 관계증진 노력에 따라 GCC 제국간에 이란의 위상이급속히 부상하고 있는 현상은 주목할만함

6. 도하선언 및 공동성명과 주재국 KHALIFA 국왕의 개막 및 폐회연설의 전문을 12.26 발 정파편 발송예정임

끝

(대사 유내형-국장)

예고:91.6.30 일반

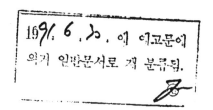

외 무 부

종 별 :

번 호 : LYW-0005   일 시 : 91 0106 1500

수 신 : 장 관 (마그,정일)

발 신 : 주 리비아 대사

제 목 : 아랍 4개국 정상회담(자료응신 제 01호)

1. 이집트 무바라 대통령, 시리아 아사드 대통령및 수단 베시르 혁명위 위원장은 91.1.3. 주재국 미수라타시(트리폴리 동부 약 250KM 지점)에 도착, 카다피 지도자와 함께 아랍 4개국 정상회담을 개최하고 동일 저녁 모두 귀국하였음

2. 동 정상회담은 91.1.15.이라크의 쿠웨이트 철군시한을 앞두고 끝까지 아랍에의한 분쟁의 평화적 해결을 시도해 보려는 카다피 지도자의 초청으로 이루어졌으나 상호 의견교환외에 별다른 성과를 거두지는 못한 것으로 보이며, 카다피 지도자는모임자체에 의미를 부여하고 이라크가 최종순간에 철군함으로써 전쟁을 피할수 있을 것이라는 자신의 견해(FELLING)를 밝혔다고 함.끝

(대사 최필립-국장)

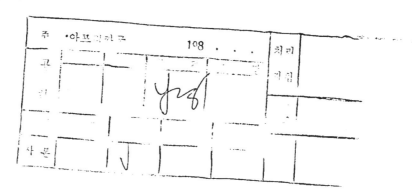

중아국   1차보   정문국   안기부

PAGE 1   91.01.07   00:25 FC
                                           외신 1과 통제관

0109

외 무 부

종 별 : 지급
번 호 : QTW-0023   일 시 : 91 0119 1600
수 신 : 장관(중근동)
발 신 : 주 카타르 대사
제 목 : 카타르 외상 이란방문

연:QTW-0020

1. 연호 주재국 AL-KHATER 외상의 이란방문에 관하여 본직이 금 1.19 10:30-11:15
간 외무성의 GCC 국장 HUSSAIN ALI AL-DOOSARI 대사(외상 이란방문시 수행)를 방문,
파악한 내용요지 다음과 같음.

2. 금년도 GCC 의장국으로서 6 개회원국을 대표하여 90 년도 GCC 정상회담
합의사항 협의

    0 GCC 회원국과 이란간의 관계증진

    0 사우디와 이란간의 화해 촉진

    0 이란측의 HAZI 참배 이란인 15 만명 쟈우디 입국허용 요구에 대하여 사우디측의
7 만명 허용 방침전달(타결낙관시)

    0 걸프전쟁에 대한 이란의 중립견지 요구(긍정적반응)

    0 전후 걸프지역 안보체제구성에 대한 이란측 참가의사 표시

    0 기타 카타르, 이란 양국간 무역 및 농수산 분야 협력 증진

끝

(대사 유내형-국장)

예고:91.6.30 일반

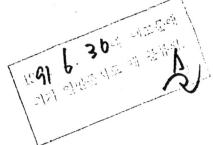

중아국   차관   1차보   2차보   정문국   정와대   안기부

PAGE 1   91.01.20   00:17

외 무 부

종 별 :

번 호 : LYW-0054   일 시 : 91 0123 1230

수 신 : 장관(마그,정일)

발 신 : 주 리비아 대사

제 목 : AMU 외상회의(자료응신 제4호)

1. 당지 국영 JANA 통신은 아랍 마그레브 연합 5 개국 외상회의가 91.1.22. 트리폴리에서 개최되어, 제 3 차 AMU 정상회의 준비 사항및 걸프 사태를 논의하였다고 보도 하였음

2. 리비아는 91.3 월 부터 AMU 정상회의 의장국을 맡을 예정이브로 3 차 정상회의도 3 월경 리비아에서 개최될 것으로 보이나 걸프 사태와 관련, 리비아가 의장직 조기 인수를 희망하고 있어 정상회의 조기 개최 가능성도 없지 않는 것으로 보임.끝

   (대사 최필립-국장)

중아국	장관	차관	1차보	2차보	2차보	정문국	청와대

PAGE 1

외　무　부

종　별 :

번　호 : AGW-0055　　　　　　　　　　　일　시 : 91 0127 1600

수　신 : 장 관(비상대책반,기정)

발　신 : 주 알제리 대사

제　목 : 걸프전

연: AGW-0037

　　1. 주재국이 주동이 되어 UMA (마그레브,아랍연맹) 5개국 명의로 안보리에 제출한 걸프전 정전결의안이 미국 및 참전국의 거부로 무산된대 이어, 주재국은 비동맹명의로 전쟁중재에 나서고 있는바, 금1.27(일) 이란,인도 및 중국에는 외무부 DEBAGHA 아주총국장을, 짐바브웨에는 주이디오피아 대사를 각각 대통령 특사자격으로 파견하였음.

　　2. 1.23 유고 대통령 특사 및 1.26 인도수상 특사(SINGH KAIH차관)가 주재국을방문한바 있음. UPJ.

　　(대사 한석진-대책본부장)

대책반	장관	차관	1차보	2차보	중아국	정문국	청와대	총리실
안기부								

PAGE 1　　　　　　　　　　　　　　　　　　91.01.28　01:44 CT

　　　　　　　　　　　　　　　　　　　　　외신 1과 통제관

외 무 부

종 별 :

번 호 : CPW-0077

일 시 : 91 0222 1600

수 신 : 장관(중일,미안,아이)

발 신 : 주 북경 대표부

제 목 : GCC 대사 접촉보고

　　본직은 2.21 서대유 CCPIT 부회장의 서울부임 환송및 본직 북경 부임환영을 겸한 사우디대사 주최 만찬(KU, QT, BH, OM 대사및 UAE 참사관 동석)에 참석한바 대화요지 보고함.

　　1. 걸프전쟁

　　가. 걸프전쟁으로 GCC 국가들간의 결속이 강화되었고 사담후세인에 대한 각국 배신감이 팽배해 있어 아랍형제국이라는 대위에서 평화를 획할가능성은 전무해짐.

　　나. 미국은 의식적으로 이라크 군사력을 약 1/3 정도만 선별적으로 파괴하고자 하는것으로 보이는바, 이는 차후 중동에서의 군사력 균형유지를 위한 대책인것 같음.

　　다. 이라크가 쿠웨이트로 부터 철수한 상태에서 평화가 오더라도 미군, 다국적군 또는 여타 아랍연합군등이 아라비아반도에 계속 주둔하기를 GCC 는 희망함.

　　라. 이라크(후세인의 계속 집권 여부계획 관계없이)의 위협이 계속 존재할것에 대비키 위함이며 이는 주한미군의 주둔이유와도 같음(QT 대사 언급).

　　2. 후세인성격

　　후세인은 무수하게 측근을 죽여왔는바 이는 무스림의 행위로는 도저히 용납될수 없는것임.

　　나. 그는 사소한 이유로 처남인 국방장관을 살해했고, 전시 의료시설의 부족을 보고받는 자리에서 그책임을 물어 보건장관을 친히 총살하는등 행위를 에사로 자행하고 있음.

　　3. 이락의 GORBY 평화안 수락 가능성

　　가. 후세인이 보좌관들의 언로를 봉쇄함에 따라 지혜로운 해결책 창출이 불가능하기 때문에 후세인은 걸프전의 전황에 대해 아마 전혀 인식치 못하고 있을것이므로 과대망상증 상태에서 현실적 의미에서의 평화까지 위한 회답은 기대하기

중아국 안기부	장관	차관	1차보	2차보	아주국	미주국	청와대	총리실

어려움.

　　나. AZIZ 외상도 정책조언이나 사실보고를 하기보다는 그저 우편배달부 노릇만하고 있기때문에 이라크측에서 나올 회답은 서방측의 기대에 크게 못미칠것이며 결국 모든 평화를 위한 협상이 좌절된 상태에서 후세인은 히틀러의 종말과 비슷한 최후를 맞이할 가능성이 있음.

　　다. 만일 후세인이 제정신이 있다면, 평화를 위한 협의를 소련과 할것이 아니라 오히려 GCC 형제국들에게 직접 쿠웨이트로부터의 철군을 제의함으로서 걸프전쟁을 아랍국가하에 명예롭게 해결토록하는 방안을 택했을수도 있었을것임.

　　(대표-국장)

　　예고: 년말일반

검 토 필 (1991.6.30 774)

일반문서로 재분류(19   12.31.)

외 무 부

종 별 :

번 호 : MTW-0053   일 시 : 91 0224 0830

수 신 : 장관(중동2)

발 신 : 주모리타니대사대리

제 목 : 주재국 외상 동정

1. 주재국 디디 외상은 트리폴리 개최 마그렙 아랍 연합 외상회의 참석후 2.21 귀국함.

2. 동외상 회의시 참가국 외상들은 최근 이락의 철군제의를 지지하고 즉각적인 종전을 촉구하였다함.끝.

(대사대리 김원철-국장)

중아국

외　무　부

관리
번호 91-348

종　별 :

번　호 : IRW-0188　　　　　　　　　　　일　시 : 91 0225 1330

수　신 : 장관(대책본부장,중근동,중미,기정)

발　신 : 주 이란 대사

제　목 : 걸프전

　　1.NAM 특별위 회의가 예정대로 작 2.24 당지에서 개최 되었으며, 이어 동참석 외무장관등은 라프산자니 대통령 면담 의견 교환하였음. 이자리에서 4 개국외무장관은 이라크의 오판에의해 야기된 금번사태의 평화적 해결을위한 중재노력이 시기적으로 늦은감이있으나 개속 되어야 할것이라는 점에 의견일치를 보았으며 이라크 고위관리들과 직접접촉을 위해 동외무장관들을 이라크로 파견 하기로 결정 한것으로 알려짐.그러나 당관이 접촉한 주재국 외무관계자는 동회담이 명목적 효과 밖에 없었으며 회담시간도 꽤짧았다고 설명하면서 동 외무장관들의 바그다드향발(금일오전 10 시당지시각)이 지연되고 있는바, 그이유로 바그다드에 가더라도 지상전이 개시된 현시점에서 성과가 회의적 이기때문 이라고 설명하였음(바그다드방문경우 주재국경유 당지에서 재협의 예정으로 알려짐)을 참고로 보고함.

　　2. 쏘련 방문후 귀로에 GHANDI 전인도수상이 표제 사태협의를 위해 라프산자니 대통령초청으로 작 2.24 당지도착함.

　　3. 한편 주재국 외무부 대변인은 이란이 미국의 지상전 개시를 <u>사전통보받았다는</u> 일부 외국 언론보도를 강력 부인한것 으로 당지언론이 보도함. 끝

　　예고:91.12.31 까지

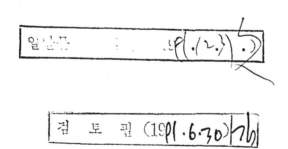

일람표 : 91.(2.)

검　토　필 (1991.6.30)

───
중아국　　장관　　차관　　1차보　　2차보　　미주국　　정와대　　안기부
───

정 리 보 존 문 서 목 록

기록물종류	일반공문서철	등록번호	2020110021	등록일자	2020-11-06
분류번호	772	국가코드	XF	보존기간	영구
명 칭	걸프사태 동향 : 기타지역, 1990-91. 전2권				
생 산 과	중근동과/북미1과	생산년도	1990~1991	담당그룹	
권 차 명	V.1 미주				
내용목차	1. 캐나다 2. 중남미				

0001

1. 개나다

0002

관리
번호 9 0 / / 2 / /

	분류번호	보존기간

발 신 전 보

WUS-2550   900802 1742 DY   종별 : 긴급

번 호 :

수 신 : 주 수신처 참조 ~~대사~~ . ~~총영사~~

WUK -1277	WFR -1472
WJA -3270	WCN -0782
WAU -0529	WCA -0258
WSB -0277	WIR -0250

발 신 : 장 관 (중근동)

제 목 : 이라크, 쿠웨이트 침공

표제 사태 관련, 주재국 반응(영문) 및 사태 평가 내용 긴급 파악

보고 바람. 끝.

(중동아프리카국장   이 두 복)

수신처 : 주미, 영, 불, 일, 카나다, 호주, 이집트, 사우디, 이란

1990.12.31 . 애 역고문에
의거 일반문서로 재 분류됨.

	보안통제	

앙고재	90년 8월 일	중근동과	기안자 성명		과 장	국 장		차 관	장 관		외신과통제

0003

원 본

외 무 부

종 별 : 긴 급

번 호 : CNW-1148   일 시 : 90 0802 1030

수 신 : 장 관(중근동,미북,국연,정일)

발 신 : 주 카나다 대사

제 목 : 이락의 쿠웨이트 침공(자료응신 제 39 호)

  대 : WCN-0782

  1. 주재국 CLARK 외상은 8.2.(목) 오전 발표된 성명에서 이락의 쿠웨이트에 대한 군사행동은 "전적으로 수락할수 없는 침략(A TOTALLY UNACCEPTABLE AGGRESSION)" 이라고 강력히 규탄하면서, 전부의 즉각적인 중지와 쿠웨이트로부터의 이락 병력의 즉각적이고 전면적인 철수를 촉구함.(동 성명전문 별첨 FAX 참조)

  2. 카나다는 비상임 이사국으로서 8.2. 유엔 안보리에서 채택된 이락 침공규탄결의안을 공동 제안한바 있으며, 주 유엔 카나다 대사는 안보리 발언에서 이락의 침공은 유엔 헌장과 국제법의 극악한 위반행위라고 규정하고 국제사회가 이락에 대해 단호하게 대처할 것을 촉구함.

  3. 주재국 외무부측은 금일 오전중 동 사태에 따른 대처 방안에 관해 협의중에 있는바, 카측 입장이 구체화 되는대로 추보 위계임.끝

  (대사 - 국장)

  첨부 : CNW(F)-0074

  예고문 : 90.12.31. 까지

1990.12.31. 에 예고
의거 일반문서로 재 분류.

중아국   장관✓   차관   1차보   2차보   미주국   국기국   정문국   정와대
안기부

PAGE 1   90.08.03   00:40

외신 2과 통제관 CN

0004

원 본

외 무 부

종 별 :

번 호 : CNW-1151　　　　　　　　　　일 시 : 90 0802 1800

수 신 : 장 관(중근동,미북,국연,정일)

발 신 : 주 카 나 다 대사

제 목 : 이락의 쿠웨이트 침공(2) (자료응신 제 80 호)

　　　연 : CNW-1148

　　　대 : WCN-0782

　　연호 이락의 쿠웨이트 침공사태 관련 8.2. 당지 언론들의 평가 특기사항 아래
보고함.

　　1. 금번 이락의 쿠웨이트 침공은 유엔 헌장 및 국제법을 정면으로
위반하는침략행위임. 유엔을 비롯 전세계 연론이 이를 규탄하고 즉각적인 이락군의
철수 및 쿠웨이트 정부의 원상회복을 촉구하고 있어 이락은 완전 고립상태임.

　　2. 동 사태 수습을 위해 현 단계에서 미국 및 이집트, 사우디등 아랍
인접관계국들의 군사개입 가능성은 없으나 외교적.경제적인 제재조치를 통한 대이락
압력행사 노력이 적극 전개 될것으로 봄.

　　3. 아울러 8.2. 유엔 안보리 결의에 대한 이락의 반응여하에 따라 유엔을 통한
헌장 제 7 장 규정에 따른 집단적 제재조치도 강구될수 있을것으로 봄.

　　4. 이락의 후세인 대봉령이 중동정세에 있어 새로운 문제아로 등장했으며, 특히
이락의 화학무기, 신예 미사일, 이이전쟁을 통한 훈련된 대규모 군사력등은중동
평화에 심각한 위협이 되고 있음.

　　5. 국제사회의 대이락 압력 가중에 따라 이락내 반 후세인 쿠테타의 가능성도
배제할수 없다는 관측도 있음. 끝

　　(대사 - 국장)

　　예고문 : 90.12.31. 까지

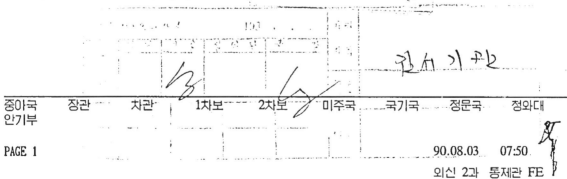

중아국 안기부	장관	차관	1차보	2차보	미주국	국기국	정문국	정와대

PAGE 1　　　　　　　　　　　　　　　　　　　　　90.08.03　07:50

　　　　　　　　　　　　　　　　　　　　　외신 2과 통제관 FE

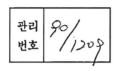

외 무 부

종 별 : 긴 급

번 호 : CNW-1152   일 시 : 90 0802 1800

수 신 : 장 관(중근동,미북,국연,정일)

발 신 : 주 카 나 다 대사

제 목 : 이락의 쿠웨이트 침공(3)

연 : CNW-1148,1151

대 : WCN-0782

1. 표제 관련 주재국 외무부 SVOBODA 유엔 과장에 의하면, 실무자선에서 미국의 경제 제재조치(자산동결, 식료품 이외 품목 수출입 금지등)와 유사한 대이락 경제제재 조치를 주재국에서 취할것을 건의했는바, CLARK 외상이 최종적인 결정을 할 것이며, 동 결정전에 유엔 안보리 동향, 여타국가의 조치도 참작하게 될것이라고 함.

2. 동 과장은 8.2.(목) 저녁 안보리 상임 이사국간의 협의에 이어 전 이사국 협의가 있을 예정이라고 하고 이락측이 수일내 쿠웨이트에서 철군하지 않을 경우 효과적인 제재조치를 취하도록 안보리에서 결정할 가능성이 높다고 함.

3. 다만 아랍 리그와 시리아측이 제의한 아랍 정상회의가 소극적(TIMID)인 입장을 취할 경우에는 유엔 안보리 및 여타 국가의 제재조치에 대하여 부정적인 영향을 미치게 될 것이라 함. 끝

(대사 - 국장)

예고문 : 90.12.31. 까지

중아국 안기부	장관	차관	1차보	2차보	미주국	국기국	정문국	총리실

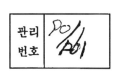

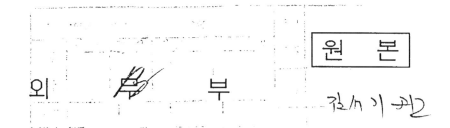

원 본

외 무 부

종   별 :

번   호 : CNW-1165   일   시 : 90 0803 2100

수   신 : 장 관(중근동,미북,국연,정일)

발   신 : 주 카 나 다 대사

제   목 : 이락의 쿠웨이트 침공(4)(자료응신 제 81 호)

연 : CNW-1148,1151,1152

이락의 쿠웨이트 침공사태 관련 8.3. 오후 외무부 MICKLEBURG 중동 담당관으로 부터 파악한 카나다 정부 조치상황개요를 아래 보고함.

1. 금일 2 차로 주카나다 이락 대사를 외무성으로 초치, 카측의 규탄 입장과 쿠웨이트 체류 카나다인의 안전보장을 위한 이락정부의 필요조치를 촉구하는 카측 입장 전달하였으며 아울러 주 이락 카나다 대사대리로 하여금 이락 외무성에 상기 입장 전달토록 조치했다함.

2. 유엔의 집단적 제재조치가 강구돼야 한다는 입장에서 유엔 안보리 이사국과 긴밀한 협의 진행중(금일저녁 안보리 이사국간의 비공식 협의 참가예정이며내주초까진 안보리에서의 결의 채택이 있을것으로 전망)

3. 클라크 외무장관은 작일 규탄 성명발표에 이어 8.3. 오후 기자회견을 갖고 금번 사태를 최근 20 년간 가장 위험한 중동정세 발전으로 평가, 쿠웨이트의 주권회복을 촉구하고 아울러 카나다 금융기관 보유 쿠웨이트 재산 동결을 위한 조치를 취했음을 밝힘.

(동 기자회견 전문 별첨 FAX 참조)

4. 아울러 카 정부는 당분간 신임 주이락대사(현재 공석중) 임명절차를 보류키로 했다함.

5. 상기 여타 대이락 쌍무관계 차원에서의 제재조치는 상금 제반 OPTION 을검토중에 있으나 일단 유엔 안보리의 집단적 제재조치 토의경과를 지켜본후 최종 결정케 될것임. 현재로선 쌍무적 제재조치 보다는 유엔을 통한 집단적 제재조치 강구에 중점을 두고 있음.

6. 현재로선 쿠웨이트 소재 카나다인의 철수계획은 없다함. 쿠웨이트 소재

중아국   장관   차관   1차보   2차보   미주국   국기국   정문국   청와대
안기부

PAGE 1   90.08.04   10:38
                                                         외신 2과 통제관 FE
                                                         0007

카나다인은 442 명으로 등록되어 있으며(이중 다수는 휴가등으로 타국 여행중) 현재까지 181 명과 전화 연락등을 통해 사태 안정시까지 외출 삼가토록 권고함.

7. 일부 카나다인들이 육로로 사우디로 피신하고 있는바 주 사우디 카나다 공관직원 2 명을 쿠웨이트. 사우디 국경지역 KHAFTY 에 파견하여 동 카나다인들에 대한 편의제공등 지원 활동중임.

8. 현재 카나다내 쿠웨이트 자산은 약 30 억불로 추정되고 있으며 이락의 자산은 극히 미미한 것으로 알려짐. 또한 89 년 카나다의 대 이락 수입은 2,300 만불(주요품목: 석유, 카페트), 수출은 2 억 5800 만불(주요품목 : 곡물, 고무 및 기계부품)이며, 카 수출개발 공사는 그간 대이락 수출업자에 수출신용 금융을제공해 왔으나 90.3 월부터 이락측의 저조한 채무상환 실적을 고려 수출금융 제공에 신중을 기해오고 있었다함을 참고로 첨언함.

첨부 : 클라크 장관 기자회견 전문 (CNW(F)-0077). 끝

(대사 - 국장)

예고문 : 90.12.31. 까지

M.T.T. [MEDIA TAPES AND TRANSCRIPTS]LTD.

60 QUEEN STREET ● SUITE 600 ● OTTAWA K1P 5Y7 — (613) 234-1666 — FAX (613) 236-3370

PROGRAM: EMISSION:	SCRUM	DATE: DATE: AUGUST 3, 1990
NETWORK / STATION: RESEAU / STATION:	- - - - -	TIME: HEURE: 16:30

JOE CLARK RE IRAQ INVASION OF KUWAIT

CLARK: When you're ready...okay.   I have issued statements beginning early yesterday morning regarding the invasion of Kuwait by Iraq, but I understood that some of you wanted to speak to me personally about it so I wanted to accommodate that. We have condemned this action by Iraq.

Nous avons convoqué l'ambassadeur irakien ici plusieurs fois pour communiquer la position canadienne et aussi poser des questions et indiquer que nous en sommes pas satisfaits par la réponse de l'Irak. Nous avons supporté la résolution du Conseil de Sécurité; nous avons été pleinement impliqués dans l'élaboration de cette résolution.

We are now in the process of working with other countries who are members of the Security Council, looking at further actions that might be taken multilaterally by the United Nations, by the Security Council to give force to the resolution that was passed yesterday. We will also be prepared to consider other actions by Canada perhaps regardless of, depending upon what the United Nations does, perhaps regardless of the UN action. I'd be pleased to try to reply to any specific questions you might have.

Q: Mr. Clark, what can you tell us about the safety of
         Canadians working in Iraq, and specifically the Canadian
oilfield worker who was detained by the Iraqis?

CLARK: I can't give you a specific answer on that specific
         question, regarding the one individual, except that we
believe that others are safe, to our knowledge, and we naturally expect
that person to be treated with...to be freed. To be allowed to come out
of the territory if he chooses, and if not, to have his rights respected.
There are clear duties that apply to occupying powers, in this case Iraq,
in regards the safety of individuals who are affected. And among the
messages we'll be communicating to the Iraqis is that we expect those
responsibilities they have as an occupying power to be respected in the
case of this Canadian.

Q: M. Clark, qu'est-ce que vous pouvez nous dire des
         actifs du Koweit, de l'Irak ici au Canada et est-ce que
c'est possible de geler ces actifs-là?

CLARK: C'est possible de les geler ici. Nous n'avons pas les
         mêmes lois ici qui existent en Angleterre ou aux
États-Unis, mais nous avons fait un arrangement avec les institutions
financières canadiennes pour effectuer, en effet, une situation où on
peut geler les actifs koweitiens dans les institutions financières
canadiennes ici, au Canada, ou ailleurs dans le monde. Nous avons un
plus grand pouvoir s'il y a une déclaration... des mesures économiques

0010

adoptées par les Nations-Unies. Mais nous sommes confiants que la
situation, que l'arrangement que nous avons maintenant avec les
institutions financières canadiennes peut avoir comme résultat de geler
les actifs du Koweit.

Q: Maintenant, en pratique, est-ce qu'il faut une réunion
            du Cabinet, une décision du Cabinet, ou ça peut se faire
facilement?

CLARK: Ça peut se faire facilement après que nous avons eu
            les communications par la voie du ministère des finances
canadien avec l'Association des banquiers canadiens pour avoir un
arrangement, et nous sommes confiants que ça va marcher.

Q: Is it possible we're making unexpected wheat sales
            in the last few weeks to Iraq (inaudible) Washington
where an agriculture official says that Iraq has been going to Canada and
Australia and others to buy grain, probably in anticipation of
conservative(?) action by the U.S.

CLARK: I can't comment on an unconfirmed report, an
            anonymous agriculture official in Washington. There
would naturally be a distinction between sales that might have been made
in anticipation of something happening, that on the one hand; and on the
other hand an action to backfill(?), to move in behind the sanction
(inaudible). It is the policy of this country not to backfill, not to
move in behind sanctions, not to take advantage of measures that have

0011

- 4 -

been taken by other countries for Canadian sales. So, just to be clear on this particular point, I haven't seen that report. I would expect that given past practice and the understanding of the Canadian Wheat Board and Canadian policy, that there would not have been any action that would be of a nature of backfilling.

Q: Excuse me, Mr. Clark---

Q: Could you tell us whether one of these other actions
                that Canada may take on its own is to stop grain sales to
Iraq?

CLARK: The question of the involvement of food in sanctions,
                that might be contemplated by the United Nations. It is
a matter that is under consideration now. It has not been the practice
of most nations to use food as a weapon. And so if there are sanctions
approved by the Security Council of the United Nations, past practice
would suggest that food would not be among those sanctions. Whatever the
measures adopted by the United Nations, Canada will support them. And we
are of course involved in the discussion of what those might be.

Q: (inaudible) freezing Kuwaiti assets?

CLARK: We have taken some actions to freeze Kuwaiti assets
                in Canadian financial institutions. We do not have the
same legal basis as exists in the United Kingdom or the United States to
freeze them in the way they do. So what we have done is entered into an

0012

arrangement with the Canadian Bankers Association that we are confident
will be effective, by which there will be a de facto freezing of Kuwaiti
assets in Canadian institutions, whether those institutions are in Canada
or elsewhere. The question of Iraqi assets does not particularly arise
because there are not significant amounts of Iraqi assets in Canadian
financial institutions.

Q: Does that mean that Kuwaiti money could not be taken
            out of Canada? What essentially is the effect of this?

CLARK: In effect it means that Kuwaiti money cannot be taken
            out of Canada on the basis of an arrangement reached
between the government of Canada and the Canadian Bankers Association.
There is an additional power that can be triggered under Canadian law to
give effect to a resolution of the United Nations relating to specific
economic measures. The United Nations has not yet taken such an action,
so our law is not yet triggered. But in the interim we have a way that
we believe will work to freeze assets of Kuwaitis in Canadian financial
institutions in Canada or elsewhere.

Q: What is the figure (inaudible)?

CLARK: I can't estimate that, but it is significant.

Q: Mr. Clark, if the UN went ahead with embargoing ship-
            ments of grain to Iraq, would Canadian farmers be
subsidized? Sales to Iraq were quite high...

CLARK: Those are hypothetical questions at the moment. I'm
sorry, I don't have the answers to that. They've not
been considered. As I said in answer to an earlier question, the
practice has been to exempt food from those kinds of actions, and that's
a matter that's under discussion now. As we try to seek consensus in the
United Nations for a series of measures that will work, everyone knows
that sanctions are a most imperfect instrument. It's not something
anyone likes to resort to, but this is an extraordinary circumstance. If
they are to work, they have to be broadly subscribed to. They're more
likely to be broadly subscribed to if the package is broad enough to
recommend itself to a wide range of countries.

One of the other issues of course here, speaking of the
question of the involvement of a large number of countries, is that
Canada thinks it is very important that among other Arab states (they)
make very clear their condemnation of this violation of sovereignty and
this disruption of international order and international law. We've
communicated that view to the ambassadors of various Arab states here. We
understand the complexity of the situation they are facing, but this is
an extraordinary situation, perhaps one of the most dangerous
developments in the Middle East in the last 20 years. The first time in
nearly 20 years in which there has been this act of deliberate use of
military power, and that we would hope, expect that they should, the
region itself, would also act to ensure that the sovereignty of Kuwait is
restored and respected, and that ordinary international practice
prevails.

0014

Q: ---some of the options of Canada when you talk about

            the joint (inaudible) of action, but what might Canada do

which might have an effect (inaudible)?

CLARK: I don't really want to get into that at this stage.

            I think that our principal focus, the best thing that we

could do at this stage, is be part of the options of the United Nations.

But we are looking at a range of other matters that relate to export

practices, other things that are within the power of Canada alone.

Q: Is force contemplated?

CLARK: No. Certainly not by Canada.

Q: What is the status of the Canadian oilfield worker?

            Are you saying you still don't know exactly where it

stands---?

CLARK: I don't know where he is, but there are duties that

            apply to an occupying power with respect to persons in

the situation like this individual. We expect those responsibilities to

be fully exercised by Iraq.

Q: Was he working with other Americans, who seem to be

            detained as well?

CLARK: We've been in touch with a wide range of countries

0015

- 8 -

on all aspects of this matter, and certainly it would be our normal practice to be working with other countries who have people whose whereabouts are not guaranteed. At the moment I don't have an answer. I don't have an answer. My officials may to your precise question about co-operation with Americans, and my officials have been in touch with a number of other countries. I spoke this morning to Douglas Hurd who is on his way to a meeting of the European Community foreign ministers, which of course is an important meeting in terms of trying to shape a consensus that could be reflected in any further action by the UN Security Council.

Q: Do you have an estimate, Mr. Clark, of how much is being frozen in Canada?

CLARK: No, I don't.

*****

0016

관리
번호 90/1247

외 무 부

종 별 : 지 급

번 호 : CNW-1166

일 시 : 90 0805 1700

수 신 : 장 관(중근동,미북,국연,정일)

발 신 : 주 카 나 다 대사

제 목 : 이락의 쿠웨이트 침공(5) (자료응신 제 82 호)

연 : CNW-1165

1. 이락의 쿠웨이트 침공관련 주재국 정부는 연호 쿠웨이트 자산 동결 조치에 이어 8.4. 아래 추가 제재조치를 발표하였음.

가. 이락 및 쿠웨이트산 원유 수입금지

나. 대 이락 수출통제를 위해 이락을 수출통제 대상지역 리스트에 포함.

다. 카. 이락간 무역, 경제, 기술 협력 협정 효력 중단 및 최혜국 대우 폐지

라. 카 정부의 대 이락수출 관련 지원활동 중단, 카 기업의 대이락. 쿠웨이트 신규 사업에 대한 수출개발 공사(EDC)의 금융지원 중단

마. 카. 이락간 학술, 문화, 스포츠 교류 양해각서 효력 중단

2. 상기관련 외무부 발표전문 별첨 FAX 송부함.

3. 한편, 8.2. 사태 발발 직후부터 쿠에이트에서 행방불명 된것으로 알려진 카나다인 석유공장 근로자 1 명 (GRAHAM PIERCE)이 24 명의 서구인 (미국인 11명 포함) 과 함께 이락측에 의해 바그다드로 이송되어 호텔에 억류중인 것으로 판명되었으며 카 외무부는 현재 동인의 석방 및 안전 귀국을 위해 이락측과 협상중에 있다함.

(대사 - 국장)

첨부 : CNW(F)-0078

예고 : 90.12.31. 까지

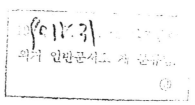

중아국	차관	1차보	미주국	국기국	정문국	정와대	안기부

PAGE 1

90.08.06   07:12
외신 2과 통제관 DH

0017

News Release   Communiqué

Secretary of .
State for
External Affairs

Secrétaire
d'État aux
Affaires
extérieures

CNW (A)-0018

90 0805 1600

NO. 166   (정부름)   (2페이거)   August 4, 1990

CANADA ANNOUNCES FURTHER MEASURES AGAINST IRAQ

The Secretary of State for External Affairs, the Right Honourable Joe Clark, today commented on developments related to the Iraqi invasion of Kuwait.

"The Government of Canada has continued to pursue consultations with its friends and allies on the situation in the Middle East," Mr. Clark noted.   In the course of those consultations, Prime Minister Mulroney had a lengthy discussion with President George Bush of the United States to review efforts to bring collective international pressure on Iraq to end its occupation of Kuwait.   Both the Prime Minister and Mr. Clark will be speaking to other of their colleagues in the international community in the coming days.   As well, negotiations continue in the UN Security Council on the adoption of a package of comprehensive collective sanctions against Iraq.

Mr. Clark also noted that the Government had earlier today decided on further steps to reinforce Canada's condemnation of Iraq's invasion and occupation of Kuwait.   These included:

- an embargo on imports of Iraqi and Kuwaiti origin oil;

- placing Iraq on the Area Control List under the Export and Import Permits Act which will allow Canadian exports to Iraq to be controlled;

- suspension of the Canada-Iraq Agreement on Trade, Economic and Technical Cooperation and termination of Most Favoured Nation Treatment. This action will mean that Iraqi imports to Canada, other than oil which is being totally embargoed, will face higher tariffs;

...../2

1/2

0018

- 2 -

- the suspension of all trade and business promotion
  activity by the Government of Canada on behalf of
  Canadian exports to Iraq. In addition the Export
  Development Corporation (EDC) will be instructed to
  cease providing any financial coverage on new
  business activities of Canadian companies in Iraq
  and Kuwait;

- suspension of the Canada-Iraq Memorandum of
  Understanding on Academic, Cultural and Sports
  relations.

        Canada has already taken action to freeze Kuwaiti assets
in Canada.

                    - 30 -

For further information, media representatives may contact:

Media Relations Office
External Affairs and International Trade Canada
(613) 995-1874

CN(F)18- 2/2

0019

외 무 부

종 별 :

번 호 : CNW-1175 　　　　　　　　　　일 시 : 90 0807 1810

수 신 : 장 관(중근동,미북,정일)

발 신 : 주 카 나 다 대사

제 목 : 이락의 쿠웨이트 침공(6)

　　　　연 : CNW-1166

　　1. 멀루니 수상은 8.6. 미국을 방문 부쉬 대통령과 만찬을 갖고 이락의 쿠웨이트 침공에 따른 중동지역 정세와 대 이락 국제압력 행사를 위한 공동 대처 방안에 관해 협의 하였다 함.

　　2. 카 정부는 연호 대 이락 제재조치 발표외에도 유엔 안보리 채택 대 이락공동제재 조치 결의안의 공동 제안국이 된바 있으며 금번 사태 해결을 위한 대이락 국제압력 행사에 미국등 관련국과 긴밀히 협력하고 있다함. 주재국 수상실의 관련 발표문 별첨 FAX 송부함. 끝

　　　　첨부 : CNW(F)-0080

　　　　(대사 - 국장)

　　　　예고문 : 90.12.31. 까지

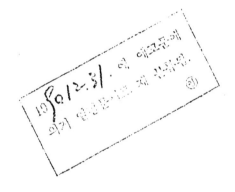

중아국　　차관　　1차보　　2차보　　미주국　　정문국　　정와대　　안기부

Office of the
Prime Minister

Cabinet du
Premier ministre

CANADA

CNW(F)-0080   90 0807 1750   (1페이저)

(첨부물)

Release

Date: August 6, 1990

For release: Immediate

SITUATION IN THE PERSIAN GULF

President Bush has invited the Prime Minister to the White House tonight to review the current situation. The dinner meeting is part of the ongoing series of consultations which the President is holding with concerned parties.

The Prime Minister and the President have spoken several times during the last few days concerning the serious situation in the Persian Gulf and to review efforts to bring collective international pressure on Iraq to end its occupation of Kuwait. In this context, the Prime Minister held a lengthy discussion with President Ozal of Turkey yesterday. Both the Prime Minister and the Secretary of State for External Affairs have consulted with their colleagues extensively on this question.

Canada, in addition to the significant bilateral measures recently announced by Mr. Clark, has co-sponsored a resolution in the Security Council proposing comprehensive collective sanctions against Iraq.

0021

```
관리  PO-14P8
번호
```

외 무 부

종 별 :

번 호 : CNW-1180   일 시 : 90 0808 1730

수 신 : 장 관(미북,통일,국연,중근동)

발 신 : 주 카 나 다 대사

제 목 : 중동사태

　　조공사는 8.8. 외무부 FRASER 정보국장을 면담하고, SVOBODA 유엔 과장을 오찬에 초청 중동 사태에 관해 의견을 교환했는바, 양인의 언급 내용중 참고사항은 다음과 같음.

　　1. 페르샤만과 홍해에서의 BLOCKADE 가 어렵지 않으므로 이락 및 쿠웨이트산 원유 금수조치는 그 시행이 용이할 것으로 보이며 이락과 쿠웨이트에 대한 무역 봉제도 주변국(터키, 이란, 시리아등)에서 육로 이용등 방법으로 이락을 특별히 도와줄것같지 않으므로 큰 문제가 되지 않을 것으로 봄. 다만, 쫄단에서 자국항구와 육로를 이락이 이용하도록 도와줄 가능성은 없지 않으나 미국, 카나다,EC 제국, 일본, 스위스등의 적극적인 참여에 비추어 안보리의 집단 경제제재 조치는 실효를 거둘수 있을 것으로 봄.

　　2. 이란과의 전쟁 종결후 얼마 않되어 다시 예비군을 재소집하는데 대해 이락 국민간에 불만이 있다는 대사관 보고가 있었고, 또 앞으로 경제 제재조치에 따른 생필품의 부족현상에 대해 국민의 불만이 있을 것으로 예상되나 이락의 무자비하고 유능한 보안군이 이러한 대중의 불만을 철저하게 통제할 것이므로 훗세인 대통령에 대한 이락내 불만세력의 규합은 어려울 것으로 보임.

　　단, 훗세인대통령이 눈에뛰는 실수를 할 경우 군부등 이락 지배층의 반란 가능성은 배제할수 없음.

　　3. 쿠웨이트에서의 단기간내에 이락이 철수할 가능성은 적으며 점령 상태가장기화 될것으로 보임. 아랍권내에는 강력한 아랍 지도자의 출현을 바라는 경향이 있고 쿠웨이트 왕족의 치부에 대해 불만스럽게 생각하는 사람도 많으므로 아랍권의 훗세인 대통령의 평가와 지지도는 미국측의 평가와는 크게 다르다는 점을 참작할 필요가 있음.

미주국	장관	차관	1차보	2차보	중아국	국기국	통상국	정문국
청와대	안기부							

90.08.09　08:12

외신 2과 통제관 CW

0022

4. 이락측은 쿠웨이트에 있는 외국인을 바그다드로 이송, 그곳에서 출국하게 하는것으로 보이는바, 앞으로 이락측이 미국인, 영국인을 불모로 잡아들 가능성은 없지 않으나 여타 외국인은 모두 출국시킬것으로 보이므로 카나다는 이 문제에 관해 크게 우려하지 않고 있음. 끝

(대사 - 국장)

예고문 : 90.12.31. 까지

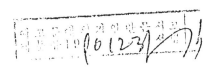

PAGE 2

0023

외 무 부

종 별 :

번 호 : CNW-1183

일 시 : 90 0808 2000

수 신 : 장 관(중근동,미북,정일)

발 신 : 주 카 나 다 대사

제 목 : 이락의 쿠웨이트 침공(7) (자료응신 제 83 호)

연 : CNW-1175,1166

1. 멀루니 수상은 8.8. 기자회견을 갖고 이락측의 사실상 쿠웨이트 병합에 따른 금번 사태의 심각성을 지적, 카나다로서는 기 발표한 대 이락제재조치와 유엔 안보리 결의안(661 호)을 철저히 이행할 것임을 강조하면서 다만, 미군의 사우디 파견과 관련한 카나다 군대의 다국적군 참여 문제는 현재로선 관계국으로부터의 요청이 없었다고 밝히고 8.10. 브랏셀 개최 예정인 NATO 외상회의 경과를 보아 필요성 여부를 검토하겠다고 하였음.

2. 또한 멀루니 수상은 금번 대 이락 교역중단 제재조치에 따른 카나다 곡물 수출업계의 피해(89 년 대이락 수출 2 억 5800 만불중 약 95 프로가 곡물 수출)에 관하여는 카 정부가 적절한 보상 조치를 취할 것임을 밝혔으며, 아울러 금번 사태에 따른 국제 원유가 인상이 카나다에 미칠 영향에 관하여는 카나다의 원유시장이 대부분 자체 생산 공급과 여타지역으로 부터의 일부 수입으로 충분하고이락, 쿠웨이트등 중동 지역에의 의존도가 미미하기 때문에 카 국내시장에 별다른 타격이 없을 것이라고 전망하였음.

3. 한편, 카 정부는 미군의 사우디 파견등 정세 악화 전망에 따라 사우디 동부 쿠웨이트 국경 인접지역 소재 카나다 인들은 필수 인력을 제외하고는 동 지역에서 철수토록 권고조치 하였다 함. 현재 사우디엔 약 4,000 명의 카나다인이 거주하고 이중 약 1,000 여명이 사우디 동부 국경 인접 지역에 소재하고 있는 것으로 알려짐.끝

(대사 - 국장)

예고문 : 90.12.31. 까지

중아국	장관	차관	1차보	2차보	미주국	정문국	정와대	안기부

관리
번호 `90/133P`

외 무 부

종 별 :

번 호 : CNW-1188   일 시 : 90 0809 1800

수 신 : 장관(중근동,미북,정일)

발 신 : 주 카나다 대사

제 목 : 이락의 쿠웨이트 침공(8)(자료응신 제 84 호)

   연 : CNW-1183

   1. 표제 관련 클라크 외무장관은 8.8. 유엔 안보리 결의 661 호의 이행을 카 정부가 제정한 시행규칙을 발표한바, 동 시행규칙은 주재국의 유엔법(UNITED NATIONS ACT)에 의거, 대이락 및 쿠웨이트 수입의 전면 금지(8.6. 자), 대이락 및 쿠웨이트 수출의 전면금지(8.7. 자), 대이락 및 쿠웨이트 수출금융지원 중단,대이락 또는 쿠웨이트 자금 이전 불허 및 이락 또는 쿠웨이트 정부 및 그 산하기관 자산의 동결등의 조치를 발효시키고 있음.

   2. 상기관련 발표문및 시행규칙 전문 별첨 송부함.

   첨부 : CNW(F) -0081 끝

   (대사 -차관)

   예고:90.12.31까지

중아국   장관   차관   1차보   2차보   미주국   정문국   정와대   안기부

PAGE 1   90.08.10   07:55
                                                         외신 2과 통제관 CW

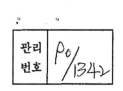

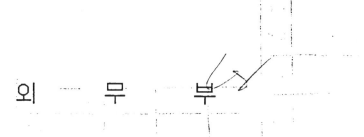

외 무 부

종 별 : 지급

번 호 : CNW-1193   일 시 : 90 0809 1830

수 신 : 장 관(기협,미북,중근동,상공부,동자부)

발 신 : 주 카나다 대사

제 목 : 이락.쿠웨이트 사태

대 : WCN-0806

연 : CNW-1183,1188

표제 사태 관련 국제 원유 수급 및 유가 전망에 대한 당지 평가를 아래와 같이 보고함.

1. 국제 석유 수급 및 유가 전망

가. 이락, 쿠웨이트산 원유에 대한 금수조치에도 불구하고 90. 3/4 분기까지는 현상태의 국제석유 수급 균형이 대체로 유지될 것이고, 이에 따라 석유가도현 수준을 능가하지는 않을 것으로 당지에서는 전망되고 있는바, 그 주요 이유는 아래와 같음.

O 금번 금수조치로 이락, 쿠웨이트산 석유생산이 일산 440 - 450 만 바렐 (B/D) 감소될 것으로 예상되나 사우디, UAE, 베네주엘라등 기타 OPEC 국가의 추가공급 능력 보유로 동 감소분의 대부분 충당 가능

- 사우디 : 240 B/D 추가 생산 가능

- UAE : 20 만 B/D 추가생산가능

- 베네주얼라 : 60 만 B/D 추가 생산 가능

O 그동안 OPEC 초과 생산으로 인해 OECD 국가의 충분한 재고 보유

- 90.7.1. 현재 평균 99 - 100 일분에 대한 재고 수준 유지(90. 3/4 분기중OECD 제국의 원유 소비증가율이 1.5 프로에 달해 1 일 평균 소비량이 37.3 백만에 이를 경우를 전제로 할때)

. 석유회사 재고 보유분 : 약 70 일

. 정부 및 공공기관 보유분 : 약 30 일

- 1 년 전보다 3 일간 연장

- 미국의 경우 90.8.4. 현재 560 백만 바렐의 예비 재고 보유

경제국   2차보   미주국   중아국   상공부   동자부

PAGE 1   90.08.10   11:23
                                                외신 2과 통제관 BN

0026

. 원유 : 334 백만 바렐

. 개소린 : 226 백만 바렐

0 90. 3/4 분기중 OECD 국가의 OPEC 석유 수요는 2180 만 B/D 로 전망되나 이는 이락, 쿠웨이트를 제외한 OPEC 산유량(2210 B/D) 에 미달

나. 그러나 금번의 제재조치가 금년 4/4 분기까지 지속되는 경우, 세계 석유 공급면에서의 애로 현상이 노정될 것으로 보이며 이는 국제석유가 추가 인상 압력 요인으로 작용할 것으로 분석됨.

0 4/4 분기 난방등 계절 요인으로 OECD 의 OPEC 산 석유 수요가 2440 만 B/D 로 증가할 것으로 예상되는바, 이는 현 OPEC 생산량을 상회하는 수준임.

2. 주재국의 대책

가. 주재국은 160 만 B/D 의 석유를 생산, 이중 60 만 B/D 을 주로 미국에 수출하는 반면, 50 만 B/D 의 북해산 석유를 수입하고 있음.(북해산 석유 수입은퀘벡주 및 동해안 지역 소요 충당분으로서 카나다 서부지역 생산 원유의 동지역 운송에 비해 수입하는 편이 운송비 면에서 유리함)

나. 따라서 주재국은 약 10 만 B/D 의 원유 출조입장에 있으, 금번 사태로 인한 석유 수급및 유가문제에 대해 크게 우려하지 않으며 다만 현재로서는 사태추이를 모니터링 하고 있는 단계라고 함. 끝

(대사 - 국장)

예고문 : 90.12.31. 까지

관리
번호 Po/1350

외 무 부

종 별 :

번 호 : CNW-1194

일 시 : 90 0809 2000

수 신 : 장 관(중근동,미북,정일)

발 신 : 주 카 나 다 대사

제 목 : 이락의 쿠웨이트 침공(9)

연 : CNW-1183, 1188

표제 사태 관련, 이락 및 걸프지역 소재 카나다인들의 안전을 위한 카나다 정부의
조치 상황에 관한 카나다 외무부의 발표문 전문을 별첨 FAX 송부하니 참고 바람. 끝
(대사 - 국장)

첨부 : CNW(F) - 0082

예고문 : 90.12.31. 까지

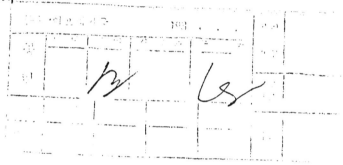

중아국   차관   1차보   2차보   미주국   정문국   안기부

PAGE 1

News Release   Communiqué

Secretary of
State for
External Affairs

Secrétaire
d'État aux
Affaires
extérieures

CNW(F)-0082 900809.184 (2페이지)

No. 172   (첨부물)   August 8, 1990.

CLARK COMMENTS ON SITUATION OF
CANADIANS IN IRAQ AND THE GULF

The Secretary of State for External Affairs, the Right
Honourable Joe Clark, today welcomed the news that Graham Pierce,
a Canadian held by Iraqi authorities in a Baghdad hotel, has been
released to the Canadian Embassy. The Embassy is continuing
discussions with the Iraqi authorities to get permission for the
departure from Iraq of Mr. Pierce and of other Canadians who wish
to leave.

"Canadian officials in both Ottawa and Baghdad had made
repeated representations to secure the release of Mr. Pierce,"
stated Mr. Clark. "Canada calls on the further cooperation of
the Iraqi authorities to permit the departure from Iraq and
Kuwait of all Canadians who wish to leave."

The Canadian Embassy in Kuwait continues to be in touch
with most of the approximately 400 Canadians there. They are
reported to be safe and continue to be advised to stay indoors.

There are about 100 Canadians registered with the
Embassy in Baghdad, including 15 members of the Canadian Armed
Forces serving with a United Nations peacekeeping force on the
Iraq-Iran border. Canadians in Iraq are also reported to be
safe. The airport remains closed although some foreigners have
succeeded in leaving by land through Jordan.

Because of the situation in the Gulf region, the
Canadian Embassy in Riyadh is advising Canadians that dependents
and non-essential personnel in the Eastern province of Saudi
Arabia and Bahrain should to consider leaving the area.
Individuals and companies in areas other than the Eastern
provinces and Bahrain should also consider decisions about having
their dependents and non-essential personnel leave. There are
about 3,000 Canadians registered with the Canadian Embassy in
Riyadh, of whom about 1,000 live in the Eastern province. There
are about 80 Canadians in Bahrain.

...../2

1/2

0029

- 2 -

..Canadians resident in the Arabian peninsula and Gulf
area who are currently outside the area should consider
postponing their return until the situation stabilizes.
Similarly, Canadians who are planning to visit the area affect by
this situation should also consider whether it is essential that
they travel at this time.

- 30 -

For more information, media representatives may contact:

Media Relations Office
External Affairs and International Trade Canada
(613) 995-1874

0030

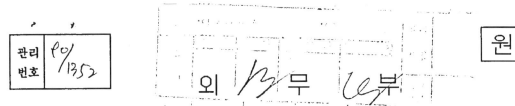

관리 번호 PO/1352

원 본

외 무 부

종   별 : 지 급

번   호 : CNW-1206   일 시 : 90 0810 1930

수   신 : 장 관(중근동,미북,영재,통일,정일)

발   신 : 주 카나다 대사

제   목 : 이락의 쿠웨이트 침공(11)

1. 8.10. 카 외무부 중동사태 특별반 LACHARITE 담당관에게 확인한바에 의하면 이락정부는 8.9. 주재국측에 대해 쿠웨이트가 이제 이락의 일부인 만큼 주 쿠웨이트 카나다 대사관을 8.24. 까지 폐쇄토록 외교 공한을 통해 요청해 왔다함.

2. 동 요청에 대해 카 외무부는 우선 8.9. 주 카나다 이락대사를 외무부로초치, 현지 대사관의 주요 임무중의 하나가 카나다 국민의 보호인 만큼 현재 쿠웨이트에 체류중인 카나다인(약 400 명)의 안전과 원활한 귀국등 자국민 보호를위해 현지 대사관이 계속 활동해야 할것이라는 입장을 강조하고 우선 이락 정부측의 카나다인의 보호와 안전 귀국을 위한 적극적인 협조를 촉구했다함. 동 입장은 주 이락 카나다 대사관을 통해서도 이락정부측에 전달 했다함.

3. 또한 이락의 쿠웨이트 병합이 무효라는 주재국의 입장은 UN 안보리 결의를 통해 분명히 알려진 만큼 작일 이락대사 초치시엔 이락측의 공관폐쇄 요청의법적 근거등에 대해서는 직접적인 논란을 하진 않았다고 함. 동 문제는 우방국들과 긴밀히 협의 대응책을 모색중에 있으나 현실적으로 쿠웨이트가 이락의 실효적 통제하에 있는 만큼 결국 이락측의 요청에 부응하는외 다른 대안이 없을 것으로 보인다함.

4. 또한 이락측은 현재 외국 공관원 및 가족과 일부 아랍국가 국민들을 제외하고는 이락측 통제지역내 일반 외국인들의 출국을 허용치 않고 있어 동 지역 소재 카나다인(이락, 쿠웨이트 지역 포함 약 550 명)들의 안전 출국을 위해 상금집중적인 외교적 노력을 기울이고 있다함.

5. 한편, 8.10. 당지 GLOBE AND MAIL 지는 외신(미 국무성 관리 발언)을 인용 현재 이락측은 외국인을 아래와 같이 4 가지 카데고리로 분류하고 있는것으로 보인다고 보도하였음.

가. 현재 호텔에 억류중인 38 명의 미국인과 130 명의 여타 외국인들은 군

중아국   장관   차관   1차보   2차보   미주국   통상국   정문국   영교국
청와대   안기부

PAGE 1   90.08.11   09:19

외신 2과 통제관 BN

0031

경비하에 호텔밖 출입을 금지

　　나. 이락에 30 일 이상 체류하고 있는 외국인들은 출국을 위해 출국
비자를필요로하는 이락 당국은 이를 발급치 않고 있음.

　　다. 방문비자로 일시 체류중인 외국인들은 출국비자가 필요치 않아 일부 출국에
성공한 사례가 있음.

　　라. 외교관 및 가족들은 여행허가 수속에 필요한 7 일간의 대기기간후
출국가능(그러나 작일 10 명의 미국대사관 가족들이 여행허가를 받고 요르단으로
육로로 출국코저 하였으나 저지당한바 있다함). 끝

　　(대자 - 차관)

　　예고문 : 90.12.31. 까지

외　　무　　부

종　별 :

번　호 : CNW-1209　　　　　　　　일　시 : 90 0810 1930

수　신 : 장 관(중근동,미북,통일,정일,국방부)

발　신 : 주 카나다 대사

제　목 : 이락의 쿠웨이트 침공(10)(자료응신 제 85 호)

　　1. 표제 사태 관련 멀루니 수상은 8.10. 특별기자회견을 갖고 금일 브라셀에서의 NATO외상회의(클라크 외무장관 참석)의 협의결과에 비추어 카 정부는 카 해군 함정 3 척을 페르시아만에 파견키로 결정하였으며 동 함정들은 타국 파견 함정들과 함께 이락의 추가적인 침략행위 저지활동을 지원하게 될 것이라고 발표하였음.

　　2. 동 함정들은 구축함 H.M.C.S. ATHABASKAN 및 TERRA NOVA 와 보급함정 H.M.C.S.PROTECTEUR 로서승무원 총 800명이라 하며 가능한한 곧 출발 9 월중순까지 동 지역에　　　배치되어　　　이미　　동　　지역에서　　　작전중이거나　　　파견될 사우디,영국,호주,프랑스,미국등여타 국가들의 해군함대와 합류하게 될것이라 함.

　　3. 관련 발표문 전문 별첨 FAX 송부함.

　　첨부 : CNW(F)-0086

　　(대사-국장)

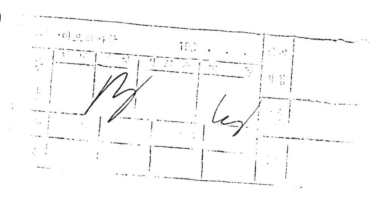

중아국	장관	차관	1차보	2차보	미주국	통상국	정문국	청와대
안기부	국방부							

PAGE 1　　　　　　　　　　　　　　　　　　　　90.08.11　　09:46 WH

　　　　　　　　　　　　　　　　　　　　　　　　외신 1과 통제관

　　　　　　　　　　　　　　　　　　　　　　　　　　DE 0033

Office of the
Prime Minister

Cabinet du
Premier ministre

CANADA

CNW(本)- 0086 900810 1930 (3매)
(CNW-1209의 철부분)

SPEAKING NOTES

FOR

PRIME MINISTER BRIAN MULRONEY

PRESS CONFERENCE

NATIONAL PRESS THEATRE

AUGUST 10, 1990

AGAINST DELIVERY

Ottawa. Canada K1A 0A2

1/3

0034

The situation in the Persian Gulf and on the Arabian Peninsula remains grave. Iraq, a U.N. member country, has violated the United Nations Charter and brutally attacked, without provocation, its smaller neighbour Kuwait. Canada, as a founding member of the United Nations, devoted to the rule of law, must play its part in the multinational effort to end Iraqi aggression.

Earlier this week, Canada co-sponsored U.N. resolution 661 mandating the economic isolation of Iraq. In compliance with that resolution, Canada has suspended trade and economic relations with Iraq.

Yesterday, Canada as a member of the U.N. Security Council, joined in the Council's unanimous vote rejecting Iraq's illegal claim to have annexed Kuwait. Iraq has massed troops along the border with Saudi Arabia and has uttered threats against other U.N. member countries. By its actions and statements, Iraq has flagrantly violated international law and offended against the most basic values of civilized people everywhere.

The international community must do everything possible to ensure the respect of international law and to prevent its transgression. The lessons of history are clear: turning a blind eye to aggression only encourages further aggression. No civilized nation is excused from its broader responsibilities to the world community for international peace and order. If a clear warning is not sent to Iraq now, it will only be emboldened to find new victims.

At the request of the Government of Kuwait and the Government of Saudi Arabia, the Government of the United States of America has initiated a multinational military effort to deter Iraqi aggression. The Government of Canada has decided, therefore, to dispatch three ships of the Canadian Forces to the Persian Gulf. Our naval forces, in company with those of other nations, will assist in the deterrence of further aggression. The destroyers H.M.C.S. Athabaskan and Terra Nova and the supply ship H.M.C.S. Protecteur, with a total complement of 800 crew members, will join with naval vessels from Saudi Arabia, the United Kingdom, Australia, France, the United States and other countries already operating in, or destined for, that region.

The ships will leave as soon as possible and will be on location in the region by mid-September. Once the ships have arrived in the region, an Order-in-Council will be passed, placing the forces concerned on active service for the purposes of the mission. Subsequently, in keeping with tradition, this Order-in-Council will be tabled in the House of Commons enabling Parliament to consider the situation.

The decision to dispatch the three ships was taken in light of consultations in Brussels, today, by the Secretary of State for External Affairs, Mr. Clark, with other NATO members on the continuing crisis in the Gulf region and on the most appropriate response of member countries.

CNF86 - 3/3

- 2 -

Canada is not a superpower. We do not have the might and the reach of some others. Canada is, however, capable of making a contribution to the containment of aggression and to the defence of the integrity of nations, as we have done effectively throughout our history.

- 30 -

CN (A) 86 - 3/3

0036

외 무 부

종 별 : 지 급

번 호 : CNW-1246　　　　　　　　　일 시 : 90 0817 2300

수 신 : 장 관(중근동,미북,봉일,국연)

발 신 : 주 카 나 다 대사

제 목 : 쿠웨이트 주재 외교공관 철수 문제

　　대 : WCN-0842

　　1. 조공사는 8.17.(금) 오후 외무부 SHERWOOD 중동국장을 방문, 중동사태에관한 카측 입장을 청취했는바 동국장 주요 언급 내용은 다음과 같음. (동 면담시 유고, 핀랜드, 알젠틴 대사도 함께 동석함)

　　2. 카나다로서는 중동의 불확실하고 위험한 사태가 장기간 지속될 것으로 보며, 조만간 미국과 이락간의 무력 충돌 및 이로인한 사태 악화 가능성이 매우 높다(90 프로 가능성이라고 함)고 판단함. 현재 쿠웨이트내 이락군의 배치는 공격적이 아니고 방어적이나 미.이락 전부기간의 충돌가능성이 높음.

　　3. 현재 카나다 외부부는 미 국무부와 중동사태에 관해 긴밀하게 협의하고 있는바, 카측으로서는 미국이 현재 취하고 있는 봉쇄 조치등은 안보리가 유엔 헌장 42 조(군사적 제재)에 따른 제재결의를 하는것이 법적인 의문점을 남기지 않는다는 견해 이므로 뉴욕에서 안보리 상임 이사국과 협의중임. 미국은 유엔군 사령관을 두는것과 소련군의 참여를 달갑지 않게 생각하고 있고, 소련이나 불란서는 실제 파견 병력 대부분이 미군인데 유엔군 명칭을 부여하는데 반대하고 있으나 앞으로 사태 발전에 따라서는 안보리에서 42 조에 따른 제재조치도 가능하다고 봄. 이번 기회에 군사 참모위원회(헌장 제 47 조) 활동을 활성화 시키는것도 바람직하다고 보나 다만 안보리 상임 이사국모두의 일치된 의견에 따르는것이 중요함.

　　4. 쿠웨이트 주재 외교공관을 철수하라는 이락 요구에 대하여 카나다로서는모든 국가가 단합, 불응하는 것이 중요하다고 봄. 카나다는 대사관 청사에 대한 단전, 단수 조치등으로 대사관내 근무가 불가능해질 경우 공관원이 자택에서 근무하면서 교민 보호등 업무를 수행케 할 예정이며, 이락측의 외교특전.면제 불인정등으로 공관원 신변 안전이 위험해 지기전까지는 철수하지 않을 방침임. 카나다 국민 여론을

중아국　　장관　　차관　　1차보　　2차보　　미주국　　국기국　　통상국　　청와대
안기부　　대책반

90.08.18　　13:00
외신 2과 통제관 FE

0037

고려할때 교민 전원 철수 이전에 공관원이 철수하는것은 어려움.(동석한 유고, 핀랜드 대사는 자국도 물리적으로 쫓겨날때까지 공관 철수 불응 방침이라고 함.)

5. 유엔 안보리의 경제조치가 실효를 거두기 위해서는 요르단의 협력이 필요하나 국민 50 프로 이상이 팔레스타인인이고 대이락 무역에 크게 의존하고 있는 요르단으로서는 매우 어려운 입장에 처해 있다고 봄. 요르단내 팔레스타인 인들의 이락지지데모, 폭동이 야기될 가능성이 있으며 그 경우 이락이 군사적 지원을 할 가능성이 있음. 만약 이락이 요르단을 침공할 경우에는 이스라엘이 개입할가능성이 높음. 요르단은 헌장 제 50 조에 따라 자국의 경제적 불이익 해결을 요청하고 있음.(이에 대해 유고 대사는 자국도 이락에 대한 채권 10 억불 회수불능, 이락내 25 억불상당 건설공사 중단으로 인한 경제적 불이익 및 30 만의 실업유발 사태를 감안 파리 CLUB 이 유고의 부채 RESCHEDULE 에 동의 해줄것을 요청한다고 함.)

6. 효과적 대이락 경제제재 조치가 긴요하다고 보는바, 유엔 회원국이 아닌한국, 스위스와 중립국 오지리가 유엔 안보리 제재에 호응하고 있는데 대해 만족스럽게 생각함. 끝

(대사 - 국장)

예고문 : 90.12.31. 일반

```
관리  9c
번호  /205ʊ
```

외 무 부

종 별 : 지 급
번 호 : CNW-1272   일 시 : 90 0823 1830
수 신 : 장 관(중근동,미북,정일)
발 신 : 주 카 나 다 대사
제 목 : 이락사태(13)

(손글씨) 쿠웨이트공관 폐쇄에 따른 각국 최신 입장 보고 정비

대 : WCN-0842

연 : CNW-1246

1. 멀루니 수상은 8.23. 비상각의를 소집, 이락측의 8.24. 한 쿠웨이트 주재대사관 강제폐쇄를 위한 이락군의 서구대사관 포위 움직임에 따른 대책과 현재 이락 및 쿠웨이트 체류 카나다인의 안전문제등 최근 이락사태대처 방안을 협의했다함.

2. 현재 이락 및 쿠웨이트 체류 카나다인들은 약 800 명으로 과번 이락측의 서구인 강제 집결 조치 대상에 포함되진 않았으나 계속 출국이 허용되지 않고있으며 쿠웨이트 주재 카나다 대사관엔 대사대리, 5 명의 공관원, 17 명의 현지 고용원이 근무중인것으로 알려짐.(비 필수요원 2 명은 주 이락대사관으로 철수)

3. 한편 클라크 외무장관은 8.23. 오후 기자회견에서 카 정부는 이락측의 주 쿠웨이트 대사관 폐쇄요구에 계속 불응, 카나다인들의 보호와 안전 출국을 위한 대사관 업무를 계속할 것임을 밝히고 이락측이 쿠웨이트 주재 외교관과 카나다인의 안전 보호를 위한 국제법상 의무를 준수할 것을 촉구하였음. 끝

(대사 - 국장)

예고문 : 90.12.31. 까지

중아국 대책반	장관	차관	1차보	2차보	미주국	정문국	정와대	안기부

외 무 부

종 별 : 지 급

번 호 : CNW-1276   일 시 : 90 0824 1700

수 신 : 장 관(중근동,미북,정일)

발 신 : 주 카나다 대사

제 목 : 이락사태(14)

　　　이락측의 주 쿠웨이트 대사관 폐쇄요구 관련 8.24. 카 외무부에서 발표한 상황보고
뉴스 리리스를 별첨 송부함.

　　　첨부 : CNW(F)-0093

　　　(대사-국장)

종아국　　　미주국　　　정문국　　차관 1차 2차 대책반 통상국 아기부

News Release ☙ Communiqué

Secretary of State for External Affairs

Secrétaire d'État aux Affaires extérieures

CNW(A)-0093   90 0824 1700 (2번).

No. 178   (CNW-1276의 첨부물)   AUGUST 24, 1990

GULF CRISIS: SITUATION REPORT

As of midday Kuwaiti time (GMT plus 4 hours), the Canadian Embassy in Kuwait had not been surrounded by Iraqi troops although there are confirmed reports that some Western embassies have been. Communication with the Canadian Embassy in Kuwait is intermittent.

Canada has consistently rejected the Iraqi instruction to close the Embassy in Kuwait. The Canadian Government has repeatedly told Iraq that Canada is not closing its Embassy in Kuwait and continues to be there to protect Canadians. Canada has insisted that the Iraqi authorities respect the diplomatic status of Canadian diplomats.

Five Canadians, headed by Charge d'Affaires William Bowden, and 17 locally-engaged employees remain at their post in Kuwait to assist the Canadian community. This consular team has been strengthened by a consular officer from the Canadian Embassy in Baghdad who arrived in Kuwait yesterday.

Canadians in both Kuwait and Iraq are not believed to be in any immediate danger. There are about 600 Canadians in Kuwait and 200 in Iraq. Canada continues to reiterate to the Iraqi authorities that Iraq meet its international obligations and permit Canadians to leave Kuwait and Iraq.

A Task Force at External Affairs and International Trade Canada continues to operate on a 24-hour basis (613) 992-6316 to receive calls and enquiries from concerned family members.

...../2

1/2

-2-

        Radio-Canada International is offering the use
of its airwaves to Canadians who wish to send personal
messages to relatives and friends in the Middle East. To
record a message in English, Canadians can phone (514)
597-7650 or in French (514) 597-7651. Phone lines will
be open on a 24-hour basis beginning at 13h00, today.

                        -30-

        For further information, media representatives
should contact:

        Media Relations Office
        External Affairs and International Trade
            Canada
        (613) 995-1874

CN(F) 93 - 2/2

0042

외 무 부

종 별 :

번 호 : CNW-1286   일 시 : 90 0827 1700

수 신 : 장 관(미북,중근동,정일)

발 신 : 주 카 나 다 대사

제 목 : 멀루니 수상 미국 방문

   1. 멀루니 수상은 8.27. 부쉬 미대통령과 최근 걸프사태에 관해 협의차 부쉬 대통령의 KENNEBUNKPORT 하게 별장을 방문함.

   2. 금번 방문은 년례적으로 있어온 카. 미 정상 가족간의 교환의 일환이기도 한바(멀루니 수상은 부인 MILA 여사 및 자녀 4 명을 동반), 걸프사태관련 대책외에도 환경보호문제, 무역등 양국 현안도 협의될 예정이라함. 멀루니 수상은 8.28. 귀국 예정임.끝

   (대사 박수길 - 국장)

   예고문 : 90.9.30. 까지

미주국   차관   1차보   중아국   정문국   정와대   안기부

관리 번호	PO-1641

외 무 부

종 별 :

번 호 : CNW-1287   일 시 : 90 0827 1700

수 신 : 장 관(중근동,미북,정일)

발 신 : 주 카 나 다 대사

제 목 : 이락사태(15)

　1. 멀루니 수상은 8.26. 이락 및 쿠웨이트로부터 요르단으로의 피난민 지원을 위해 250 만 카불 수준의 긴급 원조를 제공할 것이라고 발표함. 동 원조자금은 유엔 재해구제기구(UN DRO), 국제적십자사등 국제기구를 통해 지원될 것이라함.

　2. 한편, 주 쿠웨이트 카나다 대사관은 이락측의 외교특권 불인정, 단전, 단수조치에도 불구 6 명의 외교관이 대사관내 체류하면서 계속 근무중인것으로 알려지고 있음. (이락 군대는 8.24. 카 대사관을 일시 포위한바 있었으나 그후 대사관 출입금지를 선언하고 대사관 100 미터 외곽으로 철수 했다함). 또한 카 정부는 이락측의 쿠웨이트 주재 외교관에 대한 처우 및 쿠웨이트 주재 대사관 폐쇄시까지 카 외교관의 이락출국 불허조치등에 관해 8.25. 재차 주이락 대사대리를 통해 이락 외무부에 항의를 전달했다 하며, 이와 관련 오타와 주재 이락 대사관의 인원 감축요구등 보복조치 계획은 현재로선 없다고 함. 끝

　(대사 - 국장)

　예고문 : 90.12.31. 까지

중아국 대책반	장관	차관	1차보	2차보	미주국	정문국	청와대	안기부

PAGE 1   90.08.28   07:32

　외신 2과 통제관 CW

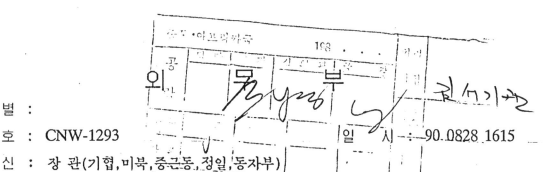

종　별 :

번　호 : CNW-1293

수　신 : 장 관(기협,미북,중근동,정일,동자부)

발　신 : 주 카나다 대사

제　목 : 주재국 원유수급 동향(자료응신 제 89 호)

일　시 : 90.0828 1615

1. 주재국 에네지 위원회 (NAT' ENERGY BOARD)가스 원유과장 WHITE 를 8.27.(월) 안참사관이 접촉, 파악한바에 의하면 카나다는 8 월하순 현재 89 년과 거의 같은 수준의 원유를 생산하고 있으며 금번 이락 - 쿠 사태가 아직 원유 생산 및 수출입에 별다른 영향을 미치지 않고 있으며 8.2.이락의 쿠 침공 이전에 선적된 원유가 8 월말 -9 월 중순까지 도입될 예정이라고 함.

2. 한편 8.22. 자 주재국 에네지.광물.자원부자료에 의하면, 금번 이락-쿠 사태로 주재국 원유수입의 3 프로 (약 1.7 만 B/D) 및 총 소비의 1 프로만이 영향을 받는다고 함. 또한 EPP 에너지 광물 자원장관은 지난주 카나다 정부는 우방국 협조를 통해 현사태를 타결해 나갈수 있을 것을 확신한다고 말하고, 장기적인 원유 수급 및비상사태 대비책으로서 에너지의 추가 공급원 개발, 효율성증대 및 다양화를 제시하면서 카나다의 새로운 개발은 해당지역 경제발전을 자극하고 카나다 및 여타 IEA(INT'L ENERGY AGENCY)회원국 (21 개국) 에 대한 새로운 원유공급원을 제공할뿐 아니라 불안정한 원유공급 국가에 대한 의존을 감소시킬것 이라고 언급함.

3. 주재국의 원유 수급 사정은 이락-쿠웨이트 사태에도 불구하고 안정된 것으로 평가되며, 금번사태로 인해 국제원유가 상승이 지속될 경우에는 과거 저유가로 경제성이 없어 개발 포기한 OIL SAND개발을 재검토 하는 계기가 될수 있을 것으로 보임. 주재국은 서부 알버타지에 풍부한 OIL SAND자원을 보유하고 있고, 원유가가 배럴당 25 미불이상 지속될 경우 현 기술 수준으로 경제성이 있는 개발이 가능하며, 88년 이전 검토된바 있는 41 억 카불 규모의 OSLO 사업 계획 (ESSO 등 6개회사 공동주자, 개발시 8.5 만 B/D 생산가능)을 재검토하고 있는 것으로 알려졌음.끝

(대사 - 국장)

| 경제국 | 2차보 | 미주국 | 중아국 | 정문국 | 안기부 | 동자부 | 대책반 | 1차보 |

관리 번호	PO/15%

외 무 부

종 별 :

번 호 : CNW-1356   일 시 : 90 0910 1600

수 신 : 장 관(중근동,미북,정일)

발 신 : 주 카 나 다 대사

제 목 : 주쿠웨이트 카나다 대사관 현황

　　1. 9.10. 자 GLOBE AND MAIL 지는 바그다드 현지 소식통을 인용 카 정부가 그간 주쿠웨이트 카나다 대사관 유지를 위해 잔류시켜오던 5명의 외교관을 완전 철수 시키고 대사관 건물에 국기만 게양 공식적으로는 대사관이 계속 유지되도록 하는 조치를 금명 취할 것이라고 보도함.(관련기사 별첨 FAX 참조)

　　2. 상기 관련 9.10. 자 외무부 TERRY STORMS 중동 부과장에 확인해본바, 상기 보도 내용은 사실과 다르며 카 정부로서는 물리적으로 대사관 운영이 불가능해질때까지 계속 주 쿠웨이트 대사관을 유지하고 공관원들이 근무하게 될것이라고 하며, 가까운 장래 주 쿠웨이트 대사관 공관원의 철수 계획은 없다고 하였음.

　　첨부 : CNW(F)-0100

　　(대사 - 국장)

　　예고문 : 90.12.31. 까지

중아국	차관	1차보	미주국	정문국

90.09.11　　08:02

외신 2과　통제관 FE

0046

CNW(F)-01 60 90 09101500 (전매)
(전부문)

Canadian mission in Kuwait close to being abandoned

Flag would still fly after 5 remaining diplomats removed

BY PAUL KORING
The Globe and Mail

BAGHDAD — Canada's beleaguered embassy in Kuwait, with a skeleton staff and cut off from the outside world, is on the verge of being abandoned, sources in Baghdad said yesterday.

Ottawa will make the decision, perhaps today, to pull out the five remaining diplomats — although the embassy officially will stay open with the flag flying — said the sources, who spoke on condition that they not be identified.

Iraq ordered all embassies closed in Kuwait 10 days after it invaded and annexed the oil-rich emirate, renamed its capital Kadhimu and announced the territory had become Iraq's 19th province. The order took effect on Aug. 24 and embassies have been cut off since then.

More than 20 governments, including Canada's, defied the order to close and their diplomats hunkered down with water and power cut off and, in some cases, the embassies were ringed by Iraqi troops.

However, in recent days the embassies of several Western countries, notably Norway and Sweden, have been abandoned by their few remaining diplomats as food and water have run out.

"The point has been made; the flags are still flying and under international law the embassies remain open, but people cannot go on forever marooned like that," a Western diplomat said.

Canada's five remaining diplomats in Kuwait are reportedly well supplied with water, canned food and rice, but have only enough fuel to run a generator several hours a day.

"What's the point to go on indefinitely on tinned sausages when they can no longer do very much?" a diplomat asked.

The embassy is also cut off from Ottawa because the Department of External Affairs had never provided it with a wireless commu-

Please see CANADA — A2

1/2

0047

Canada nearing embassy decision

• From Page A1

nication system. For the past three weeks, messages to and from the embassy have been passed by open phone line to another diplomatic mission for relay via its capital to. Ottawa.

The country providing the relay has not been identified, but may be one of those friendly countries about to pull out its own diplomats.

The relay system has become unreliable in recent days as local phone service in Kuwait has become sporadic, a diplomatic source. said. No direct telephone or Telex contact with Baghdad has been possible.

"Once all the women and children have gone, the immediate practical reason for keeping diplomats there has passed," a Western diplomat said. However, several thousand Western men (including several hundred Canadians) remain in hiding in Kuwait and the closing of embassies will leave them even more isolated.

In the first weeks after the invasion, Canadian Embassy staff in Kuwait worked around the clock to set up a warden system to keep in touch with Canadians there and process hundreds of visa and passport applications.

That function has almost ceased. All but a handful of Canadian women and children were flown out last week and no progress has been made on securing permission for men to depart.

The Canadian diplomats in Kuwait will be withdrawn to Baghdad but, like their colleagues, will not be allowed to leave Iraq. Canada already has five extra diplomats in Baghdad. The United States has more than 50, all pulled out of Kuwait.

The Iraqi government has allowed diplomatic dependents to leave Iraq but has insisted that accredited staff remain until their countries comply with the order to close missions in Kuwait.

Japan and Greece have pulled their diplomats out of Kuwait, the former under somewhat embarrassing circumstances. In Tokyo, the Japanese Foreign Ministry, gave glowing reports of the two Japanese diplomats who had supposedly stayed on in sweltering heat and on rations, but once they retreated to Baghdad they admitted they had spent their time in a plush hotel, going into the embassy only a couple of hours a day.

Despite the increasing number of countries bowing to Iraqi pressure. the United States and Britain insist their diplomats are prepared to endure months of siege.

"Our guys aren't leaving until they've drunk the swimming pool." a U.S. diplomat said yesterday.

The tougher stand partly reflects the much larger premises and therefore significantly greater stores at the British and U.S. missions in Kuwait. But it also underscores an apparently greater resolve not to bow to Iraqi orders and to project a more determined stance backed by a major military buildup.

The U.S. and British embassies also have been subjected to the harshest siege by Iraqi soldiers, who have surrounded the buildings and barred anyone from entering or leaving. Representatives of other countries are also forbidden to leave their embassies, which Iraq no longer considers diplomatic premises.

CN(F) 100 - 2/2

0048

주 카 나 다 대 사 관

카나다(정) 720 -56𝑃   1990. 10. 19.

수 신 : 외무부장관

참 조   미주국장, 중동아프리카국장, 정보문화국장, 외교안보연구원장

제 목 : Gulf 사태에 관한 분석 논문
         (자료응신 제 99 호)

    1.   이락의 쿠웨이트 침공이래 전개되고 있는 Gulf 사태의 군사적 측면을
분석한 당지 The Canadian Center for Arms Control and Disarmament 의 수석연구원
Tariq Rauf 의 논문 "A Military Analysis of the Gulf Crisis"을 별첨 송부하니
참고 바랍니다.

    2.   상기 논문은 Gulf 사태 관련 전쟁 발발시 두가지 시나리오 (이락내 광범위
한 주요 전략 목표물에 대한 미국의 대규모 공중공격 또는 쿠웨이트내 이락 점령군
및 이락 자체에 대한 합동 연합군의 공격)를 상정하면서 동 전쟁양상 관련 아래 특기
사항을 지적하고 있음을 첨언합니다.

                    -      아   래 -

     가. 미국을 비롯한 연합군의군사적 행동이 개시될 경우 그 시기는 11월 또는
          12월이 될것임.

     나. 핵무기 사용 가능성은 없음.

     다. 이라크가 화학무기를 사용할 가능성은 있으며, 이경우에도 연합국측이
          정치적인 면을 고려, 화학무기의 대응사용은 하지 않을 것으로 보임.

     라. 비용과 사상자의 숫자등을 고려할때 연합국측은 선제 공중공격을 선호할
          것임.   전쟁이 장기화될 경우 연합국측외 겷의가 동요될 위험성이 있어
          대량 공중공격 전략이 보다 바람직 할것임.

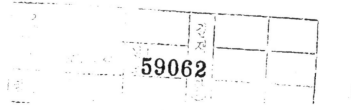

59062

0049

마. 연합국측의 확고한 결의가 동요되지 않을 경우, 연합국측의 승리를
   이라크의 쿠웨이트 철수 및 Hussein 정권의 전복등으로 종결될것임.
   단, 전쟁은 장기화될 가능성이 많고 양측 모두에 많은 사상자를 발생케
   할것임.

첨부 : 상기 논문 1부.

주 카 나 다 대

0050

The Arms
Control
Centre

Le centre
pour le contrôle
des armements

151 Slater Street, Suite 710, Ottawa, Ontario, Canada, K1P 5H3, (613) 230-7755, Fax (613) 230-7910

A MILITARY ANALYSIS OF THE GULF CRISIS

OCTOBER 10, 1990

The Canadian Centre for Arms Control and Disarmament

Le Centre Canadien pour le contrôle des armements et le désarmement

Charitable Registration Number 0654632-29-10

0051

The Arms Control Centre

Le centre pour le contrôle des armements

151 Slater Street, Suite 710, Ottawa, Ontario, Canada, K1P 5H3, (613) 230-7755, Fax (613) 230-7910

EXECUTIVE SUMMARY

A MILITARY ANALYSIS OF THE GULF CRISIS

The Iraqi invasion of Kuwait has resulted in a widespread counter-alliance of states, led by the US, that is applying considerable diplomatic and economic pressure in an attempt to reverse Iraq's action. After an initial period of uncertainty, the Soviet Union has now joined this coalition, although like several other nations the USSR has pressed for a wider UN role in resolving the crisis. The Operation Desert Shield build-up of American/Western/Arab military forces in the Gulf is continuing, although it is now being estimated that a force level of 750,000 troops might be required to overcome the Iraqi forces currently in Kuwait.

Despite its superiority of weapons technology, satellite surveillance, and multinational support, the US is facing a determined foe with very large and modern military forces of its own (i.e., one million troops, 5,500 main battle tanks, etc.). Additional factors to consider include the unfamiliarity of American forces with the terrain and extreme desert conditions, while Iraqi advantages include its recent combat experience, and the fact that many of its weapons are relatively simple and therefore potentially more reliable under the severe conditions.

Two principal scenarios that could determine the outcome of the confrontation can be envisaged. The first involves a massive US air strike against a wide range of strategic Iraqi targets. The intention would be to disarm Iraq in the air and lay its ground forces vulnerable to further air attacks. The second scenario would involve a co-ordinated combined forces attack on Iraq's occupation force in Kuwait and on Iraq itself. Air, sea, and ground forces would be utilized.

Should war break out, it would probably do so in November or December. Whichever of the two strategies mentioned above is selected, the war would be protracted and costly, since the air strike option is unlikely to succeed in achieving a quick victory. Use of nuclear weapons is not likely, while use of chemical weapons by Iraq is. Overall, an eventual victory would most probably go to the allies, although at great and enduring cost.

Press Contact: Tariq Rauf (Senior Research Associate)

0052

The Canadian Centre for Arms Control and Disarmament
Le Centre Canadien pour le contrôle des armements et le désarmement

The Arms Control Centre

Le centre pour le contrôle des armements

151 Slater Street, Suite 710, Ottawa, Ontario, Canada, K1P 5H3, (613) 230-7755, Fax (613) 230-7910

A MILITARY ANALYSIS OF THE GULF CRISIS

INTRODUCTION

1.   The August 2 invasion of Kuwait by Iraqi armed forces was achieved through strategic surprise, and a well executed, co-ordinated military operation. According to US intelligence sources, Iraqi forces conducted secret military exercises as early as 1988 in preparation for a takeover of Kuwait. Further Iraqi special operations forces reportedly carried out an invasion rehearsal in mid-July 1990.

2.   Kuwait, as well as the rest of the world, was caught completely by surprise, although on August 1 US Secretary of State James Baker privately informed Soviet Foreign Minister Eduard Shevardnadze about suspicious Iraqi military movements near the border with Kuwait.

3.   At the political level, the United States response was swift and co-ordinated with the USSR. At the military level, the US was able to secure the consent of the Saudi leadership, which was panicking, to deploy US air and ground forces rapidly to Saudi Arabian territory in order to forestall (or counter) any Iraqi military moves against the Saudi kingdom. The swift US military response was not entirely unexpected. Since the Iran hostage crisis of 1978, Washington has displayed a renewed willingness to use force unilaterally and for many years has sought a military base in the Gulf region.

THE REGIONAL CONTEXT

4.   Iraq: With a population of 17 million, Iraq is split first between an Arab majority and a Kurdish minority and again between a Sunni minority and a Shia majority. Geographically, Iraq is remote and landlocked, except for a narrow and strategically vulnerable outlet to the Persian Gulf, and historically it has been isolated from the outside world in a way that other Arab (or Muslim) countries such as Egypt, Lebanon or Turkey never were. Its cultural isolation was reinforced by the emergence of the Ba'ath Party, which swept away a corrupt Western-oriented elite when it took power and turned Iraq into a single-party state in the late 1950s and 1960s.

The Canadian Centre for Arms Control and Disarmament   0053
Le Centre Canadien pour le contrôle des armements et le désarmement
Charitable Registration Number 0654632-29-10

걸프사태 동향 : 기타지역, 1990-91. 전2권 (V.1 미주) 323

5.   Saddam Hussein: Iraq's President Saddam Hussein (53) has been described as a ruthless dictator who was not averse to using chemical warfare agents against segments of Iraq's Kurdish population and in the war against Iran, and who has violently crushed all domestic opposition to his rule. The product of a small village that values tribal loyalties and blood ties, President Hussein has little experience of foreign travel and cultures. His government has glorified Iraq's distant past, particularly the legend of Nebuchadnezzar, the ancient king of Babylon who destroyed Jerusalem in the sixth century B.C.
As well, Salahuddin (Saladin to Westerners), the medieval Muslim king and warrior who fought back Christian "crusaders," is revered as a great Arab hero. In contemporary Iraq, President Hussein is likened to both these historical figures.

6.   Boundary Questions: Boundary questions in the Gulf region have always been problematic. Until 1920, when it became a British mandate after the collapse of the Ottoman empire, Iraq was not a separate country. Its borders are artificial lines drawn in the sand by the British and reflect the interests of the great powers at the end of World War I, not the aspirations of the Iraqi people. Consequently, Turkey and Iran have repeatedly clashed with Iraq over territory, and Iraq's borders with both Kuwait and Saudi Arabia also have always been disputed.

7.   In the 1870s, when the territory now comprising both Kuwait and Iraq was part of the Ottoman empire, the Ottomans loosely attached the sheikhdom of Kuwait to Basra, part of which was incorporated into modern Iraq. In 1961, soon after Kuwait's independence, Iraq announced plans to annex Kuwait -- a move that was thwarted only by the arrival of a British expeditionary force and censure by the Arab League.

8.   In a sense, Iraq's invasion of Kuwait can be considered the latest chapter of an age-old rivalry between Egypt and Mesopotamia for regional dominance. This time, however, President Hussein was apparently trying to claim the mantle of the late Egyptian President, Gamal Abdul Nasser as the revolutionary leader of the Arab people. He justified his action by a declaratory attack on not only such traditional nemeses as Israel and foreign domination, but also by pitting poor (traditional) Arabs against the rich (Westernized) royal families of the Persian Gulf region.

MILITARY CONSIDERATIONS

9.   Strategic Objectives: According to administration statements, the principal US objectives in the present Gulf crisis are to: 1) force the withdrawal of Iraqi forces from Kuwait; 2) restore the al-Sabbah monarchy (although one hears growing dissent regarding this objective); and 3) protect Saudi Arabia against Iraqi attack. According to several analysts, important underlying US objectives are to protect Saudi oil and instigate the overthrow of Saddam Hussein

10.   Iraq's declared objectives are to hold on to Kuwait as its 19th province. Other

0054

countries deploying military forces have varied objectives ranging from support of UN sanctions to protection of Middle East oil. As regards the use of force, except for the US and the UK, other countries at present oppose military measures not sanctioned by the UN.

11. Desert environment: The territories of Saudi Arabia, Kuwait and Iraq comprise part of the Arabian Desert -- a hot, arid, wind swept expanse of fine sand and constantly shifting sand dunes. The desert affects warfare at two levels: human and machine.
An infantryman slogging through ankle-deep sand can run no more than a few hundred metres before becoming exhausted. The desert heat is debilitating and can quickly result in heat stroke and dehydration if extreme care is not taken. As such, protection against the sun -- head cover, sun screen, comfortable apparel --and adequate supplies of fresh water are critical not only for the combat effectiveness of troops, but also for sheer survival. Having ready access to adequate supplies of drinkable water is a major logistical problem for all armies operating in the desert. Further, heat shimmer (or mirages), can hamper the combat effectiveness of troops operating sophisticated, line-of-sight weaponry. Hence, maintaining troop morale and peak physical condition is difficult in the hot sands of the Arabian Desert. On the desert sand wheeled vehicles bog down quickly, and only those vehicles with over-size, low-pressure tires or tracks -- armoured fighting vehicles, armoured personnel carriers, and tanks -- can remain mobile at slow/moderate speed off the few roads that cross the desert. Sand has a corrosive effect on machines, gears, electronic instruments and components, aircraft, etc. The sand can also degrade the optical integrity of lenses and other line-of-sight (television) instrumentation.

12. Heat expansion and distortion of materials is also a problem, as is the vulnerability to heat of printed circuits and electronic/computerized equipment. Engines, gears, sensors and other equipment are also prone to failure and breakdown. For example, the US' dedicated tank-killing aircraft, the A-10's defensive sensors can jam up due to the heat in under one hour of operation. A typical anti-tank sortie would require more than one hour's protection. And, the Patriot anti-tactical ballistic missiles, being relied on to defend against Iraqi Scud-B missiles and aircraft, are susceptible to radar and CPU failure due to the desert heat. Air filters on vehicles, helicopters and aircraft routinely get clogged with sand within a short period, requiring cleaning and flushing. In general, the desert exacts a heavy toll on the combat effectiveness of both troops and military equipment. During the Iraq-Iran war, both sides launched most of their attacks before daybreak while the temperature was still bearable and the wind was relatively still.

13. Iraq's Armed Forces: Due to the 1980-1989 Iraq-Iran war, Iraq has been one of the world's largest buyers of arms on the international market, and maintains the largest military establishment in the Arab world. Iraq had a GDP of US$45 billion in 1988, with defence expenditure amounting to US$12.87 billion. Total active armed forces are in excess of one million and Iraq has some 5,500 heavy tanks, over 8,000 armoured vehicles, over 500 combat aircraft, a proven chemical weapon capability, ballistic missiles with a range in excess of 900 kilometres, and a limited anti-ballistic missile capability. Iraq also had a dominant voice in OPEC and had become an important power in the Middle East.

0055

4

14. __Iraqi Military Weaknesses and Strengths__: Iraq's military vulnerabilities have been described as including: weak co-ordination of air-ground assaults; a primitive airborne warning and control system (AWACS); lack of training of the Iraqi air force to attack in large numbers; an inability to coordinate its forces for joint operations; practically non-existent tactical reconnaissance; lack of innovative battlefield tactics; reliance on Soviet military doctrine and tactics favouring attacking echelons and massed artillery that are vulnerable to concentrated air attack and follow-on forces attack (where rear echelons or forces are targeted in addition to the forward or attacking forces); and aging military equipment. War weariness of the public and the armed forces could also be counted as potential weaknesses. Iraqi vulnerability to US air attack and the effects of the UN embargo could also detract from Iraq's military capability. On the other hand, Iraqi forces are battle-hardened, equipped with a variety of French and other West European high technology weapons developed specially for Baghdad's needs, and which may in certain cases exceed the capability of similar US systems.

15. __US Air Power Resources__: It is likely that any war effort against Iraq would be conducted initially from the air, with the US pressing into service B-52 strategic bombers armed with conventional bombs (from Diego Garcia in the Indian Ocean), F-117A "low-observable" or "stealth" fighters and A-10 tank-killers (from Saudi Arabia), F-15E strike fighters (out of Oman), F-111 fighter-bombers (out of Turkey), and carrier-based A-6 medium bombers.

16. __US/Iraq Military Balance__: The US has the clear advantage in weapon technology, combat aircraft, satellite surveillance and AWACS aircraft, and multinational support. Iraq, on the other hand, has the quantitative advantage in troops and tanks necessary to seize and hold territory. Part of the US and Western forces' technological advantage will disappear due to the adverse effects of desert conditions. Iraq's weapons are simpler and have been extensively battle-tested, and its troops have recent combat experience. Troop morale and motivation, however, remain difficult to assess. Using the usual 3:1 ratio for an attacking force to overcome a defending force, the US and its partners would have to deploy over 750,000 troops to counterbalance the 265,000 Iraqi troops on or near the Saudi Arabia/Kuwait/Iraq border area -- a number that may not be available. (Some reports, on the other hand, suggest that a force of some 300,000 to 500,000 could push the Iraqi forces out of Kuwait.)

17. __US and Iraqi Targeting Options__: Primary US targets in Iraq would include, in order of priority: air defences, airfields and aircraft, ballistic missile sites, military communications and command centres, chemical and nuclear weapon facilities, Iraqi tank concentrations, munition dumps, water supplies, ground forces, and cities. (Iraq has constructed numerous hardened shelters for its missiles and aircraft.) Primary targets for Iraqi forces would include: oil facilities in Kuwait and Saudi Arabia, airfields in Saudi Arabia, Saudi cities, and perhaps certain targets in Israel in an attempt at horizontal escalation, i.e., uniting the Arabs against the US/Israel.

0056

18.   US & Soviet Reconnaissance: Space-based sensing (including photography) of Iraqi military forces by US strategic reconnaissance satellites has been so intensive that it has reportedly pushed the US Central Intelligence Agency's image processing and analysis facilities to the limits of their capability. The Gulf crisis marks the first time that US space-based remote sensing operations have been placed essentially on a wartime footing. The Gulf crisis area is reportedly being observed by more US imaging reconnaissance satellites than the US has ever had before in orbit at one time. As many as five US spacecraft are providing imagery of the Saudi/Iraqi/Kuwaiti border area. Two (Keyhole) KH-11/7 and one KH-12/8 photoreconnaissance satellites, and one Lacrosse radar satellite have had their orbits modified to provide increased coverage of the Gulf area. (The data provided by these imaging satellites are enhanced to provide information on the disposition of Iraqi forces.) In addition, the US is likely using electronic intelligence satellites, which maintain constant watch over the Middle East from geo-stationary orbits 22,000 miles above Earth, to intercept and relay Iraqi military communications. As well, the US is using U-2 and TR-1 high-altitude tactical reconnaissance aircraft. Finally, five American and five Saudi Airborne Warning and Control System (AWACS) aircraft are providing around-the-clock surveillance of the region and would play a critical role in battle management, should war break out.

19.   Soviet space-based remote sensing assets have also been employed. Cosmos 2086, launched on July 20 for routine surveillance, was re-directed on July 28 when the Soviets began to fear an Iraqi military move against Kuwait, and the photoreconnaissance satellite returned to Earth on August 3. The same day, Cosmos 2089 was launched to make daily passes over the Gulf region -- this is a fourth generation, high-resolution satellite than returns exposed film capsules to Earth. Cosmos 2037, a long-duration digital imaging, advanced reconnaissance satellite also continues to provide intelligence imagery of the crisis area.

20.   Nuclear Issues: Under President Carter, the Middle East was identified as being among the vital areas of interest for the US, in defence of which the US was prepared to use battlefield (or non-strategic) nuclear weapons--(Presidential Directive 59/1978). The presumed threat in this context was considered at the time to be the USSR. Since then, the US has <u>not</u> formally or informally disavowed the use of battlefield/tactical nuclear weapons to defend its strategic interests in the Gulf area, and its policy of reserving the right to use nuclear weapons preemptively remains unchanged.

21.   However, given the new collaborative relationship with Moscow, and with the end of the Cold War, it is very unlikely that the US would seriously contemplate using any nuclear weapons in the present crisis. For its part Iraq does not have any assembled or usable nuclear weapons at present. It could conceivably put together a couple of crude devices, although the probability of this is not considered high.

22.   Chemical Weapons Issues: Iraq is believed to possess between 1,000 to 2,000 tons of chemical warfare (CW) agents, ranging from (corrosive/asphyxiating) mustard gas to (incapacitating/fatal) nerve agents such as Tabun and Sarin. These CW agents can be

0057

delivered by bombs, artillery and short-range missiles. Additional stocks of CW agents reportedly could be available on relatively short notice. Recent reports suggest that Iraq has the ability to manufacture binary CW weapons. Binary CW weapons, contain two separate ingredients, each of which is relatively harmless until mixed. Mixing occurs when a binary CW shell explodes, rupturing a thin metal disk that separates the two agents. Most binary weapons contain methylphosphonyl diflouride and isopropyl alcohol as ingredients, and when mixed these form agent GB (sarin), a nerve gas that is quickly fatal even in minute quantities.

23.   Analysts, however, are divided over Iraq's capability to deliver chemical warheads accurately by missiles or aircraft. Further, against battlefield forces with modern anti-chemical protection, CW agents are of dubious military value in comparison with conventional weapons. However, the psychological impact of CW use and the discomfort of protective gear are difficult to calculate. US forces are equipped with chemical warfare agent detectors and protective gear. Protective gear issued to US troops, called Military Operational Personnel Protection (MOPP), consists of a double-layered overgarment, rubber gloves, overboots, and a gas mask. This gear is intended to protect against chemical vapour containing aerosol particles as small as 3 microns (3/millionths of a metre). However, this gear is cumbersome, hot, hinders movement, and lacks a means of defecation elimination, thus significantly compromising combat effectiveness. Decontamination is time consuming, and requires large amounts of water and neutralizing agents. Nonetheless, according to reports, Iraq apparently lacks the ability to create chemical aerosols that could penetrate US protective gear. Canadian and at least some of the other forces operating in the region also have access to CW protective gear. Suggesting the seriousness of this threat, the Israeli government recently issued gas masks to all Israeli citizens to protect them against an Iraqi CW attack.

24.   Ballistic Missiles: Iraq reportedly has one of the largest arsenals of ballistic missiles in the Middle East and a rudimentary anti-tactical ballistic missile capability. It has several hundred Soviet-supplied FROG-7 and Scud-B ballistic missile launchers. Iraqi scientist have extended the range of the Scud-B (Al-Husayn missile) from 300 km to 600 km and the Al-Abbas missile to 900 km. Iraq is a partner in the Egyptian-Argentine Condor-II missile programme to develop a 1,000 km range, solid-fuel missile. Late last year, Iraq is reported to have successfully tested a space-launch vehicle, and is reportedly developing a longer range missile.

25.   Israel, however, is the most technologically advanced country in the Middle East with respect to ballistic and anti-ballistic missiles, with the Jericho I and II having respective ranges of 500 and 1,450 km. It also has the Shavit space launch rocket, which if used in a ballistic mode could theoretically have an intercontinental range of 7,500 km. Israel has also successfully tested an anti-tactical ballistic missile (the Arrow) that it is developing under the US Strategic Defense Initiative. Finally, the Saudis have acquired some 50 Chinese DF-3A (CSS-2) missiles, with a range of 2,700 km. Among these countries, only Israeli missiles are reportedly accurate enough to hit militarily significant targets.

0058

7

26.　Timing: The build-up of US offensive air and naval power in the Gulf is due to be completed soon, and by late October the deployment of its ground forces should be complete. Four US carrier battle groups will be deployed, including the carrier Independence inside the Persian Gulf. Thus, any US military action is not expected before November. Although allied military action is unlikely for military reasons to be initiated before November, other factors could encourage rapid action after that. First, weather conditions that would complicate air operations typically worsen after December.

Second, the Iraqis in Kuwait are reportedly conducting themselves such as to encourage quick allied action. Third, the longer the allies wait, the better dug in will Iraq's forces be, and therefore the better able to withstand aerial bombardment.

27.　Soviet Perspectives and Roles: Throughout the crisis the USSR has been pressing for a wider UN role, and has emphasized moderation on all sides. Moscow's decision to support the US over the issue in the UN is an indication that the Cold War is over. The Soviets have abandoned a client state in the interests of international law and co-operation with the West. To a significant extent, Soviet expectation of US economic and technological assistance has driven the Soviet decision to come alongside. Reportedly, Moscow has obtained Washington's commitment on consultation before any US use of force against Iraq. The Soviet military has been ordered by Gorbachev to co-operate -- a Soviet frigate is in the Gulf on "observation" duty -- and Soviet Foreign Minister Eduard Shevarnadze has stated that the Soviets would join in any military action against Iraq, provided it were conducted under UN auspices. At the same time, the Soviets have conveyed to Washington their concerns regarding a prolonged or permanent US military presence in the Gulf region. It would be difficult for the Soviets to accept an end to the Cold War that allows the US impunity to deploy its military forces in the Gulf.

28.　While certainly not impossible, a military coup against President Gorbachev over this issue at present appears unlikely. Reportedly, the vast majority of middle-level officers support Gorbachev's reform programme, and their active support would be required for any successful coup attempt.

29.　The Soviet Union may be on the verge of a fundamental restructuring of its armed forces and a shift in military doctrine in response to economic pressures and changing military threats. The Soviets are recognizing that in the post-Cold War period, threats from regional conflicts are likely to multiply as East-West arms control agreements lead to lower levels of NATO/Warsaw Treaty armaments. North/South conflict, particularly over access to resources, may supplant the traditional East/West conflict. As such, the USSR would seek to preserve and consolidate general purpose forces at lower levels as strategic forces are drawn down.

30.　Political Violence: The continuing stalemate or any attack on Iraq could provoke sub-national or trans-national political violence (or terrorism) against citizens and interests of the US and its Western allies involved in the Gulf. This could range from aircraft highjacking and bombing, to kidnappings. A number of prominent Palestinian terrorists have recently appeared in Baghdad.

31.   Cost: According to some estimates, Operation Desert Shield could cost the US some $17.5 billion by September 1991. Offsets have been offered amounting to $2.5 billion by the Emir of Kuwait, several hundred million dollars a month by Saudi Arabia, and $1.3 billion

from Japan. Saudi Arabia is giving at least $800 million to Egypt and $500 million to Syria for sending troops. Pakistan too will get unspecified millions from the Saudis for its troop commitment. In addition, the US is considering Egypt's $7 billion military debt.

PRINCIPAL SCENARIOS FOR ALLIED MILITARY OPERATIONS

32.   In public discussions of possible strategies for US and allied military operations against Iraq, two principal scenarios stand out: first, a counterforce strike by allied air forces; and second, an all-out combined-forces attack. Many variants of these two basic scenarios are, of course, being considered by US and allied planners.

33.   Scenario 1: Counterforce Air Strike: This scenario assumes the massive preemptive use of air power against Iraq by the United States. Co-ordinated air strikes would target strategic military sites (see paragraph 17) in the expectation of disarming Iraq in the air and laying its ground forces vulnerable to further air strikes. The strategy would involve hitting only militarily significant targets, as opposed to population centres. This option also includes the possibility of US naval bombardment and the use of highly accurate and powerful land-attack cruise missiles.

34.   Assessment: According to the proponents of this view, a quick knock-out blow can be delivered that would decapitate Iraq's air force, and leave its ground forces vulnerable to follow-on air bombardment should Baghdad refuse to withdraw from Kuwait, thereby leading to an Iraqi surrender. A protracted and expensive ground war would be avoided, and allied casualties would be minimized.

35.   The most common critiques are the following. First and most importantly, complete success is by no means guaranteed. Collateral damage to civilians could be high, and vital targets could escape destruction. Were this to happen, Iraqi retaliation against soft targets, such as oil fields and pipelines, could not be ruled out nor could the use of ballistic missiles and chemical weapons. There would be a danger of escalating conflict to a higher level involving the use of greater military power with the potential for widespread destruction, including heavy civilian casualties. US air assets could suffer heavy attrition, including the possible capture of downed pilots who could be held hostage or killed. Anti-Western sentiment could be whipped up in Muslim countries, hostages taken, embassies burned, and aircraft highjacked. This short clean war could turn into a long dirty war.

0060

9

36. That the US could readily achieve air superiority over Iraq is widely accepted. The US is currently assembling a force of over 400 aircraft to face Iraq's airforce, which is regarded as poorly trained and increasingly subject to a shortage of spare parts. Further, it is clear that US missile and strategic bombing attacks could effectively hit strategic targets in Kuwait and Iraq and inflict a great deal of damage.

37. Beyond that, opinion is sharply divided on the capacity of airpower alone to achieve a quick and decisive victory and avoid the need for costly land battles. That airpower could achieve these objectives was the contention made by US Air Force Chief of Staff General Michael Dugan before his dismissal in September. Others, however, have countered that airpower alone has seldom produced decisive victory.

38. Certainly, the longer the US waits, the longer Iraq will have to protect its forces against air attack. Also, the Iraqis would have an option to fire their own missiles upon warning of attack or even preemptively. In fact, Saddam Hussein has already threatened preemptive use of Iraq's forces against Israel, and against oil installations in the region. In the latter case, Kuwaiti authorities-in-exile claim that C-4 Plastique explosives have already been attached to most of Kuwait's 1000 producing wells, and Iraqi missiles could threaten most of Saudi Arabia's wells in addition. Were Iraqi missiles used against Israel, an expansion of the conflict into something that is anything but quick and clean would become more likely.

39. Much depends here upon the US achieving strategic surprise, in particular, destroying Iraq's missiles and aircraft before they can be used. In this regard, US superiority in electronic countermeasures systems may be especially important. Also of critical importance is the destruction of Iraqi munition supplies and water supplies. If surprise can be achieved and sufficient force employed, this strategy could succeed in compelling the Iraqi military to withdraw from Kuwait. If surprise is not achieved, and/or the use of force is constrained (perhaps out of concern over collateral damage to civilians), the strategy could fail, leading to a much wider, more protracted war.

40. Having said that, this strategy will almost certainly remain the US preference over an all-out land attack against Iraq. This stems from the considerations of cost and casualties discussed earlier.

41. Scenario 2: Combined-Forces Attack: Under this scenario, the initial application fails to lead to Iraqi withdrawal and there is a widening of the conflict to include massive co-ordinated combined forces attack on Iraqi occupation forces in Kuwait and on Iraq itself. It would involve continuing air strikes on various strategic targets, together with naval bombardment, use of cruise missiles, paratroops, and advancing ground forces to seize and hold Iraqi/Kuwaiti territory. It would involve the use of massive firepower including "smart" or precision-guided munitions.

0061

42.	Assessment: In the view of some, the attraction of this is that Iraq's military could be destroyed. President Saddam Hussein could be deposed, killed, or tried for war crimes, and a friendly regime could be installed in Baghdad. Kuwaiti sovereignty could be restored.

43.	The risks of getting bogged down in a costly and messy conflict are high. US and other casualties could be unacceptably high. The multinational consensus against Iraq could quickly collapse. Many critical oil facilities could be destroyed beyond repair, with the possibility of catastrophic environmental damage. Collateral damage would be extensive. There could be a severe worldwide oil shortage, possibly leading to global recession. Iraqi retaliation could devastate Saudi Arabia and other areas, including Israel. A new war with Israel could break out. Also, there could be a danger of uncontrolled escalation, both horizontal, involving more countries, and vertical, involving the use of different types of weapons, possibly chemical (and even nuclear). A domestic consensus in the US and other western countries could probably not be sustained through a protracted conflict. Political violence could increase. Post-Cold War arms control processes could be set back. Christian/Muslim and Jewish/Muslim tensions or conflict could be fomented with very destructive results.

44.	From a military standpoint, an all-out allied combined forces attack against Iraqi forces stationed in Kuwait, and possibly in Iraq itself, would in all likelihood be a drawn-out, bloody affair, although it could be expected to produce an eventual victory. Military considerations supporting an eventual allied victory include the difficulties Iraq could encounter in obtaining spare parts for its equipment, and the probability that it would lose control of its airspace quite quickly. At the same time, suggesting that such a victory would be hard won are Iraq's recent battle experience, the fact that it is the defender, its possession of a large number of weapons suited to desert warfare, and its capacity (i.e. through an attack against Israel) to divide its opponents against one another.

CONCLUSIONS

45.	Calculating the likelihood that the United States and its allies will decide upon a military course of action in the Gulf crisis is beyond the scope of this paper. That depends upon a myriad of essentially political considerations.

46.	Assuming that the military option is selected, however, a number of conclusions are possible.

47.	First, an allied attack is unlikely before November, and could face growing difficulties if initiated after December.

0062

48.   Second, the use of nuclear weapons is unlikely.

49.   Third, the use of chemical weapons by Iraq is not unlikely under either scenario discussed. On the other hand, chemical retaliation by the US and its allies for an Iraqi use of such weapons seems unlikely, largely for political reasons. Finally, the use of chemical weapons is unlikely to be decisive in military terms. It could however harden allied resolve.

50.   A counterforce attack by air forces is likely to be the preferred strategy largely for reasons relating to cost and casualties.

51.   That a military victory over Iraq can be achieved by the United States and its allies such as to compel Iraqi withdrawal from Kuwait and possibly the overthrow of Saddam Hussein is undoubted, given sufficient allied resolve.

52.   Since resolve is a key issue, so is the duration of any conflict. Thus, a long and bloody conflict entails great danger for the allied cause. From this point of view, the counterforce airstrike strategy holds considerable attraction. Given the achievement of strategic surprise and the application of sufficient force, this strategy could succeed. Heavy casualties, including among civilians, would be unavoidable. Furthermore, were surprise not achieved, the conflict could widen and become protracted and costly to both sides.

Tariq Rauf
Canadian Centre for Arms Control and Disarmament
Ottawa
October 10, 1990

0063

외 무 부

종 별 :

번 호 : CNW-1533   일 시 : 90 1026 1900

수 신 : 장 관(중근동,미북,정일)

발 신 : 주 카나다 대사

제 목 : GULF 사태 관련 카나다의 군사적 행동용의 표명

1. 클라크 외무장관은 10.25. 의회 답변 및 기자회견을 통해 최근 걸프사태 관련 외교적 노력이 실패하고 후세인 이락크 대통령이 쿠웨이트로 부터 철수하지 않으려는것이 분명한 경우에는 군사력 사용이 불가피 할것이라고 하고, 카나다는 유엔의 승인이 없는 상황하에서도 이락크를 쿠웨이트로 부터 철수시키기 위한 군사적 공격에 가담할준비가 되어 있다고 밝힘. (카나다는 현재 GULF 지역에 군함정 3 척, 1 개 CF-18 비행대대를 비롯 1700 명의 병력 파견하고 있음)

2. 이와 관련 자유당 및 신민당등 야당측에서는 아직 이락크 및 쿠웨이트에 억류되어 있는 80여명의 카나다인들의 안전문제, 유엔과 협상에 의한 평화적 해결을 중시하고 있는 카나다의 전통적 정책들에 비추어 여사한 대 걸프정책은 부당하다고 비난하고 있는바, 상기 클라크 장관의 언급은 이락의 쿠웨이타 철수관철을 위해서는 유엔 깃발하에서가 아니더라도 미국 주도하에 대 이락공격에 참여하겠다는 주재국의 결의표시로 크게 주목됨. 끝

(대사 박수길 - 국장)

중아국   1차보   미주국   통상국   정문국   안기부   대책반

PAGE 1   90.10.27   08:41 BB

외신 1과 통제관

0064

외 무 부

종 별 :

번 호 : CNW-1581   일 시 : 90 1108 1900

수 신 : 장 관(중근동,미북,정일)

발 신 : 주 카나다 대사

제 목 : 걸프사태 관련 주재국 동향

1. 주재국 하원의원단이 최근 영.독.일등 서방국 정치지도자들의 이락 방문 및 이에 따른일질 석방조치등에 고무되어, 이락에 억류중인 46명의 카나다인 석방문제 교섭을 위해 내주중 이락방문을 추진중인 것으로 알려짐.

2. 동의원단은 자유당 외교 크리틱 AXWORTHY, 신민주당 외교크리틱 ROBINSON 및 보수당 하원외교위 위원 CORBETT 로 구성되어 있으며, 이들은 11.7. 및 8 AL-SHAWI 주 카나다 이라크 대사를 접촉, 억류 카나다인과의 면담 및 책임있는 이락 당국자 면담 보장등을 조건으로 방문준비 관계를 협의 중이라 함.

3. 한편 상기 카 의원단의 이락 방문 추진관련, 클라크 외무장관은 11.7. 하원 질의답변과정을 통해 억류 카나다 인들은 무조건 석방되어야 하며 인질문제에 관해 이락과의 일체의 공식협상은 있을수 없다는 종래 카 정부의 방침을 강조하면서, 동 의원단에 대해 카 정부의 공식대표단 자격을 부여할 수 없다는 입장을 밝히고, 다만 동 방문이 비공식 개인 자격의 방문형식으로 추진되는 경우 이에 반대하지 않고 현지대사관의 지원등 제반 편의로 제공할 것이라고 언급함.끝

(대사 - 국장)

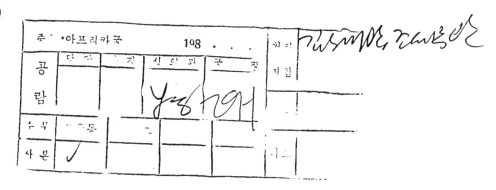

중아국   1차보   미주국   정문국   안기부

 0065

관리
번호 : 90
-1172

외 무 부

종 별 :

번 호 : CNW-1596

일 시 : 90 1114 1600

수 신 : 장 관(미안,미북,중근동,조약,정일)

발 신 : 주 카 나 다 대사

제 목 : 걸프사태 전망등 (자료응신 제 109 호)

검토필 90.12.31

11.13. 본직은 DEBANE 상원의원(자유당), CHRETIEN 외무부 제 2 차관, CHASTELAIN 국방참모 총장, MAWKINNEY 외무부 법규 담당차관보 내외등을 관저에 초청 만찬한바 특기사항 아래 보고함.

1. CHASTELAIN 국방 총장은 최근 문화관로 자우더규 (이스라엘, 예멘, 카타르를 방문 동국 국방책임자들과 이락, 쿠웨이트 사태관련 협의 기회가 있었는바, 아무도 이락측의 쿠웨이트 철수 또는 전쟁 발발 가능성에 관해 자신있는 전망을 하지 못하였다고 전제하면서, 자신의 의견으로는 이락측의 쿠웨이트 철수가 없어 연합국측의 무력행동이 불가피한 경우 이는 미국측의 추가 군사장비 및 병력 증강이 일단 완료되고 라마단 휴일, 열풍등 악기후 절기에 접어들기 이전인 내년 2 월 경우 될 가능성이 크다고 하였음.

2. 동인은 또한 무력 행동시엔 큰 희생이 예상되는 육상 진군보다는 미사일등 공군력에 의한 이락내 주요 전략 목표에 대한 대량 선제공격을 통해 이락의 전력을 대거 약화 시킨후 이락 육상 병력을 포위 부항토록 하는 전략이 바람직할것이라고 하면서 다만 미국으로서도 이락의 군사전력에 관한 정보가 주로 고도의 전자장비에 의존하고 인적자원을 통한 미세한 정보엔 한계가 있어 전략계획 수립에 어려움이 있어 보인다 하였음.

3. 아울러 동인은 이락측이 쿠웨이트로부터 자발적으로 철수하게되는 경우도 150 만 병력의 거대한 군사력을 가진 이락이 계속 그대로 남아있게 되어 중동지역의 평화와 안정에 큰 위협이 될것이라는 점에서 관계국들의 적지않은 고민이있다고 하고 이와 관련 과번 방문한 중동국가의 군사지도자들에게 기 파병된 미국등 서방 군사력의 계속적인 주둔 필요성에 관한 입장을 문의해 본바, 현재로선 아무도 시원한 대안을 제시치 못하였다고 함.

미주국   미주국   중아국   국기국   정문국

90.11.15   09:06

외신 2과 통제관 FE

0086

4. 한편, 외무부 MAWHINNY 법률 담당차관보는 과번 오타와에서의 한, 카 범죄인 인도조약 교섭회담 결과에 만족을 표하면서 내년봄 서울 2 차 회담에서 동 조약의 미 합의 문안에 대한 마무리 협상과 함께 그간 현안중인 한, 카 사법공조협정 체결 문제도 완결될수 있기를 희망하였음. 끝

   (대사 박수길 - 국장)

   예고문 : 91.6.30. 일반

외 무 부

종 별 :

번 호 : CNW-1656   일   시 : 90 1129 1700

수 신 : 장 관(미북,국연,중근동,정일)

발 신 : 주 카나다 대사

제 목 : 걸프사태(자료응신 제 113 호)

연 : CNW-1600

1. 주재국 하원은 11.28.- 29 양일간 걸프사태에 관해 심의했는바, 멀루니 수상은 금번 '회원국이 모든 필요한 조치를 취하도록' 하는 안보리 결의안에 대해 카나다는 찬성 부표를 함으로써 후세인 대통령이 유엔 결의를 심각하게 받아들일때가 되었다는 분명한 멧세지를 보낼것이라고 천명함.

2. 클라크 외상은, 작일 하원에서 최근 중동방문시에 자기가 만난 이집트 대통령, 터키대통령, 졸단국왕, 이스라엘 수상등이 모두 이락의 쿠웨이트 침략을 방관할수 없다는 견해를 피력했다고 한후 쿠웨이트로 부터의 이락의 철수를 위해서는 경제제재 조치만으로는 부족하다고 하면서 결의 제 660 호등 관련 안보리 결의 준수를 위한 유엔의 노력에 대한 지지 결의안을 하원에 제출했는바, 하원은 11.29. 오후 동 결의안을 채택함. 동 외상은 11.29 뉴욕을 방문, 안보리 회의에 참석함.

3. 야당 (자유당, 신민주당)측은 동 지지 결의안은 '전쟁을 허용하는 백지수표 제공'과 같은 것이라고 주장하면서 무력 사용에 관해서는 하원에서 재심의해야 하며, 경제제재 조치의 효과를 더 기다려봐야 한다는 내용의 수정안을 제출했으나 부결됨.

4. GOLBE AND MAIL 지 등 주재국 주요언론은 대체로 미국이 제안한 안보리 결의안을 카나다가 지지해야한다고 주장함.끝

(대사 - 국장)

첨부 : 멀루니 수상 연설문(CNW(F)-136

미주국   1차보   중아국   국기국   정문국   안기부   동상국 대책반 2차보

PAGE 1   90.11.30   11:19 WG

외신 1과 통제관

0068

Office of the
Prime Minister

Cabinet du
Premier ministre

CANADA

CNW(FI)-136   901129 1700 (6매)
                   (CNW-1658의 첨부문)

NOTES FOR AN ADDRESS

BY

PRIME MINISTER BRIAN MULRONEY

GULF CRISIS

HOUSE OF COMMONS

OTTAWA

NOVEMBER 29, 1990

CHECK AGAINST DELIVERY

Ottawa, Canada   K1A 0A2

⅙

This afternoon, the Security Council of the United Nations will vote on a resolution authorizing member states, cooperating with the Government of Kuwait, "to use all necessary means to uphold and implement Security Council Resolution 660 and all subsequent relevant resolutions and to restore peace and security in the area."

The Government of Canada will vote in favour of this resolution at the Security Council because Canadians believe profoundly in the United Nations, Canadians support the rule of international law and Canadians understand the need for collective security. In endorsing this resolution, Canada will join the international community in sending President Hussein a clear message that the time has come to take the U.N.'s directives seriously. The international community will also be giving him "a pause of goodwill" to release the hostages and withdraw his forces from Kuwait.

As President Gorbachev of the Soviet Union stated yesterday: "The fate of Iraq is in the hands of [President Hussein]. And time is expiring." Peace is jeopardized not by the resolution being discussed at the U.N. this afternoon, but by the actions taken by Iraq during the last four months. Peace would be fatally undermined if nations like Canada failed to take appropriate measures and the United Nations was weakened. Although Kuwait is distant from Canada, geographically, Canadian interests are directly engaged by the conflict there.

The Iraqi invasion of Kuwait is a blatant contravention of the system of international law that Canadians have painstakingly helped to create since World War II.   No country has a greater interest than Canada in the rule of international law. The objective of that law, in part, is to ensure the security of smaller countries in the face of larger neighbours -- and to provide the means to settle disputes peacefully.

The invasion of Kuwait puts the concept of collective security, as provided for in the U.N. Charter, to a decisive test. Article 1 of the Charter reads, in part, as follows: The Purposes of the United Nations are to maintain international peace and security, and to that end: to take effective collective measures for the prevention and removal of threats to the peace, and for the suppression of acts of aggression or other breaches of the peace...

So today's U.N. resolution is not just the culmination of diplomatic activity over the past four months. It is also, in some important ways, the realization of diplomatic aspirations held by many since the founding of the international organization.

With the end of the Cold War, the international community has the opportunity at last to transform the potential of the United Nations into performance. The visionaries who created the United Nations were idealists but they were not dreamers. They were determined "to make certain", as Lester Pearson wrote in 1945, "that never again should an aggressor be permitted to strike down one nation after another before the peace-loving nations of the world organize and take concerted action against it." And they understood that the U.N. could only be effective if everyone recognized that security was indivisible.

CN136 - 2/1

0070

- 2 -

During the forty years of the Cold War, the world allowed itself to forget that lesson. And so we have had to send young sailors and soldiers and airmen and women into active service in the Persian Gulf. I know all members of the House will join with me today in saluting again the courage and dedication of these brave young Canadians. The U.N. was prevented by the Cold War from responding to other acts of aggression over the years. But that situation has now changed.

With the end of the Cold War, the U.N. has the opportunity, again, to act in defence of the security of its members. It is acting with prudence and care and it is precisely because of its moderation that the U.N. deserves our support. What is at stake is not just the future of Kuwait but also the future of the U.N. We know what happened to the League of Nations when it stood by as Mussolini invaded Ethiopia. It was reduced to impotence and scorn. Men and women around the world, who believed in liberty and freedom, paid an enormous price as the effectiveness of the League disintegrated. This cannot and must not be allowed to happen to the authority the U.N. brings to world. The lessons of the past must be learned.

Any weakening of the U.N. would engender an escalation of military spending for self-defence around the world and a proliferation of ever more dangerous and destructive arms -- in short, the creation of a much more dangerous world. And we know that Iraq, which is already working on weapons of mass destruction and on the means of delivering them over long distances, would become even more uncontrollable.

Canadian interests in Kuwait and the region go beyond the present and potential military dangers and the preservation of the principle of collective security. The inalienable human rights of millions of people have been, and are still being, callously overridden by Iraq and countless atrocities have been committed against innocent people. And the economic impacts of the Gulf crisis have been serious on the people of the energy-poor, heavily indebted countries of the third world and on the reconstruction of the newly liberated countries of Eastern Europe. So Canadian interests are very much engaged in this issue. Nor is the challenge to those interests and to our basic human values ever likely to be more clear or the need to join in a collective response more compelling.

In its contempt for international opinion, the Iraqi invasion of Kuwait is one of the most brazen acts of aggression of our age. Iraq has inflicted death and destruction on its small neighbour, plundered that country, detained foreigners, including Canadians, against their will and given guest workers, many penniless, the choice of braving the desert in August or starving to death. Since he first used force to occupy Kuwait in August, he has threatened to invade Saudi Arabia, to attack Israel with chemical and biological weapons, to sponsor terrorism against those who resist his aggression and to destroy the oil fields of the Arabian Peninsula. And this from a man who started a war with another of his neighbours, Iran, that lasted eight years and cost close to a million lives. And who used poison gas in that war, including against his own citizens.

CW136   3/6

0071

- 3 -

What is at stake in the Gulf are the foundations of peace and the norms of civilization. The international community must prevail, but it is giving diplomacy every chance to work. As a member of the United Nations Security Council, Canada has worked hard to help draft and pass a series of principled, step-by-step resolutions designed to persuade Iraq to withdraw from Kuwait. We have helped the United Nations design and implement economic sanctions against Iraq that are the most stringent ever adopted. We have, ourselves, respected those sanctions scrupulously. And we have despatched three warships and a squadron of CF-18 fighter aircraft and 1700 personnel to resist Iraqi aggression and to enforce the U.N.'s sanctions.

In the many discussions I have had with President Bush on this subject, I have consistently counselled both restraint in securing Iraq's withdrawal from Kuwait and the need to work within the authority of the U.N. Charter. That has been my consistent message as well in discussions with President Gorbachev, former Prime Minister Thatcher, President Mitterand, Prime Minister Andreotti, Chancellor Kohl and other leaders. That is also the message conveyed by Mr. Clark in the past few days in his discussions with President Mubarak of Egypt, President Ozal of Turkey, King Hussein of Jordan and Prime Minister Shamir of Israel.

Our entire policy has been designed with a peaceful solution in mind; support for the United Nations; implementation of sanctions in Canada; increased consultations with world leaders exploring all conceivable avenues towards a peaceful solution; deployment of military support to seek to enforce U.N. sanctions, and unrelenting diplomatic efforts to secure the release of all Canadians being illegally held.

In our discussions with world leaders, Mr. Clark and Mr. McKnight and I have found a remarkable consensus that the best solution to the crisis in the Gulf is a peaceful solution. However, we have also found a very strong consensus that if peaceful means do not work, recourse would have to be had to other "necessary means" as indicated by today's Security Council Resolution. And while the U.N.'s sanctions are undoubtedly being felt by the Iraqi and Kuwaiti people, we have found no confidence that they are sufficient to bring about the desired effect: to persuade President Hussein to withdraw his forces from Kuwait.

The situation Canada faces is clear. Canada will stand with the overwhelming majority of the world community, including our partners on the Security Council, in giving Saddam Hussein an opportunity to reflect carefully on the consequences of his action and a reasonable timetable to withdraw from Kuwait. President Hussein appears to be quite prepared to see his people endure hardship indefinitely if he can hang onto Kuwait. We see no contradiction between continuing to apply pressure through economic sanctions -- giving diplomacy a chance -- and giving President Hussein a period of time to withdraw from Kuwait.

CN136 - 4/6

0072

- 4 -

While the Security Council was passing repeated resolutions ordering Iraq to abandon its conquest of Kuwait, President Hussein formally annexed that country, plundered its wealth, brutalized its people and tried to erase its very identity. His response to the world community's repeated urgent demands that he withdraw his forces from Kuwait was to send another 250,000 soldiers to that unfortunate country. And to try to protect himself from harm he has detained thousands of foreigners and, cynically, has used many as human shields at strategic locations.

Meanwhile the suffering of the Kuwaiti people continues. And the risk persists of an accidental launch of full-scale war in the most volatile region in the world, with consequences that could engulf everyone.

President Hussein is a man of limited acquaintance with the world outside his own borders. From the beginning he appears to have underestimated what the international reaction would be to his attack on Kuwait. It seems to take a pretty clear and forthright message to persuade him that times have changed, that the will of the world community will not be thwarted and that he will, one way or another, have to leave Kuwait. Short of the use of force itself, today's U.N. Security Council resolution is the strongest possible message the international community can send him.

Members of the House understand at least as well as anyone that we Canadians are a peaceful people. In Canada, our national day is a time for picnics and family, not for displays of military might. But we Canadians have learned the lessons of history. We know that not everyone shares our respect for the international law and for the norms of civilized international behaviour. We know the consequences of appeasement. And we know that if Iraq profits from its aggression the whole idea of collective security will be fatally undermined and the world will be a much more dangerous place. That cannot be allowed to happen.

The object of the exercise at the United Nations today is peace. Although opposition parties have expressed some concerns, I hope all members of the House will support the U.N. resolution in the interests of international solidarity in the face of a serious threat to world peace. As the Toronto Star pointed out in its lead editorial this morning:

"For Canada to vote against such a resolution would be to send the wrong signal to Saddam at a critical stage of this psychological warfare.

"It would also break faith with an unprecedented consensus that has emerged on this issue between east and west, Arabs and non-Arabs."

CN-136- 5/6

0073

The Star has made two very important points. The U.N.'s quite unprecedented achievements need now to be sustained by a solid indication of international support. What gives rise to war is the collapse of international order. And the collapse of international order comes about when member states allow international law to be violated and the United Nations to be ignored.

The integrity of the United Nations and its Charter must be preserved. We hope for the sake of all concerned that President Hussein heeds the U.N.'s message and withdraws peacefully. We strongly urge him to do so in the interests of his own nation and those of world peace.

The choice is entirely his to make. We genuinely hope he reflects carefully and chooses wisely.

- 30 -

CN 136 - 6/6

0074

주 카 나 다 대 사 관

카나다(총) 120 - 680   1990. 11. 30

수 신 : 장 관

참 조 : 미주국장, 중동아국장, 국제기구조약국장

제 목 : Gulf 사태 관련 자료송부

        연 : CNW-1656

        연호 10.27. 클라크 외무장관 연설문, 10.28자 하원 의사록 및 Globe & Mail지
기사를 별첨 송부합니다.

첨 부 : 1. 10.27. 클라크 외무장관 연설문 1부.

        2. 10.28. 하원의사록(멀루니수상 연설 포함)

        3. 10.28. Globe & Mail 지 기사

        (Why Canada Should Support the UN Resolution). 끝.

주   카   나   다   대

0075

Statement

Déclaration

Secretary of
State for
External Affairs

Secrétaire
d'État aux
Affaires
extérieures

90/69

CHECK AGAINST DELIVERY

NOTES FOR A SPEECH BY

THE SECRETARY OF STATE FOR EXTERNAL AFFAIRS,

THE RIGHT HONOURABLE JOE CLARK,

DURING A HOUSE OF COMMONS DEBATE

ON THE GULF CRISIS

OTTAWA, Ontario

November 28, 1990

0076

Affaires extérieures et
Commerce extérieur Canada

External Affairs and
International Trade Canada

Canada

Today we are on the eve of an important Security Council vote. I think it right for Parliament to consider the implications of the crisis that prompts this vote. I would like to take this opportunity to set out the thinking of the Government on the issue before us.

This vote comes near the end of Canada's two-year term on the Security Council. It is our fifth such term, a record for non-permanent members.

That is an appropriate record, because no other country, I dare say, has been as loyal a supporter of the ideals of this world organization, in whose founding Canada participated actively and creatively.

When we look for a noble and far-sighted vision for managing world affairs, in what will be a difficult decade and century beyond, we can hardly do better than to draw on the vision of the UN Charter.

The great sadness of our times has been that the Charter was a dead letter for 40 years, because of the paralysis of the Cold War. '

The Cold War is over. I was in Moscow the week before last, and I found an extraordinarily different country from the austere monolith I had visited five short years ago. Sadly, their problems are enormous, but they have a country and a leadership and a people with great reserves of strength, and nations like Canada will -- and must -- help them where we can.

The tremors of the Gorbachev reforms have allowed profound change through Eastern and Central Europe that not only helped end the Cold War, but set the stage for the Conference on Security and Co-operation (CSCE) Summit in Paris last week. In some respects, that Summit marked the end of the Second World War.

The Paris Summit -- and there I would like to share with you the words of Vaclav Havel -- playwright, prisoner, President. He said: "Participating in this Summit is the pre-eminent moment in my life" -- because it brought to pass the goals of freedom and comity he had spent all his days pursuing. The Paris Summit should have been an unqualified celebration of the new possibilities before us, of our shared determination to build a new European common home to be secure from Vladivostok to Vienna to Vancouver, as Eduard Shevardnadze has said. It should have been a celebration of the growing willingness to use the United Nations in the way it had been intended, to bring peace and greater security to the world.

But the celebration in Paris was muted. Because we all understand that a terrible breach of faith and of law and of order has happened: an act of war by Iraq, which imposes on the

0077

world community the burden of a great challenge. If new and more hopeful vistas for world peace are at last to open, we, as the United Nations, have to be equal to the challenge which Iraq's invasion of Kuwait represents clearly to all of us.

This challenge goes to the heart of Canadian interests and Canadian diplomacy, not just now, but over 50 years: the building of a workable world organization able to prevent, or if necessary, to reverse the most blatant and dangerous of international offences: which is the acquisition by force of another country's territory and, in this specific case, an effort to extinguish a UN member in its entirety. The challenge has gone even beyond these transgressions of international law, as Iraqi authorities have threatened the use of terrorism, and of chemical weapons, which they have used in the past, with terrible consequences, even against their own people.

That is the evil that countries historically arm themselves against. That is the evil which causes proliferation, which is responsible for an arms race which in large part diverts the resources that should be going to the poor of the world and denies people in developing countries the right to decent lives.

Mr. Speaker, I have just come from the Middle East, that this evil has occurred in the most heavily armed and volatile region in the world only amplifies its gravity.

Mr. Speaker, I have just come from the Middle East. The potential for death and for destruction in the Middle East is very real. Members of this House of Commons should have no illusion about the danger -- nor about our obligation to try to moderate that danger. Most of Israel's neighbours remain in a state of war against her. The Palestinian people, despite the Intefadeh, despite their acceptance of Resolution 242, live in a pressure-cooker of frustration, with thousands of new migrants forced home from the Gulf. There are the larger questions of democracy and decision-making in the Middle East; quarrels between families and regimes who each want to lead the Arab world; shocking gaps in income between opulent wealth and the most shocking poverty, and there are chemical weapons, biological weapons, almost certainly some capacity for nuclear weapons, and the steady flood of conventional arms. And in the midst of all that -- in a region where the institutions of modern government have shallow roots -- there is generally, the common link of the noble religion of Islam which, if it became radicalized, could have devastating consequences around the world. President Gorbachev is aware of that. King Hussein is. Presidents Ozal and Mubarak are. And, of course, Prime Minister Shamir understands the threat of Islamic extremism.

That the Iraqi aggression affects security of access to the most vital of commodities further compels our attention. But

0078

make no mistake about the importance of the principle we intend to defend: the principle of international order, where international law is respected, and the United Nations is used and works.

Canadians, historically, have been at the cutting edge of the practical measures which have won respect for the United Nations. We helped draft the Charter. Professor John Humphrey, of McGill, was a principal author of the Universal Declaration on Human Rights. Lester Pearson guided the ideal of peacekeeping -- against Canadian critics who said it was an inappropriate use of the UN, and 83,000 Canadians wore, and wear today, the blue beret, with pride and with effect, to build peace and to maintain peace.

Now we are at the new step in the evolution of the United Nations -- a time in which, at last, the members of the Security Council of the United Nations are working together on resolutions which involve enough compromise on all sides to allow this diverse world to act together to keep its house in order, and yet, at the same time, are prepared to come together in compromise resolutions clear in their intent and respected in their application. It is hard to think of a time when the United Nations worked better, and we, Canada, want to keep it working, because that is the only way to advance peace and prevent war.

Since the beginning of the crisis, the United Nations has shown that blatant disrespect for international law can be met with a response that is firm in its resolve and unbending in its respect for international order.

For Canada, some of the basic precepts in which our foreign policy is deeply rooted are being challenged by the Gulf crisis, and they just may be vindicated by its resolution and its aftermath. The rule of law and the establishment of a stable international environment have been key objectives of ours since the end of the Second World War.

Throughout the crisis, this Government has kept its key objectives in constant view:

- to make clear the unacceptability of Iraqi behaviour and Canada's determination to play our part in the collective response;

- to reinforce the rule of law in international affairs and to support a renewed United Nations in its first post-Cold War response to a gross violation of its Charter by a member state; and

- of course, to protect Canadian lives and Canadian

0079

interests put in jeopardy by the invasion and annexation of Kuwait.

Following from those objectives and in co-operation with other countries active in the international consensus arrayed against Iraq, since the beginning of this crisis we have been trying to ensure:

- that the UN-imposed sanctions are made as effective as possible;

- that the international consensus is sustained;

- that humanitarian and economic problems created by the crisis and the sanctions are addressed quickly and sympathetically, both as an intrinsically important goal and one supportive in sustaining the international consensus;

- that peaceful means to end the dispute are explored, while insisting that such means must be fully consistent with UN resolutions.

Well, Sir, after where are we today? Iraq is still occupying Kuwait, in spite of universal condemnation and the near-universal application of sanctions.

We, of course, hope that sanctions will help to persuade Saddam Hussein to withdraw. We continue to believe that they help make clear our resolve. But we also now recognize that sanctions, in and of themselves, are not sufficient to force a withdrawal, if the Iraqi Government places a higher priority on holding on to its territorial gains than on the resumption of normal life for its citizenry. We simply have to face that fact.

The Government in Baghdad has been using innocent civilians of third countries, including Canada, in its efforts to wrest concessions from the international community and to try to win propaganda points with its own supporters. And it has proceeded at the same time with a ruthless program to annihilate all traces of Kuwait's separate existence. In short, Iraq has repeatedly ignored the demands of the international community in successive Security Council resolutions passed since August 2nd. It has failed to comply with the obligations incumbent upon it on the basis of international law, on the basis of the principles of civilized behaviour, and on the basis of its own membership in the United Nations.

I have, as I said, in the last several days been in the Middle East. This trip followed intensive talks that both the Prime Minister and I had with the leaders of the Soviet Union, the European Community, and the United States. In the Middle

0080

East, I spent many hours in discussion with Iraq's neighbours, including the President of Turkey, the King of Jordan, the Prime Minister of Israel, and with the ministers for foreign affairs of those countries. I also met at length with President Mubarak of Egypt and with his Foreign Minister, Dr. Meguid.

Several weeks ago, I had met with other foreign ministers, from the Gulf area, from Saudi Arabia and Qatar. I set out for all these interlocutors the view of this Government regarding the unacceptability of Iraq's invasion.

Mr. Speaker, it is important to this House today that every head of state, every head of government and every minister with whom we have met have shared that view.

The view in Canada, in the region, and throughout the world is the same. Iraq is isolated. Iraq has behaved abominably. It has invaded a small neighbour, and it has done its utmost to ensure that its restoration will be impossible. It has taken thousands of hostages, including Canadians. This destruction of a small country is "unbelievable" to quote President Mubarak of Egypt, who told me of specific and categorical assurances that had been given to him personally by Iraq's President only days before Iraq unleashed its vast military arsenal against Kuwait.

From the beginning of this crisis we have all hoped that peaceful means would produce the necessary Iraqi compliance with Security Council resolutions. Indeed, Canada has been working strenuously since the beginning of August to seek just such a peaceful solution. We have done so in the United Nations, we have done so in the region, and we have done so in close consultation with all members all around the world of the Security Council. Officials of my Department have been travelling around the world regularly, consulting particularly with members who rarely vote with Canada to try to encourage a unanimity and the consensus that will allow the United Nations to be effective in these circumstances.

I am sure that I speak for all Canadians in hoping that a peaceful solution may still be possible. Time, however, is running out.

Tomorrow at the United Nations in New York, Canada will, as a member of the Security Council, participate in the formal consideration of a new resolution. This new resolution will almost certainly authorize the use of whatever means are necessary to remove Iraq from Kuwait and to restore to Kuwait its own destiny.

For Canada and for others, what is at stake is the integrity of our international order, and the credibility of

0081

international law and our multilateral institutions.

We must recognize, however, as I have seen over the last few days, that the neighbours of Iraq have another interest in ensuring that Iraq's deed is undone.

Mr. Speaker, we in Canada, far from the scene of the battle, far from the immediate site of these terrible tensions, we must realize that
there will be no safety, no stability, if Saddam Hussein gets away with his annexation of Kuwait.

All countries would prefer a peaceful solution. Not a "deal," which rewards the aggressor, but full and swift compliance with the Security Council's resolutions.

Regrettably, many believe that a peaceful solution is not attainable whatever their preference.

The leader of Iraq does not seem to grasp the dimensions of the problem he has created. Consequently, he does not seem to understand the strength of the resolve to see justice done. He thinks the world is bluffing.

The purpose of the United Nations resolution, which Canada and other members of the Security Council will consider tomorrow, is to ensure Iraq understands that this is not a bluff.

Tomorrow's resolution will demand full compliance with previous Council resolutions. If Iraq does not fully implement those resolutions, the text will authorize member states co-operating with the Goverment of Kuwait to use all necessary means to see they are implemented and to restore international peace and security in the area.

Does this mean that force will be used?

That is up to Iraq.

That resolution will probably be approved tomorrow, November 29th. In normal cases, that would mean the capacity to act, with whatever means, would exist tomorrow, November 29th. Now there is a serious and constructive proposal that the resolution build in a pause between the day in November when the authority is vested, and some specific later date on which it might be used. That proposal reflects the call for a pause which Canada and other countries proposed after discussions during the United Nations General Assembly. A deadline which implied an ultimatum could be counterproductive and artificial, and that is not what is proposed. As the Prime Minister said yesterday, what is contemplated is, instead, "a pause of goodwill" to allow Saddam Hussein one more opportunity to reflect on his options.

0082

Naturally, that time must be used by all nations to seek a basis
for the peaceful acceptance of Security Council Resolutions.
But, in particular, it gives Iraq an opportunity to seek a
peaceful end to the war it began when it invaded Kuwait.

In passing, Mr. Speaker, I should say that that
proposal for a pause indicates one of the very real benefits of
the new atmosphere in the Security Council when countries that
had not previously worked together were prepared to work together
in these circumstances to ensure that there was a basis on which
the world could act together.

We hope Iraq will take this opportunity.

If Iraq does so, will the international community in
any case insist on the elimination of its leadership or its
entire military capacity?

No. There is a willingness in the region to live with
Iraq, warily to be sure, but on a basis of international law and
internationally guaranteed frontiers.

Does Iraq have legitimate concerns which should be
discussed? Perhaps there are some. That is up to the Government
of Kuwait to negotiate or for Iraq to pursue in the many
international fora which adjudicate exactly such disputes. The
possibility of such a negotiating power is contained in Security
Council Resolution 660, the very first passed by the Council in
responding to the invasion. We urge Saddam Hussein to pursue
this option.

Would military action in the Gulf be an exercise of
only Western will? Absolutely not. The coalition includes such
partners as Pakistan, Morocco, Czechoslovakia, Argentina, as well
as Egypt, Syria, Saudi Arabia, and the Gulf States and dozens of
others.

An Arab force could see to the future defence of
Kuwait, with international peacekeeping components as necessary
or desirable. Canada would certainly consider seriously a
request to participate, in the cause of peace.

Will there be further attempts to resolve existing
tensions in the Gulf and Middle East regions?

Yes. During my discussions in the Middle East, the
Arab-Israeli dispute was also raised, specifically the
Palestinian question. I believe that one of the consequences of
the current Gulf crisis could be a new sense of urgency about
solving other problems facing that troubled region. We have of
late witnessed a pattern of successes within the Security Council
in addressing regional issues not just in the Middle East, but

0083

also in Cambodia and elsewhere. If we do not lose it here, if we can maintain the strength of the United Nations which we have so carefully built over the last years, and particularly the last months, if that pattern continues, then a just, lasting and comprehensive solution to the Arab-Israeli dispute, which Canada views as necessary and urgent, may at last be possible. This is a matter that can only be addressed, however, separately from the current crisis.

Iraq's offence is <u>sui generis</u> and its undoing, according to the highest principles of international law and the highest interests of international security, is essential. But resolution of all territorial disputes in the region on a just and equitable basis is urgently required, if peace and security are to apply in a durable way in a region which may be the most volatile in the world. We will also have to turn our collective attention to the need for arms control measures which deal with weapons of mass destruction that threaten the whole region. Sustaining the new unity of the international community is the only hope, the best hope, that these problems can be resolved with speed.

There may be the elements of a peaceful resolution of this crisis. I was more encouraged than I thought I might be by the conversations I had in the Middle East. I was encouraged by the determination of people ranging from Israeli leaders to King Hussein, to the Palestinians to look for ways in which this experience may lead to constructive response to other issues so we hope that there will be means found to resolve this issue.

Otherwise, force will have been authorized by the world community, and on behalf of the international institutions Canada has spent five decades to design and defend.

To abandon those institutions now, to abandon the unanimity and the consensus that has been found in the United Nations now would be to abandon all hope for the rule of law in world affairs. The world agrees with that. The question is: "Will Iraq agree with that?"

The resolution we will be voting on tomorrow in New York is the desirable option that I have sought, and many here have sought: the UN authority to use force if Iraq rejects the option of a peaceful withdrawal.

The House will remember and no one in our country will forget that the use of force began on August 2nd. It is now up to Saddam Hussein to determine whether the international community will have to use the authority of the United Nations to achieve our collective goals through further force.

0084

외 무 부

종 별 :

번 호 : CNW-0034   일 시 : 91 0108

수 신 : 장 관 (중동, 미북, 정일)

발 신 : 주 카나다 대사

제 목 : GULF 사태에 대한 주재국 반응

1. 멀루니 수상은 1.8.(화) 내각의 전쟁대비 특별위원회를 소집, GULF 사태 전개방향 및 1.15. 이라크의 쿠웨이트 철수시한 도래후 카나다의 대응책을 논의할 예정임.

2. 또한 동 위원회는 이라크가 1.15. 철수시한을 준수하지 않을 경우에 대비, 걸프지역에 파견되어 있는 카나다 병력을 현재의 방어태세에서 공격태세로 전환할 것이며, 미국등 연합군측의 요청에 따라 기 파병된 함정 3 척 및 CF-18 1개 비행대대 및지원병력에 추가하여 CF-18 1개 비행대대 및 보잉 707 공중급유기, 통신시설 및 물자 추가제공, 의료단(225 명의 의사, 간호원등으로 구성된 야전병원)파견등 걸프지역에 대한 주재국의 군사적 개입을 증가시키는 결정을 하게될 것으로 알려짐.

3. 카나다의 걸프지역 파견병력 증강 및 임무변경등 금일 내각위원회의 결정내용은 1.9.(수) 베이커 - 아지즈 회담의 결과등 사태추이를 지켜보면서 1.13.(일) 예정된 베이커 미국무장관의 주재국 방문(베이커-아지즈 회담결과 디 브리핑 및 대응책협의) 전후 대외 공표될 것으로 관측되고 있음.끝

  (대사 - 국장)

종아국   1차보   미주국   정문국   안기부   그정비   타요즉

PAGE 1   91.01.11   07:38 FC

                                                외신 1과 통제관

                                                      0085

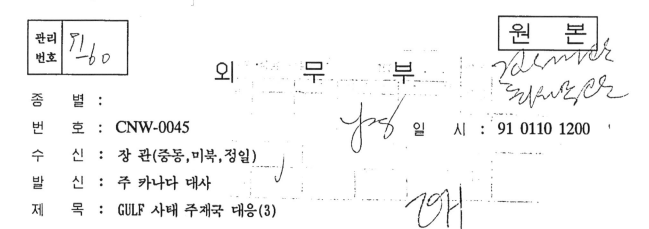

관리
번호 : 91-60

원 본

외 무 부

종 별 :

번 호 : CNW-0045

일 시 : 91 0110 1200

수 신 : 장 관(중동,미북,정일)

발 신 : 주 카나다 대사

제 목 : GULF 사태 주재국 대응(3)

연 : CNW-0040

1. 연호 클라크 외무장관이 1.9.(수) 저녁 케야르 유엔 사무총장에게 직접 전달한 멀루니 수상의 서한에는 걸프 사태 해결을 위한 몇가지 방안들을 제시하고 있는바, 그 내용은 이락의 쿠웨이트 철수를 전제 조건으로 하여 다음과 같은 제안을 담고 있는 것으로 알려짐.

가. 이락측의 페르시아만에 대한 용이한 접근로 및 추가 유전 확보 주장에 대해 국제적 중재기구가 이를 다루도록 추진함.

나. 쿠웨이트 침공 이전의 이락 국경선을 보장하며 대부분 아랍 인으로 구성된 평화 유지군의 동 국경선을 감시토록 함.

다. 평화 조치 이행을 위한 유엔의 노력에 카나다의 협조를 제공함.

라. 이스라엘과 팔레스타인간의 문제를 다룰 중동 평화회의 개최를 전향적으로 검토함.

2. 클라크 장관은 케야르 사무총장과의 면담뒤 가진 기자회견에서, 금번 멀루니 수상의 서한 내용이 평화를 위한 카나다 단독의 이니셔티브는 아니며, 멀루니 수상 및 자신이 관련국의 지도자들과의 접촉 과정에서 논의하였던 방안들 중에서 걸프 사태의 성공적 해결을 위한 토대가 된다고 생각하는 사항들을 추출한 것이라고 언급함.

3. 한편 카나다 정부는 금일 각의에서 바그다드 주재 카나다 대사관에 폐쇄 및 외교관 철수등을 결정할 예정이며, 카나다 주재 이락 외교관들의 출국 조치는 상금 계획한바 없는 것으로 알려지고 있음. 끝

(대사 - 국장)

예고문 : 91.6.30. 까지

중아국   장관   차관   1차보   미주국   정문국   청와대   안기부

외 무 부

종 별 :

번 호 : CNW-0059

일 시 : 91 0114 2000

수 신 : 장 관(중근동,미북,정일)

발 신 : 주 카 나 다 대사

제 목 : 걸프사태

자료응신 제 5 호

1. 1.14. 본직은 외무부 ERIK WANG 중근동국장과 면담, 최근 걸프사태 주재국 평가등 관련 의견 교환한바 특기사항 아래 보고함.(조창범 참사관 배석)

가. 유엔 사무총장의 이락 방문등 마지막 평화적 해결 모색을 위한 외교적 노력에 희망을 걸었으나 전망은 매우 어둡다(VERY BLEAK)고 봄. 유엔 사무총장의이락 방문 결과와 관련 파리에서의 유엔 사무총장과 불측의 회담에 기초한 주불 카나다 대사의 1차적인 평가는 이락측으로부터 하등의 태도변화 조짐이 없었다.(NO INDICATION OF FLEXIBILITY)는 것임.

나. 그간 알제리아, 불란서, 모로코등 제 3 국들의 제반 INITIATIVE 는 이락측으로 하여금 쿠웨이트 철군 이후 정세가 이락측에 불리하지 않도록 될것이라는 보장을 줌으로써 태도 변화를 유도코저 노력한 것이나 성과가 없었으며 카측으로서도 유엔 사무총장의 방문전 멀루니 수상의 동 사무총장앞 서한(CNW-0045 참조)을 통해 평화적 해결 모색을 위한 4 개 방안을 다시 거론 하였으나 이락측은 이에 전혀 관심이 없고 계속 쿠웨이트 합병 고수 결의를 분명히 보이고 있음.

다. 후세인 대통령의 경직된 태도의 배경에는 ① 과거 이란과의 전쟁에서의 어려운 궁지를 극복한 경험에서 얻은 개인적인 자신감과 ② 연합국측의 대이락 전열의취약성, ③ 전쟁시 많은 사상자가 날경우 미국측이 내외 여론의 압력에 굴복 베트남의 경우처럼 조기휴전협상에 응하게 될것임장관④이 경우 휴전 협상을 이락측에유리하게 이끌수도 있을 것이라는 기대(실제 후세인 대통령은 8.2. 직전 미국대사와 면담시 전쟁시 미측이 매주 10,000 명 정도로 다수 희생자를 내는것을 견딜수 있겠느냐고 언급한바 있다함)등이 작용하고 있는 것으로 본다함.

라. 유엔의 1.15. 시한이 지나더라도 곧 전쟁이 발발할 것으로는 보지 않으며 동

중아국
안기부 | 장관 | 차관 | 1차보 | 2차보 | 미주국 | 정문국 | 청와대 | 총리실

PAGE 1

91.01.15   12:50

외신 2과 통제관 BW

시한 이후에도 제 3 국에 의한 평화 해결 노력이 다각적으로 계속될 것으로 보이나 이락측으로부터의 실질적인 태도 변화를 기대하긴 어렵다는 평가임.(다만 개인적으로는 이락측이 1.15. 시한내 태도 변화는 굴욕이라고 생각, 일단 동 시한이 지난후에 가서는 입장을 재 검토할 가능성을 전혀 배제하진 않는다고 부언)

마. 앞으로 무력행사 시기 관련 카측으로서는 아직 아무런 결정이 내려지지않은 상태이며 미국 정부로서도 아직 최종 결정이 없는 것으로 봄. 다만 미국 정부로서는 이미 유엔 결의에 따른 무력 행사를 위해 국제적 및 국내정치적으로 필요한 지지를 확보하였고 군사적으로도 걸프 현지 파견 카나다군의 평가에 의하면 만반의 준비가 완료된 것으로 보고있음.

바. 현재로선 걸프사태 관련 카측은 서독 주둔 카 공군에서 CF-18 6 대와 보잉 707 공중급유기, 이에 따른 지원인력 130 명의 카타르 이동 증파조치외에 지상 전투병력 파견문제(1.12. 당지 언론은 걸프사태관련 카 정부가 보병, 탱크,포대등 5,000 명의 병력으로 구성된 1 개 기계화 여단을 파견하는 비밀계획을 수립해 놓고 있다고 보도)는 정부 차원에서 결정된바 없으며 다아국 곧 각의에서야전 병원등 의로단의 파견 여부를 결정케될것이라고 함.(상기 전투기등 증파 조치로 현재 카군의 대 걸프 파견은 함정 3 척, CF-18 전투기 24 대, 공중 급유기, 지원인력등 총 2,000 명에 달함.)

사. 본직은 동 기회에 아국 의료단의 사우디 파견 결정 사실, 대 다국적군 주변 전선국가에 대한 재정 지원등 걸프 사태 관련 아국의 대응 입장을 설명해주고 특히 이락 및 각종 테러 단체들의 테러 위협과 관련 긴밀한 정보교환 협조를 요청해 두었는바, 동 국장은 카측으로서도 테러 위협을 매우 심각하게 받아들이고 있으며 관계기관에서 이에 따른 각종 대응책을 강구중이라고 하였음.

2. 주재국 정부는 1.15. 유엔 결의 시한 만료에 따른 카 정부의 대응책 관련, 주재국 의회 승인 획득등을 위하여 1.15.(화) 임시국회를 소집예정인바, 현재 야당인 자유당과 신민당은 경제적 제재에 더 시간을 줌으로서 평화적 해결을 계속 모색해야한다는입장에서 전쟁 발발시 카나다의 참전을 반대하는 입장을고수하고 있어 정부측과 상당한 논란이 예상되고 있음.

3. 한편 베이커 미 국무장관은 1.13.(일) 밤 당지 도착 1.14.(월) 오전 멀루니 수상 및 클라크 외무장관과 걸프 사태 대응책 관련 회담후 기자회견을 가진바, 양측은 금번 유엔 사무총장의 이락 방문결과 이락측의 입장 변화 조짐이 전혀 없어 사태가

더욱 악화되고 있다는 점, 평화적 해결 모색을 위한 노력은 마지막 순간까지 계속될 것이나 선택은 이락측에 달렸다는 점, 카. 미 양국은 이락측의 유엔 결의 678 호등 모든 유엔 결의의 준수 확보를 위하여 긴밀한 공동 보조를 취할 것이라는 점등을 강조하였음. 외무부 WANG 중동국장은 상기 미.카 회담 내용 관련 아직 상세한 내용은 자신에게 까지 알려지진 않았으나 우선 배이커 미국무장관은 과번 제네바에서의 베이커-아지즈 회담 결과에 대해 이미 양측의 기자회견을 통해 대외적으로 알려진것 외에 숨은 뉴앙스나 협의 내용은 없었다는점을 지적하였다고 함. 끝

　　(대사 - 국장)

　　예고문 :91.12.31. 까지

검 토 필 (1991. 6.30 .)

PAGE 3

0089

	분류번호	보존기간

발 신 전 보

WJA-0203 외 별지참조 종별: WCN-0048 910115 1927

번   호 :

수   신 : 주 수신처 참조 ~~대사 총영사~~

발   신 : 장 관 (미북)

제   목 : UN 안보리 철군 시한 경과 관련 성명 발표

     1. 페만 사태와 관련 UN 안보리가 설정한 1.15. 이라크군 철수 시한이 임박함에 따라 독일 정부는 상기 시한전 이라크군의 철군을 촉구하는 수상실명의 성명을 1.14. 발표하였음.

     2. 본부 조치 결정에 참고코자 하니, 1.15. 시한을 전후하여 주재국 정부의 여사한 입장 표명이 있을 경우 발표 즉시 지급 보고 바람. 끝.

(미주국장 반기문)

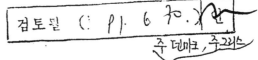
검토필 (: 91. 6. 30.
주 덴마크, 주 그리스

예고 : 91.12.31. 일반

수신처 : 주일, 주영, 주불, 주카나다, 주이태리, 주벨지움, 주터어키, 주호주대사
(사본 : 주미대사)
주 카이로총영사, 주 파키스탄, 주 사우디, 주 방글라데쉬, 주 모로코,
주세네갈, 주체코, 주소 대사

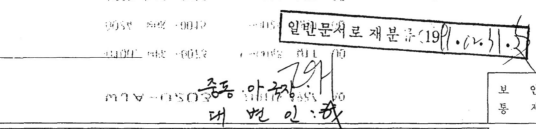
일반문서로 재분류 1991. 12. 31.

| | 보안통제 | |

앙고재	91년 1월 15일	기안자 성명		과장	심의관	국장		차관	장관		외신과통제
	북미과					전결					

0090

유연 안보리 철군 시한 경과후

~~대변민국 정부~~ 외무부 대변인 성명(안)

1991. 1. 16.

1. 대한민국 정부는 유연 안보리 결의가 설정한 1.15. 철수 시한이 지났음에도
   불구하고 이라크 정부가 쿠웨이트에 불법 주둔중인 이라크군을 아직 철수치
   않고 있음을 유감스럽게 생각합니다.

2. 이에 따라 페르시아만 지역정세가 전쟁 발발 일보 직전으로 치닫고 있어
   페르시아만 인근지역 전체는 물론 전세계인들을 공포와 불안에 떨게하고 있는
   데 대해 우리는 깊은 우려를 갖고 있습니다.

3. 우리 정부는 이라크 정부가 지금이라도 전세계 평화 애호인의 염원에 부응하여
   유연 안보리 결의가 요구하고 있는 바와 같이 쿠웨이트로부터 즉각 철군할
   것을 거듭 촉구하는 바입니다.

4. 대한민국 정부는 이 기회를 빌어 페르시아만 지역에 파견된 미국을 비롯한
   다국적군의 헌신적인 평화유지 노력에 깊은 경의와 찬사를 보내고자 합니다.

끝.

중동아국장
대변인

앙 고 재	북 미 과	담 당	과 장	심의관	국 장	차관보	차 관	장 관

0091

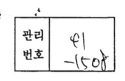

외 무 부

종 별 : 지 급

번 호 : CNW-0069   일 시 : 91 0115 2000

수 신 : 장 관(미북,중근동,정일)

발 신 : 주 카 나 다 대사

제 목 : 걸프사태

      대 : WCN-0048
      연 : CNW-0059

91.6.30. 긴로림

    1. 대호 관련, 외무부 STORMS 중동과장 대리에게 확인한바, 카 정부로서는 1.15. 시한 임박과 관련 별도 성명 발표 계획은 없다고 하며, 카 정부로서는 이락측의 쿠웨이트 철수가 없는 경우 유엔 결의 678 호에 따라 무력 행사를 포함모든 필요조치를 취해야 한다는 입장에 변함이 없으며 동 입장은 금일 임시 소집된 주재국 연방하원의 걸프사태 관련 카 정부측의 대응책에 대한 의회의 심의 과정에서 거듭 강조될것이라고 하였음.

    2. 한편, 멀루니 수상은 금 1.15. 임시 소집된 연방 하원 본회의에서의 연설을 통해 걸프 사태 관련한 카나다 입장을 거듭 밝히면서, 그간 카 정부로서는 평화적 해결책을 모색하는 일방 동 노력의 실패시 무력행사에 대비하는 이원적인 대응책을 강구해 왔는바, 유엔 결의 678 호에 따라 이락이 철수치 않는경우 다국적군의 무력행사에 참여할 것이며, 이는 침략행위 저지를 위한 유엔의 대의를 지키기 위한 것이라는 점을 강조하고 이에 대한 야당측의 이해와 협조를 요청하였음. 이에 대해 크레티안 자유당 당수, 멕로린 신민당 당수등 야당측은, 이락이 쿠웨이터로부터 당연히 철수해야하나 평화적 해결을 위해 경제제재에 더 충분한 시간을 주어야 한다는 점등을 강조하면서 현 단계에서의 카나다의 무력행사 참여는 강력히 반대한다는 입장을 거듭 밝혔음.

    3. 주재국 하원은 1.15. 19:00 현재 정부측의 걸프대응책에 관한 승인 동의안에 관해계속 토론중에 있는바 여당의 숫적 우세에 비추어 금명간 하원 승인 동의안 채택에 별 문제가 없을 것으로 보임.

    4. 상기 멀루니 수상의 하원 토론 연설 전문 별첨FAX 송부 함.. 끝

미주국 안기부	장관	차관	1차보	2차보	중아국	정문국	청와대	종리실

PAGE 1

91.01.16   16:12

외신 2과 통제관 BN

0092

첨부 : CNW(F)-009
예고문 : 91.12.31. 일반

0093

Office of the
Prime Minister

CANADA

Cabinet du
Premier ministre

CNN (F) ~ 009   9L0115 2030

(9 pm)

(전부운)

NOTES FOR AN ADDRESS

BY PRIME MINISTER BRIAN MULRONEY

ON THE SITUATION IN THE PERSIAN GULF

HOUSE OF COMMONS

JANUARY 15, 1991

CHECK AGAINST DELIVERY

Ottawa Canada K1A 0A2

CN 009 - 1/9   0094

- 2 -

rule of law? There are differences of opinion on this very important question in this House. I respect the views of all members as they consider it.

The Government of Canada, and I as Prime Minister, have reflected carefully on this crisis. Our entire policy has been designed to achieve a peaceful solution to it. If, however, Saddam Hussein continues to reject the will of the United Nations, Canada will join with the United Nations in expelling him from Kuwait by force.

Kuwait may seem a remote place geographically, and culturally, but so did Manchuria in 1931, Abyssinia in 1935 and Czechoslovakia in 1938. While, in the '30s, these were little known places, in the '90s they figure in our history books as the stepping stones to World War II. In each case what has been described by a leading historian as "a profound pacifism, an almost doctrinaire insistence on peace regardless of the circumstances," led the League of Nations to turn a blind eye to aggression -- and the world paid a price in millions of avoidable deaths in World War II.

What is happening in Kuwait has direct and substantial effects on Canada's interests. As a country with a comparatively small population, with two superpowers as neighbours, and with our own limited military capacity, Canada's most basic interest lies in the preservation of international law and order.

The United Nations and its Charter are essential to the rule of law and to the respect of the integrity of small countries by larger neighbours. The architects of the United Nations were determined "to make certain", as Lester Pearson wrote in 1945, "that never again should an aggressor be permitted to strike down one nation after another before the peace loving nations of the world organize and take concerted action against it."

The fundamental purpose of the United Nations, as proclaimed in Article 1 of its Charter, is "to maintain international peace and security" by taking "effective, collective measures for the prevention and removal of threats to the peace and for the suppression of acts of aggression or other breaches of the peace..." But with the exception of Korea, the U.N. has been prevented by the Cold War from either suppressing acts of aggression or preventing them, as the Suez crisis, Vietnam, Afghanistan and the Arab-Israeli wars, among dozens of other conflicts, make clear. With the extraordinary unanimity that has accompanied the relaxation of East-West tensions, the authority vested in the U.N. by its architects -- including Prime Ministers King, St. Laurent and Pearson — can be exercised by our generation to preserve international law and order.

Saddam Hussein's challenge raises the stakes for the U.N. Because, while this crisis provides an opportunity for the U.N. to play the role Canada has always wanted it to play, regrettably it also provides an occasion for the U.N. to fail to do so. And if the U.N. were to fail to do so, a large part of the principles and objectives and efforts of 45 years of Canadian diplomacy would have been for nothing.

CN 009 - 2/8

On August 2, Saddam Hussein launched a war against Kuwait. His invasion and subsequent annexation of Kuwait are grievous violations of the most basic principles of international law and of human decency. We are here, today, to reaffirm Canada's support for the United Nations' efforts to bring those violations to an end.

On October 23, the House approved sending members, vessels and aircraft of the Canadian Forces to participate in the multinational military effort in the Persian Gulf. On November 29, the House passed a further motion supporting "the United Nations in its efforts to ensure compliance with U.N. Security Council resolution 660 and subsequent resolutions", notably Resolution 678 co-sponsored by Canada and passed the same day at the United Nations. Resolution 678 gives Saddam Hussein "one final opportunity" to comply with the will of the world community, as expressed in successive U.N. resolutions.

The 47 day "pause for peace" provided for in Resolution 678 ends tonight. As I speak, efforts continue at the UN on a proposal that contains elements that are similar to ideas advanced in writing by Canada to the U.N. Secretary General last week.

Diplomacy has been and is still being given every chance. Following U.S. Secretary Baker's unsuccessful meeting with Iraqi Foreign Minister Aziz last week in Geneva, the Secretary General of the United Nations, Mr. Perez de Cuellar, made the second of two visits to the Middle East on this issue. His appeal to Saddam Hussein to leave Kuwait was callously rebuffed once again.

Mr. Perez de Cuellar told journalists yesterday that he saw "no reason to have any real hope". He has reported that Saddam Hussein "never mentioned...that he was prepared to withdraw from Kuwait." No one could have failed to notice Saddam Hussein's contempt for international opinion, international law and common decency.

United Nations Resolution 678 authorizes member states to use all necessary means to uphold and implement the relevant U.N. resolutions on this crisis and to restore international peace and security in the area. Resolution 678 — approved by this House on November 29 — also requests all member states including Canada to provide "appropriate support" for actions taken in pursuance of this goal.

The choice of peace or war remains Saddam Hussein's, as it has for the past five-and-a-half months, but time is running out on him. Regardless of how they cast their votes last November 29, Members on all sides of the House hoped hostilities would not be necessary. But it was clear to us all then that we might have to impose the ultimate sanction on Saddam Hussein — military force — if he did not withdraw his forces from Kuwait.

The U.N. made the threat of the use of force to persuade Saddam Hussein of the seriousness of its determination to see him out of Kuwait. It was not an empty gesture. The question before Canadians now is a simple one: if Saddam Hussein does not withdraw peacefully from Kuwait, and the use of force is required, where will Canada stand? On this simple question of right and wrong, will we continue to support the international coalition or will we stand aside and hope that others will uphold the

CN 029 - 3/9

0096

- 5 -

Our generation, having ignored the lessons of history, could be condemned to re-live some of history's darkest chapters. Saddam Hussein would become an example for other potential bullies, making the world an even more dangerous place than it is already. Nations would be left alone to defend themselves against aggression and a new arms race would be launched. The U.N. -- designed to prevent a return to the rule of the jungle -- could go the way of the League of Nations. And this at a time when international problems -- from the environment to human rights to debt to development to drugs to the protection of children -- can only be resolved collectively, and when a credible, effective U.N. has never been more necessary.

These are not abstract issues to Canada. They are not someone else's business. They are direct, vital Canadian interests, and they are engaged fully in this question. The U.N. cannot be allowed to fail at this critical moment in history. Some argue that Canada should hold itself back now to play a peacekeeping role later.

Were Saddam Hussein to succeed in his annexation of Kuwait, he would be in a position to threaten the entire Middle East. With the time and wealth he would gain, he could add further weapons of mass destruction to his arsenal, including, in all probability, nuclear weapons. What position would this put his neighbours in? After Iran and Kuwait, who would be his next target? Saudi Arabia? Jordan? Would we hold ourselves back again, waiting for the latest atrocities to end so that Canada might then be invited in as part of a peacekeeping force?

Saddam Hussein has threatened to attack Israel with weapons of mass destruction. In the face of extraordinary provocation from Iraq, as evidenced by Foreign Minister Aziz's deplorably aggressive threat last week in Geneva, Israel has demonstrated remarkable restraint. Should Saddam Hussein move against Israel, would we still hold ourselves back in the hope that we would be called in later to help keep what's left of the peace in what's left of the Middle East? This course is a prescription for neither wisdom nor responsibility.

It is also argued that a peacekeeping role would be more in keeping with Canada's traditions. But there is no reason to believe that a peace-making role now disqualifies Canada for a peace-keeping role later. Participation in the Korean War did not prevent then External Affairs Minister Pearson from helping to create the U.N.'s peace-keeping function. Membership in NATO and NORAD has not prevented us from participating in every U.N. peace-keeping operation but one since the beginning of the international organization. And supporting right over wrong in the Persian Gulf does not preclude a peace-keeping role for Canada there following hostilities.

Like all Canadians, we are justifiably proud of Canada's peace-keeping tradition. But peacekeeping is only one part of Canada's traditions. Standing firm for what we believe in and fighting if necessary is also a Canadian tradition, one that we remember most solemnly every November 11. More than 1,700,000 Canadians participated in World War I and II and Korea. One-hundred-thousand graves in Europe

CN- 00Y-4/9

0097

and Asia bear silent but eloquent testimony to the courage and will of Canadians to stand for what we believe is right.

A terrible wrong is being committed by Saddam Hussein and it is the moral duty of the international community to stop him. His motives in attacking Kuwait were self-aggrandizement and greed. To confuse international opinion, he has attempted to link the Persian Gulf crisis with the Palestinian issue. No one believes he invaded Kuwait to help the Palestinians. Everyone can see he is trying to rationalize his invasion of Kuwait, after the fact, and to undermine the multinational coalition facing him. His attempt to portray the occupation of Kuwait -- and the atrocities and murders he perpetrated on other Arabs -- as somehow advancing legitimate Palestinian interests and concerns is both beyond understanding and beneath contempt.

Since we last debated this crisis in November, we have received the Amnesty International report detailing the extent of murders, rapes and brutalization in Kuwait. Torture and executions of non-combatants, including young children, have been wide-spread. Thousands of people have been subjected arbitrarily to arrest and detention. And hundreds of thousands of people have been forcibly evicted from Kuwait.

A systematic effort is being ruthlessly carried out to erase the identity of a nation. Notwithstanding these atrocities, some still make the argument that economic sanctions should be given more time to work. However, the most fundamental question we must ask ourselves is will sanctions alone work? The sanctions and the naval and air blockades have succeeded in stopping a great deal of Iraq's foreign trade. They are unquestionably having an impact on economic conditions and living standards within Iraq. And Iraqi oil production is down substantially. At the same time, there is clearly leakage of foodstuffs and components through the embargo.

How much time would it take for sanctions to work? Six months? -- 16 months? -- 60 months? No one knows. The essential point is that Saddam Hussein has demonstrated limitless tolerance for the suffering of his own people. This is a man who put his nation through eight pointless years of a war that took almost a million lives. So pointless, in fact, that in August he gave back almost everything he had taken from Iran in order to purchase Iranian neutrality in this conflict.

While industrial production is down substantially because of shortages of imported goods, Saddam Hussein will ensure that the Iraqi armed forces are guaranteed the top priority for key commodities. He will not hesitate to pass on any amount of suffering and deprivation to his countrymen. Their well-being and security is clearly the furthest thing from his mind. And there is no evidence that sanctions have caused a groundswell of public discontent.

In fact, there is no reason to believe that the sanctions are having the desired effect -- to persuade Saddam Hussein to remove his forces from Kuwait. And, there is every reason to believe, based on his own statements and behaviour, that he is

CW 009 - 5/9

0098

- 5 -

determined to stay. He shows every sign of trying to out-wait the international community in the hope that events sooner or later will split the United Nations coalition. And given the volatility of world affairs, especially in the Middle East, his gamble might very well work.

In weighing the arguments in favour of using force, it must be conceded that the risks and costs of a war are literally incalculable but that they would certainly be substantial in lives and resources. How risky and how costly would depend on a number of factors. How long would war last? How strongly would the Iraqi forces and the Iraqi people resist? Could war be limited to the Iraq-Kuwait theatre or would it spread? How much damage would the environment sustain? These are fundamentally important questions and unfortunately there are no firm answers to them at this time.

But while we properly concern ourselves with these questions, we must also guard against the tendency to regard waiting as cost-free. The fact is that there would also be incalculable risks and costs to waiting. The destruction of Kuwait continues. An entire nation is being systematically dismantled and destroyed before our very eyes and human rights abuses continue at a pace and on a scale with few precedents in modern times.

Furthermore, the international economy is being damaged, and the poorest people in the Third World are most affected. The funds that are paying for a massive military presence in the Gulf are not available to the fledgling democracies of Eastern Europe, with potentially critical consequences for their futures. And all the while we wait for sanctions to work, the Iraqi defences become increasingly formidable. If it requires hostilities to get Saddam Hussein out of Kuwait, the costs in terms of casualties among the coalition partners, including Canada, probably increase with every day and week that pass.

So while a war is certain to be very costly, waiting to see if sanctions will work is far from cost-free. And, if sanctions failed, there is no guarantee that the coalition would still be united and able to fight even 16 months down the road, let alone 60. Were Saddam Hussein to succeed, the costs to Canadian interests — the discrediting of the U.N., the distortion of international order, the trampling of human rights and the impact on the world economy — would be unacceptable. For all these reasons, the government believes that Canada should continue to support the U.N. in taking all possible measures to cause Iraq to withdraw from Kuwait.

Some allege that the government is simply following the lead of the U.S. Administration on this issue. This is perhaps the most tired and threadbare accusation of all. Because, as Prime Minister Pearson wrote derisively in his memoirs, "a sure way to get applause and support at home is to exploit [Canadians'] anxieties and exaggerate [their] suspicions over U.S. power and policies."

It should not be surprising or offensive that the views of free nations often coincide. In fact, in this case the views of all of the leading western nations — led by

CN CDI 9 - 6/9

0099

- 6 -

governments of very different political stripes -- including the United Kingdom, Italy, Australia, France, the United States and Canada are in harmony. And why not? We all share the values of liberty and democracy and equality before the law. Our institutions all draw their validity from the free expression of the wills of our peoples. And in foreign affairs, we all stand for the respect of international law.

And it is not surprising that in light of the stakes on this issue these democracies all back the U.N. strongly. Canada worked hard to persuade the United States to work within the United Nations and to forego unilateral action. The international coalition knows it must now be prepared to stand up for what is right.

Prime Minister Bob Hawke of Australia, the leader of the Labour Party in his country, in weighing the same considerations we are weighing, told his Parliament on December 4 that "if conflict occurs of a kind which is contemplated and authorized by the [UN] resolution, [Australian] ships will be available to participate in action with the allied fleet." François Mitterand, President of France and leader of his country's Socialist Party, has made clear his country's position when he said that "France considers a complete withdrawal from Kuwait to be an inviolable principle. Moreover, (France) holds that the January 15th deadline cannot be postponed or extended for any reason whatsoever... If the conditions that have been set are not fulfilled, then France will be doing its duty." In the United Kingdom, Prime Minister Major has been equally clear and consistent on this point.

And Neil Kinnock, the Leader of the Opposition in the U.K., said last week that the Labour Party "will not, in the interests of distancing ourselves from the government, distance ourselves from our forces or from the United Nations." And we know now that both chambers of the US Congress as well have voted to support the U.S. Administration in the implementation of U.N. Resolution 678 -- to get Saddam Hussein's forces out of Kuwait.

Canada's policy from the beginning has been a two track policy -- working for peace but preparing for hostilities, if diplomacy failed. In fact, the record will show that from the day Iraq invaded Kuwait, we have carried on extensive diplomacy designed to find a peaceful solution to this crisis. We have consulted widely in the region, and elsewhere, promoted the importance of the U.N. as the instrument of the world's response, urged a prompt withdrawal by Iraq and counselled prudence in our allies. A full outline of all of our principal efforts since last August will be set out by Mr. Clark, the Secretary of State for External Affairs, when he speaks in the debate later today.

I am satisfied that we have done everything possible to promote a peaceful outcome to this crisis. No one wants a war, least of all those to whom it falls to fight. I am sure that I speak for every member of this House and for all Canadians in expressing my admiration for the dedication and professionalism of the Canadian servicemen and women in the Persian Gulf. And I am sure, whatever our policy views, we in this House will be unanimous in supporting these outstanding and courageous men and women. They are there in the defence of the values and interests of all Canadians

CN 009 - 7/8

0100

- 7 -

and they deserve the country's gratitude and support. Both they and their families have our prayers for a safe return.

If war comes, Canadians will be at risk. Saddam Hussein has openly and blatantly threatened to use weapons of mass destruction in the region and to sponsor terrorist activity abroad as well. We have, therefore, advised Canadians that they should defer travel to the region and, if they are already there, to consider leaving now.

CSIS and the RCMP have increased their levels of alert. On this point, I want to reassure Iraqi-Canadians that they will not be subject in any way to illegal surveillance or unwarranted detention, as was the case in regard to other citizens during World War II. That lesson fortunately has been learned.

The House has been recalled today, in these serious circumstances, to permit members to express themselves on the Gulf crisis in the full knowledge of the facts and of the government's position on them. We are asking that the opposition join in re-affirming Canadian support of the U.N. in securing the withdrawal of Iraq from Kuwait. This procedure is consistent with our tradition in the past.

In 1939, the Leader of the Opposition, stated in this House for example that "We are going through a very grave crisis," ... he said. "It is no exaggeration to say that this is a war for the preservation of human liberty." "So far as my party is concerned... there will not be... anything in the way of political manoeuvring or captious criticism."

And, in June 1950, the Honourable Stanley Knowles, speaking on behalf of his party on the Korean crisis, pledged his party's "complete support of the principle of collective security, and [their] readiness to carry [their] support of that principle into all it may involve." Mr. Knowles went on to say that "the government has the concurrence of all the groups in this house in its readiness to support the action taken by the United Nations. That is clearly our obligation, and that way alone lies hope. If we can deal with this present crisis on that basis and demonstrate the effectiveness of collective action for peace we may yet achieve much more in that direction than at times we have dared to hope."

As it was in 1950, so it still is in 1991. The Government is acutely conscious of the gravity of the situation. Canada is a peaceful country. Canada Day is an occasion for family gatherings and friendship not for bombast and military parades. Canada is a country that stands for decency and peace but we are also a country that stands for principles -- respect for the law, freedom and human dignity.

The fundamental truth in this debate is that if we want peace we must defend these principles which are enshrined in the U.N. Charter. We must be prepared to stand up for what's right. To do otherwise is to signal to Saddam Hussein and to other potential aggressors that the U.N. is incapable of responding effectively to aggression. No moral superiority accrues to those who stand on the sidelines and let

0101

- 8 -

others defend their principles. Canada is a peaceful country ── but Canada is not a neutral country, nor a country that expects a free ride.

Most members of this House, including me, are too young to have had personal involvement in war. We know, however, the devastation that war has brought to too many nations around the world and the sorrow it has brought, in the past, to too many families in our own country. As a result, the avoidance of war has been the principal thrust of Canadian foreign policy

Over the decades, Canada has made contributions to the cause of peace that have been substantial and effective. But we have always known that peace comes to those who are willing to defend it. Indeed, it is because our parents and theirs courageously resisted aggression in places, far away, that we, today, are members of this democratic Parliament in a free and independent country.

I believe we honour that heritage and respect noble Canadian traditions of valour today by standing firm in support of the United Nations and in helping to suppress aggression against an innocent member state.

- 30 -

CN 609 - 9/9

외 무 부

종 별 :

번 호 : CNW-0078   일 시 : 91 0116 1800

수 신 : 장 관(중근동,미북,정일,국방부)

발 신 : 주 카나다 대사

제 목 : 걸프사태대응 동향

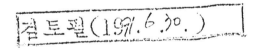

(자료응신 제 7 호)

연 : CNW-0059,0069

1. 주재국 MCKNIGHT 국방장관은 1.16. GULF 사태 관련 카나다 정부는 1 개 야전병원 (550 명의 의료진 및 보조인력으로 구성)을 사우디 주베일지역에 파견할예정이라고 발표함.

2. 동 장관은 금번 야전병원 시설 및 의료진 파견 결정은, 영국정부의 요청에 의한 것으로서 걸프지역의 부상자 치료는 물론 다국적군의 활동 관련 포로의 대우에 관한 제네바 협약에도 부응하는 조치라고 언급함.

3. 동 야전병원 시설 및 인원 배치는 1 월말까지 2 개 외과 시술팀(매일 16-20 명의 부상자 시술능력)을 우선 파견하고, 3 월초 까지 잔여시설 및 예비 인원을 파견하는 2 단계 과정으로 시행될 것이라 하며, 또한 야전 병원은 카나다 중동 파견군의 지휘하에 있으면서 직접적인 전술적 봉제는 영국군 휘하로 위임될것이라함.

4. 한편 주재국 정부는 걸프사태에 따른 각종 테러 위협과 관련하여 대 테러 안전 대책을 강화하고 특히 연방경찰(RCMP)의 국회등 정부 주요시설 배치 및 경비 강화, 주재국에 입국하는 아랍계인등에 대한 입국심사 강화등 조치를 취하고 있음. 끝

(대사 - 국장)

예고문 : 91.6.30. 까지 문애 의지 인반문서로 재 분무됨. ㉑

검 토 필(1991.6.30.)

중아국	장관	차관	1차보	미주국	정문국	청와대	안기부	국방부

원 본

외 무 부

종 별 : 지급

번 호 : CNW-0080   일 시 : 91 0117 0100

수 신 : 장관(중근동,미북,정일,기정,국방부)

발 신 : 주 카 나 다 대사

제 목 : 걸프전쟁 주재국 대응동향

연 : CNW-0078

1. 1.16.(수) 19:00 경 미국, 영국, 사우디, 쿠웨이트 4 개국의 대이락 공중폭격으로 개시된 걸프전쟁(OPERATION DESERT STORM) 발발과 관련 주재국 멀루니 수상은 1.16.(수) 22:20 하원 본회의 특별 연설을 통해 금번 무력행사는 후세인의 세계 여론에 도전하는 쿠웨이트 강점고수의 직접적 결과이며 이제 유엔의 효율성을 보장하고 세계 질서 유지를 위해 행동해야 할 시점이 왔으며, 카나다는카나다의 국익과 책임, 그리고 1 - 2 차대전및 한국전 참전등의 영예로운 전통에 입각 쿠웨이트로 부터 이락 축출 무력행사에 동참할 것임을 밝혔음.

2. 또한 멀루니 수상은 동 연설에서 현재 카 공군(F-15) 전부기들이 카나다 및 연합군측 함정 및 인원 보호임무 수행차 페르시아만 북부지역에서 공중 정찰임무(CONBAT AIR PATROL) 를 수행중이나 금일 저녁 비상 각의 결정에 따라 이들 카군은 필요시 쿠웨이트 및 이락에서의 소개 및 호위임무(SWEEP AND ESCORT MISSION) 를 수행할수 있는 권한이 부여되었음을 밝히고 전쟁은유감스러우나 모든 카나다 국민들이 이견을 접어두고 현지 카군에 대한 성원을위해 단결해 줄것을 호소하였음.

3. 한편, 멀루니 수상의 상기 연설에 이어 크레티안 자유당 당수 및 멕로린신민당 당수도 하원 본회의에서 전쟁발발은 유감스러운 최소한의 희생으로 조속히 종결되길 바라며 현지 파견 카군에 대한 성원을 다짐하는 연설을 행함으로서 전쟁에 임하여 당파를 초월하는 태도를 보임.

4. 멀루니 수상은 금일 저녁 대이락 무력공격 개시전 부쉬 대통령으로 부터사전 전화통보 받았으며, 의회 연설후 수상관저로 귀환 사태 진전 관련 각국 지도자들과 대책 협의를 갖고 있는것으로 알려짐.

5. 당지 CBC-TV 등 TV 방송들은 정규방송을중단 미측의 공식 발표, 현지특파원의

중아국	장관	차관	1차보	2차보	미주국	정문국	안기부	국방부

PAGE 1

보고등 사태 진전 상황을 계속 보도 중인바 특히 전쟁발발과 관련 현지 파병 카군의 공격 작전 참여(OFFENFIVE ROLE) 결정등 역할 전환에 큰관심을 보이고 있으며 대부분의 TV 인터뷰 인사등 당지 여론은 일부지역에서의 전쟁 반대 시위등에도 불구 카나다의 참전 불가피성을 이해, 카정부의 대응책을 전반적으로 지지하는 태도로 평가되고 있음.

6. 상기 멀루니 수상 연설전문 별전 FAX 타전함. 끝

(대사 - 국장)

첨부 : CNW(F)-0011

예고문 (:) 91.6.30. 까지 예고문에 의거 일반문서로 재 분류됨.

검토필(1991. 6. 30.)

EMBASSY OF THE REPUBLIC OF KOREA
151 SLATER STREET, 5 TH FLOOR
OTTAWA, CANADA
K1P 5H3
TELEPHONE : (613)232-1715
FACSIMILE : (613)232-0928

FACSIMILE TRANSMISSION

긴급.

번호 : CNW (F) - 0011   일시 : 91. 0116. 2320

수신 : 장 관 (중근동, 의북, 정밀, 기정) 국방부)

(FAX NO :   )

발신 : 주 카나다 대사

제목 : 걸프전쟁 주재국 대응동향

원문 : 주재국 수상 연설문 (3매) · 별.

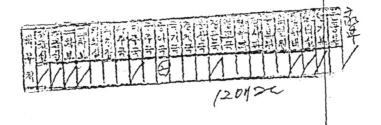

1204 DC

TOTAL NUMBER OF PAGES INCLUDING COVER SHEET : 4

0106

Office of the
Prime Minister

Cabinet du
Premier ministre

CANADA

NOTES FOR A STATEMENT

BY PRIME MINISTER BRIAN MULRONEY

HOUSE OF COMMONS

JANUARY 16, 1991

AGAINST DELIVERY

74

Ottawa, Canada K1A 0A2

0107

Honourable Members will know that military action began in the Persian Gulf today as announced at 7 p.m. Eastern Standard time. President Bush called me beforehand to apprise me that he had authorized such action. We understand that the participants included forces from the United States, the United Kingdom, Saudi Arabia and Kuwait.

The fighting is a direct consequence of Saddam Hussein's determination to maintain his brutal occupation and illegal annexation of Kuwait in defiance of world opinion. He has chosen to ignore the numerous opportunities that were open to him to withdraw. He has had 167 days since his invasion of Kuwait, August 2, and 48 days since the U.N. Security Council passed Resolution 678 on November 29. In all that time, his answer has been no.

Resolution 678 provided a pause for peace and gave Saddam Hussein "one final opportunity" to comply with the will of the world community, as duly expressed through the United Nations. He did not take that opportunity. Diplomacy has been given every chance to end this conflict peacefully but, regrettably, has failed in the face of Saddam Hussein's intransigence. That same intransigence and his indifference to his own people's suffering made it clear that sanctions alone were not going to force him to leave Kuwait. There has not been one iota of interest on his part in complying with U.N. directives.

The time has regrettably come, therefore, to act in the interests of preserving world order and in safeguarding the effectiveness of the U.N. A failure by the world community to act would have undermined the United Nations, turned a blind eye to naked aggression, condoned violations of international law, and encouraged other potential aggressors to defy world opinion in the pursuit of their own criminal ambitions. If Canada had stood aside, we would have betrayed our own interests, repudiated our own responsibilities and dishonoured our own traditions. Canada did not stand aside in two world wars and Korea. Canada did not stand aside from the hard work of seeking a peaceful end to the Iraqi occupation of Kuwait. And Canada is not standing aside from giving effect to the U.N. resolutions. We will join with other U.N. members in expelling Saddam Hussein from Kuwait by force.

At this moment, our CF18s are flying Combat Air Patrol in the northern Persian Gulf protecting Canadian and allied ships and personnel in the Gulf and the Arabian Peninsula. Canadian ships are now engaged, in the company of others, playing a vital role in assuring the support of the seaborne arm of the coalition in the Persian Gulf. Earlier this evening the Cabinet met and gave the Chief of the Defence Staff, General de Chastelain, authority for the Canadian Forces to carry out sweep and escort missions over Kuwait and Iraq, if necessary and appropriate. All Canadian forces in the Gulf will, nevertheless, remain under Canadian command.

3/4

0108

- 2 -

I profoundly regret that it has come to this. It is with no satisfaction that we take up arms. War is always a tragedy. But the greater tragedy would have been for criminal aggression to go unchecked.

I am sure that the safety of the Canadian servicemen and women in the Gulf is uppermost in the minds of all Members. Our hearts go out to those families with loved ones -- fathers or mothers, sons or daughters, brothers or sisters -- on duty in the Persian Gulf. These courageous men and women are braving great danger in the defence of the values and interests of their country. They deserve our gratitude and our respect. Now is the time for all Canadians to put aside their differences and rally to their support.

I am sure that Honourable Members join me and all Canadians in praying that this war end quickly and that all Canadians welcome home our brave fellow citizens who defend freedom and the cause of peace.

- 30 -

4/4

외 무 부

종 별 :

번 호 : CNW-0085　　　　　　　　　　일　시 : 91 0118 1000

수 신 : 장 관 (중근동)미북,정일,기정,국방부)

발 신 : 주 카나다 대사

제 목 : 걸프전쟁 주재국 대응

(자료응신 제 10 호)

1. 클라크 외무장관은 1.17. AL SHAWI 당지 이락대사를 초치, 오타와 주재
이락외교관 7 명중 3명을 추방한다고 봉고하고 이들이 48 시간 이내에 출국하도록
요청함. 동 추방 사유는 공표되지 않았으나, 이락 외교관들의 테러 공작 활동
가능성과 관련 이를 차단키 위한 것으로 알려짐.

2. 한편, CHASTELAIN 국방 총장은 1.17.기자회견을 통해, 걸프지역에 파견된
카공군 CF-18 비행 대대(24 기)가 다국적군의 공격 개시이후 아직 공격 작전에는
직접가담치 않고 있다고 밝히면서 그러나 작일 내각의 결정에 따라 앞으로 폭격기 및
전부기의 공중 폭격 작전을 보조하기 위해 공격태세로 전환, 소개 및 호위임무(SWEEP
AND ESCORT MISSIONS)를 수행할것이며 이에는 준비관계상 3 - 5 일이
소요될것이라고밝힘. 현재 페르시아만 남쪽 지역에서 다국적군의 보급로 보호작전에
참여하고 있는카 해군 구축함정 2 척도 상황에 따라 공격 임무를 수행할 것이라 함.끝

(대사 - 국장)

중아국	장관	차관	1차보	2차보	미주국	중아국	정문국	정와대
총리실	안기부	국방부						

PACE 1　　　　　　　　　　　　　　　　　　　　91.01.19　　04:19 DQ

외신 1과 통제관

0110

외　무　부

종　별 :

번　호 : CNW-0087　　　　　　　　　일　시 : 91 0118 1640

수　신 : 장 관(중근동,미북,정일,기정,국방부)

발　신 : 주 카나다 대사

제　목 : 걸프전쟁(이락의 대이스라엘공격 반응)

자료응신 제 11 호

1. 1.17. 저녁 이락의 이스라엘 공격 관련, 멀루니수상은 기자회견 및 의회 질의답변 연설을 통해 이는 악마의 극악 무도한 행위 (EVIL ACT BY AVERY DIABOLIC MAN)로서 사담 후세인의 무법성을 잘말해주는 예라고 규탄하면서, 카나다는 이스라엘의 강력한 지지자 임을 강조하고 앞으로 걸프전쟁관련 주재국의 역할 증강 가능성을 시사 하였음. 아울러 멀루니 수상은 이스라엘수상에게 카나다의 규탄 입장관 위로의 뜻을 담은 서한을 발송함.

2. 한편 클라크 외무장관은 별도 기자회견에서 사담후세인의 야만적인 행위를 규탄하고 이는 연합국의 단합을 더욱 강화시킴으로써, 이스라엘을 끌어들여 연합국의 전연을 분열시키려는 후세인의 기도는 결국 실패할 것이라고 피력함. 또한 클라크 외무 장관은 이스라엘 대사와 접촉 이스라엘이 보복 행위를 자제해 줄것을 거듭 강조하였다고 함.끝

(대사 - 국장)

중아국	장관	차관	1차보	2차보	미주국	중아국	정문국	정와대
총리실	안기부	국방부						

91.01.19　　08:51 WG

외신 1과　통제관

0111

관리
번호 91/609

외 무 부

종 별 :

번 호 : CNW-0106   일 시 : 91 0122 1900

수 신 : 장 관(중근동,미북,정일)

발 신 : 주 카나다 대사

제 목 : 걸프전쟁 주재국 대응

연 : CNW-0087,85,80

1. 1.22. 저녁 주재국 하원은 1.14. 이래 계속해온 걸프사태 특별 심의 토론을 종결하고 정부측이 제안한 카나다의 유엔 결의(678 호) 에 따른 무력 행동 참여 지지 결의안에 대해 표결, 동 지지 결의안을 찬성 217, 반대 47 (보수당 및자유당 찬성, 신민당 의원 전원 및 일부 무소속 반대투표)로 통과 시켰음.

(카 헌법상 전쟁참여 문제는 의회의 사전 승인을 꼭 필요로 하지 않는 행정부측의 전권사항(CROWN PREROGATIVE)으로 이에 따라 멀루니 수상은 이미 걸프전쟁 참전에 필요한 조치를 취한바 있으며, 금번 카 하원의 결의안 통과는 법적 절차가 아니라 정치적 고려에 따른 것임)

2. 아울러 카 정부는 기 파견된 카 공군 CF-18 기 24 대의 연합국측 공중 폭격 소개 및 호위 임무(SWEEP AND EXCORT MISSION) 돌입과 관련 현지 전황 전개에 따라 필요시 보충을 위해 CF-18 기 6 대를 서독 기지에 추가 파견 하였으며, 아울러 기 파견키로 한 야전병원의 방어목적으로 약 130 명의 병력을 파견 예정이라고 함. 그러나 그외의 지상군의 파견이나 이를 위한 국내 징병 계획은 없다고 함.

3. 한편 1.22. 오후 주재국 국방부 정보 본부에서 주관한 걸프전쟁 전황(1.22. 08:00 현재) 관련 당지 무관단에 대한 브리핑에 당관 김인주 무관이 참석한바, 동 브리핑 요지 아래와 같음.

가. 이락군은 전반적으로 방어에 주력 장기전에 대비하고 있음.

나. 지금까지 SCUD 미사일 30 발이 발사 (13 발 이스라엘, 16 발 사우디, 1발 카타르) 되었으며, 이중 11 발이 격추되었음.

다. 많은 통신 시설의 파괴에도 불구하고 쿠웨이트, 바그다드간 통신이 소통되고 있음.(RADIO, 지하 케이블등)

중아국	장관	차관	1차보	미주국	정문국	청와대	안기부

라. 이스라엘은 이락이 화학 무기를 사용치 않는 이상 보복 공격을 자제할 것으로 판단됨.

마. 이락측의 공군기 20 여대가 파괴 된것으로 확인 되었으며(나머지는 분산 은익), 대부분의 이락 공군기가 아직 남아 있지만 이락 공군의 활동은 큰 위협으로 보지 않음.

바. 앞으로 이락측은 SCUT 미사일의 간헐적 공격(이스라엘 및 사우디등)으로 사기를 저하시키면서 육전에 대비 할것으로 보임.

사. 카나다의 중동 사령부는 바레인에 위치, 공군 및 해군 지휘중임.

아. 이락측의 강점은 방어자의 일반적 잇점과 이락군의 상황에 대한 인내(SUFFERING) 능력이라고 봄.

자. 앞으로 매주 주재 무관단을 위한 상황 브리핑 실시 예정임.끝

(대사 - 국장)

예고문 :91.6.30.. 까지 재고 문제
의거 일반문서로 재 분류됨.

검토필 (1994. 6. 30.)

외 무 부

종   별 :

번   호 : CNW-0177

일   시 : 91 0206 1800

수   신 : 장 관(미북,국연,중근동,동구일,정일)

발   신 : 주 카 나 다 대사

제   목 : 수상 외교보좌관 접촉

　　2.6.(수) 본직은 DOYLE 수상 외교보좌관을 이임 인사차 예방한바, 환담중 특기사항 아래 보고함.(조창범 참사관 배석)

　　1. 본직은 작년 연기된 대통령 방카 준비과정에서의 동 보좌관의 역할등을 지적 재임중 제반협조에 사의를 표하고 앞으로 수상측근 인사로서 양국 고위인사교류등 한. 카 관계 증진에 많은 지원을 해줄것을 당부한바, 동 보좌관은 그간한. 카 관계발전에 만족을 표하면서 앞으로 노 대통령의 방카 가능성에 관심을표하고 협조를 다짐함. 또한 동 보좌관은 90.9 월 방한했던 클라크 외무장관이한국 방문에 많은 감명을 받아 다시 방한하고 싶어하더라고 말하였음.

　　2. 동 보좌관은 금년중 멀루니 수상의 해외방문 계획 관련 금년 가을 영연방 정상회의 및 불어권 정상회의 참석에 따라 아프리카 방문, 7 월 G-7 정상회의(런던) 참석, 그리고 걸프전쟁의 경과를 보아가면서 상반기중 일본등 아시아지역 및 남미제국 방문을 검토중이라고 하였는바, 본직은 멀루니 수상이 일본등 아시아 방문 기회에 한국도 방문키를 희망한다면 아측으로서도 적극 협조토록 노력할 것임을 시사해 두었음.

　　3. 본직은 또한 년내 유엔 가입 실현 문제가 아국의 최대 외교과제임을 지적, 핵심 우방국의 일원으로서 카 정부의 계속적인 협조가 있도록 동인의 측면 지원을 당부해둠.

　　4. 걸프전쟁 관련 동 보좌관은 그간 MEDIA 에 의한 조기 승전 기대감 조성이 문제라고 지적하면서, 아직 이락측으로부터 항복의 조짐이 전혀 없는 상태이며 이는 후세인으로서는 전쟁의 승패와 관계없이 후세에 아랍권에서 외세와 맞선영웅으로 기록될 것이라는 환상과 버티기 작전으로 연합국의 내부 균열 및 이란의 지원획득 가능성에 대한 기대감등이 작용하고 있는 것으로 보인다고 하고, 이에 맞서

미주국	장관	차관	1차보	2차보	구주국	중아국	국기국	정문국
청와대	안기부							

PAGE 1

91.02.07   10:53

외신 2과 통제관 FE

0114

연합국측으로서도 희생자의 최소화, 이락군의 전력 파괴 및 군수보급 차단등을 통한 사기저하, 이락의 내부불만에 의한 정변유도등의 고려에서 공중 폭격을 계속하면서 지상 전부는 가능한 시기까지 최대한 늦추는 전략인 것으로 보인다면서, 금번 전쟁이 상당기간 계속될 것으로 관측하였음.

　　5. 한편, 동 보좌관은 최근 소련 정세 전망이 비관적이라고 우려하면서 고르바쵸프의 입지가 불안하고 KGB 의 영향력에 의해 조종되고 있으며 고르바쵸프 자신의 정책 선택의 반경이 매우 제약되어 있는 것으로 평가하였음. 끝

　　(대사- 국장)

　　예고문 : 91.12.31. 까지

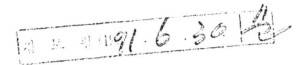

PAGE 2

0115

外 務 部

관리
번호 시 -P01

종 별 :

번 호 : CNW-0213   일 시 : 91 0215 1730

수 신 : 장 관(중근동,미북,정일)

발 신 : 주 카 나 다 대사대리

제 목 : 이락의 쿠웨이트 철수제의 관련 반응

(자료응신 제 17 호)

1. 멀루니 수상은 2.15. 오전이락측의 쿠웨이트 철수 제의 방송과 관련 기자
문답에서 이락측의 제의에는 많은 전제조건이 포함되어 있으며, 새로운 내용이
없으므로 이를 받아들일수 없다고 하면서 이락의 무조건 철수 실현을 위해 공중 폭격이
계속되어야 한다고 밝힘.

2. 클라크 외무장관도 연합국측의 단호한 태도가 사담 후세인에게 어느정도효과를
발휘하고 있기 때문에 이락측의 제의가 나온 것으로 평가하나, 이락측이 제시한
조건들은 동 철수 제의 자체를 의미없게 하는 것이라고 언급 하였으며, 맥나이트
국방장관 역시 현재로서는 사담 후세인이 쿠웨이트로부터 철수할 것임을 믿게 해주는
어떠한 징후도 없다고 하면서 이락측의 제의에 냉담한 반응을 보였음.

3. 한편, 일부 재야 평론가(LEWIS 전 주유엔 대사등)는 금번 이락측의 발표는
이락이 걸프사태 발생이후 처음 취한 매우 중대한 입장의 변화 이므로 금후 유엔,
소련, 이란 불란서등이 적극적인 외교활동을 전개할수 있는 계기가 될수 있다는
견해를 피력하고 있음. 끝

(대사대리 - 국장)

예고문 : 91.12.31. 까지   91. 6. 30. 검토필

중아국	장관	차관	1차보	2차보	미주국	정문국	청와대	안기부

외　무　부

종　별 :

번　호 : CNW-0228　　　　　　　　　일　시 : 91 0219 1800

수　신 : 장 관(중근동,미북,정일) 사본 : 박건우 대사

발　신 : 주 카나다 대사대리

제　목 : 소련의 걸프평화안 관련 반응

　　주재국 멀루니 수상은 소련이 이락측에 제의한 4개항의 걸프 평화안과 관련하여 2.19.(화) 기자문답에서 소련측의 성의 있는 노력은 평가하나, 구체적 내용을 검토해본 결과, 현재로선 동내용이 이락의 쿠웨이트 무조건 철수를 촉구한 유엔 안보리 결의상의 제반 요구조건을 충족하지 못하는 것으로 본다면서 수락할수 없다는 반응을 보였음.끝

　　(대사대리 - 국장)

중아국　　1차보　　의전장　　미주국　　정문국　　안기부　　그쭉인

PAGE 1　　　　　　　　　　　　　　　　　　91.02.20　　13:23 WG
　　　　　　　　　　　　　　　　　　　　　외신 1과 통제관 ·

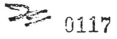
0117

외 무 부

종 별 :

번 호 : CNW-0249   일 시 : 91 0221 2000

수 신 : 장 관(중근동,미북,정일) 사본: 박건우대사

발 신 : 주 카나다 대사대리

제 목 : 소련의 걸프평화안 관련 반응

연 : CNW-0228

1. 주재국 클라크 외무장관은 영국 방문중 2.20.ROYAL INSTITUTE FOR INTERNATIONAL AFFAIRS 에서의 연설을 통해 소련이 이락측에 제의한 걸프 평화안과 관련하여, 이락측의 신속하고 완전한 철수가 중요하며 유엔 안보리 결의상의 제반요구 조건이 충족되기 위해서는 아래 7 개 사항이 포함되어야 한다는 입장을 밝힘.

0 쿠웨이트내 모든 이락 인력은 특정된 단기간내에 쿠웨이트로 부터 철수할것.

0 시한내 철수에 따라 쿠웨이트내에 남게되는 모든장비의 처분문제는 유엔의 책임하에 조치될것.

0 모든 대량 살상무기는 이락측에 반송할수 없으며, 유엔의 주관하에 파괴되어야 함.

0 쿠웨이트내에 설치되어 있는 모든 지뢰는 이락측에 의해 일정기간내에 제거될것.

0 전쟁포로는 국제적십자사의 감독하에 즉각적으로 교환될것.

0 제반 사항이행여부의 조 E 및 검증은 유엔주관하에 이루어 질것.

0 이락의 쿠웨이트 침공으로 야기된 희생자에 대한 인도적 원조 및 복구원조는 유엔 주관하에 국제법의 원칙에 따라 이행될것.

2. 한편 MCKNIGHT 국방장관은 2.20. 걸프전 파견 주재국 CF18 비행대대가 그간의 소개 및 호위임무 (SWEEP AND ESCORT MISSION) 으로 부터 전환하여 2 주일 이내에 이락 및 쿠웨이트내 군사목표를 직접 공격 (AIR TO SURFACE ATTACK) 할수있는 역할을 부여하였으며 여타 연합국측과의 협의없이 카나다가 독자적으로 결정한 것이라고밝힘. 이와 관련 자유당 소속 AXWORTHY 의원, 신민당 소속 BREWIN 의원등 야당측은 소련의 평화안 제안과 관련하여 걸프전의 외교적인 해결이 모색되고 있는 가운데 카나다 정부가전쟁 개입 확대를 결정한 것을 신랄히 비난하고 있음.끝

중아국	1차보	2차보	의전장	미주국	정문국	정와대	총리실	안기부

차관   장관

PAGE 1

91.02.22   10:20 WG

외신 1과 통제관 ·

0118

외 무 부

종 별 :

번 호 : CNW-0248

일 시 : 91 0222 1630

수 신 : 장 관(중근동,미북,정일) 사본 : 박건우대사

발 신 : 주 카나다 대사대리

제 목 : 걸프평화안 주재국 입장

자료응신 제 22 호

연 : CNW-0228, 0249

1. 2.20. 오전 주재국 멀루니 수상은 기자회견을 통해 소련의 걸프 평화안과 미측의 2.23.(토) 12:00이락의 철수 개시 시한 및 조건 제시등 걸프전쟁 종전을 위한 일련의 외교적 움직임과 관련, 아래 요지의 주재국 입장을 밝혔음.

　가. 쏘측 평화안은 조기 종전 가능성을 제시했다는 점에서 유망한 것이나 유엔 안보리결의 660 호에 따른 즉각적이고 무조건적인 이락의 쿠웨이트 철수에 못미친다는 점에서 흠결이있음.

　나. 연합국측 지도자들과 협의결과 공동입장에 합의한바, 연합국측은 2.23.(토) 12:00 이전 이락측이 쿠웨이트로부터 대규모 철수를 개시, 일주일내 이를 완료하고 여타 연합국측 제시조건을 충족할 경우 지상전부를 개시치 않을 것임.이러한 연합국측 입장은 유엔결의의 이행을 위한 합리적인 기초를 제공하는 것이라고 봄.

　다. 이락측이 금번 연합국측의 제안을 받아들이지않을 경우 전쟁은 계속 될것이며, 이 경우 카나다는 이락군의 쿠웨이트 철수 강행을 위해 그역할을 다 할것임.

2. 상기 발표문 전문 별첨 FAX 송부함.

　첨 부 : CNW(F)-0020

（대사대리 조원일 - 국장）

중아국	장관	차관	1차보	2차보	의전장	미주국	정문국	정와대
총리실	안기부							

Office of the
Prime Minister

Cabinet du
Premier ministre

CANADA

CNW (TF) - 0020 — 91 0222 1830

(CNW- 0248 의 첨부물)

NOTES FOR A STATEMENT

BY

PRIME MINISTER BRIAN MULRONEY

OTTAWA

FEBRUARY 22, 1991

<u>CHECK AGAINST DELIVERY</u>

Ottawa. Canada   K1A 0A2

½

0120

As you know, yesterday evening the Iraqi Foreign Minister responded to a Soviet proposal to end the war in the Persian Gulf. The firmness of the Coalition has forced Saddam Hussein to move, allowing the Soviet Union to take effective advantage of the opportunity that that firmness created. We welcomed President Gorbachev's initiative in this regard. The Government of Canada has studied the proposal and has found it to be promising but, in several important respects, inconsistent with relevant U.N. Security Council resolutions.

The Government found the proposal promising because it held out the prospect of an early end to the war. But we found it deficient because the withdrawal of Iraqi forces from Kuwait would have been neither immediate nor unconditional as required by U.N. Security Council Resolution 660. The proposal was conditional -- not unconditional -- because it called for the nullification of all U.N. resolutions with respect to the Iraqi invasion and occupation of Kuwait. Those resolutions include the issues of reparations and possible violations of the Geneva conventions. And, economic sanctions would have been ended prior to complete Iraqi withdrawal from Kuwait.

The proposal did not satisfy the test of immediacy because no timetable was provided for the completion of that withdrawal. It was open-ended. Furthermore, the proposal did not provide for renunciation by Iraq of its claim to Kuwait. Nevertheless, the proposal did demonstrate some progress and consultations took place among Coalition members through the night.

Mr. Clark and I have been in contact with leaders of coalition governments, including in the Middle East. As a result of those consultations, Coalition partners have reached a common position. The central point of that position is that Coalition members undertake not to initiate a ground campaign against Iraqi forces if prior to noon, New York time, Saturday February 23, Saddam Hussein begins a large-scale withdrawal from Kuwait, completes that withdrawal within one week, and satisfies other conditions as specified in the Coalition position. My Cabinet colleagues and I are satisfied that the Coalition position is consistent with Canadian policy as set out by the Secretary of State for External Affairs, Mr. Clark, in a speech he gave in London on Wednesday and which was reiterated by the Minister of National Defence, Mr. McKnight, later the same day in the Parliamentary committee. We believe the Coalition position provides a reasonable and sound basis for the implementation of all the relevant U.N. resolutions.

We hope that Saddam Hussein will see reason and end his aggression. Saddam Hussein has an opportunity to spare his military forces and to avoid further, tragic loss of life. If he does not take this opportunity and accept the Coalition offer, the war will continue. If the war continues, Canada will fully play its part in forcing Saddam Hussein's army from Kuwait. But our objective is peace. And we hope Saddam Hussein will accept the Coalition offer of peace and that further use of force will not be necessary.

- 30 -

2/2

외 무 부

종 별 :

번 호 : CNW-0262   일 시 : 91 0226 1830

수 신 : 장 관(중근동,미북,정일) 사본 : 박건우대사

발 신 : 주 카나다 대사대리

제 목 : 걸프전 이락철수 관련 반응

　　1. 2.26.(화) 멀루니 수상은 이락 사담 후세인의 쿠웨이트 철수 발표와 관련, 후세인의 발표가 이락측의 손해배상, 쿠웨이트 불법합병 철회등을 규정한 유엔의 모든 여타 관련결의와 2.22. 자 연합국측 제시 조건의 수락을 결하고 있어 그 진의가 의심스럽다고 지적하고 카정부는 이락측으로 부터 확실한 입장 표명을 접수하기 위하여 곧 유엔 안보리의 개최를 지지하며 아울러 이락군의 확고한 쿠웨이트 철수와 모든유엔 결의의 이행시까지는 전쟁이 계속될것임을 밝히는 성명을 발표함.

　　2. 관련 발표문 전문 별첨 송부함.

　　첨 부 : CNW(F)-0022

　　(대사대리 조원일 - 국장)

중아국 총리실	장관 안기부	차관 대결재	1차보	2차보	의전장	미주국	정문국	정와대

PAGE 1

Office of the
Prime Minister

Cabinet du
Premier ministre

CANADA

CNW(F)-0022   91 0226 1830

(CNW- 0262의 첨부물)

NOTES FOR A STATEMENT

BY

PRIME MINISTER BRIAN MULRONEY

OTTAWA

FEBRUARY 26, 1991

CHECK AGAINST DELIVERY

½

Ottawa, Canada K1A 0A2

0123

There is still considerable uncertainty arising from statements from Baghdad yesterday evening and earlier today. Saddam Hussein has apparently ordered his forces to leave Kuwait and some have begun to do so. However, he has not indicated his acceptance either of all other relevant U.N. resolutions or of the Coalition position issued Friday, February 22.

These omissions are very important. The U.N. resolutions address the issue of resolution for the damage Saddam Hussein has caused to his neighbours. They also address potential violations of the Geneva Conventions by Iraq while occupying Kuwait, including with respect to the taking of hostages, torture, forced deportations, and the summary execution of civilians. Most important, the U.N. resolutions also require Saddam Hussein to renounce Iraq's illegal annexation of Kuwait, which his statement today does not do.

These omissions raise serious questions about Saddam Hussein's intentions. This is a man who has attacked Iran and Kuwait and who is now fighting a war against virtually all of his neighbours and the entire world community. He has been given repeated chances to stop the fighting and to implement relevant U.N. resolutions. He has rejected every opportunity to do so. He is not a man to whom the benefit of the doubt can be given. But our responsibility is to give peace every chance.

In these circumstances, the Government of Canada would support a meeting of the United Nations Security Council to be convened as soon as possible for the explicit and exclusive purpose of receiving an authoritative statement from Iraq of its complete acceptance of all U.N. resolutions and those operational aspects of the Coalition position of Friday, February 22 that are still germane to ending the conflict. Only when such a clear, authoritative statement is given to the United Nations, will Canada support a ceasefire.

The choice, once again, between war and peace lies with Saddam Hussein. The Government of Canada calls on him to act immediately and definitively so that the fighting can end. This is not a war with the Iraqi people. And this is not, and never has been, a war with the Arab world. It has been a war fought under the authority of the U.N. to end Saddam Hussein's aggression against Kuwait and to defend the rule of law.

From the beginning Canada's goal has been clear: the definitive withdrawal of all Saddam Hussein's forces from Kuwait and the implementation of all relevant U.N. resolutions. That remains our position. Nothing more nor less. When that happens, the war will be over. In the meantime, Canada will continue to carry out fully its responsibilities as a member of the Coalition.

- 2 -

0124

외 무 부

종 별 :

번 호 : CNW-0278

일 시 : 91 0228 1900

수 신 : 장 관(미북,중동일,정일,기정) 사본 : 박건우 대사

발 신 : 주 카나다 대사대리

제 목 : 걸프전쟁

연 : CNW-0235

1. 조공사는 2.28.(목) 외무부 BALLOCH 정책개발국장을 면담하여 걸프전쟁에 관해 탐문한바, 동 국장은 향후 카측의 대책 방향등에 관해 다음과 같이 언급함.

2. 미국, 카나다등 연합국측은 배상문제를 잇슈화하여 앞으로 사담훗세인대통령을 견재하기 위한 방편으로 삼을 것이며, 전범(정부요인, 주요지휘관 및잔학행위 자행 하급 군인) 처벌문제 잇슈화 여부, 휴전이행, 휴전후 유엔 옵서버 파견 및 평화유지군 투입문제, 쿠웨이트에 대한 인도적 지원문제등을 연합국측간에 협의하게 될것임. 작금 베이크. 클라크 외상간의 전화협의에 이어 마샹 외무차관이 명 3.1. 워싱턴을 방문하여 이 문제에 관해 협의하고 클라크 외무장관도 내주초 워싱턴을 방문 미측과 다시 이문제를 협의 예정임.

3. 현재 바레인 체재중인 주 쿠웨이트 카나다 대사는 명 3.1. 군용기편으로쿠웨이트에 부임했다가 3.2.(토) 사우디 타이프 체재중인 쿠웨이트 국왕을 알현 예정임. 쿠웨이트 국왕은 약 6주전 미국 CLEVELAND 병원에서 심장수술을 받았는바 건강문제 때문에 당분간 타이프에 머물것으로 보임.

4. 사담 후세인 대통령의 국내정치적 지위는 급격히 약화될 가능성이 있음.최근 바그다드 방송에서 주요 결정내용 발표시 훗세인 대통령을 인용하는 경우가 줄어들고 있는 현상화 기타 첩보를 종합해보면 벌써 국민간에 훗세인에 대한불신감이 생기고 있다는 증거가 있음.

5. 현재 철저하게 포위되어 있는 REPUBLICAN GUARD(RG) 는 전력이 거의 붕괴(DECIMATED)되고 사상자가 극히 많음(최근 수일간 카나다 공군도 RG 공격에 가담). 장교단, RG, BAATH PARTY 와 후세인의 친족은 자기 집단의 보존을 위해 훗세인 대통령을 멀리하게 될 가능성이 있지 않을까 짐작(SUSPECT)됨.

미주국 안기부	장관	차관	1차보	2차보	구주국	중아국	정문국	청와대

PAGE 1

6. 걸프사태와 관련해서 이지역과 접경해 있고 다수 회교인구를 가지고 있는 소련의 관심과 역할을 인정하지 않을수 없긴하나 종전이나 앞으로나 소련의역할은 그렇게 크다고는 볼수 없음.

7. 금번 걸프사태로 피해가 극심(경제생산력이 50- 70 프로 감소되었다는견해도 있다고함)한 죨단에 대하여 미국은 경제지원을 주저할 것이나 카나다로서는 경제지원을 공여할 계획이며 다음주 클라크외상의 중동 방문시에 죨단도 방문할 가능성이 있음.

8. 사미르 이스라엘 수상이 3 월 둘째주에 카나다를 방문 예정인바, 카나다는 계속 이스라엘측이 팔레스타인 문제에 관해 과격한 입장을 완화하여 온건한입장을 취하도록 종용할 것임. 카나다는 또 PLO 에 대해서도 금번 이락 지지로인해 PLO 의 국제적 지지기반이 크게 약화되었음을 고려, PLO 측에도 온건한입장을 취하도록 종용하고 있음. 금번 걸프사태가 마무리 된후 팔레스타인 문제가 크게 부각될 것이나 현 LIKUD 이스라엘 정부 재임기간중 큰 진전을 기대하기는 어려움.끝 (대사대리 조원일 - 국장)

예고문 : 91.12.31. 까지

외 무 부

종 별 :

번 호 : CNW-0294   일 시 : 91 0305 1900

수 신 : 장 관(중동일,미북,법규), 사본 : 박건우대사

발 신 : 주 카나다 대사대리

제 목 : 걸프전 손해배상 청구

대 : WCN-0192

1. 안참사관이 3.5.(화) 주재국 외무무역부 경제정책국 HAGE 국제재정부자 과장과 면담, 파악한 내용을 아래 보고함.

가. 피핵 파악(외무무역부내 피해 신고처 설치)

0 주재국 정부는 걸프사태 이락의 쿠웨이트 침공으로 카나다 국민 및 기업이 입은 재산상 피해와 신체적 피해(부상)에 대해 이락 정부당국에 손해배상을 청구하기 위해 외무무역부 조약국내의 경제. 봉상법과에 피해자가 구체적 피해 내용을 조속 신고하도록 2.28. 자로 공고하고, 현재 피해 내용을 접수중이며, 피해규모는 아직 미상임.

나. 손해 배상 청구범위

0 걸프사태 발생시 쿠웨이트 및 이락내에는 석유분야 기술자 등 약 800 명의 카나다 국민이 체재하고 있었는바, 이들이 입은 손실이 직접 피해로서 주된 손해 배상 청구 대상이며, 카나다의 경우 여타국처럼 수주 건설공사는 없었으므로 공사 중단으로 인한 피해는 없었음.

0 안보리 결의에 따른 경제제재 조치와 걸프전 수행에 따라 카나다 수출업체가 입은 피해는 당초부터 대중동지역 수출이 잠재적인 위험 부담을 지니고 있었다는 점과 카나다 수출개발공사(EDC) 등에 의해 보험에 가입되어 있었다는 점 등을 감안, 손해배상 청구에서 제외되었음.

다. 손해배상 청구방법

0 유엔 안보리 결의에 의거, 유엔이 이락정부에 대해 손해배상 청구 조치를 취할경우 이에 따르되 그렇지 않을 경우에는 이락정부 당국에 직접 청구 예정임.

라. 손해배상 지불확보

중아국 안기부	장관	차관	1차보	2차보	미주국	미주국	국기국	정와대

PAGE 1

0 현재 카나다내에 동결된 이락 자산이 수백만 카붑 이상으로 추정되므로 이 동결 자산을 압류, 사용하는것을 고려중이며, 미국의 경우도 유사한 이락 동결 자산이 있으므로 미측과 보조를 맞춰 처리해 나갈 방침임.

2. 손해배상을 실제 이락으로부터 받아내는 문제는 향후 훗세인 대통령의 거취 등 사태 진전을 보아가면서 신축성있게 대처한다는 것이 카측의 기본 입장임.

(대사대리 조원일 - 국장)

예고문 : 91.12.31. 까지

2. 중남미

외 무 부

종 별 :

번 호 : BRW-0457

일 시 : 99 0803 1630

수 신 : 장관 (중근동 .미남.정일.기정동문)

발 신 : ~~이라크의쿠웨이트 침공~~ 브라질

제 목 : (자료응신제 90-35호) 이라크의 쿠웨이트 침공

대 WLTM-0027

1. 주재국외무성은 대호 이라크의 쿠웨이트 침공에 대해 우려를 표명하고 ,분쟁해결을 위한 무력사용을 규탄하는 한편 사태의 즉각적인 평화적해결을 촉구하며,90.8.2 자 동 사태에 대한 유엔안보리 결의를 지지한다는 내용의 공식성명을 발표하였음.

2. 상기 성명관련 주재국 외무성 대변인은 이라크의 쿠웨이트 무력침공을 비난하는 입장이 반드시 양국 관계에 영향을 미치는 것은 아니라고 언급하고 1989 년 미국의 파나마 무력진주에대한 주재국의 반대입장이 미국과의 정상적관계를 저해하지 않았던 사실을 상기 시켰음

3. 주재국은 이라크와 왕복무역량이 18 억불대이라크수출 4 억불, 수입 14 억불달하고 원유수입량의 43 프로를 이락으로부터 공급받고 있으며, 공식무역통계에 나타나지 않았으나 이.이 전중 다량의 무기를 이락에 수출한것으로 알려지고있는바 외무성대변인 1988 년 이후 대 이락무기수출을 하지않고있다고 언급, 금번 이라크의 쿠웨에이트 침공으로 인해 주재국과 이라크와의 관계가 실질적으로 저해될 가능성은 희박한 것으로 보임.

끝

(대사 김기수 -국장)

예고:90.12.31. 일반

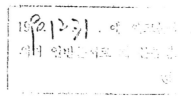

중아국   차관   1차보   미주국   정문국   안기부

원 본

외 무 부

종 별 :

번 호 : CSW-0369

일 시 : 90 0803 1750

수 신 : 장관(중근동,미남)

발 신 : 주 칠레 대사

제 목 : 쿠웨이트 사태

대:WLTM-0027

1. 대호사태 관련, 주재국 정부는 8.2(목) 아래요지의 외무부 성명을 발표함

가. 이라크의 쿠웨이트에대한 무력 침공 규탄

-국제 평화와 안전에대한 중대한 파괴 행위

-유엔 헌장 규정의 명백한 침해 행위

나. 이라크의 점령종결 및 이라크-쿠웨이트 쌍방간의 즉각적인 교섭을 통한분쟁해결 촉구

2. 동성명문 핵심부분 발췌

"CHILE, JUNTO CON CONDENAR ESTE ACTO DE USO DE LA FUERZA, EXIGE EL TERMINO DE LA OCUPACION IRAQUI E INSTA A AMBOS ESTADOS A QUE INICIEN DE INMEDIATO NEGOCIACIONES PARA RESOLVER SUS DIFERENCIAS.". 끝

(대사 이용훈-국장)

예고: 90.12.31 까지

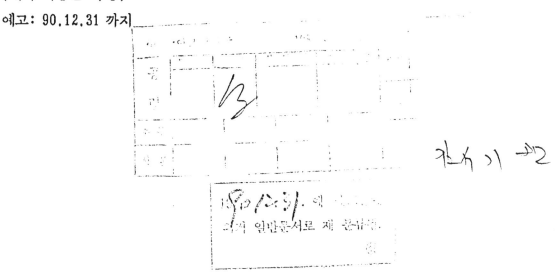

중아국   차관   1차보   미주국

PAGE 1

90.08.04   07:45

외신 2과 통제관 FE

0131

관리
번호 90/1262

외 무 부

종 별 :

번 호 : GUW-0200

일 시 : 90 0803 1600

수 신 : 장관(중근동,미중)

발 신 : 주 과테말라 대사

제 목 : 아락.쿠웨이트 사태

대:WLTM-27

대호 주재국 CEREZO 대통령은 이락의 쿠웨이트 무력 침공사태 관련, 8.2(목) 어떤 이유에서든 타국에 대한 무력침공 행위를 배격한다고 비난하고 이락의침공이 중지되도록 유엔안보리의 즉각적인 개입과 국제사회의 동참을 촉구한다고 언급하였기 보고함.

(대사 조기성-국장)

예고: 90.12.31 일반

중아국	장관	차관	1차보	2차보	미주국	청와대	안기부

PAGE 1

90.08.04   08:56

외신 2과 통제관 FF

0132

외 무 부

종 별 :

번 호 : MXW-0948

일 시 : 90 0803 1800

수 신 : 장 관(미중,중동)

발 신 : 주 멕 대사

제 목 : 이라크-쿠웨이트 전쟁

　　주재국 정부는 8.2.자 외무성 성명에서 이라크의 쿠웨이트 침공을 국제평화와 안전에 대하 중대한 위협으로 간주하고 이라크 군대의 즉각적인 철수 및 평화적 방법에 의한 분쟁 해결을 촉구함.

　　(대사 이복형-국장)

미주국　　1차보　　중아국　　정문국　　안기부

외 무 부

종 별 :

번 호 : PUW-0637   일 시 : 90 0803 1700

수 신 : 장 관(중근동,미남,정일,기정)

발 신 : 주 페루 대사

제 목 : 이르크, 쿠웨이트 사태

이라크의 쿠웨이트 침공 관련, LUIS MARCHAND STENS주재국 외무장관은 8.2 국제
관계에서 무력사용을 금지하는 국제원칙을 위반한 이라크이 쿠웨이트 무력침공 처사는
여하한 경우라도 용납할수 없으며, 이라크군이 쿠웨이트에서 조속 철수할것을 강력히
촉구한다는 성명을 발표함.

(대사 윤태현-중동아프리카 국장)

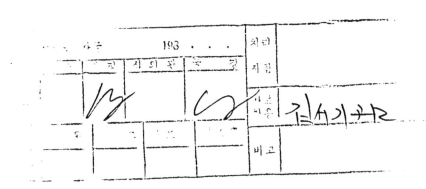

중아국   1차보   미주국   정문국   안기부

90.08.04   10:16 WG

외신 1과 통제관

0134

외 무 부

종 별 :

번 호 : VZW-0429   일 시 : 90 0803 1830

수 신 : 장 관(중동,미남,기정,국방부)

발 신 : 주 베네수엘라대사

제 목 : 이라크의 쿠웨이트 침공에 대한 주재국 반응

(자음 제 36호)

1. PEREZ 주재국 대통령은 8.2 제 9차 SOUTHCOMMISION 회의 개회사에서 이라크의대쿠웨이트 침공을 '터무니없이 불합리한 짓'이라고 한후 이는 예측할 수 없는 결과를 초래할 것이라고 언급하고, 그러나 국제원유시장에 대하여는 유리하게 작용할것임을 인정하면서도 OPEC 회원국간분쟁은 회원제국의 이익을 손상시킬뿐이라고 언급함.

2. 주재국 외무부는 이라크의 쿠웨이트 침공사태에 대해 공식 언급을 않고 있음.끝.

(대사 김재훈-국장)

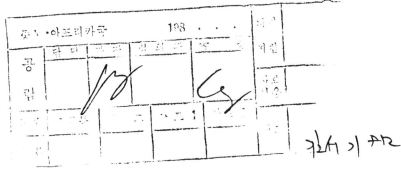

중아국   1차보   미주국   정문국   안기부   국방부

외 무 부

원 본

암호수신

종 별 :

번 호 : BRW-0463   일 시 : 90 0806 1800

수 신 : 장 관(중근동,미남,정일,국방,기정동문)

발 신 : 주 브라질 대사

제 목 : 이라크 쿠웨이트 침공(자료응신 90-36)

　　　대: WLTM-0027

　　　연: BRW-0457

　　1.FRANCISCO REZEK 주재국 외무장관은 8.5. 브라질정부는 쿠웨이트 침공후 이락이 세운 쿠웨이트 신정부를 승인하지 않을것이라고 언급하고, 그러나 브라질정부의 이러한 입장이 이라크와의 봉상관계 협정등 기존의 양국관계에 변화를 가져오는 것은 아니라고 부연함.

　　2. 상기 REZEK 장관의 발언과 관련 당지주재 이락대사관 공보관 NIBIL NASSER 은 이락정부가 주재국정부에 대해 쿠웨이트 신정부 승인을 요청한바 없으며,브라질 정부가 양국간 관계를 저해할 조치는 취하지 않을것으로 확신한다고 말하고, 쿠웨이트 현지시간 8.5.08:00 부터 이라크군이 철수를 시작하였으며, 이라크군의 완전철수는 타국의 반응여하에 달려있다고 언급함. 끝.

　　(대사 김기수-국장)

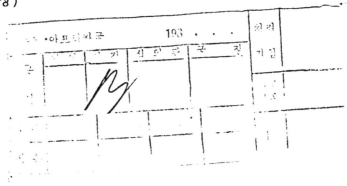

중아국	장관	차관	1차보	2차보	미주국	정문국	청와대	안기부
국방부								

PAGE 1

90.08.07　　06:44

외신 2과　통제관 CW

0136

외 무 부

종 별 :

번 호 : BRW-0466   일 시 : 90 0807 2000

수 신 : 장 관(중근동,기협,미남,정일,국방,기정동문)

발 신 : 주 브라질 대사

제 목 : 이라크-쿠웨이트 사태(자료응신 90-37호)

연: BRW-0457

대: WBR-0350

1. 주재국 정부는 무기 수출국으로서의 이라크의 중요성및 대이락 원유의존도로 인해 제재조치가 어려울것이라는 예상에도 불구하고 90.8.6. 외무, 경제, 기간산업부등 관계부처 회의를 열고 유엔안보리의 대이라크 봉상제재 결의를 존중, 이라크 및 쿠웨이트와 봉상관계를 단절하기로 결정하였음. 이와관련 주재국 외무부 대변인은 주재국 정부가 유엔안보리 결의를 즉각적이고 완전하게 준수할것이라고 발표하였으며, 최근까지도 주재국이 대이락 무기수출을 계속하고 있다는일부 외국 언론보도를 부인하였음.

2. 주재국 정부는 대이라크및 쿠웨이트 봉상금지조치를 위한 대통령령을 조만간 공포할 예정이며, 이미 8.6. 부터 양국간 교역을 금지하고 있다함.

3. 브라질은 이라크-쿠웨이트 양국으로부터 일일 원유도입량 55 만배럴의 35프로에 해당하는 19 만배럴(이라크 16 만 배럴(89 년도 25.2 만 배럴), 쿠웨이트 3 만배럴)을 수입하고 있는바, 대 이라크및 쿠웨이트 봉상금지 결정에 따라브라질 석유공사가 원유수입 협정이 체결된 10 개국과 원유추가 도입 교섭을 개시할것이라 하며, 주재국의 일일 원유도입 현황은 다음과 같음.

- 이라크 : 16 만 배럴
- 쿠웨이트: 3 만 배럴
- 사우디: 14 만 배럴
- 이란: 10 만 배럴
- 현물시장: 6 만 배럴
- 기타국가: 6 만 배럴

중아국 국방부	차관	1차보	2차보	미주국	경제국	정문국	정와대	안기부

PAGE 1

90.08.08   08:37

외신 2과 통제관 CW

0137

계: 55 만 배럴

끝

(대사 김기수-국장)

계: 55 만 배럴

외 무 부

종 별 :

번 호 : PGW-0294

일 시 : 90 0807 1830

수 신 : 장 관(중근동,미남)

발 신 : 주 파라과이대사

제 목 : 이라크,쿠웨이트사태에 관한 주재국반응

(자료응신 90-25)

주재국 외무부는 8.6 오후 이라크의 쿠웨이트 참공은 국제법의 기본원칙과 유엔헌
장 및 주재국 헌법정신에 위배되는 침략행위라고 비난하는 성명을 발표하였음.끝

(대사 김흥수-국장)

중아국	1차보	미주국	정문국	안기부

PAGE 1

90.08.08 09:25 WH

외신 1과 통제관

외 무 부

증 별 :

번 호 : VZW-0434   일 시 : 90 0807 1700

수 신 : 장 관 (미남,중동,경일,기정,국방부)

발 신 : 주 베네수엘라 대사

제 목 : 베네수엘라 석유정책 (자웅 제 38호)

1. 주재국 정부가 이라크의 쿠웨이트 침공사태로 예상되고 있는 원유파동에 대한 대응책 마련을 위해 부심하고 있는 가운데, 8.6 ARMAS 동자부장관은 베네수엘라는 OPEC 협정을 준수, 현행 OPEC 쿼타 (194만5천 B/D) 이상으로 생산량을 증대시키는등 독자적 행동을 취하지 않을 것이라고 밝힘.

2. 그러나 동자부 장관의 상기 천명에도 불구, 베네수엘라의 공식입장은 OPEC 쿼타를 준수하는 것이나, 생산증대가 국가 이익에 합당하다고 대통령이 결정할 경우 동 입장은 변경될수도 있다고 동자부 고위관리들이 언급함.

3. 8.4 ROBERTO POCATERRA 재무장관은 이라크, 쿠웨이트 사태로 유가가 배럴당 3미불이상으로 인상될 경우 베네수엘라는 90년도 약 10억불의 추가수입을 올릴 것이라고 언급한 바 있음.

4. 동 관련, 주재국 정계는 미국이 주도한 이라크및 쿠웨이트 원유불매를 지원하기 위하여 원유생산량을 증대, 이라크와 쿠웨이트로부터 원유수입을 중단한 국가들의 수요를 충족시켜 주어야 한다고 주장하고 있음.

5. 한편, 야당인 기독교사회당은 '전시에 안정되고 신뢰할 수 있는 원유 공급자로서의 베네수엘라의 위치'를 확인하기 위하여 동자부내의 대외 원유정책 자문위원회회의 개최를 대통령에게 요청하였음. 끝.

(대사 김재훈-국장)

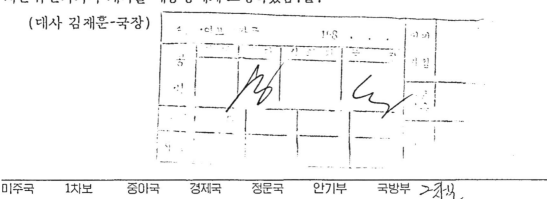

미주국   1차보   중아국   경제국   정문국   안기부   국방부

PAGE 1

No. 60

            The Embassy of the Federative Republic of
Brazil presents its compliments to the Ministry of Foreign
Affairs and with reference to the recent invasion of Kuwait
by the Iraqui armed forces has the honour to inform the
following:

2.   In a briefing on June 6, the spokesperson
of the Ministry of External Relations declared that "The
Brazilian Government shall faithfully, fully and immediately"
abide to the Resolution 661 which had been passed a few hours
before by the Security Council of the United Nations. He
denied the news which appeared the same day on the newspapers
"Corriere de la Sera", and "Frankfurter Allgemeine Zeitung",
declaring that Brazil "did not consider stopping its trade
relations, specially its arms sales" to Iraq. The spokesperson
emphasized that the Brazilian arms sales to Iraq had been
discontinued in 1988 due to commercial reasons. Now, due to
political reasons, as long as the prevailing military
situation between Iraq and Kuwait remains, the commercial
items listed on the Resolution 661 of the United Nations will
not be exported to, or imported from, the two countries.

            The Embassy of the Federative Republic of
Brazil avails itself of this opportunity to renew to the
Ministry of Foreign Affairs the assurances of its highest
consideration.

                        Seoul, August 8, 1990

0141

외 무 부

종 별 :

번 호 : JMW-0350

일 시 : 90 0810 1200

수 신 : 장관(미중)

발 신 : 주 자메이카 대사

제 목 : 중동사태에 대한 주재국입장

연:JMW-0343

주재국 총리 직무대행 PATTERSON 부총리는 8.9 성명을 통하여, 카리콤 정상회담시(7.31-8.2 자메이카 개최) 이라크군의 쿠웨이트 침공을 비난하는 카리콤제국의 입장을 상기시키는 동시에 주재국의 동입장 견지를 개별적으로 재천명하는 한편, 유엔 안보 이사회의 대이라크 경제제재 조치를 전폭 지지하며 이에 따를것이라고 밝혔음. 끝

(대사 문기열-국장)

90.12.31 까지

미주국   차관   1차보   2차보   중아국   정와대

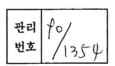

외 무 부

종 별 :

번 호 : CSW-0379　　　　　　　　　　　　일 시 : 90 0810 1740

수 신 : 장 관(봉일,중근동,미남)

발 신 : 주 칠레 대사

제 목 : 대이라크 조치

연:CSW-0369

　　연호에 이어, 주재국 외무성은 8.8 성명을 통하여, 주재국 정부는 유엔안보리 결의 661 호를 지지하며, 동 결의의 내용(대 이라크 및 쿠웨이트 무기수출 금지 포함)을 국내적으로 시행하기 위한 제반 조치를 강구중이라고 발표 하였음. 끝

　　(대사 이용훈-국장)

　　예고: 90.12.31 까지

통상국	차관	1차보	2차보	미주국	중아국	청와대	안기부

PAGE 1

외 무 부

종 별 :

번 호 : COW-0289　　　　　　　　　　　　일 시 : 90 0810 1800

수 신 : 장 관(중근동,미중,통일)

발 신 : 주 코스타리카 대사

제 목 : 이라크 규탄

1.주재국 외무부는 아래 요지 성명을 발표함.

'무력 비행사 원칙을 신조로 하는 정부는, 이라크의 용서할 수 없는 정당치 못한무력 전개를 개탄하며 쿠웨이트에의 침략을 단호히 규탄함.이라크군이 철수하고,세계 안정과 평화에 대한 심각한 위협을 해결할 때까지 가능한 모든 외교,경제조치를 취할것을 국제사회에호소함.

2.주재국 국회는 동일 만장일치로 훗세인 이라크정권의 쿠웨이트 침공을 규탄하고, 군대 철수를 주장하였음.끝.

(대사 김 창근-국장)

중아국　　미주국　　통상국　　정문국

PAGE 1　　　　　　　　　　　　　　　　　　　90.08.11　　09:51 WH

외신 1과 통제관

0144

외 무 부

종 별 :

번 호 : ARW-0522   일 시 : 90 0810 1700

수 신 : 장 관(중근동,미남,정일,기정,국방)

발 신 : 주 아르헨티나 대사

제 목 : 이락-쿠웨이트사태관련 주재국 입장

이락의 쿠웨이트 침공관련 지금까지 취한 주재국입장을 아래 보고함.

1. 외무부 8.2. 성명을 발표, 이락군의 쿠웨이트 침공이 국제평화와 안전을 파괴하는 행위라고 하고 이락군의 쿠웨이트로부터 즉각적이고 무조건적인 철수 요구

2. CAVALLO 외무장관은 8.8. 유엔 안보리 결정으로 평화군 파견 요청이 있는 경우 평화군 파견을 검토 할것이라고 기자회견에서 언급 (군대 파견이 아닌 OFFICER 파견)

3. 안보리 결의 601 에 따라 이락과의 봉상 전면 중단을 결정하고 8.9. 당지 이락대사에 봉보

4. 8.2. 외무부 성명관련, 당지 주재 이락대사는 이러한 아르헨티나의 조치가 아르헨티나에 손해를 줄것이라고 경고하는 유인물을 배포하였는바, 아르헨티나 정부로부터 강력한 반발을 받고 주재국 외무부를 방문 사과를 하였으며 메넴 대봉령도 동 대사의 경솔을 지적, 너무 말이 많다고 8.9. 기자회견에서 언급한바 있음.

(대사 이상진-국장)

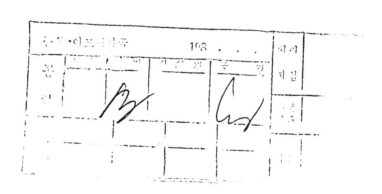

중아국   차관   1차보   2차보   미주국   통상국   정문국   정와대   안기부
국방부

PAGE 1   90.08.11   07:40
외신 2과 통제관 DL

0145

외 무 부

증 별 :

번 호 : EQW-0318　　　　　　　　　　일 시 : 90 0810 2100

수 신 : 장 관(통일,기협)

발 신 : 주 에쿠아돌 대사

제 목 : 이락.쿠에이트 사태

대:WEQ-0181

대호 지시에 의거 주재국 에너지성 및 전문가 의견을 아래 보고함.

1. 금번 사태에 대한 전망

- 사우디 국경에 많은 병력을 유지, 이를 바탕으로 쿠웨이트에 대한 지배권을 유지하고자 할것으로 예상

- 이락이 쿠웨이트를 지배할시 이락의 원유매장량은 총 1,950 억 배럴 (이락 950억 배럴, 쿠웨이트 1,000 억 배럴)로 세계 원유매장량의 20%를 보유, 유가 결정력 증대

2. 금번 사태의 장기화시 국제수급 및 유가전망

가. 국제 수급

- 비중동지역 OPEC 회원국은 생산증대에 힘쓸것이나 생산설비, 매장량, 여타 회원국과의 과계등을 감안하면 단시간내에 쿼타량 10-20% 이상의 증산은 어려울 것으로 판단됨

- 단기간내의 국제원유수급 불균형은 비 OPEC 회원국 (멕시코, 영국, 소련등)의 원유생산 증대와 원유가 상승에 따른 수요국의 수요감축, 대체에너지 사용등으로 대처될것임.

- 쿠웨이트 및 이락의 원유는 미국등 서방제국이 EMBARGO 조치를 취하고 있음으로 실제적으로 대이락 원유수입국은 당분간 없을 것임.

나. 유가 전망

- OPEC 은 이미 기준유가를 21 불로 상향조정한바 있음으로 금번사태는 기준유가 또는 그 이상가격 유지의 촉매작용을 할것으로 전망됨.

- 그러나 산유국들도 2 차 원유파동때 격은 경제적인 어려움 및 외환수급상의

통상국　　차관　　1차보　　2차보　　미주국　　경제국

문제점등을 인식하고 있기 때문에 급격한 원유가의 상승보다는 <u>배럴당 미화 21불선을</u> 상회하는 수준에서 점진적이고 안정적인 원유가의 상승을 희구할것임.

3. 과역전쟁등 인근지역으로 확산시 국제수급 및 유가전망

가. 국제수급

- 예상할수 있는 광역전쟁이라함은 사우디 및 입접아랍국등 페르시아만 연안국으로 전쟁이 확대될 경우인데, 미.소가 현상황에서 일치된 견해를 보이고 있음을 감안, 광역전쟁의 발발 가능성은 희박한 것으로 보고 있음

나. 유가전망

- 광역전쟁의 발발시에는 대처에너지등의 개발에 필요한 시간및 소비국들의 유류소비 패턴이 변경되는 시기까지는 2 차 원유파동시와 같이 가격상승이 예상되나, 세계경제의 침체로 인한 수요감소로 시장원리에 의하여 배럴당 30 불대에서 형성될 것으로 전망하고 있음.

4. 에쿠아돌의 현황

가. 현황

- OPEC 의 쿼타는 24 만 배럴이며, 일일 원유생산량은 28 만배럴, 일일 수출량은 15 만배럴 수준임.

- 단기적인 생산증가량은 30 만배럴에 이를 것이며, 최대 생산 가능량은 31 만배럴 수준임.

- 원유수출가는 7.31 배럴당 15.61 불이였으나, 금번사태로 8 월 첫주초 18.23 불, 주말 20.30 불, 금주는 23.66 불 까지 치솟고 있음.

- 이러한 급격한 가격 상승에 대하여 에너지성 장관등은 환영할만한 현상은 아니라고 우려를 표하고 있음

나. 현사태가 에쿠아돌에 미치는 영향

- 금번사태로 인한 국제시장의 원유가 상승으로 만성적인 외환 부족상태에 있는 주재국에는 플러스 효과가 발생함

- 그러나 서방제국이 원유공급 부족사태에 대한 대응책을 강구할 것이므로 현상황에 따른 과도한 기대는 않고 있음.

- 최근까지 주재국이 격고있는 장기공급 계약자의 발군난에서 벗어나 향후 1-2 년간은 안정적인 수출선 확보가 용이하리라고 보고있음. 끝.

(대사 정해웅 - 국장)

예고:1990.12.31. 일반

90 12 31

0148

분류번호	보존기간

발 신 전 보

WND-0606   900813 1854 DP

번 호 :   종별 :   ✓WMX -0713 ✓WBR -0356
                                                                                    WDJ -0634

수 신 : 주 수신처 참조   ~~대사 . 총영사~~

발 신 : 장 관   (미북) 기협)

제 목 : 이라크.쿠웨이트 사태

1. 금번 이라크의 쿠웨이트 침공과 이에 대한 미국정부의 강력한 대응,
국제적인 경제제재 조치 및 군사적 움직임 등 일련의 사태는 그 심각성으로 인해
향후 동 사태가 진정된 이후에도 세계경제 및 정치정세에 다대한 영향을 끼치게
될 것으로 사료됨

2. 본부로서는 현재 이라크.쿠웨이트 사태가 향후 상당기간 가변적이
될 것으로 사료되나, 아국의 중장기 정책수립에 참고코저하니 우선 현재까지
밝혀진 귀주재국 정부의 입장, 학계 및 전략문제 전문가들의 다각적인 견해, 언론
해설 등을 예의분석하여, 앞으로 사태 종결후 예상되는 중동정세 및 세계정세의
변화 등에 관하여 가급적 조속 보고바람.   (경제포함)

3. 본건과 관련하여서는 앞으로도 귀주재국 정부의 입장, 각계 의견을
예의 관찰, 분석하여 수시로 보고바람.   끝.

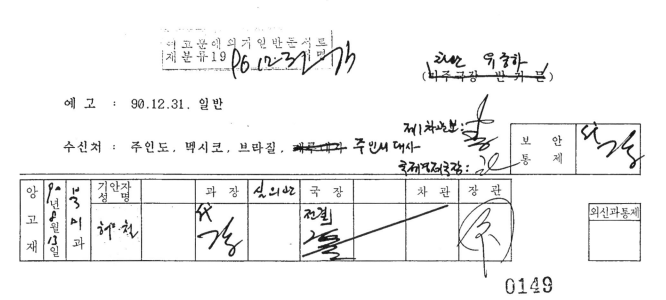

예 고 : 90.12.31. 일반

수신처 : 주인도, 멕시코, 브라질, ~~캐나다~~ 주인사 대사-

	기안자성명		과장 신의섭	국장	차관	장관	외신과통제
앙고재		과					

주 엘 살 바 돌 대 사 관

주엘정 20720 - 156   1990. 8. 13.

수신   외무부장관

참조   아중동국장, 정문국장, 미주국장

제목   이락의 쿠웨이트 침공에 대한 주재국 정부 입장 (자료응신 : 제 90-041호)
        대 : WLTM-0027

        1. 주재국 외무성은 90.8.10 발표한 성명을 통해 엘살바돌 정부는 이락의
쿠웨이트 무력 침공 및 점령을 강력히 규탄하고, 즉각적이고 무조건적인 이락군의
철수와 양국간의 문제는 정치적으로 해결할 것을 촉구하고 쿠웨이트의 합법적인
정부와 국민 주권 회복 노력을 적극 지원한다고 발표하였습니다.

        2. 또한 쿠웨이트의 침략 및 합병은 국제 사회의 평화와 안전에 커다란
위협이라고 경고하고 동사태에 대한 유엔 안보 이사회의 결의를 전폭 지지한다고
선언하였습니다.   동 성명서를 별첨 송부합니다.

        첨부 : 동 성명서 1부.   끝.

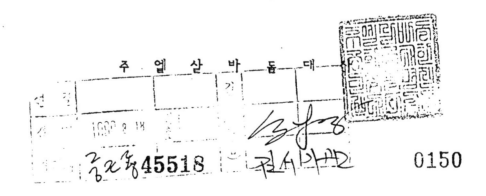

EL SALVADOR PROTESTA POR AGRESION DE IRAQ

El Ministerio de Relaciones Exteriores de El Salvador, hace del conocimiento de la opinión pública nacional e internacional la posición del Gobierno de El Salvador, en relación a la invasión al Estado de Kuwait por las fuerzas armadas del gobierno de Iraq:

"1. Expresa su más enérgica condena por la agresión armada y ocupación militar realizado por Iraq, en contra del Estado de Kuwait, por considerar que dichos actos representan un grave peligro a la paz y seguridad internacionales y constituyen una flagrante violación a los principios universalmente reconocidos relativos a la solución pacífica de las controversias y al rechazo a la amenaza y uso de la fuerza, en las relaciones entre los estados.

"2. Lamenta que dichos actos en contra de la soberanía, la integridad territorial y la independencia política de Kuwait, se hayan producido en momentos en que la Comunidad Internacional ha entrado en una etapa caracterizada por la distención, la cooperación y el entendimiento político.

"3. Reconoce al gobierno de Kuwait, encabezado por el Emir, Sheikh Jabery Ahmed, y respalda todas las iniciativas orientadas al pleno restablecimiento de los derechos inalienables del pueblo de Kuwait y de su legítimo gobierno.

"4. Exige el retiro inmediato e incondicional de las tropas iraquíes del territorio kuwaití e insta a ambas naciones a solucionar sus diferencias por la vía pacífica.

0151

"5. Da su total respaldo y apoyo a las resoluciones del Consejo de Seguridad de Naciones Unidas, demanda la plena obser- vancia y respeto a los Derechos Humanos del pueblo de Kuwait y exhorta a la Comunidad Internacional a aunar esfuerzos en favor del logro de una solución pacífica al problema. San Salvador, 8 de agosto de 1990".

0152

외 무 부

종 별 :

번 호 : BRW-0480   일 시 : 90 0813 1900

수 신 : 장 관(중근동,미남,미북,기협,정일,기정동문)

발 신 : 주 브라질 대사

제 목 : 이라크-쿠웨이트 사태(자료응신 90-39호)

대: WBR-0356

연: BRW-0463

1. 표제관련 주재국 반응을 아래와 같이 종합 보고함.

가. 정부조치

- 8.8. 주재국 정부는 이라크및 쿠웨이트로 부터 수입하는 일일 19 만배럴의 구입선 변경을 위한 외교활동을 강화하고 동일부로 모든자금의 대이라크 송금업무를 중단함.

- 8.9. 주재국 외무성은 후세인 이라크 대통령의 쿠웨이트 합병조치(8.8)를 승인하지 않고 유엔 안보리 결정사항의 존중과 EMIR AR-SABAH 쿠웨이트 정부를계속 합법정부로 인정한다고 발표함.

- 8.10. 주재국 정부는 쿠웨이트 주재 외교관의 외교적 특권상실과 브라질외교관이 수행해야할 임무가 없음을 이유로 쿠웨이트주재 브라질 공관의 잠정적인 폐쇄를 결정하고 2 명의 정식 외교관을 바그다드 주재 자국공관으로 철수(1명의 행정관은 잔류, 공관재산 관리중)시키고 브라질 주재 쿠웨이트 대사를 망명정부의 합법적인 대표로 인정한다고 발표함.

- 8.11. 주재국 외무성은 약 10 년전 부터 이라크에 진출해있는 MENDES JUNIOR 건설회사 직원 240 여명을 포함한 약 300 여명의 브라질인의 신속한 철수를결정하고 COLLOR 대통령명의 이라크 대통령앞 서한을 통해 자국민의 정상적인철수에 대한 협조를 요청하였음. (8.12. 현재 이라크 거주및 체류자 16 명 요르단으로 철수완료)

- 8.13. ZELIA 경제장관은 관련부처와 협의를 통해 동사태에 대한 대비책을 논의후 금주말경 국제 석유가의 인상분을 고려한 국내석유류값을 재조종할 예정이라 발표하고 현정부의 경제계획(90-95 년)내에 국내석유 생산량을 국내소비량의 72 프로인 일일

중아국   차관   1차보   2차보   미주국   미주국   경제국   정문국   안기부

PAGE 1   90.08.14   08:51

140 만 배럴로 높이는 석유분야 투자계획(90 년 19 억 5 천만불,91 년 25 억불,92 년 31 억불,93 년 35 억불,94 년 37 억불,95 년 41억불)을 설정했다고 발표함.

2.DOLFIM NETTO 국회의원(전 재무장관)을 포함한 대부분의 주요 경제인들은금번 사태가 브라질에 미치는 영향은 79 년(석유수입: 국내소비량의 83 프로,석유의 국내 총에너지 점유율 32 프로)보다 금년이 적다고 (석유수입: 40 프로, 에너지 점유율: 15 프로)판단하면서도 국제석유가 인상에 따른 추가 외환소요가 90 년 10 억불,91 년 20 억불 정도가 예상되어 국내인플레 상승, 봉급인상등의 요인을 유발, 현 COLLOR 정부의 경제정책에 큰타격을 줄것으로 예상하고 있으며 국민들의 내핍생활이 난국타개의 최선책이라고 논평함.

3. 금번 이라크-쿠웨이트 사태가 주재국 경제에 미치는 영향은 상당히 클것으로 전망되는바 주재국 정부의 대책동향및 주요언론 반응등을 계속 수집, 보고위계임.끝
　　(대사 김기수-국장)
　　예고: 90.12.31. 일반

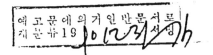

외 무 부

종 별 :

번 호 : BRW-0482

수 신 : 장 관(중근동,기협,미북,미남,정일,기정동문)

발 신 : 주 브라질 대사

제 목 : 이라크-쿠웨이트 사태(자료응신 90-40)

일 시 : 90 0814 2100

연: BRW-0480

주재국 REZEK 외무장관이 작(8.13)일 당지 CORREIO BRAZILIENSE 지와 가진 인터뷰에서 이라크-쿠웨이트 사태에 대한 주재국 입장등 외교현안에 대한 견해를 표명하였는바, 동 언급내용중 표제관련 부분을 발췌 보고함.

1. 동사태는 국제사회가 냉전시대를 극복하고 국제관계의 장래에 대한 낙관적 분위기속에서도 국지적 분쟁가능성이 우려되던 시기에 발생한 예상치 않은 사태로서 국제관계에 있어 매우 중대한 사건임.

2. 브라질 정부는 동사태 발발직후 타국의 반응과 관계없이 무력침공을 비난하는 공식입장을 발표하였으며, 이라크측으로 부터 무력침공을 정당화하는 설명이 있었으나 이라크의 주장이 옳다하더라도 분쟁을 무력으로 해결하는 것은 국제법 원칙에 반한다는 입장임. 브라질은 유엔의 성실한 회원국으로서 안보리의 결의를 기다렸으며 안보리 결의에 따른 회원국으로서의 의무를 수행하는 조치를 취하였는바, 브라질 정부가 동사태와 관련 취한 입장은 사태의 성격과 전개과정을 감안할때 적절한 것이었음.

3. 이라크를 위요한 현 국제정세가 지속하는한 대이라크 무기수출 관련 브라질이 과거의 정책으로 복구할수 없음. 브라질은 18 개월전부터 정치적 이유아닌 경제적 이유(이라크, 대 브라질 부채 5 억불 상당 미지불)로 대 이라크 무기수출을 중단하고 있었는바 사태발발 이후 무기 인도 연기등 조치를 취할 필요는 없었음.

4. 일부 외국언론이 브라질의 대 이라크 무기수출을 비난하고 있는 것은 부당함. 브라질 뿐만 아니라 서구제국도 이라크에 대해 무기를 판매하였으며 무기수출 당시에 공급된 무기들이 방위목적에 사용되지 않으리라고 추측할 이유가 없음. 끝.

(대사 김기수-국장)

중아국	장관	차관	1차보	2차보	미주국	미주국	경제국	통상국
정문국	정와대	안기부						

예고: 90.12.31. 일반

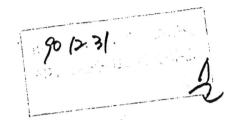

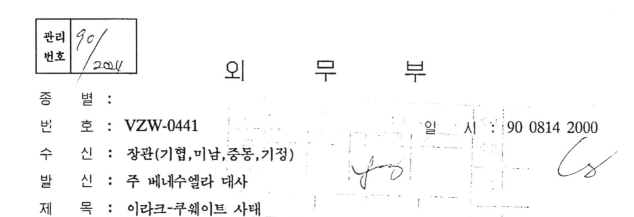

관리번호 90/ /2014

외   무   부

종   별 :

번   호 : VZW-0441   일 시 : 90 0814 2000

수   신 : 장관(기협,미남,중동,기정)

발   신 : 주 베네수엘라 대사

제   목 : 이라크-쿠웨이트 사태

대: WVZ-0255

대호 관련, 당관 온중열 참사관이 주재국 동자부 SEDWICKS 국제 협력국장및 석유공사 SPORN 국제협력부장과 접촉한 결과를 아래 보고함.

1. 금번 사태에 대한 전망

- 이라크 쿠웨이트 침공사태는 표면상으로는 쿠웨이트가 이라크 영내의 유전을 도굴하는 동 OPEC 쿼타 이상의 원유를 생산함으로써 국제 유가를 하락시켜왔다는 것에 기인하고 있으나, 기실은 이란-이라크 전쟁시 쿠웨이트가 이라크에 제공한 약 200 억불 상당의 채무 변제를 강력히 요구한데서 발생한것임.

- 이라크는 금번 군사행동을 통해서 상기 부채를 청산한 것으로 보이는 바, 사우디가 전쟁중 이라크측에 제공한 약 400 억불의 부채를 막후 교섭을 통해서 포기할 경우 동 사태는 진정될 것으로 보임.

- 그러나 이라크는 1961 년 쿠웨이트 독립당시 쿠웨이트에 대한 영유권을 주장해 왔고, 금번 사태를 통해 이를 장악한 만큼 미국등 서방의 봉쇄 조치가 매우 효과적으로 지속되지 않는한 쉽게 포기할 것으로 보이지 않음.

2. 사태 장기화시 국제 수급및 유가전망

- 미국등의 이라크 및 쿠웨이트산 원유에 대한 금제 (INTERDICTION) 조치가 성공적으로 이루어질 경우 국제 원유시장에서 약 460 만 B/D 정도가 탈루되는 것임.

베네수엘라(60 만), 사우디(200 만), 멕시코(10 만), UAE(30 만)의 증산계획 을 감안할때 약 160 만 배럴의 공급 부족이 예상되나, 베네수엘라는 사태의 장기화 경우에도 배럴당 21 미불 선에서 국제원유가 안정되는 것이 베네수엘라 이익에 합당한 것으로 판단하고 있음.

- FIGUEREDO 외상이 여타 OPEC 회원국을 순방, 증산 교섭중인바, 사태의 장기화

경제국	차관	1차보	2차보	미주국	중아국	통상국	안기부

PAGE 1

경우에도 유가는 현 수준에서 안정될 것으로 보임.

3. 확정시 국제 수급및 유가전망

- OPEC 회원국 전체는 국제 원유가의 안정이 자국이익에 부합되는 것으로 판단하고 있는바, 이라크가 자포자기의 심정으로 사우디의 주요 유전을 파괴할 경우 가공할 사태가 야기될 것이나, 이라크 지도층이 이러한 무책임한 행동은 삼갈 것으로 보임.

4. 주재국 대책

-베네수엘라는 전기 언급대로 원유의 안정 공급과 이에 따른 가격안정을 희망하고 있음으로 이라크, 쿠웨이트 사태의 장기화가 국제 원유시장의 불안을 초래할 것으로 판단될 경우 국내 생산 가능시설 (280 만 B/D) 을 최대한으로 가동하는 한편 NON-OPEC 회원국과도 접촉, 이들이 증산을 강력히 권유할 계획임.끝.

(대사 김재훈-국장)

예고: 90.12.31 일반

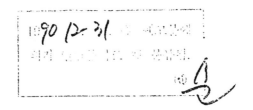

외 무 부

종 별 :

번 호 : TTW-0153   일 시 : 90 0817 1520

수 신 : 장 관(중근동,미중)

발 신 : 주 트리니다드 대사

제 목 : 주재국의 대 쿠웨이트사태 입장

주재국 정부 (외무부)는 작 8.16(목) 이락의 쿠웨이트 침공에 대해 아래 요지의 성명서를 발표하였음.

0.유엔헌장의 원칙에 따라 모든 국가의 주권, 독립및 영토보전을 확고히 존중함.

0.이락의 쿠웨이트 침공을 비난하고 이락군의 즉각적인 무조건 철수등을 요구하는 유엔 안보리결의안 660-662호를 지지함.

0.약소국가의 안보와 독립이 군사력으로 유린파괴되는 것은 특별히 비난 받아야 함.

0.세계평화를 위협하는 이락의 무모한 무력사용으로 야기된 금번 사태가 해결되어, 쿠웨이트의 독립이 회복되기를 희망함.끝

(대사 박부열-국장)

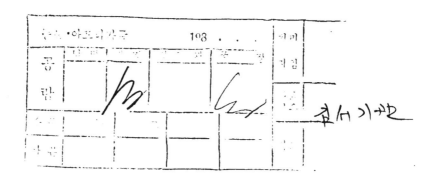

중아국   1차보   미주국   정문국   안기부   통상국 대책반 2차보 차관

PAGE 1   90.08.18   09:24 WG

외신 1과 통제관

0159

원 본

관리 번호	90-1580

외 무 부

종 별 :

번 호 : PMW-0520   일 시 : 90 0817 1400

수 신 : 장관(미중)

발 신 : 주 파나마 대사

제 목 : 이라크선박 파나마 운하 봉과 허용

1. 주재국 리나레스 외상은 8.16, 기자회견에서 파나마운하 위원회가 현 중동사태와 관련 이라크 선박의 파나마 운하 봉과를 방해하지 않는다는 방침을 결정하였다고 발표함.

2. 동 외상에 의하면 운하위원회의 이러한 결정은 유엔 안보리의 결의보다 77 년 파나마운하 조약의 중요성을 보다 강조한 입장에서 취한 결정으로보며 유엔 결의안이 국가간에 준수되고 국가간의 조약에 우선되어야함이 원칙이나 파나마운하 조약의 경우처럼 특정지역만을 대상으로하는 조약의 경우는 상기 구속 대상에 해당되지 않음을 국제법이 인정하고 있다는 견해를 피력하였음.

3. 운하위원회측에 의하면 지난 7 년간 파나마운하를 봉과한 이라크 선박은 2척에 불과하며, 동 결정이 이라크의 경제에 미치는 영향은 거의 무시할수 있음에 비하여 모든 국가에 대하여 운하의 중립을 강조하는 정치적 의미는 상당할것으로 보고 있음.

4. 당관이 운하위원회에 확인한바로는 최근 이라크 사태 발발 이후 파나마운하를 봉과한 이라크(쿠에이트포함) 선박은 없음.

(대사 최종익- 국장)

예고: 90.12.31. 일반

미주국   차관   1차보   2차보   중아국   청와대   안기부   대책반

PAGE 1   90.08.19   08:22

외신 2과 통제관 CF

0160

외 무 부

종 별 :

번 호 : VZW-0450

일 시 : 90 0818 2000

수 신 : 장관(중동,미남,기정)

발 신 : 주 베네수엘라대사

제 목 : 이라크.쿠웨이트 사태에 대한 주재국반응

1. 베네수엘라의 원유 증산계획 관련, 8.14 당지 주재 SAMARRAI 이라크 대사가 이라크는 이를 아랍국가에 대한 공격행위 (OFFENSIVE ACT) 로 간주할 것이라고논평한 것으로 보도됨.

2. 이에 대하여 PEREZ 주재국 대봉령은 8.15 베네수엘라는 정의로운 국제경제 질서를 추구하는 모든 국가와 우호관계를 유지하고 있기에 이라크와도 좋은 관계를맺고 있다고 언급하고 그러나 베네수엘라는 군소국가의 국제법상 영토 보호권을 옹호한다고 천명한후, 쿠웨이트와 같은 군소국가들은 바로 이러한 권리에 그 생존을의존하고 있음을 언급하고 중동 분쟁의 신속한 해결을 희망하였음.

3. SAMARRAI 대사는 주재국 외무부에 소환되어 동논평이 사실과 다르고 부정확하게 보도되었음을 해명하였고, 주재국 외무부는 동 해명에 만족을 표한 것으로 보도됨. 끝.

(대사 김재훈-국장)

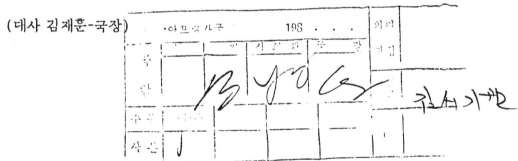

중아국   1차보   미주국   정문국   안기부

외 무 부

종 별 :

번 호 : CLW-0523

일 시 : 90 0821 1800

수 신 : 장 관(국연, 미남,중근동)

발 신 : 주 콜롬비아 대사

제 목 : 이락,쿠에이트 사태

대: AM-0143

1. 이락, 쿠웨이트 사태관련 주재국 JARAMILLO외무장관은 8.20. 통상관계 동결조치는 취하였으나 파병등은 고려하지 않고 있다고 언급함.(주재국과의 통상실적은 20만불에 불과함)

2. 쿠웨이트 주유엔 MOHAMMAD ABAULHSHIM 대사는 동국 국왕의 친서를 휴대하고 8.19. 콜롬비아를 방문, JARAMILLO 외무장관에 동 사태관련, 유엔안보리에서의 콜롬비아 정부의 협조에 감사하고 계속 지원을 요청함.

(대사 안영철-국장)

국기국 1차보 미주국 중아국 안기부 대책반 2차인 통상국 차관

PAGE 1

외신 1과 통제관

0162

외　　　　무　　　　부　　　　　원 본

종　별 :

번　호 : BRW-0499　　　　　　　　　　　일 시 : 90 0821 1830

수　신 : 장 관(중근동,기협,미북,미남,정일,기정동문)

발　신 : 주 브라질 대사

제　목 : 이라크-쿠웨이트 사태

대: WBR-0360

대호관련 당관 김의기 참사관이 8.21. 외무성 중동 2 과장 PAULO WOLOWSKI 참사관과 접촉 파악한 내용및 기타 관련사항을 하기 보고함.

1. 쿠웨이트 주재 공관 폐쇄

가. WOLOWSKI 참사관에 의하면 주재국은 쿠웨이트 주재 대사관을 폐쇄하지 않을 방침이며, 쿠웨이트 망명정부를 쿠웨이트의 합법정부로 인정하고 있으나 사태 발발이후 사실상 공관활동이 중단상태에 있음.

나. 주재국 외무성은 8.17. 쿠웨이트 주재 대사관을 잠정 폐쇄키로 결정하였다는 8.10. 자 일부 언론보도를 부인하고 일시적으로 공관활동이 중지되었으나 공관이 폐쇄되지 않았다고 밝힌바 있음.

2. 쿠웨이트및 이라크 체재 자국인 철수문제

가. 주재국 언론보도에 의하면 사태발발 당시 이라크및 쿠웨이트내에 482 명(이라크 421, 쿠웨이트 61)의 브라질인인 체재하고 있었으나 이중 28 인은 사태이전 이라크 정부로 부터 출국허가를 취득 8.15. 이전 이라크로부터 출국하였으며, 또한 8.20. 이라크 주재 브라질 상사원및 가족 44 인과 쿠웨이트 체류자 34인 총 78 인의 주재국인이 사태발발후 이락정부로 부터 정식 출국허가를 얻어 요르단으로 철수하였음. 상기 쿠웨이트 체류자 34 인중에는 주 쿠웨이트 브라질 대사 SERGIO SEABRA NORONHA 대사부부가 포함되었으나 동대사는 소환 또는 공관철수 여부와 관계없이 계급 정년에 따른 본부 귀임인것으로 알려짐.

나. 당지주재 AL-MUKHTAR 이라크 대사는 8.14. 연호(BRW-0480) 주재국 COLLOR 대통령의 8.11. 자 자국인 철수협조 요청친서에 대한 SADAM HUSSEIN 이라크 대통령의 답신을 주재국 외무성을 통해 전달하였으나 HUSSEIN 대통령 친서에 이라크및 쿠웨이트

중아국　장관　차관　　1차보　2차보　미주국　미주국　경제국　정문국
청와대　안기부　대책반

PAGE 1

체재 브라질인들의 출국문제에 대한 명백한 언질이 없었던 것으로 알려졌음.

한편 REZEK 주재국 외무장관은 8.15. 이라크와 쿠웨이트에 억류되고 있는 자국인들이 사실상 인질상태에 있다고 언급하고 이라크 정부의 외국인 억류행위는 국제법에 위배된다고 비난하였으며, 이라크 주재 자국대사에게 자국인 억류자의 안위에 대한 주재국 정부의 우려를 전달하도록 지시하였다 함.

다. 당지주재 이라크 대사는 8.16.PMDB 당(원내다수당) IBSEN 하원 원내총무를 방문 수일내에 이라크 체재 주재국인의 철수가 가능할것이라 말한바 있으나,WOLOWSKI 참사관에 의하면 현재 주재국 정부는 이라크내 자국인 철수를 위해 이라크 정부와 다각적 교섭을 진행하고 있으나 자국인 완전철수에는 상당한 시일이 걸릴것으로 예상된다함.

라. 주재국은 8.15. 부터 대 이라크 식료품및 의약품 금수를 해제하였으며, 동조치에 따라 주재국 정부가 대 이라크 경제 제재 조치(8.8)이전 양국간 구상무역으로 수입한 이라크산 원유대금을 위해 일부 의약품과 30 만톤의 설탕을 요르단을 경유 수출할것으로 알려졌음. 이와관련 8.15. REZEK 외무장관은 상기 일부 금수 해제조치는 인도적 견지에서 UN 안보리 결의에 반하지 않는 범위내에서 취해진 조치이며, 이라크 체재 자국인 철수와 교환조건은 아니라고 언급함.

3. 주재국의 원유수급문제

또한 WOLOWSKI 참사관은 연호(BRW-0466) 대이라크, 쿠웨이트 금수조치로 인한 원유도입 부족분 일일 19 만 배럴의 보전을 위한 베네즈웰라 및 에쿠아돌로 부터 부족분 추가도입에 문제가 없어 주재국은 이라크-쿠웨이트 사태에도 불구 원유수급에 차질이 없을것이라고 언급함.

4. 금번 이라크-쿠웨이트 사태와 관련 주재국 정부는 이라크의 분쟁해결을 위한 무력침공에 반대하며, 쿠웨이트 망명정부를 쿠웨이트의 합법정부로 인정하고, 무력에 의한 이라크의 쿠웨이트 합병을 인정하지 않으며, 사태해결을 위한 UN 안보리 결의를 준수한다는 기본입장이나 이라크와의 기존의 경제협력관계를 감안 UN 결의와 상충되지 않는 범위내에서 이라크와의 관계를 유지하며 자국인 철수교섭등을 진행할 것으로 관측됨. 끝.

(대사 김기수-국장)

예고: 90.12.31. 까지

PAGE 2

0164

관리
번호 90/2052

외 무 부

종   별 :

번   호 : BRW-0503   일   시 : 90 0823 1900

수   신 : 장 관(중근동,미남,미북,기정동문)

발   신 : 주 브라질 대사

제   목 : 이라크-쿠웨이트 사태

　　연: BRW-0499

　　본직주최 당지주재 태국대사 송별만찬(8.22)에 참석한 SERRA 외무성 아주국장에 의하면 주재국은 주 쿠웨이트 대사관 소속 정규 외교관을 이미 철수(행정직원 잔류)하여 사실상으로 공관을 폐쇄한 상태라 하는바, 주재국 정부가 대외적으로는 공관폐쇄를 부인하고 공관활동을 잠정적으로 중단하였다고 발표하고 있으나 사실상 공관을 폐쇄한것으로 사료됨. 끝.

　　(대사 김기수-국장)

　　예고: 90.12.31. 까지

중아국	장관	차관	1차보	2차보	미주국	미주국	청와대	안기부
대책반								

90.08.24   07:46
외신 2과 통제관 EZ

0165

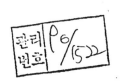

주 칠 레 대 사 관

칠레 (정) 20730 - 4   1990. 8. 24.
수 신 : 장 관
참 조 : 중동아프리카국장, 통상국장, 미주국장
제 목 : 이라크 - 쿠웨이트 사태 관련 주재국 정부 입장

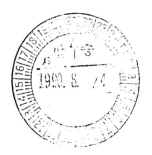

    연 : CSW - 0379

    연호, 이라크 - 쿠웨이트 사태 관련, 유엔 안보리 결의 661호에 대한
지지표명 등을 내용으로 하는 주재국 정부 성명 (8. 8 자) 전문을 별첨 송부합니다.

    첨 부 : 상기 성명문 각 1부. 끝.

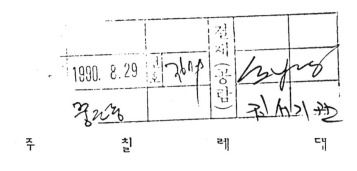

주   칠   레   대

0166

D E C L A R A C I O N

          MEDIANTE COMUNICADO DIFUNDIDO EL DIA 2 DE
AGOSTO, EL GOBIERNO DE CHILE EXPUSO SUS PUNTOS DE VISTA
RESPECTO A LA INVASION DE KUWAIT POR FUERZAS MILITARES DE
IRAK.

          EL GOBIERNO DE CHILE HA SEGUIDO
ATENTAMENTE EL DESARROLLO DE LOS ACONTECIMIENTOS EN ESA
REGION Y HA ENTREGADO SU PERMANENTE RESPALDO A LOS ESFUERZOS
DE LA ORANIZACION DE LAS NACIONES UNIDAS, DESTINADOS A
PROCURAR UNA SOLUCION A LA DIFICIL SITUACION PRODUCIDA.

          CONSECUENTE CON LO ANTERIOR, LAS
AUTORIDADES CHILENAS PRESTAN SU MAS DECIDIDO APOYO A LA
RESOLUCION 661 (1990), ADOPTADA POR EL CONSEJO DE SEGURIDAD DE
LAS NACIONES UNIDAS, CON FECHA 6 DE AGOSTO EN CURSO.

          DICHA RESOLUCION, ENCAMINADA A RESGUARDAR
PRINCIPIOS DE DERECHO INTERNACIONAL CONSAGRADOS POR LA CARTA
DE LAS NACIONES UNIDAS Y A LOS QUE CHILE TRADICIONALMENTE HA
ADHERIDO, INTERPRETA PLENAMENTE LOS SENTIMIENTOS DEL GOBIERNO
CON RELACION A ESTA DELICADA MATERIA. EN CUMPLIMIENTO DE ELLA,
SE HA PROCEDIDO A ELABORAR UN DECRETO SUPREMO MEDIANTE EL CUAL
EL GOBIERNO PONE EN VIGENCIA INTERNA LAS MEDIDAS ACORDADAS POR
EL CONSEJO DE SEGURIDAD, INCLUYENDO LA PROHIBICION DE LA VENTA
O SUMINISTRO DE ARMAS Y CUALQUIER OTRO TIPO DE EQUIPO MILITAR
A IRAK Y KUWAIT.

          EL GOBIERNO DE CHILE REITERA SU ANHELO DE
QUE SE PONGA FIN A LA OCUPACION Y SE RESTABLEZCAN LA
SOBERANIA, INDEPENDENCIA E INTEGRIDAD TERRITORIAL DE KUWAIT,
EN APLICACION DE CLARAS NORMAS DE CONVENIENCIA PACIFICA Y
CIVILIZADA ENTRE LAS NACIONES.

          SANTIAGO, 08 de Agosto de 1990.

0167

외 무 부

종 별 :

번 호 : MXW-1048   일 시 : 90 0827 1740

수 신 : 장 관(미중,북미)

발 신 : 주 멕 대사

제 목 : 이.쿠 사태

SALINAS 주재국 대통령은 유엔의 요청이 있을 경우 걸프지역에 군대를 파견할 용의가 있음을 카투니스트 RANAN LURIE 와의 인터뷰에서 밝혔다고 8.25. 주재국 THE NEWS지가 보도함.

2. 동대통령의 상기 발언은 멕시코 군대파견과 관련한 대통령의 첫발언으로서 주재국 군부들을 당황하게 하고있다고 동신문은 보도함.

3 동지는 사리나스 대통령이 멕시코는 세계공동체의 일원이며 세계가 정당하다 고 인정하는 명제에 대해서 세계와 보조를 같이할것 이라고 언급했다고 보도함.

4. 주재국 정부는 이라크의 쿠어웨이트 침공을 규탄한바 있으며 서방제국을 지원하기 위하여 산유량을 일일 10만 배럴 증산하고 있음.

(대사이복형-국장)

미주국   1차보   미주국   정문국   안기부   통상국 대책반

종   별 :

번   호 : BRW-0513

일   시 : 90 0829 1900

수   신 : 장 관(중근동,미남,정일,기정동문)

발   신 : 주 브라질 대사

제   목 : 이라크-쿠웨이트 사태(자료응신 제90-41호)

1. 브라질 기술자들이 상금 이라크에서 군용미사일 개발에 참여하고 있어 국제적으로 물의를 일으키고 있는데 대해 8.28. 주재국 외무성 대변인 PIMENTAL 공사는 아래내용을 발표하였음.

- 이라크 미사일 개발사업에 참여하고 있는 브라질인 22 명은 상금까지 바그다드 주재 브라질 대사관에 이라크에서의 출국을 요청한바 없음.

- 브라질 기술자들의 이라크내 활동은 브라질 정부가 전혀 모르고 있는 사실로서 국제사회에서의 브라질 이미지를 추락시키는 요인이 되었기 때문에 정부로서 큰 우려를 하고 있음.

- 이들이 이라크 도착시 브라질 대사관에 제출한 인적기재사항을 거의 공백으로 둔채 직업난에 항공엔지니어라고만 표기하였고 이라크 체재기간중 외국인 전용 APARTMENT HOTEL 에 격리된채 가족과 함께 거주해왔기 때문에 이들 활동및 신분에 정확한 정보를 갖지 못하고 있으며 동 22 명의 명단만을 발표함.

2. 상기건 관련 당지 주요언론에 보도된 내용을 종합 아래 보고함.

- 1976-88 년말까지 브라질 항공기술센타(CTA)에서 PIRANHA 미사일 개발에 참여한 브라질 기술자 23 명(단장: 전 CTA 소장, HUGO DE CLIVEIRA PIVA 예비역 공군중장)은 당지 무기거래 상담회사 HOP 사를 통해 이라크 정부와 계약을 체결(89.11)후 현재까지 이라크의 방산공장에서 장거리 미사일 사업에 참여해 왔다함.

- 브라질 공군은 PIRANHA 미사일(중량 12KG 으로 5KM 까지 발사가능)개발사업을 추진했으나 88 년말 예산부족(1 억 200 만불)으로 중단하고 대신 염가인 1 기당 10 만불의 SIDEWINDERS 미제 미사일과 EXOCETS 불란서제 미사일을 구입하였다함.

- 상기 HOGO DE OLIVEIRA 단장은 1986 년 공군중장으로서 CTA 소장및 쌍파울로 로켓트 제죄회사 ORBITA 사장을 역임한 항공산업 분야에서의 브라질내 제 1 인자이며

중아국   장관   차관   1차보   2차보   미주국   정문국   정와대   안기부
대책반

1990.3 예편한것으로 알려졌으며 현재 HOP 무기거래 상담회사를 운영중에 있다함.

　- PIVA 씨가 밝힌바에 의하면 브라질 기술자들의 이라크 방산산업 고용계약은 사적계약이기 때문에 브라질 정부는 개입되지 않았고 정부는 동계약사실을 알고 있었지만 전혀 참여하지 않았다고 하면서 이들 브라질 기술자들이 2-3 년내 귀국하게 되면 고질의 미사일을 만들수 있을것이라 말함.

　- 한편 주재국 공군대변인은 브라질인의 취업은 문제가 되지 않으나 만일 그들이 PIRANHA 미사일과 같은 미사일을 이라크에서 개발할경우 기술도용죄로 브라질 법정에서 심판을 받아야 한다고 발표함.

　- 또한 8.28. 까지 이라크에 체류하고 있는 브라질인들은 290 명이라며 브라질 대사관은 이들의 철수를 이라크 정부와 교섭하고 있다고 보도함.

　끝

　(대사 김기수-국장)

외 무 부

종 별 :

번 호 : BRW-0552   일 시 : 90 0910 1800

수 신 : 장 관 (중근동,미남,정일,국방,기정동문)

발 신 : 주 브라질 대사

제 목 : 이라크-쿠웨이트 사태(자료응신 90-44)

1. 9.9. 주재국 REZEK 외상은 당지언론과의 기자회견을 통해 동일새벽 이라크정부가동국내 브라질 체류자 146명에 대한 출국을 허가해준데 대해 만족을 표시하고 페르시아만 위기는 이라크-브라질 관계를 해지지 않는 선에서 조만간 종료될 것이라 전망하면서 헬싱키 개최 미.소정상회담의 결과는 무력충돌 가능성을 배제한것이라 평가함.

2. 주재국 외무성은 상금까지 이라크 정부로부터 출국허가를 못받은 잔여 149명의 출국을 위해서 계속적인 외교교섭을 전개중이라며 상기조치로 이라크-쿠웨이트 사태이후 이라크 정부가 출국허가한 브라질인수는 349명에 이르고 있다고 발표함.끝.

(대사 김기수-국장)

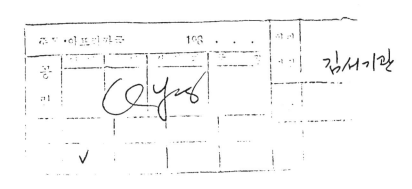

중아국   1차보   미주국   정문국   안기부   국방부

PAGE 1   90.09.11   06:45 FC

외신 1과 통제관

0171

외 무 부

종 별 :

번 호 : VZW-0511

일 시 : 90 0911 1900

수 신 : 장 관(중동,미남,기정,국방부)

발 신 : 주 베네수엘라 대사

제 목 : 쿠웨이트 정부대표단 래방 예정

　　1. 쿠웨이트 석유장관을 단장으로 하는 쿠웨이트 정부대표단의 쿠웨이트 국왕친서를 전달하기 위해 주재국에 래방할 예정임.

　　2. 동 친서는 이라크군의 쿠웨이트로부터의 무조건 철수를 실현시킬수 있도록 주재국 정부가 모든정치적 압력 수단을 평화적 방법으로 이라크에 행사해 주도록 요청하고 있다함.

　　3. 동 친서는 주재국이외 브라질, 멕시코, 아르헨티나, 쿠바, 콜롬비아에도 전달될 예정이라함.끝.

　　(대사 김재훈-국장)

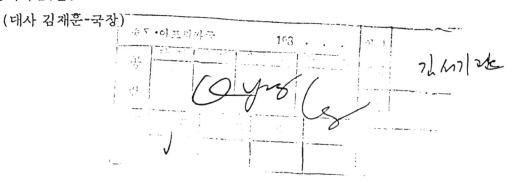

중아국　　1차보　　미주국　　정문국　　안기부　　국방부

PAGE 1

90.09.12　　09:04 WG

외신 1과 통제관

0172

원 본

외 무 부

종 별 :

번 호 : BRW-0564

일 시 : 90 0913 1800

수 신 : 장 관(중근동,미남,정일,국방,기정동문)

발 신 : 주 브라질 대사

제 목 : 브라질 억류자 송환교섭 사절단 이라크 방문(자료응신 90-48)

1. 주재국 꼴로르 대통령은 이라크에 현재 억류중인 브라질인 약 300 명의 출국교섭을 위해 외무차관을 역임한바 있는 PAULO FLECHA DE LIMA 주영 브라질 대사와 SAMPAIO 외무부 근동국장및 2 명의 수행원으로 구성된 외무부 특별사절단을 9.12. 파견 암만경유 9.15. 이라크에 도착예정임.

2. 동사절단은 억류 브라질인의 출국허가를 요망하는 후세인앞 COLLOR 대통령의 친서와 REZEK 외무장관 서한을 휴대하고 있는것으로 알려짐.(LIMA 주영 대사는 브라질에도 이미 방문한바있는 AZIZ 이라크 외무장관과 오랜 지기로서 이미정부.경제협의 사절로 이라크를 여러번 방문한바 있다함)

억류 브라질인들은 거의 브라질 건설회사인 MENDES JUNIOR 사 사원인바 동사는 정부의 강력한 설득으로 이라크측이 제시한 하청요청을 수락한후 공사를 포기하고 철수하기로 결정하였다 함. 끝.

(대사 김기수-국장)

예고: 90.12.31. 까지

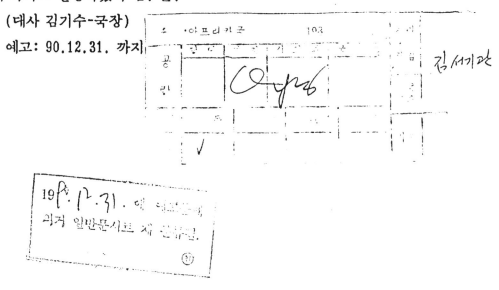

김 서기관

중아국   미주국   정문국   안기부   국방부   대적반

외 무 부

종 별 :

번 호 : VZW-0518   일 시 : 90 0914 1800

수 신 : 장 관(중동,미남,기정,국방부)

발 신 : 주 베네수엘라 대사

제 목 : 쿠웨이트 특사 래방

연: VZW-0511

1. ABAULLA AL-RQUBA 쿠웨이트 동자부장관이 쿠웨이트 국왕특사로 9.13, 주재국을 방문, 주재국 PEREZ대통령 및 FIGUEREDO 외무장관과 면담하고, 금추 유엔총회가 안보리의 대이라크 BOYCOTT결의안을 수락할 수 있도록 주재국측의 협조를 요청한 것으로 전 해짐.

2. PEREZ 대통령은 유엔총회 연설시 이를 언급할 가능성을 시사한 것으로 전해짐.

3. 상기 쿠웨이트 특사는 평화적 방법을 통한 현중동사태 해결이 난망시 된다고 언급하고, 그러나 쿠웨이트 망명정부는 어떻게 해서든 전쟁을 피하기 위한 노력을 기울이고 있다고말함.끝.

(대사 김재훈-국장)

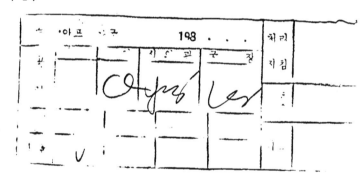

중아국   1차보   미주국   안기부   국방부

PAGE 1   90.09.15   09:05 WG

외신 1과 통제관

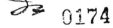 0174

외　무　부

종　별 :

번　호 : ARW-0626　　　　　　　　　　　일　시 : 90 0919 1600

수　신 : 장관(미남,중동,정일,기정,국방)

발　신 : 주 아르헨티나 대사

제　목 : 아르헨티나 중동에 군대 파견

연:ARW-0626

1. 주재국 CAVALLO 외무장관은 9.18. 저녁 T.V. 및 라디오를 통해, 아르헨티나 정부가 GULF 만에 교전목적이 아닌 평화유지를 위해 군대를 파견하기로결정하였다고 발표하였는바, 아르헨티나 정부의 군대 파견내용은 아래와같음.

　　가. 파견근거:유엔결의 차원에서 쿠웨이트 및 여타 아랍국가의 요청에 의거

　　나. 군대파견 규모:

　-해군함정 2 척

　미사일 구축함 ALMIRANTE　BROWN-서독에서 건조된것을 핵, 화학, 세균전에 대비건조

　순양함 SPIRO-미사일 장비

　-공군기 2 대:C-130 및 B707

　-병력

　BROWN 함-장교 21, 사병 163 명

　SPIRO 함-장교 12, 사병 82 명

　　다. 파견시기:수일내 출발(GULF 만까지의 항해 시간을 약 3 주로 예상)

　　라. 동 군대파견에 따른 경비:국제사회의 특별기금(걸프 산유국, 강대국등)

2. 아르헨티나 정부는 전통적으로 국제분쟁 관련 중립적인 입장을 취하여왔으며 지난 8 월말 국회에서 외국에 군대 파견은 사전 국회의 동의가 있어야 한다는 법령을 통과시킨바 있으며 금번 군대 파견 결정을 위한 협의 과정에서 여당일부 의원들과 일부 야당의원들이 국회의 동의없이 군대를 파견하는것은 위헌이라고 반대하고 있어 행정부에서 동 파견목적이 교전이 아닌 평화유지이기 때문에 국회의 동의를 요지하지 않는다는 이론을 세우고 있음에도 불구 국내적으로는 계속 쟁점이 될것으로 보이나,

---

미주국　　차관　　중아국　　정문국　　안기부　　대책반　　국방부

경제계 및 주재국 언론은 아르헨티나가 국제사회로부터 고립을 면하고 실리를 위한 조치라고 환영하고 있으며 1962 년 대큐바 봉쇄시 아르헨티나 정부는 2 척의 군함을 파견한바 있음.

3. 금번 군대 파견 결정은 8.20. 미국 뷰쉬대통령이, 9.13. 에는 이집트 무바라크 대통령이 군대 파견 요청 공한을 보내왔고, 9.16. 부터 쿠웨이트 망명정부의 HOMOUD AL-RQUOBAH 동력 및 수자원 장관이 주재국을 방문, 9.17. 메넴 대통령및 CAVALLO 외무장관을 면담 군대파견을 요청하였으며, 9.2.-14 간 CAVALLO 외무장관의 이스라엘, 이집트, 이태리 방문시에도 동 문제가 협의되었으며, 협의과정에서 경제적인 신뢰 획득이 약속되었을 가능성이 있으나 동 결정은 메넴 정부의 친미 및 친서방 외교노선이 정착된 결과로 미국과의 협력강화의 중요성에서 비롯된것을 분석됨.

대사 이상진-장관)

예고:90.12.31. 까지

관리 번호	90/1320

외 무 부

종 별 :

번 호 : BRW-0614 일 시 : 90 0925 1900

수 신 : 장 관(중근동,미남,기정동문)

발 신 : 주 브라질 대사

제 목 : 이락 대브라질인 출국비자 발급

연: BRW-0564,0604

1. 연호 이락에 억류중인 브라질 MENDES JUNIOR 사 이락남부 간척사업 종업원 120 명은 이락정부로 부터 9.24. 출국비자를 받아 브라질로 귀국예정임.

2. 이락 현지에 계속 체재, 교섭중인 TARSO FLECHA DE LIMA 주영국 브라질대사는 상기인원과는 별도로 동 M.J. 사 고속도로 건설노동자 82 명과 MAXION 사농기계 종업원 14 명이 금일중 출국허가를 득할것으로 이 예상하고 있는바, 당지에서는 M.J. 사 82 명의 출국허가 교섭의 경우 동 M.J. 사가 이락정부에 4 천만불 상당의 벌금을 지불해야 가능할것으로 보고있음. 끝.

(대사 김기수-국장)

예고: 90.12.31. 까지

중아국 미주국 안기부

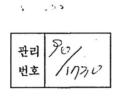

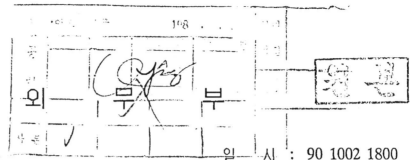

종 별 :

번 호 : BRW-0642   일 시 : 90 1002 1800

수 신 : 장 관(중근동,미남,기정동문)

발 신 : 주 브라질 대사

제 목 : 이락내 억류된 브라질인 처리문제

연: BRW-0614

1. 지난 9.15. 이락에 도착 이락내 억류중인 브라질인들의 출국교섭을 시작한 PAULO TARSO FLECHA DE LIMA 주영 브라질 대사일행은 9.27. 까지 256 명의 자국인중 174 명에 대해 이락정부로 부터 출국허가를 아래와 같이 받아냈으나 잔여82 명(MENDES JR 회사, 바그다드-요르단 국경간 고속도로건설 참여)에 대한 출국교섭을 위해 현재까지 이락에 체류중임.

  - 9.24. 이락 관개수로공사 참여중인 M.J 회사 직원 120 명및 이락 미사일 개발사업 참여요원 HOP 사 공학자및 기술자 21 명(9.22. 부로 1 년 계약만료)

  - 9.25. 농기구 조립및 수리담당 MAXION 사 직원 15 명

  - 9.27. VOLKS WAGENS 자동차사 18 명

2. 상기허가관련 지난 9.24. 주재국 대통령 권한대행인 ITAMAR 부통령이 당시 이락정부로 부터 출국허가 접수자 141 명을 현지 이락항공기 1 대를 이용, 즉각 철수토록 외무성에 지시했으나 현지 교섭단의 보고를 고려한 외무성의 동시철수 건의로 출국허가자 철수가 지연됨에 따라 현지 브라질 난민 대기소에는 174 명의 출국허가자와 82 명의 출국불허자의 동시출국 주장 대립으로 심각한 분규상태에 처해 있다함.

3. 당관이 외무성및 관계기관을 통해 확인한바에 따르면 잔여 82 명의 브라질인의 출국하가 사항이 후세인 이락 대통령 권한으로 이관되었다는 9.28. 자 LIMA 주영 브라질 대사의 보고를 접수한 주재국 COLLOR 대통령은 9.29. 뉴욕체재시 후세인 요르단왕에게 82 명의 브라질인의 출국을 이락대통령이 허가해주도록 중재해줄것을 요청하여 동왕으로 부터 48 시간내에 해결될것이라는 좋은 반응을 접수했다 하나 현재까지 아무런 해결조짐이 없기때문에 금일 ITAMAR 부통령이 174명에 대한

중아국   미주국 , 안기부

PAGE 1   90.10.03   08:53

                                              외신 2과 통제관 CW

                                                  0178

철수여부를 외무성, 전략정보부등 관계부처와 협의 결정할것이라 함.

  4. 현재 95 프로 고속도로의 공정을 마치고 있는 82 명의 주재국 M.J. 사 직원에 대한 이락정부의 출국지연조치는 나머지 공정완수를 강요하고 있는데 기인된것으로 보이는바 주재국 정부는 이들의 조기출국의 기대가 어려운 상황을 감안, 우선 174 명의 출국허가자의 조기출국을 단행할것으로 관측됨. 끝.

  (대사 김기수-국장)

  예고: 1990.12.31. 까지

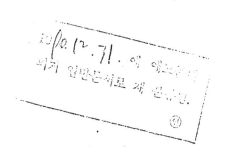

PAGE 2

외 무 부

종 별 :

번 호 : MXW-0040 일 시 : 91 0109 1700

수 신 : 장 관 (미중)

발 신 : 주 멕시코 대사

제 목 : 페르시아만 사태 관련 주재국 입장

연: MXW-0035

페르시아만 사태 관련 최근 밝혀진 주재국 입장을 아래와 같이 보고함.

1. 이락의 쿠웨이트 점령은 명백한 국제법 위반으로 철군 및 원상복귀 지지

2. 멕시코는 전통적으로 국제사회에서의 무력사용을 반대해 왔으며 국제법의 적용이 국제사회에서 국익을 증진한다는 판단에 입각 분쟁의 평화적 해결을 지지

3. 이상에 입각 페만사태에 대한 안보리 결의를 전폭 지지하였으며 동 안보리 결의가 대화와 외교교섭을 통한 결실을 맺게 되기를 기대함.

4. 멕시코는 페만사태 관련 파병을 않기로 결정

(대사 이복형-국장)

미주국 1차보 중아국 정문국 안기부

PAGE 1 91.01.10 09:43 FC

완식 1과 통제관

0180

외 무 부

종 별 :

번 호 : BRW-0024

일 시 : 91 0110 1800

수 신 : 장 관(중근동,경이,미남,국방,기정동문)

발 신 : 주 브라질 대사

제 목 : 이락사태관련 주재국 대처방안(자료응신 91-3)

1.1.10. 당관이 관계기관으로 부터 입수한바에 의하면 1.8.COLLOR 주재국 대통령은 3 군장관, 외무장관, 경제및 기간산업성 장관, 과기처장, 전략정보부장을 대통령궁으로 긴급소집, 주재국 외무성과 전략정보부가 공동작성한 " 이락사태별 주재국의 에너지 대처방안"에 대해 평가회의를 갖고 최종적인 주재국 정부의 에너지 방안을 확정했다함.

2. 주재국 정부의 대처방안의 주요요지

가. 이락사태가 현상황으로 지속(예상석유가: 1 바렐당 미불 23-25)하거나 평화적으로 해결(1 바렐당 미불 15 로 하락후 미불 20 에서 정착)될 경우의 브라질 정부의 에너지 대처방안

- 석유수입가격에 따른 국내유가의 현실화 조치

- 에너지 관리대책강구

- 인접국가와의 무역증진 차원에서 주재국의 석유공급원을 중남미국으로 변경추진

- 국내석유 증산위한 부자실시

- 외교적으로는 UN 의 모든 결의사항 절대준수

나. 연합군과 이락군과의 전쟁발발(예상석유가 1 바렐: 미불 50-80)경우 가상한 전쟁양상및 브라질 정부의 대처방안

1) 가상전쟁 양상

- 쿠웨이트, 이락등 페르시아만 지역으로 제한된 전쟁은 90 일이내 연합군의 승리 전망함. 그러나 이락은 쿠웨이트내 석유시설 폭파, 화학무기 사용과 함께 사우디, 이집트, 유럽, 미국및 이스라엘 등지의 주요시설에 대해 대규모 테러를 자행할것으로 예상함.

- 이락의 이스라엘 선제공격으로 이스라엘이 동전쟁에 개입할경우 전쟁은 중동

중아국   2차보   미주국   경제국   정문국   청와대   안기부   국방부

91.01.11   06:34
외신 2과 통제관 CW
0181

전지역으로 확산되어 장기화 될것으로 전망함.

　2)정부의 대처방안

　가)연료분야

　- 페루시아만의 석유공급원을 다른지역으로 변경

　- 아르헨티나, 볼리비아 생산 천연가스 수입

　- 브라질 전체소요 에네지를 고려 브라질산 연료류 생산품 수출정책 변경

　- 단기간내 가능한 국내소유의 최대생산 추진

　- 경유, 나프타, 운활유, 가솔린등 석유류 연료사용의 배급제 채택

　나)에너지 분야

　- 대체에너지의 생산및 개발(알콜)

　- IRATI-SAO MATEUS(PARANA 주)발전소 발전량 확장

　- 모든분야의 에너지 절약운동 전개

　- 에너지 낭비및 절약한 시민에 대한 요금차등 적용으로 국민의 에너지 절약유도

　- 화력발전도 연료를 석탄으로 대체 사용

　다) 운송분야

　- 장거리 화물운송은 수로및 철로 운동 장리

　- 도시운송은 집단운송 장려(자가용 합승등)

　- 차량운행 최대속도 80KM 로 제한

　라) 통신분야

　전화를 통한 대국민 연료배급제 홍보전개

　마) 경제및 농업분야

　- 국제정세에 적응한 금융, 재정, 환율등 새로운 경제안전계획 수립

　- 알콜연료 생산확대를 위한 사탕수수 경작지 확장및 생산장려

　3. 브라질은 1 일 석유소비량 117 만 바렐중 60 만 바렐을 수입(45 만 바렐:
분쟁지역에서 수입)으로 충당하며 나머지 57 만 바렐은 국내에서 생산하는 석유로
대체하고 있음. 현재 브라질 정부가 비축하고 있는 석유는 3,000 만 바렐로45-60 일을
정상적으로 사용할수 있는 분량이라 함. 끝.

　(대사 김기수-국장)

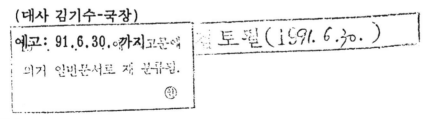

예고: 91.6.30.에까지고문에
의거 일반문서로 재 분류됨.
㊞

토 밀(1991. 6.30.)

PAGE 2

0182

외 무 부

종   별 :

번   호 : JMW-0021

수   신 : 장 관(미중,중동)

발   신 : 주 자메이카 대사대리

제   목 : 걸프만 사태

일   시 : 91 0110 1510

1.주재국 M.MANLEY 총리는 작 1.8(수)의회연설에서 걸프만 사태에 관한 자메이카 정부입장을 천명하고 동 사태가 자메이카 경제에 미치는 영향,대책에 관해 언급하였는바, 동 요지아래와 같음.

   가.자메이카는 이라크의 쿠웨이크로 부터의 즉각철군을 요구하는 유엔결의를 지지함.

2.철군후 쿠웨이트-이라크간 현안 문제는 양국간협상을 통해 해결되어야하며 필요하다면 동협상에 국제사회및 UN 등 국제기구의 증재노력이 있어야 할것임.

   다.걸프만 사태로 1991년 1/4분기중 원유구입비는 1990년 대비 2배 이상 상승이 예상됨 (1990년1/4분기 수입액:4천만불,1991년 예상액:9천만불)

   라.또한 걸프만 사태및 미,카나다의 경기침체로 자메이카의 제1외화수입원인 관광이 크게 타격을 받고있음.

   마.걸프만 사태로 인한 경제에 악영향 대처를 위해 자메이카 정부는 야당과 협조, 의회에 소위원회를 설치하였으며 내각에서는 NATIONAL PLANNING COUNCIL을 통해, 동사태를 관찰하고 대책을 강구중임.

   바.전쟁발발로 원유가가 급상승하는 경우, 기존의원유 절약 정책에 추가하여 보다 강력한 대책이 필요한바, 정부는 업계와 대책을 의논중임.

2.원유도입관련, 주재국은 SAN JOSE 협정에의해 멕시코, 베네주엘라로 부터 원유를 수입하고 있는바, 소요량 확보에는 문제가 없으나 가격인상으로 인한 도입비용 상승이 큰 문제로되고 있음.끝

   (대사대리 김일수-국장)

미주국   1차보   중아국   정문국   안기부

외 무 부

종 별 :

번 호 : TTW-0008   일 시 : 91 0114 1130

수 신 : 장관(중근동,미중,정일)

발 신 : 주트리니다드대사

제 목 : 주재국의 중동사태 반응보고(자료응신 제4호)

연:TTW-0005,0006

1.연호관련,ROBINSON 주재국 수상은 1.16(수) 주재국에서 PEREZ 베네수엘라 대통령및 MANLEY 자마이카 수상과 3국 정상회담을 개최,전쟁 발발 경우 에너지및 식품공급대책과 지역안보 문제에 대해 협의하고,기타 하이티및 수리남사태등에 대해서도 의견교환 예정임. 동 회담차 베네수엘라및 자마이카 정상들은 명1.15 당지 도착,1.16(수) 귀국예정임.

2.ROBINSON 수상은 또한 지난 주말(1.11) 예정대로 PADAY UNC 당수및 MANNING PNM당수등 야당지도자들과 전쟁시 주재국 경제및 환경에 미칠 영향과 테러공격 가능성등에 대비한 대처방안을 협의하였음. 특히 주재국정부는 유전시설 파괴공작에 대비,보안을 강화하고 있음.끝

(대사 박부열-차관)

중아국   1차보   미주국   정문국   안기부

PAGE 1   91.01.15   02:13 DP

외신 1과 통제관

0184

외   무   부

종   별 :

번   호 : MXW-0057　　　　　　　　　　　　일   시 : 91 0114 1900

수   신 : 장   관(미중)

발   신 : 주 멕시코 대사

제   목 : 주재국의 페만사태 대책

　　1. 공관 비상근무

　　주재국 외무성은 페만사태 관련 이스라엘, 사우디, 이집트 주재대사관 직원 가족의 본국 귀국조치를 단행한데 이어 별도 명령하달시까지 동대사관 직원의 비상근무를 명하였으며, 멕시코 국민의 동지역 여행을 삼가토록 하는 동시에 여행이 필요한 경우 반드시 동지역 자국 대사관과 긴밀히 연락을 유지하도록 조치함. 또한 이스라엘 동향과 관련, 멕시코 거주 유태인 교민회와의 접촉을 유지하고 있으며 유태인의 이스라엘 여행을 자제토록 권고하였다함.

　　2. 식량등 자원대책

　　주재국 HANK 농업장관은 91년도 필요한식량 (옥수수, 쌀, 콩등)은 확보되어 있으나 전쟁 발발시 미국등으로 식량(밀등) 도입 이용이하지 않을 것에 대비, 농민이 식량 증산에 계속 노력할 것을 당부함.

　　3. 통상 타격 예상

　　멕시코 해운업계는 전쟁발발시 우선 무역, 관광, 어업 및 해운분야에서의 급격한 하락을 초래할 것으로 전망하고 특히 주재국 무역의 80퍼센트를 점하는 대미무역의 큰 감소를 우려하고 있음. 재정금융계 일각에서는 산유국으로서 전쟁발발시 원유가격 인상으로 GNP 3.4퍼센트성장 (90년 2.1퍼센트)을 예상하면서도 무역등 전기분야의 급격한 하락을 COVER 하기는 어려울 것으로 전망하고 있음.

　　(대사 이복형-국장)

미주국　　1차보　　중아국　　정문극　　안기부

　　　　　　　　　　　　　　　91.01.15　　10:23 WG

　　　　　　　　　　　　　　　　　　　　외신 1과 통제관

　　　　　　　　　　　　　　　　　　　　　　0185

외　무　부　　　　　　　　　　　　　　　　　암호수신

종　별 :

번　호 : BRW-0032　　　　　　　　　　일　시 : 91 0115 1800

수　신 : 장 관(미남,중근동)

발　신 : 주 브라질 대사

제　목 : 중동사태에 즈음한 브라질 대책(자료응신 91-5)

1. 주재국 COLLOR 대통령은 1.14. 오전 중동전쟁이 발발할 경우에 대비, 브라질 경제가 입는 영향을 극소화하기 위한 관계장관 회의를 소집, 긴급계획과 연료배급 실시등을 포함한 23 개대책을 수립하였으며, 동일 저녁 전국방송망을 통하여 국제질서를 후퇴시키는 걸프만 사태를 개탄하면서 "지금이야말로 전국민이 단합해야할 때임을 강조하고 전국민은 연료와 전기사용을 절제함으로서 정부가 배급제를 시행하지 않도록 협조해주기를 바란다"는 요지의 연설을 함.

또한 동대통령은 어제 1.31-2.2 간 스위스에서 개최예정인 국제기업인 회의참석계획을 취소하고 브라질리아에는 중동대책반을 24 시간 운영하도록 지시함.

2. 한편 당지 신문보도에 의하면 REZEK 외무장관은 1.14. 밤 전화로 UN 사무총장에게 걸프만의 평화적 해결을 위한 브라질의 UN 평화군 구성시 참여의사를언급하였던바 동총장은 브라질의 여사한뜻에 사의를 표하고 필요시 브라질에 연락할것이라고 답하였다하며, 또한 주재국 대통령실 대변인 CLAUDIO HUMBERTO 도 브라질은 교전국 입장은 아니나 중립적 입장을 견지하지는 않을것이며, 브라질은 유엔헌장 서명국으로서 UN 평화군 구성시 감시기능 또는 인도적 지원등 제한적으로 참여할것이라고 밝혔음.

또한 주재국 외무부는 중동지역 전쟁발발시 우려는 브라질 테러공격 피해를입지않기위해 이스라엘, 이락, 쿠웨이트 대사를 외무부로 불러 이미 주의를 환기시켰으며 금인은 여타 아랍국및 아랍연맹등에게도 실시할 예정이라함.

3. 본직은 만일의 중동전 발발시에 대비 주재국내 중동계 브라질인들이 많이 거주하고 있고 시리아, 이집트등 중동국 공관이 입접해있는 점등을 감안, 관계 공안기관에 공관경비강화를 기히 요청하였고, 아울러 자체대비책도 수립하였음. 끝.

(대사 김기수-국장)

미주국　　2차보　　중아국　　정문국　　안기부

PAGE 1　　　　　　　　　　　　　　　　　　91.01.16　06:53
　　　　　　　　　　　　　　　　　　　　　외신 2과　통제관 FE
　　　　　　　　　　　　　　　　　　　　　0186

외　무　부

종　별 :

번　호 : MXW-0060　　　　　　　　　일　시 : 91 0115 1700

수　신 : 장 관(총인,기재,중미)

발　신 : 주 멕시코 대사

제　목 : 페만사태 대비책 강구

　　당관은 페만사태를 위요한 전쟁 발발등 유사시에 대비하여, 작 1.14. 공관시설보안, 통신운영 및 파우치 수발 업무 철저등과 관련한 대책회의를 개최함과 아울러, 본직은 1.15-16양 일간 당지주재 코트라 및 진출업체를 순방, 페만사태관련 정세 특히 보안대비 및 아국의 원유도입선 다원화 노력을 설명하고 아국업체들로 하여금 정부시책에 적극 호응, 금년도 수출 목표달성에 이바지하여 줄것을 당부코저함.

　　(대사 이복형-국장)

종무과　　기획실　　미주국

PAGE 1

외 무 부

종 별 :

번 호 : BRW-0037   일   시 : 91 0116 1800

수 신 : 장 관(미남,중근동,국방,기정동문)

발 신 : 주 브라질 대사

제 목 : 중동사태관련 브라질 외무장관의 상원외교위 보고

연: BRW-0032

1. REZEK 주재국 외무장관은 1.15. 상원 외교위에서 최근의 중동사태에 대해 보고하면서 "브라질은 분쟁지역에 군대를 파견치 않을것이나, 요청이 있을시 UN 평화유지군의 일원으로서 군감사 요원이나 군병원과 같은 인도적 지원은 할수 있을것이며 , 현재까지 이락과 좋은 관계를 유지하고있고 제 3 세계의 일원인 브라질내에는 아랍계 800 만명과 유태계 국민들이 평화롭게 공존하고있으므로 앞으로 브라질이 할 역할이 있을경우 UN 사무총장과 협조해가면서 분쟁해소 협상에 협조하기를 희망한다" 고 보고함.

또한 동장관은 이락도 브라질에 협력을 정식 요청해올 가능성도 있다고 설명하였다 함.

2. 한편 주재국은 중동전 발발시를 대비한 역내 경제협력문제를 토의할 목적으로 라틴아메리카 통합기우(ALADI,11 개국) 긴급회의 소집을 요청할것으로 알려짐.끝.

(대사 김기수-국장)

일 10

미주국 국방부	장관	차관	1차보	2차보	중아국	청와대	총리실	안기부

외 무 부

번   호 : PGW-0018

일   시 ; 91 0116 1300

수   신 : 장 관(미남,중근동)

발   신 : 주 파라과이대사

제   목 : 주재국 페만 사태 반응 보고(자료응신 91-4)

1. 이락의 쿠웨이트 철수 유엔결의 시한 기일인 1.15이후 주재국 반응은 평상시와 다름없는 평온한편이나, 1.15. 오후 한때 각 주유소 마다 급유 차량대열로 인한 혼잡과 휘발유를 위시한 석유제품의 배급 실시 소문등으로 혼란 현상이있었음.

2. 주재국 정부의 동력자원 관계 부처는 페만사태 악화에 대비, 아르헨티나와 석유 안정 공급협조를 확보하는 한편 시내 버스운행 조정, 관공소차량에 대한 연료공급통제를 실시 하는 방안과, 일반시민들에 대하여도 필요시 석유류 배급제실시를 검토중임.

3. VAESKIN FRUTOS 외무장관이 1.22 부터 약 1주일간 스페인 공식 방문 예정이었으나 페만사태에대한 OAS 또는 RIO GROUP 국 외상회의 소집 가능성에 대비 동 방문계획 을 연기 하였음.끝

(대사 김흥수-국장)

미주국   <del>차관</del>   1차보   구주국   중아국   장관   안기부
2차보

PAGE 1

외신 1과 통제관

0189

걸프사태 동향 : 기타지역, 1990-91. 전2권 (V.1 미주) **459**

외 무 부

종 별 : 지 급

번 호 : BRW-0040

일 시 : 91 0117 0040

수 신 : 장 관(미남,중근동,국방,기정동문)

발 신 : 주 브라질 대사

제 목 : 중동전 개전

연: BRW-0037

1. 1.16.(수) 22:00 주재국 각라디오, TV 방송망은 미 CNN 방송을 직접중계하면서 통합군의 대이락 개전을 보도함.

2. 주재국 REZEK 외무장관은 개전직후 COLLOR 대통령에게 전황을 보고하였으며, 동대통령은 1.17(목) 오전 8 시 전각료진과 입법부, 사법부요인을 포함한 비상대책회의를 소집하였음.

3. 한편 주재국 외무부 대변인은 TV 인터뷰에서 개전은 예상한바로서 중동분쟁이 조속 해결되기를 바란다고 논평함.

4. 당관은 중동전 개전보도즉시 당지시간 22:05 전직원을 긴급소집, 비상체제에 들어갔으며 당지 특이동향및 주재국정부 대책정보 수집시 수시 보고예정임.끝.

(대사 김기수-국장)

예고: 91.12.31. 일반

91.6.30. 김조욱

미주국   중아국   안기부   국방부

외 무 부

종 별 :

번 호 : BRW-0043   일 시 : 91 0117 1800

수 신 : 장 관(미남,중근동,국방,기정동문)

발 신 : 주 브라질 대사

제 목 : 중동전 개전 관련 주재국 동향

연: BRW-0040,0032

1.COLLOR 주재국 대통령은 1.17. 새벽 REZEK 외무장관의 중동지역 개전보고를 청취하고, 걸프만 사태를 관여국들이 평화적으로 해결치 못한데 유감의 뜻을 표하였음. 그러나 REZEK 장관은 언제나 평화협상여지는 있을것이라고 강조함.

2. 또한 COLLOR 대통령은 연호 보고와 같이 1.17. 오전 긴급 비상대책회의를 소집, 개전상황보고와 함께 브라질이 그간 중동사태에 대해 취한 입장, 대의회 지도자들에 대한 브라질 대비책 설명및 연료배급제 실시건의등에 대하여 관계장관들로부터 각각 보고를 받고 지난 1.14. 중동전 발발에 대비 마련한 긴급계획과 연호 배급제 대책방안을 의회에 승인요청키로 결정함.

3. 연방경찰은 테러분자의 국내잠입 가능성에 대비 국경, 항구, 공항의 검문검색을 강화하였고 당지 공안기관은 쿠웨이트, 이락대사관을 포함 참전국 공관경비를 배가하였으며 당지 전 외국공관에 대한 24 시간 경비체제를 가동시켰음. 한편 당지주재 RICHARD MELTON 미국대사는 금일오전 REZEK 장관을 예방, 걸프만 전쟁에 대하여 설명한것으로 알려짐.끝.

(대사 김기수=국장)

미주국   중아국   정문국   안기부   국방부

PAGE 1   91.01.18   07:35

외 무 부

종 별 :

번 호 : MXW-0069

일 시 : 91 0117 1630

수 신 : 장관(미중)

발 신 : 주 멕시코 대사

제 목 : 페만전쟁 반응

1. 주재국 SALINAS 대통령은 페만사태관련 1.15. 외교, 안보, 경제관계 각료를 소집 긴급 대책회의를 개최 한데이어 1.16. 밤 페만전쟁 발발에 즈음한 담화를 전국 TV, 라디오 방송을 통해 발표한바 요지를 보고함.

가. 담화 요지

- 페만전쟁이 멕시코에 미치는 영향은 경미할 것으로보나 원활한 유류, 생필품 공급을 통한 정상경제운영을 계속 할것이며 외화 보유등 대책으로 전쟁으로부터의 영향을 최소한으로 줄일것임.

- 멕시코는 평화 애호국으로 페만사태가 안보리 결의에 의거 외교 경로와 대화를 통해 해결되기를 갈망해 왔으며, 이번 사태가 즉각 해결되어 평화가 회복되기를 희망함. 금번 사태관련 군파병은 없을것임.

- 중동지역은 공존이라는 오래된 심각한 문제를 안고 있는 복잡한 지역으로선진국 및 개도국의 자원 공급국으로서의 관심대상 지역임. 금번 사태는 냉전이후 최초의 다른 양상을 나타내는 것임. 즉, 초강대국간의 전쟁이 아니라 국가공동체간의 중요한 이익의 충돌이며 멕시코와는 거리가 먼곳이며 고도로 긴장된 지역에서의 전쟁임.

- 끝으로 멕시코 국민은 사리사욕을 버리고 단결과 애국심을 발휘하여 위기를 극복할 것을 촉구함.

나. 상원 결의

주재국 상원은 주재국 정부가 페만 전쟁에 직접, 간접으로 개입하지 말것, 무력사용 반대, 유엔 헌장정신에 입각, 분쟁의 평화적 해결등 6 개항의 대정부 건의문을 채택함.

라. 의견

페만사태관련 주재국은 산유국으로 원유 공급에 지장이 없으며 지역적으로도

미주국   중아국   정문국   안기부

PAGE 1

91.01.18   08:28
외신 2과 통제관 FE

0192

멕시코에 영향이 없을 것으로 보아 중립적 입장에서 평화적 해결을 촉구하는 소극적 자세로 임하고 있는 인상을 주고 있음.

2. 쿠바 CASTRO

CASTRO 는 대이락 무력 공격을 비난하고 페만 전쟁 발발은 분쟁의 평화적 해결 기구인 UN 의 무능력과 현 정치인들의 무능력 때문이라고 비난. 끝.

(대사 이복형-국장)

예고:1991.6.30. 까지재고문서
일반문서도새분류됨

외 무 부

종 별 :

번 호 : JMW-0037   일 시 : 91 0117 1900

수 신 : 장관(중동,미중)

발 신 : 주 자메이카 대사

제 목 : 걸프만 전쟁

    1. 금 1.17 주재국 K.D.KNIGHT 안보장관은 당관 김일수 참사관을 초치, 걸프만 전쟁관련한 테러리즘 방지를 위해 주재국 정부가 킹스톤 주재 외국공관 보호를 강화하고 있음을 설명하고 아국정부와 테러관련 정보를 상호 교환하기를 희망함.

    2.KNIGHT 장관은 또한 주재국정부의 관련조치에 관한 회람이 외교단장을 통해 각 공관에 통보될것이라고 말하고 자신은 주재국 30 개 외국공관중 아국, 미,영,불, 캐나다, 이스라엘등 6 개 공관에 한해 개별적 접촉을 하는 것이라고 설명함. 끝

    (대사 김석현-국장)

    91.12.31 일반

                                            91. 12. 31. 김도형 김

중아국   2차보   미주국

PAGE 1   91.01.18   23:22

원 본

외 무 부

종 별 :

번 호 : MXW-0072   일 시 : 91 0118 1200

수 신 : 장관(미중,페만대책본부)

발 신 : 주 멕시코 대사

제 목 : 페만 전쟁 비상대책

대:AM-0020

연:MXW-0060

1. 주재국 정부는 페만사태 관련, 공항 및 정유시설등 주요시설에 대한 경비를 강화하는 동시 주재외국 공관중 직접, 간접적으로 관련있는 공관에 대한 경비강화 조치를 취함.

2. 당관 파견관이 1.17. 주재국 안전총국 부국장(CERCIO DE MIGUEL) 접촉, 확인한바, 페만 다국적군 지원국 공관에 대하여는 수시 순찰 경비를 강화키로 하였다하며 당관도 순찰 경비 강화대상 공관에 포함되었음.

3. 한편 당지주재 이락대사관 SABBAR AL-HADITHI 대사대리는 1.17. 기자회견에서 멕시코 거주 외국인에 대한 이라크의 테러는 없을것이라 말한바 있음.

(대사 이복형-국장)

예고:1991.6.30. 에 대 고문서
의거 일 반문서로재분류됨

미주국   장관   차관   1차보   2차보   중아국   청와대   안기부

외 무 부

종 별 :

번 호 : MXW-0082   일 시 : 91 0122 1040

수 신 : 장관(해신, 해기, 미북, 미중, 기정, 국방)

발 신 : 주 멕시코 대사

제 목 : 페만 전쟁관련 언론반응

　　주재국 언론들도 대부분의 지면을 표제관련 보도에 할애하고 있는등 동 전쟁에대한 대단한 관심을 보이고 있음. 1.22일 EXCELSIOR 지는 표제관련 수개의 논설을 게재하고 있는 중, 동지 6면에 기고가 PEDRO BAROJA 가 기고한 '이락전쟁, 새국제질서의 또다른 얼굴' 제하의 컬럼과 7면에 JOHN SAXE FERNANDEZ 가 기고한 '페만전쟁, 어떻게 끝날지 아무도 예측 불허' 제하의 컬럼에서:

　　가. 페만 전쟁은 제 3세계권에 권위주의적인 정권을 탄생토록 도와준 강대국의 책임

　　나. 세계의 양극화 현상이 아직도 극복되지 않은 증거

　　다. 현재 지역화로 국한된 전쟁의 확대 가능성

　　라. 새 국제질서가 냉전 종식 불구 과연 수립될수가 있을까에 대한 의문 제기를 하고 있으며

　　마. J. SAXE FERNANDEZ 는 아직도 미 CIA 의 각국에서 내정간섭을 한다고 비난함.

　　(대사 이복형-외보부장)

공보처	장관	차관	1차보	2차보	미주국	미주국	√중아국	정문국
정와대	종리실	안기부	국방부	공보처	√대책반			

주 멕 시 코 대 사 관

멕 정 100-53   1991. 1. 24.

수 신 : 장 관 (미북, 미중)

제 목 : 걸프 사태 진전에 대한 지역 반응

　　　　대 : WHX-0024
　　　　연 : MXW-0067, 0082

1. 지난해 8월 이락에 의한 쿠웨이트 침공시 대 이락 규탄 및 그후 UN 안보리 결의등에
   대한 지지에 참여하여왔든 주재국 및 중미, 카리브, 기타 남미 제국등은 전쟁 발발
   1주후, 특히 전쟁의 장기화(비록6개월이라하드래도),확대 가능성이 짙어짐에 따라
   중립(자체대비강화), 반전경향으로 기울어짐이 점차 역연해 지기 시작함.

2. 물론 이중 쿠바(안보리 비상임 이사국)는 당초부터 미국의 무력개입에 반대하여
   왔으며 계속 UN 안보리 결의등의 미국 압력에 따른 추종적 결의등으로서의 유엔기능
   의 무력화를 개탄하였으며 걸프만 사태 돌발시 아국보다도 먼저, 강력, 선명히 이락을
   규탄, 한때 군병력 파견고려까지 한듯 보도되었든 주재국의 입장은 전쟁임박(년초)
   까지 전통적인 중립적 입장으로 변화 된 바있음.

3. 주재국은 금월 중순 중미5개국 정상들과의 회담시 분쟁의 평화적 해결을 공동으로
   촉구하도록 유도한 바있으며 1. 22. 주재지의 UNAM대학 세미나에서 외무성 국제
   기구국장 O. PELLICER대사(최근까지 주유엔 차석 대사)는 UN의 평화적 분쟁 해결
   역할을 강조하고 다국적 군의 전투개시가 좀 성급했든 것으로 코멘트 한바있음.

05203

0197

4. 주재지의 소련대사 DARUSENKOV는 1.22. 기자회견에서 1.16. 연합군의 전투개시 직전까지 고르바쵸브 대통령이 부시 대통령에 대한 신중로선 촉구가 있었으나 무시된 듯 하다고 언급한 바있고 주재지 주요 언론 매체의 논평, 사설등은 반전론 일색으로 명 1.25. 여.야당 각 사회단체등이 참여하는 대대적인 반전데모가 있을 예정임.

5. 한편 알헨티나에서도 초기에 다국적군의 일환으로 파견된 군함 2척에 대한 물의가 제기되었고 (정부 군수지원 목적이라해명) 현재 주재지에서 개최중인 중남미 정당 연합체인 COPPAL 도 긴급 이사회에서 반전 -중립적인 의견이 지배적이며 니카라과 FSLN 의 T.BORGE (전산디니스타 정권 내무장관) 는 미국.유엔을 공격한 바있음.끝.

주 멕 시 코 대 사

0198

외 무 부

종   별 :

번   호 : CLW-0049   일   시 : 90 0125 1700

수   신 : 장 관(미남,중동,기정,동자부,국방부)

발   신 : 주 콜롬비아 대사

제   목 : 걸프사태

걸프사태의 주재국 중남미에 대한 영향을 아래요약 보고함.

1. 경제적 영향

가. 동사태는 단기적으로 석유수출국에는 외화수입증대로 경제상황이 호전되고 있음. 그러나 남미 대부분 국가는 석유생산국으로 큰 타격이없으나 중미 소국들에는경제적 타격이 큰편임.

1) 중남미는 현재 일일 6.6백만 배럴의 석유를생산, 5백만 배럴을 소비중임. 한편 일일수입량은 1.2백만 배럴, 수출량은 3.5백만 배럴(주로 대미국 수출)임.

중남미 동력기구(OLADE)는 역내 생산량이소비량을 초과하고 있음에도 수입을 하고 있는현실을 재검토, 가능한한 역내국가간원유교역으로 급격한 사태발생시 타격을 최소하는 방안을 검토중임.

2)최근 석유수출 증대로 경제적 이득을 보고있는역내 석유수출국 현황은 아래와같음.

-멕시코의 국영 PEMEX 는 90년도중 석유수출호황으로 동사 부채를 모두 탕감함.

-에쿠아돌은 석유가격 상승등으로 80년대 이래 최고수준인 6억불의 외화 보유고를 갖게됨.

-베내수엘라는 90년도중 10억불,91년 3월까지30억불의 초과수출을 달성 예정임.

-콜롬비아는 90년도중 원유수출이 최대 수출상품인커피를 초과하였으나, 91녀 들어 급증하고 있는게릴라 단체의 송유관 폭파등으로 대폭적인수출증가는 어려울것으로 보임.

3) 그러나 동사태가 단기적으로는 석유수출국에경제적 이득을 가져오고 있다 하더라도 장기적으로는국제 무역질서의 혼란에 따라 모든국가에 경제적타격이 심할것임.

미주국	차관	1차보	2차보	중아국	정문국	정와대	증리실	안기부
국방부	동자부	대책반						

2.중남미 경제협력 가속화

가. 그간 중남미는 경제통합등 역내 협력증진을위해 노력해 왔으나 중미,남미,카리브간 차이, 역내대.소국간 차이등에 따라 실질적으로 큰 진전이없으며, 미주 공동시장 창설등을 위한 부시대통령의 ENTERPRISE FOR AMERICA 도 상금 큰진전이 없음.

나. 그러나 걸프사태등을 계기로 그간 완만했던역내 결속이 강화되는 추세인바 1.28. GRUPO-8정상회담을 비롯 SELA,ALADI,중남미동력기구(OLADE), 중남미 상호석유지원기구(ARPEL) 등의 협의가 활발해지고있음.

(대사 안영철-국장)

외 무 부

종 별 :

번 호 : BRW-0066
일 시 : 91 0126 0800

수 신 : 장관 (미남)

발 신 : 주 브라질 대사

제 목 : 주재국 REZEK 외무장관 걸프전관련 RIO GROUP참석(자료응신 91-)

1. 주재국 REZEK 외무장관은 카라카스에서 1.28.(월) 개최되는 RIO GROUP 회의에참석차 금주말 베네스웰라로 향발예정임.

2. 금번 RIO GROUP 회의에는 주로 걸프전으로 인한 정치, 경제적 영향분석및 라틴 아메리카내의 에너지 공동시장 창설문제등이 논의될 것이며 카라카스와 끼또에 본부를 두고있는 라틴아메리카 경제제도(SISTEME ECONOMICO LATINO-AMERICANO) 및 라틴아메리카 에너지기구(ORGINIZACAO LATINO-AMERICANA DEENERGIA)대표들도 동회의에 초청되었는 바 동대표들은 참석할 것으로 알려짐.끝.

(대사 김기수-국장)

미주국   1차보   정문국   안기부

외 무 부

종   별 :

번   호 : PGW-0029

일   시 : 91 0128 1200

수   신 : 장관(미남,중근동)

발   신 : 주파라과이대사

제   목 : 걸프전에 대한 주재국 외무부 발표문(자료응신 91-7)

주재국 외무부는 1.26 '비교전국인 이스라엘에 대한 이락의 공격행위를 비난하며, 이락의 쿠웨이트 침공을 규탄하는 유엔 안보리 결의를 지지하는 입장을 재천명'한다는 내용의 코뮤니케를 발표하였음.끝

(대사 김흥수-국장)

외 무 부

종 별 :

번 호 : CSW-0069   일 시 : 91 0128 1800

수 신 : 장 관(미남,중근동,기정,국방)

발 신 : 주 칠레 대사

제 목 : 주재국 외상 동정

    1.주재국의 ENRIQUE SILVA CIMMA 외상이 1.28.카라카스에서 개최되고 있는 RIO 그룹 외상회의에 참석중인바, 동 회의에서는 걸프전쟁이 역내 경제에 미치는 영향과 그 대처방안이 주로 협의될 것으로 알려짐.

    2.동 외상은 이에 앞서 1.26. 아르헨티나를 방문, DOMINGO CAVALLO 동국 외상과 상기 회의관련 양국 입장에 관한 의견교환 및 90.8. 의 양국정상회담 합의 사항인 양국간 연결 가스관 건설건 실현을 위한 후속협의를 한것으로 파악됨.끝

    (대사 문창화-국장)

미주국   1차보   중아국   정문국   안기부   국방부

PAGE 1   91.01.29   09:06 WG

                                     외신 1과 통제관

                                         0203

걸프사태 동향 : 기타지역, 1990-91. 전2권 (V.1 미주) 473

주 멕 시 코 대 사 관

멕정 700 - 68   1991. 2. 6.

수 신 : 외무부장관

참 조 : 민주국장, 국제기구조약국장

제 목 : 멕시코의 대유엔 입장

     주재국 영문 일간지 THE NEWS 지(2.4자) 에 걸프전 및 유엔안보리 결의관련한

멕시코의 입장에 관한 기사가 게재되었기 별첨 보고하니 참고바랍니다.

첨 부 : 관계기사.   끝.

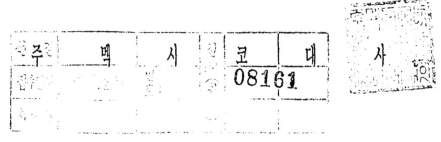

Mexico And The Crisis At The U.N.

Growing Disenchantment

By DAVID SHIELDS
The News Columnist

Mexican governments have generally been firm supporters of the United Nations. It has, no doubt, much to do with the fact that guarantees of security, respect for international law and the principle of aid and cooperation among nations are important to a fast-growing developing country which lies in the sometimes uncomfortable shadow of a much bigger and more powerful neighbor.

However, a fair bit of disappointment with the United Nations is being heard among Mexican intellectuals these days. Many of them feel the United Nations precipitated its decision to permit the use of force to get Iraq out of Kuwait. This decision, they say, is incompatible with the basic principle of the United Nations, stated in the first article of its Charter, to maintain international peace and security. While there is much support for the determination of the world community not to yield to such blatant violations of international law as the Iraqi invasion, many consider war an option much more dangerous, avoidable and no better than the trade blockade and political isolation already in force against the aggressor. Even more worrying is that one nation seems to have been able to impose its will and its *fait accompli* (first, send the troops, and then have force approved) upon all other nations through the United Nations.

The disenchantment has another aspect to it. The United Nations often pays little attention to Mexico, as the country falls into an intermediate category as regards wealth, meaning that it is not poor enough to receive substantial U.N. aid. Mexico, almost reciprocally, has become a fairly passive participant in U.N. debates. Once a militant of Third World causes which meant voting against the United States in the General Assembly, Mexico no longer seems willing to rock the boat much when a free-trade agreement with its heavyweight neighbor seems on the cards.

Mexico, therefore, is now part of the silent, complacent majority which does not easily find a political role to play.

The United Nations is also devoted to achieving international cooperation with a view to solving the economic, social, cultural and humanitarian problems of the world, and in this role it seems to be quietly active and successful. Mexico has benefitted from a good few specific efforts of U.N. specialized agencies, which offer some degree of technical and financial help for national government programs. Such agencies have a role in programs for helping children, protecting the environment, education, agriculture and health in Mexico.

The Food and Agriculture Organization (FAO) assists research at a big Mexican center devoted to improving strains of corn and wheat. The recent Vienna Convention on drug-trafficking proved useful to Mexico, as it set an international framework for cooperation which could be applied as a control against U.S. pressure on Mexico's anti-drug efforts.

A New Structure Is Needed

The United Nations, however, seems to be failing in its attempts at plural and effective world government, as the Iraq problem illustrates. The Gulf War is particularly unfortunate, as the United Nations had notched up some successes in peacekeeping and solving Third World regional conflicts. In places like Namibia, Cambodia and Central America, local and superpower rivalries seemed to fade simultaneously, clearing the way for peace. But in the case of Iraq, the geopolitical and economic interests of Washington and Baghdad clashed and most U.N. members (including Mexico) faced the dilemma of wanting peace, while not wanting to undermine the anti-Iraq coalition in defense of international law which the United States was coercing into war.

It would appear that none of the other four permanent members of the U.N. Security Council (Britain, France, the U.S.S.R. and China) currently would speak out against U.S. wishes on key matters, such as war or stability in the Middle East and in the Third World. In that situation, neither Mexico nor any other nation could be expected to muster enough influence to change U.N. policy. Yet, why should the United Nations maintain its outdated Cold War structure of permanent members? Isn't a more democratic structure necessary to recover its moral authority and credibility? Aren't developing nations like Mexico, Brazil, India or even Iran just as important as Britain and France? These are, indeed, difficult questions which remain.

0205

관리
번호 _91_
-223

외 무 부

종 별 :

번 호 : GUW-0058

일 시 : 91 0212 0800

수 신 : 장관(중근동,미중)

발 신 : 주 과테말라 대사

제 목 : 다국적군

대:WGU-39

연:GUW-294

1. 금 2.11(월) 온두라스 외무성 ROBERTO OCHOA 정무국장과 당지 온두라스 대사관 MAURICIO 공사와의 전화 확인에서 양인은 대호 사실을 부인하고 파병시에는 정부가 의회에 동의 요청을 해야하나 현재 그 절차도 취하지 않고 있다고 하면서 다만 유엔 안보리의 결의를 지지하고 있음을 부언 하였음.

2. 연호 온두라스 파병설은 FONSECA 만의 영유권 문제등 국경을 접하고 있는 엘살바돌과 니카라과의 충돌시 집단안보 체제의 중요성과 대미 우호관계 강화 차원에서 정부측에서 지난 90 년 10 월 검토가 있었으나 야당의 반대와 경제사정으로 더 이상 진전을 보지 못하고 있는 것으로 알려짐.

3. 한편 언론 보도에 의하면 80 년대 초부터 매년 온두라스에서 실시해 오던 미.온 합동 군사 훈련이 금년도(2.7-3.7)에는 걸프전으로 인하여 중지된 것으로 알려짐.끝.

(대사 조기성 - 국장)

예고: 91.6.30 일반 예고문에 의거 일반문서로 재 분류됨.
(인)

검토필('91.6.30)

0206

중아국   미주국

외 무 부

원 본

종 별 :

번 호 : MXW-0205

일 시 : 91 0222 1800

수 신 : 장 관(미북,미중)

발 신 : 주 멕시코 대사

제 목 : 쏘련평화안 반응

1. 걸프사태 관련 이락이 수락한 쏘련의 평화제의 8개항에 대하여 2.22. 현재 주재국 정부의 공식반응은 없으나 정치, 언론, 학계등은 대체로 인도적 견지에서 전쟁종식에 큰 진전이 될것이라는 호의적 반응을 보이고 있으나 일부에서는 아랍제국들중HUSSEIN의 재무장등 또다른 문제 도발 가능성을 우려하고 있다고 지적하고 있음.

2. 당지 쏘련대사 (DARUSENKOV)는 동제안에 대한 이락의 동의는 '이성에 대한 항복' 이며 평화의 새로운 긍정적 요인이라고 언급한 반면 당지 이락대사관 관계관은 이락의 동의는 항복이나 실패가 아니라 평화를 위한 정당한 조치라고 주장한 것으로 언론에 보도됨.

(대사이복형-국장)

미주국   1차보   미주국   정문국   안기부

PAGE 1

<table>
<tr><td colspan="7" align="center">정 리 보 존 문 서 목 록</td></tr>
</table>

기록물종류	일반공문서철	등록번호	2020110022	등록일자	2020-11-06
분류번호	772	국가코드	XF	보존기간	영구
명 칭	걸프사태 동향 : 기타지역, 1990-91. 전2권				
생 산 과	중근동과/북미1과	생산년도	1990~1991	담당그룹	
권 차 명	V.2 아프리카				
내용목차					

0001

외　무　부

관리번호 90/b55

종　별 :

번　호 : ETW-0381

일　시 : 90 0804 1100

수　신 : 장관(중근동,아프이,정일,기정)

발　신 : 주 이디오피아 대사

제　목 : 이락, 쿠웨이트 침공

대 : WAFM-0027

1. 표제 반응 아래 보고함.

가. 주재국 외무성은 8.3 오후 성명을 통해 이락의 쿠웨으트 침공은 국제질서의 원칙과 규범을 명백하게 위반했다고 비난하고 이락정부에게 즉각적인 철군과 분쟁의 평화적 해결을 촉구함. 또한 동성명은 홍해, 중동및 페르샤만의 평화, 안보의 교란은 이디오피아의 안보에도 영향을 미치게된다고부언함.

나. 당지, 아프리카 단결기구도 8.3 오후 성명을통해 이락의 쿠웨이트 침공은 뚜렷한 국제법위반행위로 취약한 중동의 평화와 안정에 추가적인 위협을 더하게된다고 비난하고 이락군의 즉각적인 철수와 분규의 평화적 해결을 호소함과 동시에 쿠웨이트 주권과 영토보전을 수호하기위한 국제사회의 협조도 호소함.

2. 1 항 성명문 차파편 송부함. 끝

(대사 김승영-아프리카국장)

예고:접수시일반

중아국	장관	차관	1차보	2차보	중아국	정문국	청와대	안기부

PAGE 1

90.08.04　17:57

외신 2과　몽제관 CD

0002

외 무 부

종 별 :

번 호 : NJW-0599 일 시 : 90 0804 1500

수 신 : 장 관(아프일, 중근동) 걸/시 기 관

발 신 : 주 나이제리아 대사

제 목 : 이락침략에 대한 반응(자료응신 58호)

　　나이제리아 정부는 이락의 쿠웨이트 침공사태관련, 7.3. 외무부 성명을 통해
'나이제리아 정부는 주권국가의 영토불가침 원칙에 따라 이락의 쿠웨이트에 대한
노골적인 주권및 영토침해 행위를 깊히 유감스럽게 생각 규탄하며, 이락은 군대를
철수, 분쟁을 평화적으로 해결' 할것을 촉구하였음.

　　(대사 오채기-국장)

　　예고:90.12.31. 일반

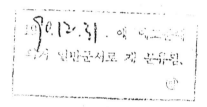

중아국	장관	차관	1차보	2차보	중아국	정문국	정와대	안기부

외 무 부

종 별 :

번 호 : GAW-0191

일 시 : 90 0804 1800

수 신 : 장관(중근동,아프일)

발 신 : 주 가봉 대사

제 목 : 이라크,쿠웨이트 사태관련 주재국 성명 발표

대:WAFM-0027

주재국 알리 봉고 외무장관은 8.3 성명을 발표, 주재국은 UN, 비동맹, OIC 및 OPEC 회원국으로서 각국의 주권 존중원칙과 분쟁해결의 최선의 방법인 대화의 장점에 입각하여 전부행위의 중지, 쿠웨이트로 부터의 외국군대의 철수및 평화적인 방법으로 분쟁을 해결하기 위한 이락과 쿠웨이트간의 대화의 개시를 호소함. 끝.

(대사 박창일-중동아국장)

중아국   중아국

PAGE 1

90.08.05   08:22

외신 2과 통제관 EZ

0004

외 무 부

종 별 :

번 호 : KNW-0719

일 시 : 90 0807 1700

수 신 : 장관(중근동,아프이)

발 신 : 주 케냐 대사

제 목 : 이락,쿠웨이트 사태

대 WAFM-0027

1. 주재국 AYAH 외상은 금 8.7 상호 모이 대통령의 지시에 따라 당지 쿠웨이트 대사대리를 외무성으로 초치, 케냐는 이락의 쿠웨이트 침공을 규탄하며, 유엔 안보리 결의를 전적으로 지지 한다는 케냐 정부 입장을 전달한 것으로 알려짐

2. 한편 당지쿠웨이트 대사관은 8.6 이락의 침공을 규탄하고 AMIR 쿠웨이트 국왕 정부를 지지하는 성명을 발표하고 외교단및 국제기에 회람을 발송함. 끝

(대사 이동익-국장)

예고 90.12.31 일반

중아국	차관	1차보	2차보	중아국	정와대	안기부

PAGE 1

90.08.08   03:58

외신 2과 통제관 DO

외 무 부

종 별 :

번 호 : GHW-0357 일 시 : 90 0807 1200

수 신 : 장관(중근동,아프일)

발 신 : 주가나 대사

제 목 : 이락,쿠웨이트 사태

8.4 주재국 정부 대변인(공보장관)은 이락,쿠웨이트 사태에 관한 우려 표명 및 이락군의 쿠웨이트로 부터의 조속철수를 촉구하는 성명을 발표함.끝

(대사 오정일-국장)

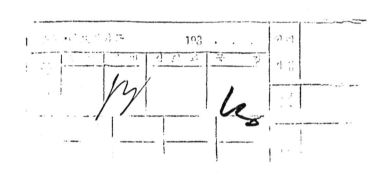

중아국   1차보   중아국   정문국   안기부

PAGE 1 90.08.07   22:12 DP

외신 1과 통제관

0006

외 무 부

종 별 :

번 호 : SMW-0258

일 시 : 90 0813 1325

수 신 : 장 관(중근동,아프이)

발 신 : 주소말리아대사

제 목 : 이라크,쿠웨이트 사태관련 주재국동정

대: WAFM-0027

　지난 10일 카이로 아랍연맹 긴급 정상회의시 주재국 정부가 사우디 파병결의안에 동의한데 반하여, 12일 모가디슈 중심가에서는 이라크를 지지하면서 걸프지역에서의 외세의 즉각 철수를요구하는 데모가 발생, 이라크 대사관 앞에서는 이라크 대통령의 초상화를 흔들며 지지 데모를 벌린뒤 미국 및 사우디대사관까지 몰려와 걸프사태 개입에 항의하는 시위를 전개하였다고 관영일간지 SONNA(영자)에 보도 됨.끝.

　(대사 강신성-국장)

중아국　　1차보　　중아국　　정문국　　2차보.

외 무 부

종 별 :

번 호 : NJW-0678   일 시 : 90 0824 1030

수 신 : 장 관 (중근동,마그)

발 신 : 주 나이제리아 대사

제 목 : 중동사태(자료응신 78호)

8.23. 이집트 대통령 특사 HEGAZA 바 바방기다대통령을 방문, 현 중동사태의 평화적해결방안에 관하여 설명하고 이에대한 지지를요청한데 대하여 바방기다 대통령은중동위기해결을 위한 무바라크 대통령의 부단한노력에 경의와 지지를 표하였다고 보도됨.

(대사 오채기-국장)

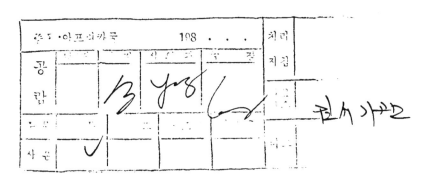

중아국 김한국 통상국 따책반 2차보 1차보 안기부

PAGE 1   90.08.24   22:52 CT
                                          외신 1과 통제관
                                               0008

외 무 부

종 별 :

번 호 : NJW-0687

일 시 : 90 0827 1700

수 신 : 장 관 (중근동,아프일)

발 신 : 주 나이제리아 대사

제 목 : 주재국 외무장관 사우디 방문 (자료응신 82호)

8.24.주재국 LUKMAN 외무부 장관은 바방기다대통령의 친서를 지참코
사우디아라비아향발함. 동방문은 중동사태와 양국간 관심사 협의를 위한 것이라고 함.

(대사 오채기-국장)

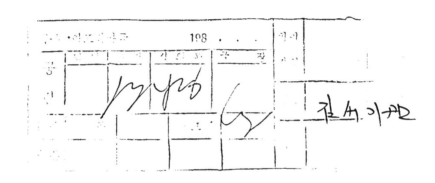

중아국   1차보   중아국   정문국   안기부

PAGE 1

90.08.28   07:42 FC

외신 1과 통제관

0009

外 務 部

종 별 :

번 호 : NJW-0694   일   시 : 90 0829 1130

수 신 : 장 관(중근동,아프일,사본:국방부)

발 신 : 주 나이제리아 대사

제 목 : 중동사태

연: NJW-0674

1.8.28. 주재국 외무부 대변인은 자국의 주쿠웨이트 대사관의 직원및 가족이
귀국중이며 이들은 쿠웨이트 사태가 확실해질때까지 나이제리아에 머믈것이라고
발표하였음.

2.8.29자 당지 신문보도에 의하면 주재국은 쿠웨이트내 잔류중인 약 100명의 자국
인을 요르단국경을 통하여 철수시키려고 하였으나 이락측은 외교관도 포함되어 있는
이들이 일단 바그다드로가서 출국허가를 받을 것을 주장하고 있다함.

(대사 오채기-국장)

중아국   아주국   국방부   대책반 통상국 미주국 1차보 2차보   안기부

90.08.29   21:34 CG

외신 1과 통제관

0010

외 무 부

74

종   별 :

번   호 : KNW-0885   일   시 : 90 0912 1400

수   신 : 장관(아프이,정일,기정,이동익대사)

발   신 : 주케냐대사

제   목 : 모이 대통령 유엔 결의안 지지

자료응신 제 237호

주재국 모이 대통령은 9.11 쿠웨이트 HAYAT통신상을 접견, AL SABAH 국왕의 친서를전달받고 케냐는 어떤 형태의 침략도 반대하며 걸프만 위기는 이락이 쿠웨이트로부 터 철수하여야만 해결될 것이라면서 유엔의 동 사태 관련 제반결의안을 지지한다고언급한것을 알려짐.끝

(대사대리-국장)

중아국   정문국   안기부   동아국(대사) 미주국 통상국 1차보 대책반

외 무 부

종 별 :

번 호 : IVW-0460

일 시 : 90 0921 1500

수 신 : 장관(중근동,아프일)

발 신 : 주코트디브와르 대사

제 목 : 쿠웨이트 특사방문

(자료응신 제 99호)

1. BABIB HAYAH 쿠웨이트 체신상은 동국 국왕특사자격 9.20 주재국을 방문, BANNY국방상(지방유세중인 외상대리중)과의 면담을 통해 이락의 쿠웨이트 침공에 따른 UN 의 대이락 제 결의안 채택에 있어서의 주재국의 지지에 사의를 표하고, 향후 쿠웨이트의 관련입장에 대한 계속적인 지지를 당부함.

2. BANNY 외상대리는 상기 면담을 통해 현금의 쿠웨이트 사태 관련 주재국 입장은 UN 의 원칙에 따라 주권국가에 대한 침해를 반대하는것임을 밝히고, 이락의 조속한쿠웨이트 철수를 희망함을 강조함.

(대사 김승호-국장

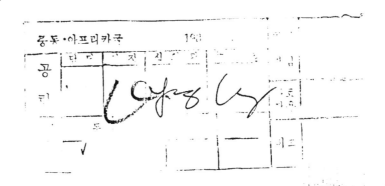

중아국   1차보   중아국   정문국   안기부

90.09.22   06:31 DN

외신 1과 통제관

0012

외 무 부

종 별 :

번 호 : SLW-0870   일 시 : 90 1205 1800

수 신 : 장 관 (아프일,중근동)

발 신 : 주 세네갈 대사

제 목 : 중동사태 아프리카국 중재

연: SLW-0865

연호 파리개최 AUPELF 총회 참석후 12.4 귀국한 주재국 ABDOU DIOUF 대통령에 의하면, 중동사태의 평화적 해결을 위해, 세네갈, 나이지리아, 토고및 말리등 아프리카 4개국이 중재역을 맡을 예정이라하며, 이에 대해 SADDAM HUSSEIN 이라크 대통령도동의하였다고 함.

(대사 유종현-국장)

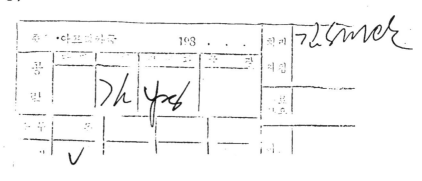

중아국   1차보   중아국   통상국   정문국   안기부

PAGE 1   90.12.06   07:44 FC

외신 1과 통제관

0013

외 무 부

종 별 :

번 호 : GAW-0284   일 시 : 90 1218 1700

수 신 : 장 관 (마그,중근동,아프일)

발 신 : 주 가봉 대사

제 목 : PLO 의장 방문

연: GAW-0278

1. ARAFAT PLO 의장은 아프리카 제국순방의 일환으로 12.17 주재국에 기착, ANCHOUEY 법무담당 국무장관, ALIBONGO 외무장관 및 MAGNAGA 국방장관을 접견하고 중동사태의 진전사항에 대해 설명하는 동시에 PLO 입장에 대한 주재국의 이해를 촉구함.

2. BONGO 대통령은 12.17-18간 콩고 브라자빌에서 개최중인 중부아프리카 관세동맹 (UDEAC)정상회의에 참석중임.

3. 동 의장은 기자회견에서 페르시아만 위기와 팔레스타인 문제는 불가분의 관계를 갖고 있다고 전제, 프랑스 및 소련과 달리 미국이 중동문제에 관한 국제회의 소집을 반대하고 있어 중동문제의 해결이 교착상태에 빠져있다고 강조함.

4. 동 의장은 또한 봉고대통령을 포함, 각국지도자들이 중동전쟁 발발을 저지하기 위해 모든 노력을 경주하여야 한다고 주장하고 개인적으로는 UN 결의의 시한인 91.1.15에 전쟁이 발발할 것으로 생각하지 않는다고 언급함.

5. 동 PLO 의장의 입장은 쿠웨이트 영토로부터의 이라크 군대의 철수와 쿠웨이트정부의 복원을 주장한 연호 ALGAVID 회교회의기구 사무총장(12.11 봉고대통령 예방)의 입장과는 대조를 보이고 있는바, 주재국 외무장관은 지난 8.3.성명을 발표, 쿠웨이트 로부터의 외국군대의 철수를 촉구한바 있음.끝.

(대사 박창일-국장)

중아국   1차보   중아국   중아국   정문국   안기부

PAGE 1   90.12.19   08:48 FC

외신 1과 통제관 0014

외 무 부

종 별 :

번 호 : SRW-0017   일 시 : 91 0114 1410

수 신 : 장관(중근동,아프일,기정)

발 신 : 주 시에라레온 대사대리

제 목 : 페만사태관련동향(자료응신 제5호)

  1. 주재국 전 여성단체들은 금 1.14 오전 대통령궁에 집결하여 유엔사무총장앞 "걸프만 현사태에관한 성명서"를 채택, 이를 MOMOH 대통령에게 제출함으로써, 유엔당국에 전달하여 줄것을 요청함.

  2. 이들은 동 성명서에서 유엔사무총장의 페만평화회복을위한 노력을 치하하는 동시에 최종순간까지 그 성공을위하여 진력하여 줄것을 희구하였으며, 각단체들은 전쟁을 피하자는 각종 플라카드를 들고 반전시위를 함.

  3. 모모대통령은 답사에서, 인근 라이베리아의 경우는 내전이지만 그전쟁으로 인한 피해가 극심함을 상기시키는 한편, 약소국가의 안전과 평화를위협하는 침략은 정당화될수 없으며 사담 후세인대통령에게 쿠웨이트로부터 지금이라도 무조건 철수할것을 호소한다고 함.

  4. 동 반전시위는 실은 주재국정부와 당이 주도한것으로서 갑작스럽게 외교단을 대통령궁으로 소집한 가운데 진행되었는바, 이는 주재국의 대페만정책을 재천명하자는 것도 그이유가 되겠으나 오히려 유일당 정국의 안정화를위하여 활용(133)려는 의도가 엿보이는 면도 있다고들 분석하고 있음.

  (대사대리 전용덕-국장)

분류번호	보존기간

발 신 전 보

WJA-0203 외 별지참조   종별 : 91이115 1927

WSL-0013

번   호 :

수   신 : 주   수신처 참조   ~~대사 총영사~~

발   신 : 장   관   (미북)

제   목 : UN 안보리 철군 시한 경과 관련 성명 발표

1. 페만 사태와 관련 UN 안보리가 설정한 1.15. 이라크군 철수 시한이 임박함에 따라 독일 정부는 상기 시한전 이라크군의 철군을 촉구하는 수상실 명의 성명을 1.14. 발표하였음.

2. 본부 조치·결정에 참고코자 하니, 1.15. 시한을 전후하여 주재국 정부의 여사한 입장 표명이 있을 경우 발표 즉시 지급 보고 바람. 끝.

(미주국장 반기문)

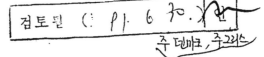

예고 : 91.12.31. 일반

검토필 (: 91. 6. 30.
주 덴마크, 주그리스

수신처 : 주일, 주영, 주불, 주카나다, 주이태리, 주벨지움, 주터어키, 주호주대사
(사본 : 주미대사) 주 카이로총영사. 주 파키스탄, 주사우디 , 주 방글라데쉬, 주모로코 ,
주세네갈 , 주체코, 주소대사

일반문서로 재분류(1991.12.31.

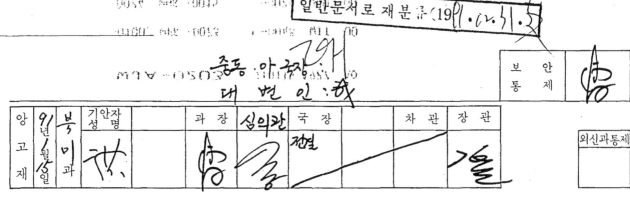

중동 아주장
대 변 인 :成

앙고재	91년 1월 15일	북미과	기안자성명		과장	심의관	국장 전결		차관	장관		외신과통제

보안통제

유엔 안보리 철군 시한 경과후

외무부

~~대한민국 정부~~ 대변인 성명(안)

1991. 1. 16.

1. 대한민국 정부는 유엔 안보리 결의가 설정한 1.15. 철수 시한이 지났음에도
   불구하고 이라크 정부가 쿠웨이트에 불법 주둔중인 이라크군을 아직 철수치
   않고 있음을 유감스럽게 생각합니다.

2. 이에 따라 페르시아만 지역정세가 전쟁 발발 일보 직전으로 치닫고 있어
   페르시아만 인근지역 전체는 물론 전세계인들을 공포와 불안에 떨게하고 있는
   데 대해 우리는 깊은 우려를 갖고 있습니다.

3. 우리 정부는 이라크 정부가 지금이라도 전세계 평화 애호인의 염원에 부응하여
   유엔 안보리 결의가 요구하고 있는 바와 같이 쿠웨이트로부터 즉각 철군할
   것을 거듭 촉구하는 바입니다.

4. 대한민국 정부는 이 기회를 빌어 페르시아만 지역에 파견된 미국을 비롯한
   다국적군의 헌신적인 평화유지 노력에 깊은 경의와 찬사를 보내고자 합니다.

끝.

중동아중장

대변인

앙고재	북미과 91년 1월 15일	담 당	과 장	심의관	국 장	차관보	차 관	장 관

0017

관리 번호	91-83

원 본

외 무 부

종 별 :

번 호 : NJW-0041   일 시 : 91 0116 1000

수 신 : 장 관(미북, 중근동, 아프일, 영사)

발 신 : 주 나이제리아 대사

제 목 :

대:AM-0012

　1. 모스렘 절대다수지역인 주재국 북부에서 일부 모스렘 과격분자들에 의한소요사태 가능성에 대하여 주재국은 강력히 대비중이며, 현재까지 특이동향 없음.

　2. 북부 KADUNA 소재 미국 총영사관 직원은 만약의 사태에 대비하여 당지 대사관으로 철수함(총영사관 업무 사실상 중지상태)

　3. 당관은 만약의 사태에 대비하여 교민들에게 상황설명과 아울러 대사관과의 긴밀한 연락유지 당부함.

　(대사 오채기-국장)

　예고:91.12.31. 일반

일반문서로 재분류(1991.12.31.)

검 토 필 (1991.6.30.)

미주국   2차보   중아국   중아국   영교국

원 본

외 무 부

종 별 :

번 호 : ETW-0026   일 시 : 91 0118 1600

수 신 : 장관(중근동)

발 신 : 주 이디오피아 대사

제 목 : 페만 전쟁발발 주재국반응

1. 주재국 외무성은 1.17 오후 성명을 발표, 현사태 발생책임이 이락 지도부에있음을 지적하고 이락정부에 즉각적 무조건 쿠웨이트 철군을 요구함.

2. 한편 주재국외무성은 동일 주재공관및 국제기구에 공문으로 페만 사태 관련, 수도 아디스 치안유지를위한 예방조치가 진행중임과 각공관원및 동가족들의 신변안전관련 긴급사테시 사용할 비상연락 전화번호를 알려왔음.

3. 또한 당지에서는 이락측이 화생방무기를 사용하거나 동무기고가 폭발될경우 주재국도 그영향권에 들어갈수있다는 우려가 점증하고있으며 이미 미국등 서방국가 공관들은 물론 주재국 고위층인사들도 방독면, 세균방역용 의약품등을 준비하고있는것으로 확인되고있음. 끝

(대사 김승영-국장)

중아국	장관	차관	1차보	2차보	안기부

관리 번호 91/111

외 무 부

종 별 :

번 호 : ETW-0037

일 시 : 91 0125 1800

수 신 : 장관(중근동,정일,기정)

발 신 : 주 이디오피아 대사

제 목 : 걸프사태

1. 당지 OAU 는 1.22 성명을통해 MUSEVENI OAU 의장과 SALIM 사무총장이 공동으로 아프리카 국가 인민을 대표하여 걸프전쟁의 파괴적결과와 중동및 세계안보에 미칠 위협에 깊은 우려를 표명코 HUSSEIN 이락대통령에게는 이락군의 쿠웨이트 철군에관한 유엔 안보리 결의를 수락할것과 BUSH 미대통령에게는 걸프사태의 평화적 해결을위한 새로운 노력을 각각 호소했다고 발표함.

2. 한편 OAU 는 1.23 다시 성명을통해 SALIM 사무총장이 유엔안보리 의장, 유엔사무총장및 비동맹의장에게 각각 멧세지를 보내어 상기요지를 전했다고 발표함.

3. 상기 성명, 파편 송부함. 끝

(대사 김승영-국장)

예고:91.6.30 일반 예고문에 의거 일반문서로 재 분류됨.

검토필(1991.6.30.)

중아국	장관	차관	1차보	2차보	정문국	안기부

외 무 부

종 별 :

번 호 : GHW-0069

수 신 : 장관(중근동,아프일,정일,기정)

발 신 : 주 가나 대사

제 목 : 걸프전쟁(자료응신 제 4호)

일 시 : 91 0211 1200

-표제관련 주재국 OBENG 총리는 2.8.당지 이란대사관이 주최한 이란혁명 12주년기념리셉션에서, 가나정부는 라프산자니 이란대통령이 제시한 걸프전 평화제안을 지지한다고 말했음.

-또한 동 총리는 금주 유고 벨그라드에서 개최되는비동맹회의에서도 동제안이 검토되기를 희망한다고 말했음.
끝.
(대사 오 정일 - 국장)

중아국   장관   차관   1차보   2차보   미주국   중아국   정문국   상황실
청와대   총리실   안기부

PAGE 1

91.02.11   22:29 BX

외신 1과 통제관

0021

걸프사태 동향 : 기타지역, 1990-91. 전2권 (V.2 아프리카) 499

외 무 부

종 별 :

번 호 : KNW-0202

일 시 : 91 0219 1300

수 신 : 장관(아프이,정일,기정)

발 신 : 주케냐대사

제 목 : 이락의 쿠웨이트 철수 발표에 대한 주재국 반응

이락의 쿠웨이트 철수 계획 발표에 대하여 주재국 외무부는 2.18 아래 요지 성명을 발표함

IRAQ ANNOUNCED FOR THE FIRST TIME LAST FRIDAY ITS WILLINGNESS TO WITHDRAW FROM KUWAIT IN ACCORDANCE WITH UNITED NATIONS SECURITY COUNCIL RESOLUTION 660

CONSTANTIN SUPPORT OF UN RESOLUTIONS AND THE CAUSE OF PEACE, KENYA WELCOMESTHE SIGNAL FROM BAGHDAD WHICH, THOUGH VAGUE, AT THE MOMENT, OUGHT TO BE EXPLORED TO THE FULLEST FOR POSSIBLE OPENINGS TOWARDS IRAQI WITHDRAWAL FROM KUWAIT ANDTHE RESTORATION OF PEACE IN THE REGION. 끝

(대사 이동익-국장)

중아국	장관	차관	1차보	2차보	미주국	중아국	정문국	정와대
총리실	안기부	대책반						

PAGE 1

91.02.19   22:10 CG

외신 1과 통제관

0022

외　무　부

종　별 :

번　호 : GHW-0094　　　　　　　　　　일　시 : 91 0223 1230

수　신 : 장관(중동1,아프일,정일)

발　신 : 주 가나 대사

제　목 : 걸프전(자료응신 제10호)

1.표제관련 소련이 제안한 평화안 8개항에 대해 주재국 롤링스 국가원수는 2.22하기 언급했음.

-미국을 포함한 연합군은 걸프전 종식을 위한 소련제안을 거절해서는 안됨

-소련의 제안은 휴전의 바탕으로서 건전하고 합리적임,동 제안은 이락의 쿠웨이트로부터의 무조건 철수,쿠웨이트의 주권 회복,이락의 전면철수의 구체적 시간일정이포함되어 있음.

-걸프전의 평화적 해결책의 근거가 제시된만큼 특히 지상전은 쌍방의 많은 인명살상과 재산손실이 예상되므로 피해야됨

2.계속 진전되고 있는 미국 부시대통령의 최후통첩 및 상기 8개 수정안인 쏘련의6개항 평화제의에 대한 주재국의 반응은 파악되는대로 추보위계임.끝.

(대사 오 정일 - 국장)

중아국 종리실	장관 안기부	차관 상낭질	1차보	2차보	미주국	구주국	정문국	정와대

91.02.23　22:27 BX

외신 1과 통제관

0023

정 리 보 존 문 서 목 록					
기록물종류	일반공문서철	등록번호	24972	등록일자	2006~07~06
분류번호	725.1	국가코드	XF	보존기간	영구
명 칭	걸프사태 관련 북한 반응, 1990-91				
생 산 과	특수정책과/중동2과	생산년도	1990~1991	담당그룹	
내용목차	* 1991.1.23 북한의 안보리 의장 앞 서한(이라크 물자공급 부인 관련, 1.19자) 배포 * 북한.이라크 관계 포함				

0001

외 무 부

종 별 :

번 호 : USW-3960   일 시 : 90 0830 2000

수 신 : 장 관(중근동,미북,정이)

발 신 : 주 미 대사

제 목 : 북한의 대 이락 지원설

   1.금 8.30 국무부 정례 브리핑시 TUTWILER 대변인은 북한, 리비아, 쿠바등 국가의
대 이락 물품 공수지원설 관련 질문에 대해, 이는 상금 미확인 상태라 답변했음.

   2.동 질의 응답 내용 별첨 FAX 송부함.

   첨부: USW(F)-2002

   (대사 박동진-국장)

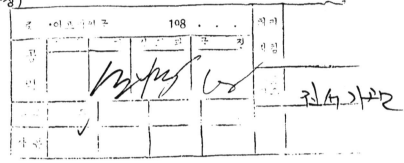

중아국   1차보   미주국   정문국   안기부

PAGE 1   90.08.31   10:03 WG

외신 1과 통제관   0002

/   Q   New topic. Yesterday I asked you about Libya. Now
there are reports that Libya and Cuba and North Korea and other
countries are assisting in some sort of an air cargo supply to Iraq.
Any comment at all or confirmation of those reports?

MS. TUTWILER: I looked into this. I'm not aware of any -- how
would you characterize it -- airlift that they are trying to make.
I'm not aware of that. I'll be happy to recheck again today. I did
not this morning. But I am not aware of any such orchestrated

effort on their part that I have heard about myself.

As far as an air embargo, that falls under the general category
of we have all been calling for a total trade embargo. So I can't
tell you there is a specific air embargo, but doesn't it make sense
that it goes under the category we're doing everything we can to
have a total embargo against Iraq.

0003

AP-TK-30-08-90 0822GM=

W1114
R IBX   TXA045 30-08 00338
01 37
^GULF-SOUTH KOREA
^NORTH KOREA HOPES TO SELL ARMS TO IRAQ, SEOUL OFFICIAL SAYS<
        SEOUL, SOUTH KOREA (AP) - NORTH KOREA IS TRYING TO USE THE GULF
CRISIS TO IMPROVE ITS DIPLOMATIC TIES WITH IRAQ, WHICH WERE SEVERED
BY BAGHDAD NINE YEARS AGO, A SENIOR SOUTH KOREAN OFFICIAL SAID
THURSDAY.
        THE HIGH OFFICIAL IN PRESIDENT ROH TAE-WOO'S OFFICE SAID NORTH
KOREA'S PRIMARY INTEREST IN IMPROVING RELATIONS APPEARED TO BE ARMS
SALES TO IRAQ. THE UNITED NATIONS HAS CALLED FOR AN INTERNATIONAL
EMBARGO ON ARMS SALES TO THE MIDDLE EAST NATION FOLLOWING ITS AUG. 2
INVASION OF KUWAIT.
        ``THEY ARE VERY MUCH ANXIOUS TO IMPROVE TIES AND SELL ARMS TO
IRAQ,'' SAID THE OFFICIAL, WHO SPOKE ON CONDITION OF ANONYMITY.
        IRAQ CUT ITS DIPLOMATIC RELATIONS WITH NORTH KOREA IN 1981,
AFTER ACCUSING THE NORTH OF SELLING WEAPONS TO ITS RIVAL, IRAN.
        SOUTH KOREA MOVED SWIFTLY TO MAKE USE OF THE DISPUTE, AND OPENED
DIPLOMATIC RELATIONS WITH BAGHDAD A FEW MONTHS LATER.
        DURING THE EIGHT-YEAR IRAN-IRAQ WAR, NORTH KOREA EARNED ABOUT
500 MILLION U.S. DOLLARS A YEAR FROM SALES OF WEAPONS TO IRAN AND
USED THE MONEY TO HELP SUPPORT ITS TROUBLED ECONOMY, THE SOUTH
KOREAN OFFICIAL SAID.
        NORTH KOREA LOST THE CUSTOMER FOR ITS WEAPONS -- INCLUDING
RIFLES, MACHINE GUNS, GRENADES, MORTARS AND HOWITZERS -- WHEN THE
IRAN-IRAQ WAR ENDED. IT NOW IS ANXIOUS TO FILL THE GAP BY SELLING
ARMS TO IRAQ, THE OFFICIAL SAID.
        ``IN VIEW OF NORTH KOREA'S SMALL ECONOMY, THE LOSS OF INCOME IN
THE PERSIAN GULF IS QUITE SERIOUS,'' THE OFFICIAL SAID.
        NORTH KOREA'S FOREIGN TRADE DECLINED IN 1989 FOR THE FIRST TIME
SINCE 1984, FALLING 10 PERCENT TO 4 BILLION U.S. DOLLARS, ACCORDING
TO FIGURES RELEASED RECENTLY BY THE JAPAN EXTERNAL TRADE
ORGANIZATION.
        THE OFFICIAL SAID NORTH KOREA WAS TRYING TO WIN FAVOR WITH
BAGHDAD BY CHARGING THAT RIVAL SOUTH KOREA IS AN ACTIVE SUPPORTER OF
THE U.S. MILITARY DEPLOYMENT AGAINST IRAQ IN THE PERSIAN GULF.
^END<

AP-TK-30-08-90 0830GMT<

W1115
R FBX   TXK751 30-08 00037
01 37
^HONG KONG CLOSING BANKNOTES

U.S.   7.750-7.780   (7.753-7.783)
BRITAIN   14.90-15.05   (15.03-15.18)
JAPAN   53.70-53.95   (53.80-54.05)
PHILIPPINES   0.275-0.305   (0.270-0.300)
INDONESIA   0.395-0.445   (UNCH)
TAIWAN   27.20-28.70   (UNCH)
THAILAND   30.00-31.50   (UNCH)
KOREA   9.800-1.060   (UNCH)
MALAYSIA   2.870-2.900   (UNCH)
^END<

AP-TK-30-08-90 0831GMT<

W1116
R FBX   TXK755 30-08 00080
01 37
^SINGAPORE LATE INTERBANK ASIANDOLLAR RATES

0004

USW(H) -2878.

-수번-장 또 (대책, 미안, 차-1기경)

박사 : 주머대사

EAP PRESS GUIDANCE
October 25, 1990

회보 : 이억에 빠지는 북한 무기 밀수실시
           대치는 국무부 논평 가희

NORTH KOREA AND THE GULF

Q: What comment do you have on Saudi intelligence reports
    asserting that North Korea is negotiating the supply of
    arms to Iraq?

A: -- I CANNOT COMMENT ON THE ACCURACY OF THOSE REPORTS.

        HOWEVER, IT IS A SUBJECT TO WHICH WE WILL CERTAINLY PAY

        CLOSE ATTENTION OURSELVES.

Q: What is North Korea's position on sanctions in the Gulf?

A. -- IN A PRESS CONFERENCE IN PYONGYANG ON OCTOBER 19, THE

        NORTH KOREAN DEPUTY FOREIGN MINISTER STATED THAT THE

        DPRK IS OPPOSED TO THE IRAQI INVASION OF KUWAIT AND

        SUPPORTS UN RESOLUTIONS AND SANCTIONS AGAINST IRAQ. WE

        WELCOME THIS RESPONSIBLE STATEMENT OF POLICY ON THE

        PART OF THE DPRK.

Q: What are the North Koreans doing in regard to the sanctions?

A: -- WE HOPE THE DPRK'S ACTIONS MATCH ITS WORDS. AT THIS

        POINT, WE HAVE NO PROOF THAT NORTH KOREA HAS VIOLATED

        UN SANCTIONS.

배부처	장관실	차관실	一차보	二차보	기획실	의전장	아주국	미주국	구주국	국기국	경제국	통상국	정문국	영교국	총무과	감사관	공보관	외연원	청와대	총리실	안기부	문공부
	/	/	/	/				O동		/			/		/		/		/		/	

대책반

0005

관리
번호 90/16기

외 무 부

종 별 :

번 호 : BGW-1039

일 시 : 90 1215 1000

수 신 : 장관(중근동,정이)

발 신 : 주 이라크 대사

제 목 : 주재국 북한군사협력

연:BGW-0969

1. 당지 공산권외교관및 무관단등 첩보에의하면, 최근 주재국 HASSAN 산업군 수상을 단장으로하는 고위군사대표단이 북한을 비밀 방문, 소련제 무기부품 구입및 무기개발 기술협력문제등을 협의하는등 군사분야 비밀 접촉이 계속되고있다고함

2. 이는 연호 주재국측의 공식 부인 입장에도 불구하고 페만 사태를 위요한상호 필요에의해 주재국,북한간 군사협력이 은밀히 진행되고있으며 이러한 군사협력 관계발전이 앞으로 경우에따라 외교관계로까지 확대 발전될 가능성이 상존함을 의미하는것으로 주목되어 동건 계속 관심을 가지고 탐문, 특이동향 추보하겠음. 끝

(대사 최봉름-국장)

예고:90.12.31 파기

중아국   장관   차관   1차보   2차보   정문국   청와대   안기부   대책반

PAGE 1

90.12.15   21:56
외신 2과 통제관 EE
0006

508 걸프 사태 중동 및 기타 지역 2

	분류번호	보존기간

발 신 전 보

번   호 :   WUS-4182   901218 1908 FK   종별 :

WUK -2040

수   신 :   주미, 주영 대사 ~~대사~~

발   신 :   장 관   (중근동)

제   목 :   이라크-북한 군사협력

　　　　주 이라크 대사가 입수한 바그다드 주재 공산권 외교관 및 무관단 첩보에
의하면 최근 이라크 HASSAN 산업군수상을 단장으로 하는 고위 군사 대표단이
북한을 비밀리 방문, 소련제 무기 부품 구입 및 무기 개발 기술 협력 문제등을
협의하는등 군사분야 비밀 접촉이 계속되고 있다고 하니 참고 바람.   끝.

　　　　이라크 ~ 북한간고

예   고 :   90.12.31.   파기

	보 안	
	통 제	

앙고재	90년 12월 18일 주근동	기안자 성명		과 장		국 장 전견		차 관	장 관		외신과통제

외 무 부

종 별 :

번 호 : UNW-2844

일 시 : 90 1226 1930

수 신 : 장관(국연,봉일,미북,중근동,해신,기정)

발 신 : 주 유엔 대사

제 목 : 북한의 대이락 군사협력 관련보도

연:UNW-1616(90.8.27)

1. N.Y.T. 는 12.25 자 "IRAQ :DIPLOMATS FLY BACK HOME FOR QUICK TALKS" 제하기사 (12.24. 바그다드 발) 내용중 주이락 아시아 외교관의 말을 인용하여 북한의 대이락 군사협력 동정에 관하여 보도하였음. 동 보도에 따르면 최근 20 여명의 북한 군사고문단이 이락을 방문하였고, 이락대봉령의 사위인 KAMIL HASSAN 이 최근 이락 군사협력단을 인솔하여 북한을 방문하였다함. 이러한 군사사절단 교환방문 목적은 양국이 모두 소련제 미그 전투기를 보유하고있으므로 이락이북한으로부터 전부기 부품을 지원받기 위한것이라함. (동 보도는 별전 FAX 참조)

2. 연호 보고와같이 8 월말에도 북한이 이락에 대해 포탄및 전부기 부품을 제공하고 있다는 첩보가 있었음.

3. 상기 보도와관련 당지에서 특히 파악되는 사항은 없으나 아래사항을 참고로 보고함.

가. 안보리 대 이락 제제위원회 동향:동 제제위 간사인 QIU 안보리 담당 부국장에 따르면 , 현재까지 동 제제위에 북한의 위반사례가 제기된바 없으며, 회원국에 의하여 동건기 정식 제기되는 경우에 안보리가 동건을 다루게 될수있다함.

나. 당지 미국, 일본대표부에 대해서도 관련 동향에 대해 아는바가 있으면 통보해 달라고 요청하였음.

4. 동 NYT 보도와관련, 당지 뉴욕 한국일보 "송혜란" 기자가 북한대표부 차석대사 허종에게 전화로 문의하였던바, 허종은 근거없는 기사로서 북한의 대외적 위신을 손상시키려는 정치적 동기에서 나온 허위소문 이라고 답하고, 설령 이락의 그러한 지원요청이 있드라도 북한은 응하지 않을것이라고 대답하였다고 당관에 알려주었음. 동건관련 추가 사항이 있는대로 추보하겠음. 요미우리, 신화사, 교도통신및

국기국 차관 1차보 2차보 미주국 중아국 통상국 정와대 안기부
공보처

PAGE 1

90.12.27 10:10

외신 2과 통제관 BW

0008

연합봉신에 대해 동 NYT. 기사관련관심을 촉구한바 있음. 연합봉신은동 관련 기사를
서울에 송고하였다고 알려왔음.

　5. 주이락, 주미 대사관을 통하여 관련사항이 입수되는경우 당관에도 참고로
봉보해주기 바람.

　　별첨:상기 보도내용(FAX):UNW(F)-334

　　끝

　　(대사 현홍주-국장)

　　예고:91.6.30 일반

91-6.50. 꾼마 개천후, 乙

PAGE 2

0009

HWW(A1-3??   01226 1/70
북연.동아.미북.중근동.해산.기정)

Iraqi Diplomats Fly Back Home For Quick Talks

By PATRICK E. TYLER
Special to The New York Times

BAGHDAD, Iraq, Dec. 24 — Iraq has recalled its ambassadors from leading European countries, the United States, Japan and elsewhere for urgent consultations this week over the diplomatic deadlock in the Persian Gulf crisis.

The recall of important members of Iraq's diplomatic corps appeared to some Western officials here to be a sign that President Saddam Hussein is preparing a diplomatic initiative before the Jan. 15 deadline set by the United Nations Security Council for an unconditional Iraqi withdrawal from Kuwait.

Among those recalled were Mohammed al-Mashat, the Ambassador to Washington, and Abdul Amir al-Enbari, the envoy to the United Nations, as well as the ambassadors to Moscow, London, Paris and Tokyo.

More Than Two Dozen Recalled

By this afternoon, Western officials said they had counted more than two dozen ambassadors who had been recalled, mostly from countries taking part in the military coalition against Iraq. Tonight, the ambassadors were meeting with senior Foreign Ministry officials, who were not available for comment.

Whatever the nature of the consultations, the summons injected drama into the stalemate that has settled heavily over this war-weary country.

A dreary mid-winter drizzle fell on Baghdad tonight as the nation's Christians, who make up more than 1 million of Iraq's population of 17 million, made last-minute Christmas tree purchases. Lines formed outside bread and pastry shops, where ovens worked overtime for the two-day Christian holiday in this predominantly Muslim country.

Shoppers Limit Spending

But by all accounts, the capital's merchants did not fare well with holiday shoppers, who limited their purchases to essential items. Many Christmas trees were left standing at the end of the day.

"People are not spending their money, and they're staying in their homes," said a woman from a prominent Baghdad family. "Last night we had a blackout. How do you think that makes you feel at Christmas?"

The blackout test, ordered Sunday night by the civil defense authorities, darkened about half the city for a short period just after 9 P.M. local time. The drill followed several days' instruction in the Arabic-language newspapers on

Continued on Page 6, Column 4

Continued From Page 1

procedures for darkening homes and businesses in the event of air attacks.

The recall of diplomats follows the failure of Iraqi efforts to gain support in Arab and European capitals for an Arab mediation initiative to end the crisis, which would undermine or divide the international coalition that is using the threat of force to hold Iraq to the Jan. 15 deadline.

President Bush offered his own plan for a final round of diplomacy to avoid a military conflict, but Mr. Bush and Mr. Hussein have not been able to agree on the dates for such talks.

A United States official here said he did not see how an exchange of foreign ministers between Washington and Baghdad could occur unless the dispute over the timing of the visits is resolved by the end of this week.

Embargo Showing Effect

In the last several days, there have been new signs that the trade embargo against Iraq, now nearly five months old, has hit critical services.

Foreign technicians from the national water authority told an Asian embassy late last week that supplies of chlorine compounds to purify drinking water in Iraq were critically short and could run out by Jan. 5 or 6.

The technicians reported that a backup filtration system was available, but that it would not meet normal purification standards for drinkable water.

A breakdown in clean water supplies could worsen health conditions in Iraq, which are already deteriorating as people hoard goods in anticipation of possible war and medical supplies run short.

Dispute on Medical Supplies

Western diplomats here have criticized Iraq for not applying to the United Nations sanctions committee for humanitarian shipments of medical supplies. Medical supplies fall under the trade embargo unless specifically exempted for humanitarian reasons.

Iraq, which accuses the United States and its allies of being responsi-

ble for the deaths of more than 2,000 children since August, has declined to accept United Nations authority over medical shipments.

Western officials have challenged Iraq's count of infant deaths that could be attributed to the embargo. But as time passes, shortages of drugs and critical medical supplies are having a marginal effect on mortality rates, these officials acknowledged.

With the Jan. 15 deadline drawing nearer, Asian diplomats reported that Iraq was seeking new military aid from North Korea. The assistance was described as spare parts and technical expertise to maintain sophisticated Soviet warplanes and other weapons in the Iraqi arsenal.

The Iraqi Air Force is predominantly equipped with Soviet-made MIG-17, MIG-23, MIG-25 and MIG-29 warplanes, along with French-made combat aircraft.

North Korean Advisers Arrive

The first delegation of 20 North Korean military advisers has arrived in Iraq, Asian diplomatic officials said, and Iraq's senior arms purchaser, Hussein Kamil Hassan, a son-in-law of the President, is said to have led an Iraqi military cooperation mission to North Korea in recent weeks.

Iraq has been hostile toward North Korea for at least five years because North Korea supplied SCUD missiles and other weapons to Iran during the eight-year Iran-Iraq war. North Korea and Iraq have no diplomatic relations.

But Iraq, with its acute shortages of spare parts, may put the enmity aside in favor of pragmatic military considerations, diplomats here said.

As thousands of Soviet military advisers have left Iraq in recent months, Eastern European diplomats have reported a steady decline in the maintenance and combat readiness of Soviet-made aircraft and air defense radar and missile systems in Iraq.

Civil defense officials prepare the nation for a possible war.

1 — 1

0010

페르샤灣事態 關聯 最近의 北韓의 態度 및 反應

1991. 1

調 査 研 究 室
(第 2 研 究 官 室)

0011

페르샤灣事態 관련 最近 北韓의 態度 및 反應

1. 內 容

北韓은 페르샤灣 事態에 대하여 평상시 美國을 非難하는 정도의 批判的인 論調를 유지해 왔으나 1. 5 韓國政府의 軍醫療陣 派道이 결정된 직후부터는 각종 報道媒體를 동원하여 我側에 대해 『侵略에 가담하는 犯罪行爲』라고 집중적으로 非難하고 있음.

< 主要 反應要旨 >

對 美 非 難	對 韓 非 難
・美國 靑年들이 페르샤灣 전쟁徵集에 반대함으로써 징집계획에서 20% 이상 未達 (중방 90. 12. 24)	・美國의 强要에 의해 수억달러의 지원금과 수송수단까지 제공한 노ㅇㅇ집단이 軍醫療陣이라는 美名下에 合勢하려는 것은 용납못할 범죄행위임. (민민전 91. 1. 5)
・美帝의 무력증강책동으로 페르샤만지역 정세는 매우 위협한 局面에 도달 (중방 90. 12. 29)	・美帝가 침략전쟁에 불을 지를 경우 대포밥을 제공하려는 범죄행위는 南朝鮮인민들의 격분을 촉발시키고 있음 (중방 91. 1. 6)
・카나다 한 硏究所의 여론조사결과에 의하면 應答者의 55%가 카나다의 전쟁참가에 대해 反對하고 있음 (평방 90. 12. 30)	・越南戰처럼 군사의료단의 파견이 곧 괴뢰군 전투병력파견의 前奏曲이 됨. 上典 美帝로부터 더 큰 庇護와 保護를 받기 위해 동족의 피와 人命을 대포밥으로 섬겨 받치려함 (중방 91. 1. 7)

— 1 —

0012

· 워싱톤 市民들 백악관 앞에서 美國의 전쟁도발 반대 항의시위 진행
(중방 91.1.4)

· 프랑스 共産黨은 紛爭을 정치적으로 해결하기 위해 노력해야 한다고 強調
(평방 91.1.8)

· 부시는 이락군이 撤收 않으면 美軍과의 전투에 직면하게 될 것이라고 最後 通牒을 보냈음. 美帝는 평화적으로 해결할 의사는 조금도 없으며 戰爭武力使用의 방법에 더욱 매달리고 있음
(중방 91.1.9)

· 內外 人民들의 규탄이 두려워 괴뢰군 파병에 醫療團이라는 감투를 뒤집어 씌운 것임. 평민당과 민중당에서도 의료진 파견을 반대했음
(중방 91.1.7, 시사논단)

· 同族을 제국주의의 침략전쟁의 제물로 받치는 反民族的 범죄행위는 南韓社會 각계의 응당한 격분을 자아내고 있음 盧○○일당이 美帝의 侵略戰爭策動에 발벗고 가담해 나서는 것은 美帝의 植民地 走狗 事大賣國奴, 海外侵略의 別動隊로서의 비굴하고 가련한 몰골을 여지없이 드러내 보이는 것임.
(중방 91.1.8, 로동신문논평)

2. 分析 및 評價

o 北韓은 처음 이락이 쿠웨이트를 侵攻했을 시 (90.8.2) 에는 中立的인 입장에서 평화적으로 解決할 것을 희망하였음. (90.8.6, 로동신문 논평). 그러나 이事態와 관련하여 韓國 政府도 多國籍軍 維持費를 제공할 것을 결정하자 (90.9) 『中東地域 人民에 대한 挑戰』으로 非難하면서 韓國의 이미지 毁損에 注力하고 있음.

— 2 —

0013

o 北韓은 今番 韓國政府의 軍醫療陣 派遣에 대해서도

- 韓國政權은 『美國에 예속된 허수아비』라는 認識을 주입시키고
- 派遣措置는 第2의 越南派兵으로서 의료진에 이어 戰鬪部隊의 後續參與가 있을 것으로 操作 非難할 뿐아니라
- 同族을 帝國主義의 侵略戰爭 祭物로 提供한다면서 反美感情을 통한 派兵反對 鬪爭을 煽動하고 있음.

3. 展 望

o 北韓의 立場에서 볼때 報道媒體로서 美國을 非難할 수는 있으나 페르샤만에서 美國을 상대로 한 軍事作戰에 直接 加擔할 수는 없을 것임.

o 그러나 이락의 立場에서는 沙漠地域에서의 機甲戰 및 化生放戰과 관련 北韓의 支援을 期待할 것임.

   ※ 1.8 후세인은 同 事態가 『富國과 貧國의 戰爭』으로 定義되며 第3世界 國家 解放을 위한 支援을 呼訴. PLO 아라파트 議長은 參戰 宣言

o 과거 北韓은 第4次 中東戰 (1973년) 시 이집트와 리비아, 시리아에 약 30명씩의 操縱士를 파견하였고, 1976년 - 81 년간 이락에 상당수의 武器 (대공포 616 문, 실탄 1천만 달러치, 포탄 18톤 … 등) 를 支援한 경험이 있음.

— 3 —

0014

o 현재 이락군이 蘇聯 武器體系로 무장하고 있음에 따라 北韓
  은 外貨稼得을 위한 對이락 武器輸出을 위해 戰鬪指導 및
  간접지원 등 은밀한 방법으로 이락을 支援할 가능성이 없지
  않음.

o 또 지난해 11.24 ~ 30 北韓 軍事代表團 (단장 : 오진우) 의
  이란방문시 페르샤만 호르무즈 海峽의 Bandar Abbas 海軍
  基地에 들린 사실은 이란을 통한 對이락 간접지원과 石油
  供給保障 요구 등의 確約 可能性을 배제할 수 없음.

o 만약 北韓이 페르샤灣 事態에 개입한다면 당면한 統治危機와
  經濟難 모면 및 戰後 복구건설에 참여하기 위해 모험을
  감행하는 苦肉之策이 될 것임.

- 4 -

0015

페르시아만 戰爭이 南北對話에 미칠 影響

o 北韓은 90.8. 페르시아만 事態 發生이래 平常時 美國을 非難하는 정도의 批判的인
論調을 유지하여 왔으나, 91.1.5.我國政府의 軍醫療陣 派遣이 결정된 직후부터는
각종 報道媒體를 動員하여 我側에 대해 「侵略에 가담하는 犯罪行爲」라고
集中的으로 非難하고 있음. 또한 1.17. 戰爭이 발발하자 이를 미제의 제국주의
侵略이라고 非難하고 있음.

o 北韓은 금번 페만전쟁과 我國의 軍醫療陣 派遣을 我國과 中東國家와의 關係를
훼손시키기 위한 好機로 활용코자 시도할 것으로 예상됨. 또한 이를 미제의
호전성과 我國政權의 미제예속성의 事例로서 積極 宣傳함으로써 內部結束을
圖謀하고, 我國內 反政府勢力의 醫療陣 派遣 反對鬪爭을 煽動하는 한편, 早晚間
실시될 팀스피리트훈련을 이에 連繫시켜 미제의 對北侵略을 위한 策動으로 非難
하는등 對南攻勢를 積極 展開할 것으로 예상됨. 北韓은 아울러 필요한 경우
이를 이유로 南北對話를 延期 또는 一時 中斷시킬 可能性도 배제키 어려움.

添 附 : 페灣事態와 관련한 北韓動向.   끝.

0016

(첨 부)

페만사태와 관련한 북한동향

---

o 90.8.6. 「쌍방간 군사행동이 평화적으로 해결되기를 희망한다」는 중립적 입장 표명

o 90.8.30. 북한이 이라크에 무기를 공급한다는 서방언론 보도에 대해 이를 「미국의 대북 적대시 정책의 산물이며 고의적인 도발행위」라고 비난

o 90.9.7. 미국의 군사행동을 「중근동 정세를 격화시키는 범죄행위」라고 비난

o 90.9.21. 우리정부의 페만주둔 미군 유지비 제공결정에 대하여 「정의와 평화에 대한 반동행위」라고 비난

o 90.11. 유엔의 「91.1.15 한 철수 불응시 무력제재 결의」에 대해 「세계평화와 안전을 위협하는 위험천만한 일」이라고 논평, 이라크를 간접 비호

o 91.1. 우리정부의 군의료진 파견 결정을 「대미예속성에서 비롯된 민족반역행위」라고 비난

o 91.1.17. 페만전쟁발발에 대해 「이라크의 쿠웨이트 침공을 구실삼은 미제의 제국주의 침략」이라고 규정

0017

걸프事態 關聯 北韓反應

1. 北韓反應

(걸프事態 關聯)

o 걸프사태 발발당시에는 중립적 입장 표명

o 美國의 軍事行動이 가시화되면서 부터는 이를 「中近東情勢를 격화시키는 범죄
  행위」로 非難

o 유엔의 對이라크 무력제제 결의에 대해서도 批判的으로 論評, 이라크를 간접
  비호

o 걸프戰爭 발발 이후에는 公式的인 論評을 하지 않고 있으나, 신문, 방송을
  통해 이를 美國의 對이라크 侵略行爲로 非難

(北韓의 對이라크 武器 및 物資供給 主張 關聯)

o 北韓이 유엔의 對이라크 경제제제 措置를 위반하여 이라크에 무기와 물자를
  供給하고 있다는 西方言論 및 美側의 主張에 대해 北韓側 立場을 밝히는
  安保理文書 配布를 요청하는등 이를 부인
  - 91.1.16. 미 국방성 대변인, 북한의 대이라크 물자공급 언급

o 美國의 對北 敵對政策의 산물이자 고의적인 挑發行爲라고 非難

(我國 움직임 關聯)

o 我國의 美軍 유지비 제공과 軍醫療陣 派遣 決定을 대미 예속성에서 비롯된
  民族 반역행위로 비난하면서 이의 중지 요구

0018

o 또한, 安全保障會議 開催, 軍 경계강화 조치등에 대해서도 북침준비, 통일
　반대 대화 거부행위라고 비난

2. 北韓의 豫想戰略

o 對外的으로는 我國의 미군 유지비 제공과 軍醫療陣 派遣을 我國과 中東國家
　간의 關係 훼손을 위한 호기로 활용코자 시도

o 內部的으로는 걸프戰爭을 미제국주의와 남한정권의 미제 예속성의 구체적
　사례로서 적극 선전함으로써 경계심 고취및 결속 도모

o 아울러 我國內 반정부 勢力의 반미감정을 부축이고 醫療陣 派遣 반대 투쟁을
　선동하는 한편, 조만간 실시될 팀스피리트 訓練을 이에 연계시켜 미제의
　對北 侵略을 위한 策動으로 非難하는등 對南攻勢 强化

0019

(첨부)

페만사태와 관련한 북한동향

1. 페만사태 관련 반응

가. 전쟁 발발전 (90.8.2-91.1.16)

   o 「쌍방간 군사행동이 평화적으로 해결되기를 희망한다」는 중립적 입장
     표명(90.8.6)

   o 북한이 이라크에 무기를 공급한다는 서방언론 보도에 대해 이를 「미국의
     대북 적대시 정책의 산물이며 고의적인 도발행위」라고 비난(90.8.30)

   o 미국의 군사행동을 「중근동 정세를 격화시키는 범죄행위」라고 비난
     (90.9.7)

   o 유엔의 「91.1.15 한 철수 불응시 무력제재 결의」에 대해 「세계평화와
     안전을 위협하는 위험천만한 일」이라고 논평, 이라크를 간접 비호
     (90.11)

나. 전쟁 발발후 (91.1.17-   )

   o 공식논평은 아직없음.

   o 국내방송 및 대남 흑색선전용 「민족민주전선 방송」을 통해 미국 비난
     - 미국의 이라크 침공은 이라크의 자주권에 대한 난폭한 침해이며, 세계
       평화와 안전을 교란하는 침략행위임.

0020

o 전쟁발발에 우려 표명하는 각국반응만을 선별 보도

2. 아측 움직임 관련 반응

가. 전쟁 발발전

o 정부의 페만 미군유지비 제공결정에 대해 「정의와 평화에 대한 반동행위」라고 비난 (90.9.21)

o 정부의 군의료진 파견 결정에 대해 「대미예속성에서 비롯된 민족반역행위」라고 비난 (90.1, 수회)

나. 전쟁 발발후

o 남한당국이 전쟁개시 직후 「부시」 미 대통령께게 지지전문을 보낸것은 미국애게 잘보여 장기집권을 실현하려는 책동이며, 남한당국은 다국적 군에 대한 군비지원과 군의료진 파견을 중지해야 함. (91.1.17, 대남 민족민주전선 방송)

o 아국의 긴급 국가안보회의 개최 비난 (91.1.18, 대남 민민전 방송)
  - 남한당국의 1.17. 긴급 국가안보회의는 페만전쟁을 계기로 북침전쟁의 구실을 찾으려는 호전적 기도임.

o 아측 전투함의 북한 영해침범 주장, 비난 (91.1.18, 평양방송)
  - 남한 전투함 3척이 북측영해를 불법침입, 군사적 도발을 감행함.
  - 이는 페만정세를 악용, 한반도에 긴장상태를 격화시키려는 남한당국의 계획적, 고의적 도발책동임.

0021

외 무 부

종   별 : 지 급

번   호 : GEW-0119   일   시 : 91 0117 1740

수   신 : 장관(중근동,정이,해신,기정동문,국방)

발   신 : 주 독 대사

제   목 : 페만전쟁 관련 북한 태도(9)

공람	정보1과	정보2과	홍보과	분과과		
		ㅇ				

대:WGE-0082

독일 베르린 소재 ADN(이전 동독 국영봉신사)봉신은 북한이 예상외로 신속히 페만 사태에 대해서 반응을 보였다면서, 북한의 노동신문 보도 내용을 아래와 같이 요약 보도함

   0 이번 전쟁은 제국주의의 침략임

   0 제국주의자들은 이락이 쿠웨이트 침공을 구실삼아 대규모 페만전쟁을 감행했음

   0 북한이 유엔의 경제제재 조치를 어겼다는 주장은 날조된 것이며, 이러한 주장은 범죄적인 전쟁에 대한 세계의 이목을 다른데로 돌리게 하려는 의도적인 도발이자 정치적 속임수임.

   (대사-국장)

중아국 공보처	장관	차관	1차보	2차보	정문국	정와대	안기부	국방부

발　신　전　보

분류번호	보존기간

번　　호 : WGE-0091　　910118 1510　DA　　종별 : 암호 발신

수　　신 : 주　　독　　대사./총/영사

발　　신 : 장　관　（정이）

제　　목 : 페만관련 북한 태도

　　　　대 : GEW - 0119

　　　　대호 ~~독일 배를린 소재~~ ADN 통신이 북한 노동신문의 페만사태 보도내용을

보도한 Full text 를 입수, 송부바람.　　끝.

　　　　　　　　　　　　　　（정문국장　신 성 오）

정보2과

주 독 일 대 사 관

GEW(F)-801   10118 1800

수신 : 장관 (중근동, 구주, 해산, 기정, 국방)

발신 : 주독대사

제목 :   별첨

(표지 포함 총 2매)

13매걸

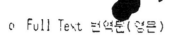

o Full Text 번역문(얼은)

War/Gulf/Reactions North Korea
North Korea speaks of a new imperialistic aggression

Pyongyang (ADN) : In an unusually quick reaction the KDVR has called the beginning of the attack against Iraq an imperialistic aggression. The leading pager "Nodong-Sinmun" writes on Thursday : "The imperialists started in the gulf area a large-scale aggression under the pretext to oppose an aggression."

At the same time the paper denies that North Korea broke up the UN-embargo by supplying to Iraq. The totally unfounded statements of the US-military about deliveries carried out by air are a deliberate provocation and a political lie, in order to deviate the attention of the world from its criminal war.

o 원문

Krieg/Golf/Reaktion North Korea
Nordkorea spricht von neuer imperialistischer Aggression

Pyongyang : Die KDVR hat in einer ungewoehnlichen schnellen Reaktion den Beginn des Angriffs gegen Irak als imperialistische Aggression bezeichnet, Die fuehrende Zeitung "Nodong-Sinmun" schreibt am Donnestag : "Die Imperialisten haben in der Golfregion den Weg der Aggression in grossem Massstab beschritten unter dem Vorwand einen Aggression entgegentreten zu wollen".

Die Zeitung bestreitet zugleich, dass Nordkorea das UNO-Embargo durchbrochen und an Irak geliefert habe. Die in jeder Hinsicht unbegruendeten Behauptungen der USA-Militaers ueber Lieferungen auf dem Luftweg seien eine bewusste Provokation und ein politischer Schwindel, um die Aufmerksamkeit der Welt von ihrem verbrecherischem Krieg abzulenken. 끝.

0025.

관리 번호	91- 98

외 무 부

종 별 :

번 호 : JAW-0247   일 시 : 91 0118 1022

수 신 : 장관(해신,정홍)

발 신 : 주 일 대사(일공)

제 목 : 언론반응

공 람	견 원 일	정보1과	정보2과	홍보과	문화과	외신1과	외신2과
			⊙ ✓				

대:WJA-0234

1. 대호 관련, 당지 언론은 91.1.17. 석간(도쿄), 1.18. 조간(아사히,
마이니찌)를 통해

    0 한국군이 특별 경계 태세에 돌입

    0 한국 정부 대변인은 개전 지지 성명을 발표

    0 군의료지원단 파견을 예정대로 추진중

    0 다국적군 수송지원을 위해 대한항공을 사용 계획

    0 미국 정부의 추가지원 요청 문제를 긴급 협의중.

이라고 해설없이 1 단 기사로 보도 했음.

2. 북한 평양 방송은 17 일 오후 임시뉴스 형태의 개전사실 보도를 통해 미국을
비난 했다는 내용을 R.P. 공동통신을 인용 1.18. 조간(아사히, 마이니찌)에1 단
기사로 게제했음. 끝.

    (수석공보관 윤형규-관장)

    예고:91.6.31. 까지

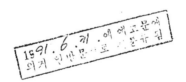

1991.6.? . 예고문에
외지 일반문서로 재문규 됨

공보처   정문국   안기부

관리 번호 91 -131

외 무 부

종 별 :

번 호 : UNW-0145   일 시 : 91 0121 1830

수 신 : 장관(국연,중근동,정이,기정)(사본:주미대사:직송필)

발 신 : 주 유엔대사

제 목 : 걸프사태(북한의 안보리문서 배포요청)

연:UNW-1723

1. 금 1.21. 유엔사무국 직원이 권종락 참사관에게 제보한바에 따르면 북한대사 박길연은 안보리 의장앞 (NZENGEYA 자이레대사) 1.19 (토) 자 서한을 통하여 북한이 이락에 대하여 물품을 제공하고있다는 미 국방성 대변인의 언급내용을부인하였음.

2. 북한측 서한요지

0. 91.1.16 미 국방성 대변인은 북한이 이락에 물품(SOME COMMODITIES) 을 제공하고 있다고 언급하였음.

0. 북한은 걸프위기 시작단계부터 쿠웨이트의 침공에 반대하여 왔으며 전쟁이 아닌 평화적 해결을 바라왔음.

0. 북한은 동 일관된 입장에따라 이락에 아무것도 제공하지 않고있음. 동 입장은 90.9.1. 북한 외교부장의 유엔사무총장앞 전문에서도 명백히 나타나 있음.

0. 이러한 사실에도 불구하고 미국은 북한의 품위를 손상키 위해 거짓 보고를 날조하였음. 미국은 자신의 정치적 목적을 위해 다른나라를 맹목적으로 "DISGRACE" 하는 서부른 시도를 포기해야함.

0. 동 서한을 안보리 문서로 배포해줄것을 요청함.

3. 북한에서 언급된 90.9.1. 자 외교부장 전문은 연호 보고참조 바람.(북한과 이락관계가 오래전부터 동결되었음을 통보하는 요지임.)

4. 북한측 서한은 별전(FAX) 송부함. 첨부 FAX:UNW(F)-031

(대사 현홍주-국장)

예고:91.12.31. 일반

검 토 필(1991. 6 .30.)

국기국	장관	차관	1차보	2차보	중아국	정문국	청와대	안기부

PAGE 1

井별첨

P.1

UNN(H———기 1이기 1830
(국언 . 중언부, 기가)

미국 : 직송끌   총2대

Democratic People's Republic of Korea
Permanent Observer Mission to the United Nations
225 East 86th Street, 14th Floor, New York, N.Y. 10028
Tel. (212) 722-3589   722-3536

New York, January 19, 1991

H.E.Mr. Bagbent Adeito NZENGEYA
President
Security Council
United Nations

I have the honour to clarify the position of the Democratic
People's Republic of Korea with reference to the remarks made
on January 16, 1991 by the Spokesman of the U.S. Department of
Defence, which said the Democratic People's Republic of Korea had
provided Iraq with some commodities.

The Democratic People's Republic of Korea has been opposed to the
.invasion of Kuwait by Iraq from the beginning of the Gulf crisis
and wished for its peaceful settlement not by means of war.

The Democratic People's Republic of Korea, out of such a
consistent position has provided nothing to Iraq.

This position was clearly indicated in the telegrame (S/21704)
sent on September 1, 1990 by the Minister for Foreign Affairs of
the Democratic People's Republic of Korea to the Secretary General
of the United Nations.

배부처	장관실	차관실	일차보	이차보	기획실	의전장	아주국	미주국	구주국	중아국	국기국	경제국	통상국	정문국	영교국	총무과	감사관	공보관	외연원	청와대	총리실	안기부	문공부
즉									20														/

CDH 거기

2 -/

0028

Notwithstanding the truth, the United States invented a false report in a bid to disgrace the Democratic People's Republic of Korea.

Such an attempt is construed none other than the ill-purposed act to defame the continued peace-loving positions and efforts of the Democratic People's Republic of Korea.

It is urged for the United States to give up such an awkward attempt to blindly disgrace the other for its own political aim.

I request this letter be circulated as a document of the Security Council.

Pak Gil Yon
Ambassador
Permanent Observer

2 — 2

0029

외 무 부

종 별 :

번 호 : UNW-0164 일 시 : 91 0122 1930

수 신 : 장관(국연,중근동,정이(기정))

발 신 : 주 유엔 대사

제 목 : 걸프사태(북한의 안보리 문서배포)

연:UNW-0145

1. 북한측의 대이락 물품 공급 부인내용 안보리 문서배포 요청관련, 금 1.22. 본직은 미국대표부 WATSON 차석대사에게 연호 북한측 동향을 알려주고 북한측이 지적한 국방성 대변인의 91.1.16 자 언급내용을 문의함. 동 대사는 북한측 동향 제보에 사의를 표하고 국무성, 국방성에 북한의 대이락 지원관련 사항을 확인하여 아측에 알려주겠다고 하였음.

2. 본직은 WATSON 대사와 북한의 여사한 동향에 관련한 정보를 교환하고 필요한 대응조치에 관하여 상호 협의하기 위하여 명 1.23. 중 회합키로 하였음.

3. 북한의 대이락 경제지원 또는 대이락 군사교류, 군사협력등 관련동향및 특히 북한의 SCUD 미사일 보유현황에 관한 자료를 본직 참고로 회시하여 주시기 바람.

4.1.20 자 N.Y.T. 의 "SCUD MISSILES : AN ARSENAL OF TERROR " 제하의 5 단기사 (ERIC SCHMITT 특파원의 1.19 자 사우디 DHAHRAN 발 기사) 에 " IRAQ ORIGINALLY BOUGHT SCUDS FROM THE SOVIET UNION AND NORTH KOREA, PENTAGON OFFICIALS SAID " 라는 내용이 포함되어 있음. 동 기사전문을 별전 FAX 보고함.

첨부:1.20 자 N.Y.T. 기사:UNW(F)-036

(대사 현홍주-국장)

예고:91.12.31. 일반

국기국	장관	차관	1차보	2차보	중아국	정문국	안기부

외 무 부

원 본

종 별 :

번 호 : UNW-0164

일 시 : 91 0122 1930

수 신 : 장관(국연,중근동,정이,기정)

발 신 : 주 유엔 대사

제 목 : 걸프사태(북한의 안보리 문서배포)

연:UNW-0145

1. 북한측의 대이락 물품 공급 부인내용 안보리 문서배포 요청관련, 금 1.22. 본직은 미국대표부 WATSON 차석대사에게 연호 북한측 동향을 알려주고 북한측이 지적한 국방성 대변인의 91.1.16 자 언급내용을 문의함. 동 대사는 북한측 동향 제보에 사의를 표하고 국무성, 국방성에 북한의 대이락 지원관련 사항을 확인하여 아측에 알려주겠다고 하였음.

2. 본직은 WATSON 대사와 북한의 여사한 동향에 관련한 정보를 교환하고 필요한 대응조치에 관하여 상호 협의하기 위하여 명 1.23. 중 회합키로 하였음.

3. 북한의 대이락 경제지원 또는 대이락 군사교류, 군사협력등 관련동향및 특히 북한의 SCUD 미사일 보유현황에 관한 자료를 본직 참고로 회시하여 주시기 바람.

4. 1.20 자 N.Y.T. 의 "SCUD MISSILES : AN ARSENAL OF TERROR " 제하의 5 단기사 (ERIC SCHMITT 특파원의 1.19 자 사우디 DHAHRAN 발 기사) 에 " IRAQ ORIGINALLY BOUGHT SCUDS FROM THE SOVIET UNION AND NORTH KOREA, PENTAGON OFFICIALS SAID " 라는 내용이 포함되어 있음. 동 기사전문을 별전 FAX 보고함.

첨부:1.20 자 N.Y.T. 기사:UNW(F)-036

(대사 현홍주-국장)

예고:91.12.31. 일반

검 토 필(1991. 6. 30.)

국기국	장관	차관	1차보	2차보	중아국	정문국	안기부

The Weapons

Scud Missiles: An Arsenal of Terror

By ERIC SCHMITT
Special to The New York Times

DHAHRAN, Saudi Arabia, Jan. 19 — Iraq's surface-to-surface Scud missiles have always been more a weapon of terror than of destruction.

Baghdad is reported to have fired 12 Scuds at Israel and one at Saudi Arabia in the last two days. Fearing that the missiles might be carrying chemical or biological warheads, panicky residents and soldiers have scrambled for gas masks and air-raid shelters.

But the missiles so far have carried only conventional explosives that caused relatively minor damage and about 30 injuries.

The second barrage against Israel this morning, however, delivered a far more powerful political blow: bringing Jerusalem to the brink of retaliation, an act that could splinter Arab members of the allied coalition aligned against Iraq.

The Scuds have proven difficult to wipe out, despite the allied forces' overwhelming air supremacy.

The two dozen Scud launchers in fixed sites in southern Iraq are likely to have been destroyed, military analysts said, but scores of other mobile launchers in the same region can elude detection by concealment and by constantly changing location.

"It's like trying to find a needle in a haystack," the commander of American air forces in the Persian Gulf region, Lieut. Gen. Charles A. Horner, said on Friday.

Military analysts estimate that Iraq has stockpiled 300 to 1,000 of the long-range missiles.

Scuds — the term is a NATO code-name for the Soviet-designed SS-1 missile — have rained terror on their targets since Syria fired early versions against Israel in the 1973 Arab-Israeli war.

Range Was Extended

Iraq originally bought Scuds from the Soviet Union and North Korea, Pentagon officials said. In the Iran-Iraq war in the 1980's, Baghdad modified the Scuds to extend their range to up to 560 miles from 190 miles.

But in doing so, Iraq sacrificed punch for propulsion, and drastically reduced the missile's destructiveness. The Scuds, never blessed with pinpoint accuracy, became even harder to control, sometimes drifting 2,000 yards from an intended target.

Although a poor weapon to bomb a specific target like air bases and power plants, the Scuds prove highly effective when fired at large urban areas where a hit of any sort is virtually guaranteed to terrify the population.

After Baghdad and Teheran declared a cease-fire in 1988, the Scuds were trained on Israel when President Saddam Hussein of Iraq stepped up his threats against that nation.

Threat of Chemical Attack

Since the invasion of Kuwait in August, military analysts have debated whether Iraq has the ability to load chemical warheads on the Scuds.

Some experts say Iraq cannot load Scuds with chemical warheads, arguing that the heat generated in the warhead by atmospheric friction would dissipate the chemicals.

But the threat of such a chemical attack put the Scud launchers at the top of the allied hit list.

Reconnaissance satellites spotted Scud launchers, surrounded by anti-aircraft batteries, and most of the Sovi-

0032

The Iraqi Scud Missile: An Elusive Target

Use: The Soviet-made SS-1 missile, code-named Scud by NATO, is a surface-to-surface weapon used to attack targets beyond the range of a tank. It can be fitted with conventional, chemical or nuclear warheads.

Deployment: Missiles can be mounted on transporters or in a fixed position. Launchers are accompanied by a command and control vehicle and a meteorological station to calculate the missile trajectories. Exact crew size is unknown. Crew includes drivers and launching crews, fuel tanker vehicle crew and crew of a reloader vehicle with extra missiles.

Accuracy: The margin by which a missile may miss its target is said to be anywhere from 1,100 to 3,800 yards. American cruise missiles have a margin of error of only about 30 yards.

Fuel: Missiles are propelled by liquid fuel, which requires some time to place into the missiles, and can launch only five to seven missiles from a single pad before it needs an overhaul to ready it for further firings.

Source: Periscope Database

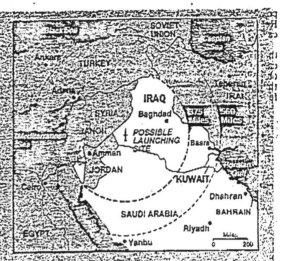

Range: Iraq's modified Scud missiles include the Hussein, with a range of 375 miles; and the Abbas, with a range of 560 miles. Some of these missiles are fitted with booster rockets. The Soviet Scuds have a range of only 190 miles.

Armament: The Hussein can carry 1,102 pounds of explosives. The Abbas can carry 661 pounds. Standard Scuds carry about 2,100 pounds. Modifications may reduce accuracy and capacity.

The New York Times

et-made fixed sites were destroyed in the first few waves of F-15E, F-16, Tornado and A-10 attack planes.

Guided by RF-4 reconnaissance planes and OA-10 and TR-1 observation aircraft, American and British fighter bombers continued their assault on the missile sites and other military targets today.

Military analysts said it was unclear why Iraq had abandoned its night strikes and waited until early this morning to fire three more Scuds at Israel, when the firings would be more noticeable.

The answer, in part, may be timing.

The mobile launchers take about two hours to set up...

Nor is it clear whether the threat of chemical attack has passed. "Iraq may not have them, or any chemical missiles may have been destroyed on that first day," said a Congressional aide who is familiar with the Iraqi military.

2-2

0033

발 신 전 보

WUN-0132   910123 1802 DP   종별 : (지급)

번   호 :

수   신 : 주   유엔   대사 . '총영사'

발   신 : 장 관 (국연)

제   목 : 걸프사태 (북한의 안보리문서 배포)

대 : UNW-0164

1. 대호 3항 관련, 국내유관기관과도 협조하였으나, 파악된 자료가 없음.

2. 한편, 그간 재외공관 보고에서 언급된 북한의 대이락 무기수출 현황은
아래와 같음.

 ㅇ 81.5. 포탄 (트럭 2대분, 8톤상당)

 ㅇ 82.5. 소련제 무기, 탄약 및 수리 부속품

 ㅇ 84.5. 130mm 포 196문

3. 또한 스웨덴 SIPRI Year book 1989에는 북한의 Scud 미사일 보유현황과
관련 하기내용이 수록되어 있음을 참조바람.

 ㅇ 1984년도 소련에 240기 주문.

 ㅇ 1985-88년간 동 주문전량 인수   검토필(1991.6.30.)

  (동 240기중 약 100기는 이란에 재판매 및 일부 이락에 판매가능성)

 ㅇ 북한의 Scud 보유관련 SIPRI 보고서내용 : 별첨

WUN(가) - 003

첨 부 : FAX (Stockholm Int'l Peace Research Institute YB 중 북한부분 1매)

예 고 : 1991.12.31. 일반

(국제기구조약국장 문동석)

보 안	통 제

	91년 1월 23일			기안자 성명		과 장		국 장		차 관	장 관
앙 고 재		외 신 과									

외신과통제

0034

North Korea

In the early 1970s, North Korea received a large number of FROG missiles from the Soviet Union including some 39 launch vehicles. About 10 years later, Scud-B missiles and 12–24 launchers arrived, probably from the Soviet Union although one study argues that the source was Egypt.[155] A stock of over 100 Scud missiles was accumulated, either directly from the Soviet Union, through licensed co-production, or through reverse-engineering and subsequent production based on Scuds from Egypt.[156]

The Scud programme appears to serve commercial interests. North Korea sold over 100 Scuds to Iran in 1987–88 and may have sold smaller quantities to Iraq as well.[154] There are reports that North Korea has extended the range of its Scuds and is helping Egypt to do the same. North Korea may be helping Egypt to manufacture the missiles as well.[158]

Large quantities of Scud missiles are reserved for possible use on the Korean peninsula.[159] They help North Korea to offset the weaknesses of its air force. This is the world's fourth largest with 840 aircraft, but most are of 1950s design.[160] Against South Korean F-16 Falcon and F-4 Phantom fighters, AWACS and an extensive surface-to-air missile network, only North Korean Scud missiles are relatively invulnerable.

North Korea is an NPT signatory, at least several years away from nuclear weapon capability. There is a greater—but unconfirmed—possibility that its missiles could carry chemical warheads.[161]

Nothing could be learned about international reactions to the North Korean missile programme in the course of this research. The Soviet Union has not publicly criticized Pyongyang's Scud exports.

0035

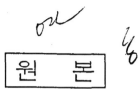

외 무 부

종 별 :

번 호 : UNW-0166
일 시 : 91 0123 1200

수 신 : 장관 (국연,중근동,정이,기정)

발 신 : 주유엔대사

제 목 : 걸프사태 (북한의 안보리문서 배포)

　　북한의 대이락 물자공급을 부인하는 북한대사의 1.19.자 안보리 의장앞 서한이 1.21.자 안보리문서 (S/22120) 로 금 1.23. 배포되었음. 끝

　　(대사 현홍주-국장)

국기국　　장관　　치관　　1차보　　2차보　　미주국　　중아국　　중아국　　정문국
정와대　　종리실　　안기부

PAGE 1
91.01.24　　02:50 CG
외신 1과　통제관
0036

538　걸프 사태 중동 및 기타 지역 2

관리 91
번호 -147

외 무 부

종   별 :

번   호 : UNW-0169   일   시 : 91 0123 1430

수   신 : 장관(국연,중근동,정이,기정)

발   신 : 주 유엔 대사

제   목 : 걸프사태(북한의 안보리문서)

연:UNW-0164

금 1.23. 본직이 미국대표부 WATSON 차석대사와 면담, 표제건에 관하여 협의한 내용을 아래보고함.

1.WATSON 대사는 국방성에 조회해본결과, 현재까지 파악된 경위를 아래와같이 언급하였음.

0. 조선중앙통신의 보도는 PETER WILLIAMS 국방성 대변인의 이름까지 거명하였으나, 국방성 대변인이 북한이 이락에 물자를 공급하고 있다는 언급을 한적이 없음.

0.1.15. 국방성 정례 브리핑시 한기자가 북한을 포함하여 몇몇 국가가 이락에 대해 물자를 공급하고 있다는 소문이 있는바 사실이냐고 질문한데 대해, 국방성 대변인은 "본인으로서는 확인할 만한 정보를 가지고 있지 않다. 확인되는 사실이 있으면 국방성 기자실용 게시판에 게시하겠다" 라고 대답한적이 있으며, 추후 동 게시판에 "특별한 사항이 없다" 는 메모를 게시한바 있었음.

2. 동 대사는 북한측의 주장이 근거없는 사실이므로 현재까지 국무성과 협의한 결과로는 추후 별다른 사항이 없는한 공식적인 대응을 고려치 않고 있다고 밝히고, 유엔회원국으로 부터 질문이 있을시 상기 1 항 내용을 사실대로 밝히겠다고 하였음.

3. 본직이 걸프사태 관련 최근 동향을 문의한바, WATSON 대사는 인도, 알제리가 현위치에서의 휴전을 주내용으로 하는 평화안을 내고있으나 미국은 이에대해 전혀 호응할수 없는 입장이라고 말하였음. 베이커 국무장관이 인도수상 및 알제리 대봉령에게 직접 멧세지를 보내 그러한 방안은 후세인에게 전력을재정비, 강화토록 유예기간을 주는 것이므로 미국등 다국적군의 군사행동의 목적달성에 도움이 되지않는다는 취지의 입장을 밝힌바, 이들국가는 더이상 그러한 평화중재방안을

국기국   장관   차관   1차보   2차보   중아국   정문국   청와대   안기부

PAGE 1   91.01.24   05:47

외신 2과 통제관 FE

0037

추구하지 않겠다고 약속했다함. 미국으로서는 안보리 또는 어느 FORUM 에서든 다국적군의 군사노력을 중화코자 하는 시도를 배격할 방침이라고함. 끝. (대사 현홍주-장관)

예고:91.12.31. 일반

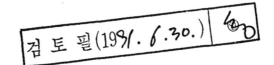

관리
번호 : 91-1483

외 무 부

종 별 :

번 호 : CAW-0119   일 시 : 91 0124 1200

수 신 : 장관(대책반,마그)

발 신 : 주 카이로 총영사

제 목 : 걸프전(북한,중국)

1. 당지시간 금 91.1.24(목) 09:00 시 당지에서 청취한 CNN 프로에 나온 한 군사전문가는 이락이 어디서 탄약을 공급받고 있느냐는 질문에 대해서 심한 외환부족 실정에 있는 중국및 북한으로부터 공급받을수 있다고 말했음.

2. 동 군사전문가는 중국은 과거 약 18 개월동안 대아프리카 무기수출이 중단되어 어려움을 겪고있으며 북한을 통해 탄약을 이락에 공급할수 있다고 말함. 끝.

(총영사 박동순-대책반장)

예고:91.6.30. 일반

북한-이락 군사협력 알리 강영
강관 보24함
①사단 홋데인 동명 방북
②미국 발표
③ NK/UN 서한
④ CNN 보도

1991. 6. 30. 에 예고문에
의거 일반문서로 재 분류됨.

중아국 안기부	장관	차관	1차보	2차보	미주국	중아국	청와대	총리실

PAGE 1

발 신 전 보

번   호 : _____ 종별 : _____

수   신 : 주 유 엔   대사·총영사//

발   신 : 장   관   (중근동)

제   목 : 걸프 사태

대 : UNW-0164

대호관련 다름과 같이 회보함

1. 북한의 76-81간(5년)대 이락 무기 판매량은 대공포 616문과 1,000만불
상당의 대공포실탄 및 포탄 18만톤임. (89 방위연감)

2. 북한은 80년대 이래 PLO, 리비아, 이란등 아랍지역에 군사고문단을
파견하여 테러 및 자살공격 훈련을 시켜왔으나 이라크에의 직접 파견 여부는
확인되고 있지 않음. 만약 걸프전 지상전에서 오토바이를 동원한 대탱크 자살
공격이 자행된다면 북한의 훈련 결과로 볼수도 있음. 한편 소련은 북한접경
10리 지점 북한지역내의 군수공장에서 무기를 생산, 북한제품으로 하여 아랍
중동지역에 판매해온 것으로 추측됨. 이라크의 무기는 탱크 포함하여 대부분이
소련제로서, 북한이 대이라크 무기 부품 공급을 위한 중개창구 역할을 할 소지가 큼.
(국방부 정보사령부)

3. 현재 북한이 보유한 SCUD-B-MISSILE은 총 15기이며, 단거리 FROG
MISSILE 은 총 54기로 추정 (MILITARY BALANCE 90/91) 됨.

/ 계속 . . .

보 안
통 제

기안자
성 명   과 장   심의관 국 장   차 관   장 관

앙고재   91년 1월 앙 중근동과   강   전결

외신과통제

4. 주 이라크 대사관 첩보 보고(바그다드 주재 동구권 무관들로부터 탐문)에 의하면 사담 후세인의 사위 후세인 카밀 군수산업관이 걸프사태 발발이후 원유수출, 군사협력 문제를 논의차 비밀리 북한을 방문, 이라크내 북한 군사 전문가 수를 증원키로 합의하였으며 걸프사태 해결후 북한과 원자력 협력을 추진키로 했다 함. 한편, 주한 헝가리 대사가 동 첩보내용에 대해 당부에 문의한바 있음을 참고 바람.

(중동아국장   이 해 순)

예 고 : 91.12.31. 일반

0041

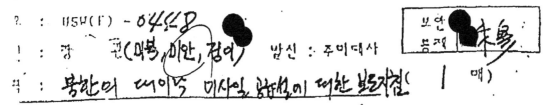

U.S. DEPARTMENT OF STATE

Office of the Assistant Secretary/Spokesman

For Immediate Release   January 31, 1991
1/31/91 TAKEN QUESTION

NORTH KOREAN ASSISTANCE TO IRAQ

Q.   Do you have any information that North Korea has been supplying Iraq with SCUD missile parts or entire missiles?

A.   WE ARE AWARE OF SUCH ALLEGATIONS CONCERNING NORTH KOREA, BUT NOTE THAT PYONGYANG HAS STATED PUBLICLY THAT IT WILL NOT SUPPLY ARMS TO IRAQ IN VIOLATION OF THE U.N. SANCTIONS. WE EXPECT NORTH KOREA TO HONOR ITS COMMITMENT TO ABIDE BY THE SANCTIONS. WE WOULD BE VERY CONCERNED ABOUT ANY ACTION THAT WOULD CONTRIBUTE TO THE DESTABILIZING PROLIFERATION OF MISSILE PARTS OR MISSILES TO ANY PART OF THE MIDDLE EAST/PERSIAN GULF REGION, PARTICULARLY AT THIS TIME OF CRISIS.

배부처	장관실	차관실	일차보	이차보	기획실	의전장	아주국	미주국	구주국	총아국	국기국	경제국	통상국	경산국	영교과	총무과	감사실	공보관	외신원	청와대	총리실	안기부	문공부
	/	/	/					②							/					/	/		

— 1 —

외 무 부

종 별 :

번 호 : NDW-0168

수 신 : 장관(아서,정일,정이,기정)

발 신 : 주 인도 대사

제 목 : 걸프전관련 북한의 대주재국 접근(자료응신 91-8)

일 시 : 91 0125 1950

1. 당관에서 파악한 바에 의하면 당지주재 북한대사 유태섭은 1.21 주재국 외무부 I.P.KHOSLA 정치담당차관보를 방문, 걸프전관련 북한입장을 설명하고 걸프전 평화해결에 관한 비동맹 노력(인도입장)에 적극 동참하겠다는 의사를 표명하였던바, 동차관보는 동제의를 고맙게 생각하나 현재 비동맹권의 평화방안에 대해 진전이 없으므로 좀더 두고 보자고 언급했다 함.

2. 걸프전관련 북한대사가 밝힌 북한입장 아래와 같음.

-이락의 쿠웨이트 침공을 반대하나 이락을 적대시하지는 않으며 미국의 대이락 공격에는 반대함.

-남한은 미국에 동조 의료단을 지원하고 있으나 북한은 대이락 공격 지원행위를 반대함.

3. 상기 북한측의 대주재국 접근은 북한이 걸프전 해결을 위한 비동맹운동에 적극참여를 통해 비동맹내 북한입장을 강화하는 동시에 주재국과의 관계도 향상시키려는 저의로 보임.

(대사 김태지-국장)

예고:91.6.30. 일반

예고에 의거 1991. 6. 30
일반문서로 분류

공 란

외 무 부

종 별 : 지급

번 호 : USW-0542

일 시 : 91 0131 1943

수 신 : 장관(미북,미안,기정)

발 신 : 주 미 대사

제 목 : 북한의 대이락 미사일 제공

연 USW-0496

연호 관련, 금 1.31 국무부 정례 브리핑시 아래와같이 북한의 대이락 SCUD 제공설에 관한 질문이 있었기에 참고로 보고함.

Q DO YOU HAVE ANY INFORMATION THAT NORTH KOREA HAS BEEN SUPPLYING IRAQ WITH SCUD MISSILE PARTS, OR ENTIRE MISSILES (물음표)

MS. TUTWILER I DON'T, BUT I'LL ASK FOR YOU.

(대사 박동진-국장)

미주국   1차보   2차보   미주국   청와대   안기부

91.02.01   11:27

외신 2과 통제관 FE

0045

-3-2-

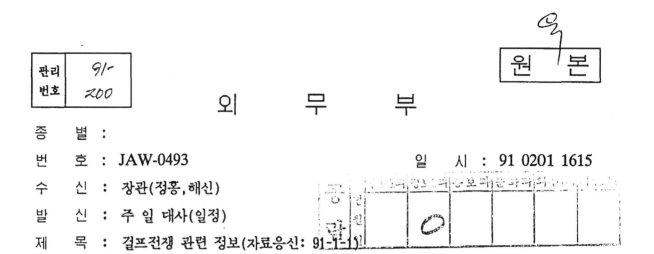

관리 번호	91- 200

원 본

외 무 부

종 별 :

번 호 : JAW-0493

일 시 : 91 0201 1615

수 신 : 장관(정홍, 해신)

발 신 : 주 일 대사(일정)

제 목 : 걸프전쟁 관련 정보(자료응신: 91-1-1)

　　THE OBSERVER 동경특파원 PETER MCGIL 에 의하면 이락크의 항공기 이란 이전과 관련하여 북한이 이락크 조종사의 훈련을 하고 있다는 정보가 있는바 참고바람. 끝

　　(공보관이해관-부장)

　　예고:91.6.30. 까지

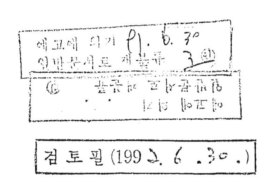

검 토 필 (1992. 6 .30.)

정문국	장관	차관	1차보	2차보	아주국	√중아국	안기부	공보처

PAGE 1

91.02.01　17:08

외신 2과 통제관 BA

0046

외 무 부

종 별 :

번 호 : HKW-0535
일 시 : 91 0204 1700

수 신 : 장관(해신,정홍,아이)

발 신 : 주 홍콩 총영사

제 목 : 현지 언론반응(9)

연: HKW-410

1. SCMP 2.4 자는 'SOUTH KOREA PREPARES FOR PROVOCATION FROM THENORTH' 제하노대통령의 북한 기습공격 가능성에 대한 경고 대비책 지시에 관한 서울발 AFP 기사를외신면톱(8단) 으로 크게 보도함.

2. 동지는 2.3자 1면에 최근 크리스찬 사이언스 모니터지가보도한 바있는 북한의중공산 무기 이락대리 수출에관해 중국관리들이 이를 부인하고 있다는 외신기사를 'CHINA DENIES SELLING WEAPONS TO IRAQ' 제하 5단 크기로 보도함.

끝.

(총영사 정민길-외보부장)

| 공보처 | 장관 | 차관 | 1차보 | 2차보 | 아주국 | 미주국 | 중아국 | 정문국 |
| 청와대 | 총리실 | 안기부 | 대책반 | | | | | |

PAGE 1

91.02.04 21:57 DA

외신 1과 통제관

0047

걸프사태 관련 북한 반응, 1990-91 549

외 무 부

종 별 :

번 호 : CAW-0193   일 시 : 91 0204 1625

수 신 : 장 관(해신,정홍)

발 신 : 주 카이로총영사

제 목 : 기사보고

　　　주재국 언론은 노대통령의 군경계태세 강화 지시 내용관련 기사를 다음과 같이
보도했음.

　　　. 매체명: AL-WAFD,AL-AKHBAR,AL-GOMHURAI 일간지

　　　. 제목: THE SOUTH KOREAN ARMY ON ALERT IN ANTICIPATION OFATTOCK FROM NORTH

　　　. 일자: 91.2.3

　　　. 크기: 3-4단 X 11CM

　　　. 출처: 서울 REUTER

　　　. 요지: 노대통령은 걸프전쟁과 관련 북한이 한국을 공격할 가능성이 있으므로 한
국 군에 경계태세를 갖추도록 지시했으며, 또한 북한은 휴전선에 배차한 SCUD
미사일을 생산하고 있다고 지적했음.

　　　북한은 SCUD 미사일과 무기를 이락에 공급하고 있다는 미국의 발표에 대해
부인했으며, 미국무성 대변인은 북한이 이락에 SCUD 미사일을 공급하는것은 유엔의
대이락 제재 조치의 위반되는 행위라고 말했다고보도. 끝.

　　　(총영사 박동순-관장,국장)

공보처　　정문국　　1차본　2차보　안기부　동아먹　당직실

91.02.05   00:41 CT

　　　　　　　　　　　　　　　　　　　　　　　　　　　　　외신 1과　통제관

　　　　　　　　　　　　　　　　　　　　　　　　　　　　　　　　　　　0048

공   란

공   란

공   란

외 무 부

종   별 : 지급

번   호 : USW-0726   일   시 : 91 0212 1841

수   신 : 장관(미북,미안,정이,기정)

발   신 : 주 미대사

제   목 : 북한의 대이락 무기 공급 가능성(미.북한 접촉)

연:USW-0597(1),0720(2)

　　1. 금 2.12 자 WASHINGTON TIMES 지의 북한의 대이락 무기 공급설에 대한 보도와 관련, 금일 당관 유명환 참사관과 RICHARDSON 국무부 한국과장 접촉시, RICHARDSON 과장은 미측이 미.북한 접촉 내용에 대한 보안을 완벽히 유지못해 유감스럽다고 하면서, 국무부 및 국방부 일부 부서에서 북한의 미사일 수출 가능성을 언론에 설명하는 과정에서 일부 내용이 누출된것같다고 말함.

　　2. 금일 국무부측은 동건 관련 1.31 자 기 준비한 보도 지침에 따라 기자들질의에 답변한바, 동내용 별전 (연호 2 보고)참조 바람.

　　(대사 박동진-국장)

　　예고:91.12.31 일반

```
검 토 필 (1.[91. 6. 30.]) 실
```

관리 번호	91- 168

외 무 부

종 별 :

번 호 : CAW-0357 　　　　　　　　　 일 시 : 91 0307 1720

수 신 : 장관(중동이,정이,정일)

발 신 : 주 카이로 총영사

제 목 : 북한,이라크접촉

(자료응신 제 73 호)

1. 본직은 91.3.6. 당지주재 인도네시아가 주최한 만찬에서 당지주재 북한대사 김용섭과 접촉한바, 동인은 본직과의 대화중, 북한은 과거 수개월기간중 이라크와 수차접촉, 외교관계재개 문제를 협의했는바, 이라크측이 많은 '특수물자'(본직의 물음에 대하여 무기라고 시인함)의 지원을 요청하고있어, 조기 실현되지 못하고 있다고 말하므로써, 북한이 이라크와의 외교관계 재개를 추진하고 있음을 시인하였음.

2. 본직은 북한이 이라크에 대하여 무기를 공급하고 있는것은 잘알려져 있는 사실이라고 말한바, 동인은 북한은 이라크의 쿠웨이트침공 이전에는 다소의 무기를 공급했으나, 그이후에는 공급하지 않았다고 말하므로써 무기공급사실을 시인했음.

3. 동인은 또한 북한은 가능한한 조속히 일본과의 국교정상화가 실현되기를 희망하고 있으며, 일본에대하여 전후 배상을 요구하고 있는것은 일본이 COCOM 규정을 적용하여, 북한에 불이익을 주었기때문에 전후배상을 청구하는것이라고 말함. 끝.

(총영사 박동순-국장)

예고:91.12.31 일반

검 토 필(1991.6.30.)

93.12.31.(일반)로 재분류

중아국	장관	차관	1차보	2차보	정문국	정문국	정와대	안기부

외 무 부

종 별 :

번 호 : USW-2043

일 시 : 90 1429 1850

수 신 : 장 관(미안,미북,중동일, 정이)

발 신 : 주 미 대사

제 목 : CHENEY 국방장관 회견(북한의 대이락 무기공급 설)

연: USW(F)-1516 (1),1567 (2)

CHENEY 국방장관은 금 4.29. 당지 중근동 연구소 주최 심포지움에서 연설후, 연호
(1), W.T 지의 북한의 대이락 무기 공급설에 대한 전문에 연호 (1)와 같이 답변
하였음

(대사 현홍주- 국장)

미주국	1차보	미주국	중아국	정문국	정와대	안기부	국방부

PAGE 1

91.04.30 09:00 WG

외신 1과 통제관

0054

발 신 : USU(F)- 1561

수 신 : 장관 (미북, 미안, 정이, 정홍, 해신) 국신 : 두 미 대사

제 목 : 이라크 재무장 (북한무기 밀수입)   2매

The Washington Times   MONDAY, APRIL 29, 1991

Saddam begins rebuilding military

Jordan serves as pipeline

By Peter Beaumont
and Julie Flint
LONDON OBSERVER

LONDON — Iraqi President Saddam Hussein has launched a secret operation to rebuild his shattered army and reassert his military supremacy inside Iraq in defiance of U.N. sanctions, U.S. and Jordanian sources say.

Jordanian sources said Saddam has set up a huge purchasing operation in Jordan, one of Iraq's allies during the war, to buy technology and equipment to rebuild his armaments industry, largely destroyed during the Persian Gulf war.

U.S. intelligence and defense sources said Iraq also is smuggling in spare parts and ammunition for tanks, artillery and heavy machine guns. The shipments are thought to originate in North Korea and China and pass through Singapore.

Such shipments would violate the U.N. embargo against Iraq. The allegations follow disclosures that Iraq has restored oil shipments to Jordan, also in contravention of the U.N. trade sanctions.

Shortly before the allies launched their assault to retake occupied Kuwait, Washington warned North Korea to halt arms supplies to Iraq because they violated the U.N. mandate. North Korea, one of the world's major manufacturers of Scud missiles, denied it was shipping weapons to Iraq.

[In Baghdad yesterday, the Ministry of Information denied all claims it was rebuilding its arms industry, calling them part of "a campaign of distortion and propaganda against Iraq and a probable move to prepare the ground for some new measure against the country."

["The (U.N. trade) embargo and blockade have been so firmly and brutally implemented, that even food and medicine are not allowed to reach Iraq," a spokesman said.]

1561-1

0055

The Washington Times

IRAQ
From page A1

The British Foreign Office denies there is any evidence that "significant ammounts" of weapons are being smuggled into Iraq, but a U.S. intelligence source said there were "very strong reasons to believe that arms from the Far East" were getting through the military embargo.

The weapons are being transshipped through Singapore, where they are reloaded offshore to disguise their point of origin, sources said.

Jordan now is the main artery for illicit imports into Iraq, and its prime minister, Muhair Badran, a former intelligence chief, has been implicated with Saddam, Jordanian sources said.

Those sources said Saddam's son, Odeh, has sent Bashar Ayssami, a businessman and son of a leading Ba'athist Party member, to Jordan to run a front company to buy steel for the Iraqi arms industry.

Further, Iraq's trade representative in Jordan is Halid Makhzoumi, a former executive in Saddam's much favored Industrial Ministry.

Two other employees of Iraq's government purchasing agency, Zuhair Daoud and Amal Aziz, and "up to 300 businessmen," also have been sent to Jordan in the past three weeks to buy a wide range of goods.

Banking arrangements to get around the U.N. embargo already are in place.

They were negotiated by Majid Ani, chairman of the Rashid Bank of Iraq, and Sadoun Kuba of the Central Bank of Iraq. Mr. Kuba organized payments with the Jordanian banking system in August.

Iraq has money on account in Jor-

Baghdad said in the report that the allied bombing of two small reactors destroyed all of its fissionable material.

---

dan from before the war in building material companies.

In addition to buying new weapons in defiance of the embargo, Western governments think Iraq is lying to the United Nations about the conventional and non-conventional arms still in its possession in a bid to hang on to its arsenal.

Under the cease-fire agreement that ended the war, Iraq pledged to declare and destroy all non-conventional weapons.

But although Baghdad listed 51

al-Hussein missiles — a number that Israeli intelligence disputes — it made no mention of its al-Abbas missiles, which have a range of 550 miles. Nor did it declare its mobile missile launchers.

Also missing from the Iraqi list are the raw materials used for the production of chemical weapons, a number of factories thought to be producing chemical weapons and all mention of biological weapons.

Iraq has never acknowledged having biological weapons. But intelligence reports before the war said its biological arsenal included pulmonary anthrax, the most dangerous of all biowar weapons available.

The International Atomic Energy Agency has highlighted Baghdad's failure to respond adequately about its nuclear program, requesting more information about a report Iraq submitted April 18.

Baghdad said in the report that the allied bombing of two small reactors destroyed all of its fissionable material.

But it did not mention thousands of centrifuges built with Western technology and gave no details of the destruction of the fissionable material, thought to be up to 44 pounds of enriched uranium, enough for at least one nuclear bomb.

"We would at least like to know the location of the rubble," an IAEA official said.

● *Distributed by Scripps Howard.*

1561-2 (END)

외교문서 비밀해제: 걸프 사태 42
걸프 사태 중동 및 기타 지역 2

초판인쇄 2024년 03월 15일
초판발행 2024년 03월 15일

지은이 한국학술정보(주)
펴낸이 채종준
펴낸곳 한국학술정보(주)
주 소 경기도 파주시 회동길 230(문발동)
전 화 031-908-3181(대표)
팩 스 031-908-3189
홈페이지 http://ebook.kstudy.com
E-mail 출판사업부 publish@kstudy.com
등 록 제일산-115호(2000. 6. 19)

ISBN 979-11-7217-004-2 94340
       979-11-6983-960-0 94340 (set)